Prinses Daisy

Van dezelfde schrijfster:

Dazzle
De dochter van Mistral
Frédérique

Judith Krantz

Prinses Daisy

zesde druk

1992 – De Boekerij – Amsterdam

Oorspronkelijke titel: Prinses Daisy
Vertaling: J.F. Niessen-Hossele
Omslagontwerp: Hesseling Design, Ede

CIP-GEGEVENS KONINKLIJKE BIBLIOTHEEK, DEN HAAG

Krantz, Judith

Prinses Daisy / Judith Krantz ; [vert. uit het Engels door J.F. Niessen-Hossele]. – Amsterdam : De Boekerij. – (Parel pockets)
Vert. van: Princess Daisy. – New York : Crown, 1980. – 1e dr. Nederlandse uitg.: Amsterdam [etc.] : Elsevier, 1980.
ISBN 90-225-1381-5
NUGI 340
Trefw.: romans ; vertaald.

Voor Steve,
mijn man, mijn liefde, mijn beste vriend -
voor altijd

'Wij kunnen het ook altijd nog op het dak van het RCA-gebouw filmen,' zei Daisy, die langs het muurtje liep waarboven een hoge metalen railing was aangebracht om zelfmoordpogingen te verhinderen. 'Daar zijn ze lang niet zo benauwd als jullie van het Empire State Building.' Ze wuifde met een minachtend gebaar naar de verhoging achter haar. 'Maar het gaat nu juist om het uitzicht vanaf deze plek, anders komt de boodschap niet over dat het New York is, meneer Jones.'

De man in uniform zag stokstijf van verbazing, hoe Daisy plotseling omhoog sprong en zich met één sterke hand aan een spijl van de railing vasthield. Met de andere hand nam ze de matrozenmuts af, waar ze haar haar onder had gestopt en liet het vrijuit waaien. De zilvergouden haardos werd gevangen door de wind, die hem in miljoen prachtige, oogverblindende draden uitspreidde.

'Kom naar beneden, juffrouw,' zei de man, die het uitkijkdak bewaakte, smekend. 'Ik heb u toch gezegd dat het niet mag.'

'Kijk, ik wil u laten zien, wat de bedoeling is,' hield Daisy vol. 'Het is een reclamefilmpje voor haarlak en wat is nu, uit artistiek oogpunt gezien, een reclameboodschap voor haarlak zonder wind die door het haar waait — kunt u me dat vertellen? Niets anders dan saaie, zware haarslierten — wind is onmísbaar, meneer Jones. Kunt u dat begrijpen?'

De man in uniform keek met bewondering en bevreemding naar Daisy op. Hier begreep hij niets van. Ze was jong en hij had nog nooit iemand gezien, die zo mooi was, maar ze droeg een goor baseballjack met het nergens op slaande opschrift **BROOKLYN DODGERS** op de rug, een matrozenbroek van de Amerikaanse marine en een paar afgetrapte tennisschoenen. Hij was niet bepaald een romantisch man, maar alles aan haar prikkelde zijn verbeelding met een ongewone aantrekkingskracht. Hij kon zijn ogen maar niet van haar afhouden. Ze was net zo groot als hij, bijna een meter zeventig lang, en iets in de manier waarop ze liep had hem doen denken aan een geoefend atleet, nog voor ze op de stang was gesprongen, van waaraf ze nu fier en onverschrokken gebaarde, alsof ze een heuse zonnestraal probeerde te vangen. De dak-opzichter meende aan de typische duidelijke intonatie waarmee ze sprak te horen dat ze wellicht geen Amerikaanse was; maar wie anders dan een Amerikaanse trok nu zúlke kleren aan? Toen ze de eerste keer was gekomen, had ze alleen maar gevraagd of ze op zijn dak een reclamefilmpje mocht maken, en nu hing ze daar in de lucht als een godvergeten engel in een kerstboom. Goddank, dat het dak die dag voor het publiek was gesloten.

'U mag daar niet op. U hebt me toen u hier de vorige keer was niet gezegd, dat u dat wilde,' zei hij verwijtend en kwam behoedzaam rondcirkelend naderbij. 'Dat is nu eenmaal niet toegestaan. Het kan gevaar opleveren.'

'Maar de ware kunst stoort zich niet aan regels,' riep Daisy hem vrolijk toe. Ze bedacht dat ze, toen ze een week geleden voor het eerst naar deze locatie was komen kijken, zich met twee briefjes van twintig dollar van de medewerking van meneer Jones had verzekerd. Ze had nog veel meer twintigjes bij zich. Sinds ze als producente van reclamefilmpjes werkte, had ze geleerd uitsluitend met papiergeld op zak te reizen.

Daisy klom nog wat hoger en haalde eens diep adem. Het was een stralende, frisse voorjaarsdag en de wind had alle roet uit de stad weggeblazen. De rivieren die om het eiland kronkelden, waren zo blauw en beweeglijk als de oceaan zelf, en Central Park lag als een groot Perzisch tapijt aan de voeten van de grijze flatgebouwen van Fifth Avenue gespreid.

Ze glimlachte tegen de bezorgde man die naar haar opkeek. 'Luister nu eens, meneer Jones, ik kén de drie fotomodellen waar we mee werken. De een leeft van rauwe groenten en is bezig voor haar zwarte band in karate, de tweede heeft zojuist een contract voor haar eerste film getekend en de derde is een studente die met een oliebaron is verloofd — denkt u nou, dat drie van zulke gezonde Amerikaanse meisjes van plan zijn naar beneden te springen? Wij gaan een sterk platform bouwen, waar ze absoluut veilig op kunnen staan. Daar sta ik persoonlijk voor in.'

'Een platform! Maar u hebt helemaal niet gezegd, dat . . .'

Daisy sprong naar beneden en ging vlak voor hem staan. Haar donkere ogen, niet helemaal zwart, maar meer de kleur van het hart van een diep purperen reuzenviooltje, vingen het namiddaglicht en hielden het vast, terwijl ze met een geroutineerd gebaar twee opgevouwen bankbiljetten in zijn hand stopte. 'Het spijt me, als ik u aan het schrikken hebt gemaakt, meneer Jones. Echt waar, het is daarboven zo veilig als een huis — probeert u het nu maar.'

'Dat weet ik nog zo niet, juffrouw.'

'Ach, vooruit nu maar,' zei Daisy met een vleiende stem. 'U hebt toch beloofd, dat maandag alles voor ons gereed zou zijn? U hebt toch beloofd, dat er 's morgens om zes uur een speciale vrachtlift bedrijfsklaar zou zijn?'

'Maar u hebt er niets van gezegd, dat u boven het peil van het dak uit zou gaan,' mopperde hij.

'Het peil van het dak!' zei Daisy verontwaardigd. 'Als het ons alleen maar om een hoog uitzicht was begonnen, waren er wel een dozijn andere gebouwen in de stad geweest die we hadden kunnen gebruiken — maar wij willen nu juist dat van u, meneer Jones, en niet van iemand anders.' Het script voor het reclamefilmpje had uitdrukkelijk het Empire State Building opgegeven. Revlon moest haar leven zo nodig ingewikkeld maken. Toen Daisy in haar zak naar nog een briefje van twintig viste, dacht ze weer aan die keer, drie jaar geleden, toen ze pas als produktie-assistente was begonnen en voor het eerst een taxichauffeur doodleuk veertig dollar zag aannemen, om zijn meter af te zetten en zijn taxi zes uur lang als achtergrond voor een straatscène te laten gebruiken. 'Maar dat is omkoperij,' had ze geprotesteerd. 'Beschouw het maar als huur als je in het vak wilt blijven,' hadden ze haar gewaarschuwd en ze had die raad in haar oren geknoopt. Nu, als ervaren producente van de beste reclameboodschappen die ooit verfilmd zijn — als je van reclamefilms houdt — trok Daisy zich de bezwaren van de mensen niet meer aan en al viel het niet mee meneer Jones om te praten, hij was de kwaadste nog niet. De volgende handige zet die ze in petto had, gaf meestal de doorslag.

'O, wat ik nog zeggen wou,' zei ze en kwam wat dichter bij hem staan, 'de regisseur vroeg of u op de film wilt, daar op de achtergrond, als de sleuteldrager van een koninkrijk. Wij betalen uitsluitend het minimumsalaris van de Filmacteursbond, dus u hoeft het niet te doen als u geen zin hebt — wij kunnen ook een acteur huren om u te spelen, maar dat is lang zo echt niet.'

'Ach . . .'

'En dan moet u natuurlijk wel worden geschminkt,' zei ze, haar troef uitspelend.

'O, nou, dat zal wel gaan, denk ik. Tja, waar heb je haarlak voor nodig als de wind niet door je haar waait? Ik snap wel wat u bedoelt. Geschminkt, dus. Moet ik dan ook een speciaal kostuum aan?'

'Het uniform dat u aan hebt is prima. Nou, dag meneer Jones — tot maandagochtend vroeg dan.' Daisy wuifde hem opgewekt toe en wandelde naar het overdekte middenpad van het gebouw, waar ze wachtte, tot de lift de zesentachtigste verdieping had bereikt. Ondertussen peinsde het meisje in het baseballjack, geboren prinses Marguerite Alexandrovna Valensky, dat het maar gelukkig was dat er één ding was waar je in deze wereld op kon rekenen; íedereen wilde op de film.

Meneer Jones was slechts één van een lange reeks mannen die door iets in Daisy gefascineerd waren geraakt. Een van de eersten was de befaamde fotograaf Philippe Halsman geweest, de man die meer omslagfoto's voor Life zou maken dan iemand anders in de geschiedenis van dat tijdschrift. In de nazomer van 1952 had hij opdracht gekregen om de eerste officiële foto's van Daisy voor een omslag van Life te maken, omdat natuurlijk iedereen — zo meenden de uitgevers van dat tijdschrift — wilde weten hoe het kind van prins Stash Valensky en Francesca Vernon eruit zag. Het plotselinge huwelijk van de grote oorlogsheld en legendarische polospeler met de onvergelijkelijke romantische Amerikaanse filmster had de wereld mateloos geboeid en aanleiding gegeven tot geruchten, die des te gretiger voedsel vonden door de afzondering, waarin prins en prinses Valensky met hun eerste kind sinds haar geboorte in april hadden geleefd.

Nu, in augustus, zat Francesca Vernon Valensky met Daisy in haar armen in het hoge gras van een Zwitserse alpenwei. Halsman trof de actrice in een tikje peinzende, enigszins afwezige stemming aan, hoewel hij haar al tweemaal eerder had gefotografeerd, de tweede keer nadat ze een Oscar had gewonnen voor haar Julia. Maar het lachende kind boezemde hem nog meer belangstelling in dan het geheim van haar moeders stemming. Het kleine meisje leek op een nieuwe hybride-roos van een onwaarschijnlijke kleurencombinatie. Eigenlijk, dacht hij, was het alleen door geslachtenlang selectieve voortplanting mogelijk geweest een kind voort te brengen, dat de klassieke Italiaanse donkere ogen van haar moeder had en een huid die een Toscaanse warmte bezat, als dat speciale stukje perzik waar je het eerst in bijt, omdat je weet dat het het rijpste plekje van de vrucht zal zijn. Maar haar hoofdje was bedekt met Angelsaksische witte krullen die als een bloemkroon om haar levendige gezichtje vielen.

Masja, de oude min van Stash Valensky, die nog deel uitmaakte van zijn huishouding, had op haar typische, eigenwijze manier de fotograaf meegedeeld, dat prinses Daisy precies hetzelfde haar had als haar vader, toen die nog een kind was. Het was echt blond haar, verklaarde ze trots, dat later goudblond kan worden maar bij het ouder worden nooit in asblond verandert. Ze gaf hoog op van dit Valensky-haar, dat wel in iedere generatie werd aangetroffen, zover terug als in de familie kon worden nagegaan. Helemaal tot aan de tijd van de vroegste erfelijke Russische adel, de *boyars* die bijna duizend jaar voor Peter de Grote de metgezellen van de tsaren waren geweest. Was haar meester immers niet, zei ze bijna verontwaardigd, een rechtstreekse afstammeling van Rurik, de Scandinavische prins, die in de negende eeuw de Russische monarchie had gesticht? Halsman was het prompt met haar eens, dat Daisy's haar altijd blond zou blijven. Met de herinnering aan Masja's heerszuchtige aard en het idee in zijn achterhoofd, dat ze ieder ogenblik het kind kon komen halen om te eten, werkte hij snel om de tijd die hij nog had zo goed mogelijk te benutten.

Het leek hem beter Francesca maar niet te vragen om voor een plaatje in de lucht te springen, een geliefd kunstje van hem na een zitting, dat hij met succes op veel beroemdheden en hooggeplaatste persoonlijkheden had toegepast. In plaats daarvan overreedde de fotograaf met zijn charme Stash Valensky die achter hem naar het tafereel had staan kijken, om samen met zijn vrouw en dochter te poseren.

Maar ondanks zijn zelfverzekerde en autoritaire houding, voelde Valensky zich voor het oog van een camera niet op zijn gemak. Het grootste deel van zijn eenenveertig jaar had hij geleefd met twee uitspraken ergens achter in zijn hoofd. De ene kwam van Tolstoi: '. . . het is de taak van een edelman te leven als een edelman, dat kan alleen de adel.' De andere uitspraak was afkomstig van een verminkte tekst over het hindoeïsme, die hij in handen had gekregen tijdens een periode waarin hij korte tijd voor herstel in het ziekenhuis verbleef, nadat hij tijdens de slag om Engeland met een parachute uit zijn eerste Hurricane gevechtsvliegtuig was gesprongen. 'Wees als de adelaar als hij boven de afgrond zweeft. De adelaar denkt niet aan vliegen, hij voelt eenvoudig dat hij vliegt.'

Geen van beide stelregels stonden hem toe zich op zijn gemak te voelen als hij zich stil hield voor een foto. Hij was zo stijf, dat Halsman als bij plotselinge ingeving voorstelde om naar de stallen te gaan, waar de negen polopony's van de prins in hun boxen stonden, waar ze door drie stalknechten werden verzorgd.

Francesca wiegde Daisy in haar armen, terwijl Valensky op de goede eigenschappen van de dieren wees. Meegesleept door zijn enthousiasme had Valensky juist de fotograaf uitgenodigd om in de mond van zijn favoriete pony, Merlin, te kijken, toen Halsman zich hardop afvroeg of de pony het goed zou vinden als de prins Daisy op zijn rug tilde.

'Waarom niet? Merlin heeft een goedige aard.'

'Maar hij is niet gezadeld,' wierp Francesca tegen.

'Des te beter. Daisy moet later toch leren zonder zadel te rijden.'

'Ze kan nog niet eens zelf rechtop zitten,' zei Francesca zenuwachtig.

'Ik ben ook niet van plan haar los te laten.' De prins lachte, pakte de baby stevig vast en zette haar schrijlings op het holle gedeelte van de rug van de pony tussen de lendenen en de schoften. Francesca stak haar hand op om haar kind te steunen en Halsman kreeg dan eindelijk zijn omslagfoto; de prachtige man en de prachtige vrouw met hun handen om het lijfje in elkaar geslagen en de gezichten gretig opgeheven naar hun spruit in een gebloemd katoenen jurkje, die opgetogen met de handjes in de lucht wapperde.

'Ze is helemaal niet bang, Francesca,' riep Stash trots uit. 'Ik wist het wel. Valenskyvrouwen rijden al honderden jaren uitstekend — heb ik je dat niet verteld?'

'Meer dan eens, lieverd,' antwoordde Francesca met een goedmoedig spotlachje waarin een vleugje droefheid klonk en dat maar heel kort duurde. Op dat ogenblik besloot Halsman, dat de tijd rijp was om een springende foto van de prins te nemen. Toen hij met dat idee op de proppen kwam, aarzelde Valensky geen moment. Hij tilde Daisy van Merlins rug, pakte haar onder de armen beet, hield haar hoog boven zijn hoofd en sprong met een grote woeste sprong recht omhoog. Het kind gilde van pret en Francesca Valensky rilde, zij, die vroeger zo onbezonnen en roekeloos was geweest. Wat was er in dit huwelijk met haar gebeurd? vroeg Halsman zich af.

Normaal legt de *Queen Mary* de overtocht van New York naar Southampton in één ruk af. Op deze speciale reis, in juni 1951, kwamen de grote motoren tot stilstand toen het schip in Cherbourg aankwam. Het lag vlak buiten de haven terwijl een sloep naar het oceaanschip ging en bij een bagageluik aanlegde. Een dozijn matrozen reed grote karren volgeladen met bagage over de loopplank en deponeerde die in twee stapels: de ene een enorme berg, de andere relatief bescheiden. Toen alle hutkoffers en valiezen op hun plaats stonden, verdrongen duizenden passagiers zich aan de railing om naar de reden van dit onverklaarbare oponthoud te speuren. Na een korte wachttijd, liepen drie mensen de loopplank over, een slanke man gearmd met een chique vrouw, voorafgegaan door vier zenuwachtige hondjes, met daarachter een andere vrouw die de studenten uit de derde klas onmiddellijk herkenden en met gejuich en applaus begroetten. Terwijl Francesca Vernon, op een van haar koffers gezeten vrolijk haar bewonderaars toewuifde, zagen de hertog en hertogin van Windsor die waardig bij de dozijnen hutkoffers met hun zomergarderobe erin stonden, geen aanleiding om op het rumoer te reageren; zij verwaardigden zich niet eens de actrice toe te knikken, wier gezicht net zo beroemd was als het hunne. Omdat zij nooit voet in Engeland zetten, maar altijd per Cunard reisden, vond hun jaarlijkse aankomst op het continent helaas altijd onder zoveel publieke belangstelling plaats. Aan boord van de *Queen Mary* aten zij altijd in hun suite en kwamen alleen buiten om hun Cairn terriërs uit te laten. Door gewoonte gehard schonken ze nadrukkelijk geen enkele aandacht aan de toeschouwers, maar voor Francesca droeg het publiek alleen maar bij tot de groeiende sensatie die ze voelde toen de sloep de douaneloods naderde, waar haar agent, Matty Firestone en zijn vrouw Margo op haar wachtten.

De Firestones verbleven al enige weken voor haar aankomst in Europa. Ze hadden een grote vooroorlogse Delahaye toerauto gehuurd en een Engelssprekende chauffeur aangenomen. Francesca zat in stille afwachting in de auto die over de met populieren geflankeerde wegen naar Parijs snelde. Haar donkere schoonheid die meer aan het vijftiende-eeuwse Italië deed denken dan aan het eigentijdse modebeeld, tintelde van popelende verwachting, terwijl ze voorovergeleund op de kussens van de auto zat. In de compositie van de essentiële driehoek van ogen en mond lag een combinatie van rust en zuivere sensualiteit. Haar zwarte ogen waren groot en stonden wijd uit elkaar, haar mond was zelfs in rust veelzeggend door de gracieuze vorm: de tere boog van haar bovenlip daalde in het midden naar het fraaie kussentje van haar onderlip in een lijn die de kracht van een omhelzing had. Margo keek naar haar met een moederlijk gevoel. Ze vond dat Francesca in al haar rollen nog nooit zo ontroerend was geweest als nu, een en al vurige opwinding door haar eerste uren op Europese bodem. Behalve Margo, die al zes jaar haar vriendin, vertrouwelinge en beschermster was, wisten weinig mensen hoe sterk de vierentwintigjarige filmster eigenlijk nog beïnvloed was door sprookjes en romantische liefdesgeschiedenissen.

'Wij gaan eerst een week naar Parijs, schat,' zei Matty tegen zijn cliënte, 'en daarna de traditionele reis, dwars door Frankrijk naar de Rivièra en dan langs de kust tot we in Italië komen. Wij doen Florence, Rome en Venetië aan en gaan dan door Zwitserland terug naar Parijs; bij elkaar twee maanden. Lijkt je dat wat?'

Francesca was te bewogen om te antwoorden.

Tegen eind augustus keerden de Firestones en Francesca naar Parijs terug, waar Margo nog van alles moest kopen, vóór hun schip aan het eind van de maand vertrok. Ze logeerden in George V, toen en nu het hotel voor rijke toeristen, die het niets kan schelen dat het hotel vol andere rijke toeristen zit, maar die wel prijs stellen op goede bedden, kamerbediening en behoorlijk sanitair.

In de bar van het hotel werd Matty de eerste avond van hun terugkomst begroet door David Fox, de vice-president van een filmmaatschappij, waar hij in Hollywood minstens eenmaal per maand mee lunchte.

'Jullie moeten volgende week allemaal naar Deauville komen voor de polo-wedstrijd,' drong David aan. 'Het is de eerste belangrijke match sinds de oorlog.'

'Polo?' vroeg Matty verontwaardigd. 'Een stelletje rijke nietsnutten op zenuwachtige paardjes? Wat moet je daarmee?'

'Maar zij hebben de finales bereikt — iedereen komt er,' hield David vol.

'Wat dragen ze in Deauville?' vroeg Margo nieuwsgierig.

'Hetzelfde als voor een tocht met het grootste jacht ter wereld,' antwoordde David uitgekookt. 'En iedereen verkleedt zich natuurlijk driemaal per dag.'

Margo kon bijna niet nalaten haar lippen af te likken. De strandmode had haar altijd bijzonder geflatteerd.

'Matty, lieverd, ik móet naar Deauville,' verkondigde ze op een toon, waaruit Matty opmaakte dat verdere discussie geen zin had.

Deauville, die tijdloos chique badplaats, was in 1864 door Duc de Morny aan de kust van Normandië gesticht en van de aanvang af bestemd om een paradijs voor aristocraten met geld te zijn, die zich hartstochtelijk met paarderennen, gokken en golf bezighielden. Omdat het gras van Normandië het sappigste van Frankrijk is, brengen de koeien daar de beste kaas, room en boter voort. Dit zelfde gras trekt onherroepelijk paardemensen aan en op de grote stoeterijen van het omringende platteland worden dan ook paarden gefokt. De stad Deauville zelf bestaat bijna geheel uit hotels, winkels, café's en restaurants, maar de frisse zeelucht stelt de fikse wandelaars op de ouderwetse Promenade des Planches in staat zich te verbeelden, dat de vorige avond die ze in het casino hebben doorgebracht, op de een of andere manier goed voor hun gezondheid is geweest.

Het hotel Normandië, waar Matty op het laatste nippertje nog kamers had kunnen bemachtigen, is gebouwd in de Engelse stijl met vakwerkgevel; zo ongeveer alsof iemand een normale villa had genomen en er een groot strandhotel van had gemaakt. In augustus boden het hotel Normandië, het Royal en het Hotel du Golf onderdak aan een groot deel van díe mensen, die steevast in oktober in Parijs, in februari in St. Moritz en in juni in Londen zijn.

In 1951 werden deze mensen de internationale set genoemd. Bij gebrek aan een straalmotor bestond de uitdrukking 'jet set' nog niet, maar ook toen waren de kranten en tijdschriften, zij het in minder overdreven mate dan nu, hogelijk geïnteresseerd in het doen en laten van deze rijkeluiskliek, die op de een of andere manier aan de wereld van de grauwe alledaagsheid was ontsnapt.

Het werd allemaal gevoed door geld, hoewel geld alleen de entree niet garandeerde. Charme, schoonheid, talent: geen van deze attributen, zelfs samen met geld, kon iemand lid van de internationale set maken. Wél noodzakelijk was de bereidheid om met volle overgave een bepaald soort leven te leiden; een leven, waarin men jarenlang onafgebroken geneugten en vrijheid kon najagen zonder last te krijgen van schuldgevoelens.

Een leven waarin werk van weinig betekenis was en aan prestaties, behalve in sport en de speelzaal, geen hoge plaats werd toegekend. Het was een leven, waarin men al zijn energie besteedde aan de uiterlijkheden en versieringen van het leven; een goede verzorging, mode, weelde en exotische huisinrichting, voortdurend reizen, amusement en een brede kennissenkring in plaats van diepe vriendschappen.

Onverbrekelijk verbonden met het leven van de internationale set was de man, die toen playboy heette. De echte playboy had zelf meestal niet veel geld, maar was alleen dáár te vinden waar geld was. Hij was altijd opgewekt en innemend, was thuis op het gebied van vrijwel ieder spel, bezat de tact om beschaafd te drinken, speelschulden te vermijden en vrouwen zóveel genot te schenken, dat zij gegarandeerd met hun vriendinnen over hem spraken.

Prins Alexander Vassilivitch Valensky was geen playboy, maar omdat hij zo vaak op plaatsen te vinden was waar playboys bij elkaar kwamen, had de pers Stash Valensky gemakshalve ook maar tot playboy bestempeld.

Het enorme privévermogen van Stash Valensky scheidde hem volkomen van de gelederen van de playboys. Het was een rijkdom waaraan hij nooit had hoeven twijfelen, ook niet in tijden van zijn wildste uitspattingen. Het was zelfs nooit in hem opgekomen ze als uitspattingen te beschouwen, omdat hij kon uitgeven wat hij wilde. Zijn voorvaderen hadden altijd in weelde gebaad, tot aan zijn vader, wijlen prins Vasilli Alexandrovitch Valensky, toe. Toch kon men Stash Valensky beslist geen zakenman noemen. Tot 1939, toen door het uitbreken van de Tweede Wereldoorlog geen polo werd gespeeld, had hij bijna zijn hele volwassen leven aan dit spel gewijd. Sinds 1935 behoorde hij tot de tien beste spelers in een sport die zo duur was om aan deel te nemen, dat slechts negenduizend mensen ter wereld het ooit speelden.

Valensky had de lichaamsbouw van een groot atleet, die zijn hele leven het uiterste van zijn lichaam heeft gevergd, en de waakzame, felle ogen van een natuurlijk roofdier. Hij had een vrijmoedige blik en zijn zware wenkbrauwen waren veel donkerder dan zijn blonde haar, kort geknipt en ruw als de pels van een slordig getrimde hond. Valensky had nooit ergens om hoeven vragen: óf hij had het gekregen óf hij had het genomen. Door zijn neus, die meermalen was gebroken, maakte hij de indruk een vechtersbaas te zijn. Hij had de verweerde huid van een buitenman en zware, stompe, bijna wrede trekken; maar hij liep met de snelle, gracieuze tred van iemand die overal waar hij zich bevond de toestand meester was. In de internationale polowereld werd hij beschouwd als iemand die de beste 'handen' had. Niet alleen dat Valensky nooit onnodig kracht op het bit en de teugels uitoefende, maar ook was hij een van die mensen met een aangeboren instinct om tussen hem en zijn pony een communicatie tot stand te brengen, waardoor het leek alsof het dier een verlengstuk van hemzelf was.

Toch bezat prins Valensky negen pony's in plaats van de gebruikelijke vijf of zes, want hij reed als een barbaar. Het is niet veilig om gedurende meer dan twee 'chukkers' in één spel een polo-pony te berijden, ermee te galopperen en op topsnelheid te wenden. Stash reed zo agressief, dat hij voor ieder van de zes 'chukkers' de voorkeur aan een verse pony gaf, en hij wilde nooit minder dan drie dieren in reserve hebben. Overeenkomstig de regels van de Hurlingham Polo Association, waaronder hij speelde, is het niemand toegestaan 'zodanig op een tegenstander af te rijden dat hij geïntimideerd raakt en zodoende gedwongen wordt zich terug te trekken.' Stash hield vlak voor dat dubbelzinnige onderscheid halt, maar hij reed nooit op een tegenstander af zonder het duidelijk voornemen hem van zijn paard af te werpen. Er waren veel spelers die vonden dat de HPA-spelregels een speciale penalty hadden moeten bevatten, waardoor Valensky werd gediskwalificeerd, al had nog geen enkele scheidsrechter hem ooit het veld afgestuurd.

Het was een galadag voor Deauville toen de menigte zich beschaafd naar de tribunes voor de polofinales toedrong. Toen de burgemeester van de stad door de directie van hotel Normandië verwittigd was, dat Francesca tot hun gasten behoorde, was hij persoonlijk naar het hotel gegaan en had haar zeer officieel verzocht, of zij de beker aan de winnaar van de wedstrijd van die dag zou willen overhandigen.

'Die eer had mij te beurt zullen vallen, mademoiselle,' zei hij tegen haar, 'maar het zou een grote dag voor Deauville zijn, als u hierin wilt toestemmen.' De burgemeester begreep heel goed, dat er door de deelneming van een filmster door de pers veel meer aandacht aan het hele gebeuren zou worden besteed dan wanneer het alleen maar een sportwedstrijd was geweest.

'Nou . . . ' zei Francesca voor de vorm aarzelend, maar ze zag zich al duidelijk in het middelpunt van de competitie.

'Dat zal ze graag doen,' verzekerde Margo de burgemeester. Ze droeg een wit zijden pakje met donkerblauwe garnering, dat ze op deze reis nog niet had gedragen. Ze had gemeend, dat het voor polo te netjes zou zijn, maar als Francesca ook een rol in het geheel speelde, zou het uitstekend geschikt zijn. Margo was dol op afbeeldingen van koninklijke personages, die inboorlingen dingen aanbieden, iets wat ze zelfs tegenover Matty nooit zou hebben toegegeven. Soms zag Margo zichzelf glimlachend en elegant staan, terwijl haar een boeket rozen werd overhandigd door een klein meisje dat een knix maakte. Het zou haar nooit overkomen, maar waarom zou het Francesca niet overkomen?

De Firestones en Francesca keken naar de wedstrijd met een belangstelling, die al gauw in verwarring overging. Het spel was veel te snel om zonder enige bekendheid met de ingewikkelde spelregels te kunnen volgen, maar er hing een voelbare spanning in de lucht. Polopubliek is elegant gekleed en zorgvuldig geparfumeerd en is geneigd tot een deftig soort hysterie, die het midden houdt tussen de aandacht van het deskundige publiek in de arena in Madrid en de beleefde, gekunstelde geestdrift van Ascot. Ze gaven alle drie al spoedig hun pogingen op om de oorzaken van uitbarstingen van applaus of gekreun na te gaan en genoten alleen nog maar van het schouwspel van acht fantastische atleten die op snelle paarden reden. Wat ballet voor de dans en schaken voor de denksport is, is polo voor de sport.

Een luid gejuich was het teken dat de wedstrijd was afgelopen. De burgemeester kwam naar hun zitplaatsen toe en stak zijn hand naar Francesca uit. 'Vlug, mademoiselle Vernon,' zei hij. 'De pony's zijn warm — wij mogen ze niet op het veld laten staan.'

Francesca liep aan de arm van de burgemeester over het poloterrein, dat nu werd ontsierd door losse zoden die door de hoeven van de pony's waren opgeschopt. De wijde rok van haar zijden groen met blauwe en witte bloemetjes bedrukte, japon, wapperde als een zeil in de sterke wind. Ze droeg een grote witte strohoed met gegolfde rand en met een lint en strikken van dezelfde zijde als haar japon. Francesca die hem met haar ene hand op haar hoofd vasthield, bedacht dat zij onder de wedstrijd blijkbaar haar hoedepennen was kwijtgeraakt. De actrice en de burgemeester kwamen bij de plek waar de acht spelers, allemaal nog op hun paard gezeten, op haar wachtten. De burgemeester sprak enkele woorden, eerst in het Frans en daarna in het Engels. Plotseling overhandigde hij Francesca een zware zilveren trofee en teneinde deze in ontvangst te nemen, nam ze automatisch haar hand van haar hoed af. Die waaide meteen af en rolde over de grond, van de ene graszode naar de andere springend.

'O, jee!' riep ze verschrikt, maar op hetzelfde ogenblik boog Stash Valensky van zijn pony af naar beneden en tilde haar met één arm op. Hij hield haar losjes voor zijn borst vast en dreef zijn rijdier naar de weerspannige hoed. Die was tweehonderd meter verder blijven liggen en Valensky, met Francesca tegen zich aangedrukt, bukte uit zijn zadel naar beneden, raapte de hoed aan de linten op en zette hem behoedzaam weer op haar hoofd. De tribunes schalden van gelach en applaus. Francesca hoorde niets van het rumoer dat de toeschouwers maakten. De tijd was wat haar betrof stil blijven staan. Instinctief bleef ze in stilzwijgende afwachting passief tegen het doorweekte poloshirt van Stash aan zitten. Ze rook zijn zweet en dat verteerde haar van verlangen. Ze kreeg speeksel in haar mond. Ze wilde het liefst haar tanden in zijn bruinverbrande nek zetten en hem bijten tot ze zijn bloed proefde, en de straaltjes zweet oplikken die in zijn open kraag liepen. Ze wilde dat hij zich met haar in zijn armen op de grond liet vallen, zoals hij nu was, rood en dampend, nog hijgend van het spel, en zich in haar boorde.

Stash kwam tot zichzelf, en stapte met zijn pony naar de andere ruiters terug. Hij liet zich met Francesca in zijn armen op de grond glijden en zette haar voorzichtig op haar voeten. Ze hield op de een of andere manier nog steeds de trofee vast en wankelde op haar hoge hakken. Hij nam de beker van haar over, liet hem op het gras vallen en pakte haar beide handen om haar te steunen. Even bleven zij staan en keken elkaar aan, vastgeklonken. Toen boog hij vanuit het middel en kuste een van de handen die hij vasthield; niet de formele kus die nauwelijks de lucht boven de hand beroert, maar een harde, hete afdruk van zijn mond.

'Nu,' zei hij, pal in haar verbaasde ogen kijkend, 'moet u mij de beker geven.' Hij raapte hem op en overhandigde hem aan haar. Zij gaf hem zwijgend aan hem terug. Het publiek klapte weer en onder het applaus zei ze met nauwelijks hoorbare stem: 'Houd me weer vast.'

'Later.'

'Wanneer?' Francesca schrok van haar eigen stemgeluid.

'Vanavond. Waar logeer je?'

'In hotel Normandië.'

'Ga mee. Ik zal je naar je plaats terugbrengen.' Hij bood zijn arm aan. Ze zeiden niets meer voor ze weer bij Matty en Margo terug was. Al het noodzakelijke was gezegd. De rest was onmogelijk te zeggen.

'Acht uur?' vroeg hij.

Ze knikte toestemmend. Hij kuste niet weer haar hand, maar maakte alleen een kleine buiging en beende weg naar het terrein.

'Jezus Christus, wat was er allemaal aan de hand?' vroeg Matty. Francesca gaf geen antwoord. Margo zei niets, want ze zag op het mooie, vertrouwde gezicht van Francesca een verbijsterde uitdrukking, die voor Margo volkomen nieuw was, veroorzaakt door iets buiten de grenzen van Francesca's vroegere ervaring.

'Kom, lieverd,' zei ze tegen de actrice, 'iedereen gaat weg.' Francesca bleef staan waar ze stond, zonder iets te horen. 'Wat trek je aan?' vroeg Margo in haar oor. Nu hoorde Francesca haar wel.

'Het doet er niet toe wat ik aantrek,' antwoordde ze.

'Wat?' Margo was geschokt, voor het eerst sinds twintig jaar, diep geschokt. 'Ga mee, Matty, we moeten naar het hotel terug,' commandeerde ze en, het aan hem overlatend Francesca te vergezellen, ging ze vast vooruit, ongelovig in zichzelf mompelend: 'Doet er niet toe! Dóet er niet toe? Is ze gek geworden?'

Francesca Vernon was het enig kind van professor Ricardo della Orso en zijn vrouw Claudia. Haar vader was hoofd van de faculteit van vreemde talen aan de Universiteit van Californië in Berkeley, waarheen hij in de jaren twintig uit Florence was geëmigreerd. De beide ouders van Francesca hadden hun eeuwenoude oorsprong in het eens zo fraaie bergstadje met de vele torens, San Gimignano, bij Florence. In beide families waren opvallend mooie vrouwen voorgekomen, van wie velen volgens de strenge normen van die tijd hun eer te grabbel hadden gegooid. Honderden jaren lang was menig Toscaanse edelman naar San Gimignano gereden, aangetrokken door de faam van de roemrijke dochters van de della Orso en Veronese families, en maar al te vaak waren ze niet teleurgesteld.

In hun streven Francesca te behoeden, overlaadden haar ouders haar hongerige geest met oude verhalen van heldendaden uit liefde bedreven, van helden en heldinnen die een eervol en gevaarlijk leven leidden. Zij vormden een gretig gehoor voor de tientallen toneelstukken die ze al spoedig voor hen begon op te voeren en waarvan ze de intrige haalde uit de geschiedenissen waarmee ze was opgegroeid. Haar ouders begrepen in hun onschuldige trots niet, dat zij Francesca hadden aangemoedigd zichzelf van de buitenkant te zien, naar zichzelf te kijken als *iemand die ze niet was* en daar diepe vreugde uit te putten. Voor haar was het spelen van een rol grotere werkelijkheid dan alles wat het leven verder had te bieden.

Toen Francesca op zesjarige leeftijd naar school ging, kreeg ze daar haar eerste bredere publiek. In de rol van de sluwe Morgana in een eersteklas opvoering van *Ali Baba en de veertig rovers*, verschaften de woorden 'Sesam, open u!' die de schatkamer openden, haar tevens de zekerheid over haar toekomst. Ze zou actrice worden. Hoewel ze voor het oog normaal de school doorliep, speelde ze vanaf dat ogenblik in haar hoofd toneel. Als ze niet bezig was met de jaarlijkse schooluitvoering, kwam ze op school in de rol van de heldin van het boek, dat ze op dat moment aan het lezen was en daar was ze zo handig in, dat ze dat een hele schooldag kon volhouden zonder zich aan haar klasgenoten te verraden. Ze vonden haar onverwachte reacties en onverklaarbare stemmingen typisch iets voor Francesca, die door haar ontoegankelijkheid ook op school favoriet was. Iedereen wilde met haar bevriend zijn, omdat dit voorrecht slechts zo weinigen was vergund.

Ieder jaar kreeg Francesca de hoofdrol in de schooluitvoeringen en niemand, ook de andere moeders niet, klaagde erover dat het niet eerlijk was, omdat ze duidelijk boven iedereen uitstak. Een produktie waarin ze niet de voornaamste rol speelde, zou onevenwichtig geweest zijn. Ze hoefde maar een toneel op te komen en onmiddellijk ontstond er een hooggespannen verwachting. Haar kleinste gebaren waren vol uitdrukking. Francesca leerde niet acteren; ze kroop slechts in de huid van het personage dat ze speelde en werd die persoon met zó'n natuurlijkheid, dat het leek alsof ze niets anders hoefde te doen dan haar emoties loswikkelen en op haar gezicht laten verschijnen.

'Van alle risico's die aan het beroep van agent kleven, zijn die van middelbare schooluitvoeringen het ergste,' klaagde Matty Firestone.

'Wat dacht je van de liefdesavonturen van een actrice?' vroeg zijn vrouw Margo. 'Vorige week zei je, dat die nog erger waren dan onderhandelingen met Harry Cohn.'

'Daar heb je gelijk in. Een toneelstuk is tenminste gauw afgelopen,' beaamde Matty, alsof hij het een zware beproeving vond de vertolking van *Milestones* van Arnold Bennett door Berkeley Highschool te moeten bijwonen; een produktie die steevast op het repertoire van examenklassen prijkte.

'Waag het niet weer met open ogen in slaap te vallen,' waarschuwde Margo hem liefdevol. 'Daar word ik zenuwachtig van . . . de Hellmans zijn trouwens oude vrienden van jou, niet van mij.'

'Maar jij moest ze zo nodig laten weten dat we in San Francisco waren. Je had er aan moeten denken dat het juni is — eindexamenmaand,' mopperde Matty. Hij verwachtte altijd, dat Margo zijn privéleven net zo perfect organiseerde als haar eigen uitgebreide garderobe. Ze was een ideale agentenvrouw; cynisch, maar nooit zonder onschuldige illusies, hartelijk, ze keek nergens van op en was door en door aardig, zoals Matty de ideale agent was; een man die recht op zijn doel afging. Hij was betrouwbaar, en wist precies hoe ver hij in zijn onderhandelingen kon gaan, hoeveel te veel en hoeveel te weinig was; met daarbij een diepe tegenzin om een echte leugen te vertellen, en hij was niet behept met de gevaarlijke dwang altijd de waarheid te onthullen. Hij en Margo zouden nooit ten prooi vallen aan vleierij, maar tegen de verleiding van talent waren zij niet opgewassen.

In het eerste bedrijf van *Milestones* trad Francesca della Orso op als een jonge vrouw op het punt om in het huwelijk te treden, de vrouw die in het laatste bedrijf haar vijftigjarig huwelijksfeest zou vieren.

'*Die brunette*!' fluisterde Matty in Margo's oor op een toon, waarvan ze de betekenis precies begreep. Die kondigde goed nieuws aan. Het was een stem geladen met massief goud. Ze keken samen naar Francesca, verkenden het volmaakt ovale gezicht, de kleine ronde kin, de rechte neus, de hooggeplaatste wenkbrauwen, waardoor de oogleden een vreemd ontroerende nadruk kregen. Matty had maar één keer een vrouw gezien die zo mooi was als dit meisje en zij had zijn carrière op gang gebracht en zijn fortuin gemaakt. Toen hij naar Francesca luisterde die haar tekst zei, voelde hij plotseling het zweet op zijn bovenlip parelen. Zijn nekharen gingen overeind staan; hij voelde zijn spieren samentrekken. Margo was zich van haar kant scherp bewust van de belofte in die grote kalme gebiedende ogen van het meisje, van de hartstochtelijke aard die duidelijk was ondanks het gladde voorhoofd en de lange gedweeë hals. Ze hadden nog geen van beiden enig idee van het sterke verbeeldingsleven van Francesca, van haar diepgevoelde stemmingen, van de heftigheid van de onwankelbare emoties waaraan ze zich kon overgeven.

Zodra het met goed fatsoen mogelijk was, verlieten Matty en Margo nadat het scherm gezakt was, de saaie dochter van hun vrienden en gingen op zoek naar Francesca della Orso. Ze troffen haar aan in de kleedkamer, nog geschminkt als een bijna zeventigjarige vrouw, temidden van een schare bewonderaars. Matty nam niet de moeite zich aan haar voor te stellen. Hij had het op haar ouders gemunt.

Zijn belegering van Claudia en Ricardo della Orso duurde weken. Hoewel het optreden van hun dochter bij de schooluitvoeringen hen altijd met een stille, verwonderde vreugde had vervuld, waren ze verbijsterd en verontwaardigd over het voorstel van de agent, dat hij Francesca een persoonlijk contract wilde aanbieden en dat ze onder streng toezicht van zijn vrouw in Los Angeles zou komen wonen. Maar eindelijk zetten zij zich tot hun eigen verbazing over hun diepe wantrouwen tegen Hollywood heen, omdat zij inzagen dat Matty Firestone niets anders dan goede bedoelingen had en zij op de beschermende eigenschappen van Margo vertrouwden.

Hoewel Ricardo en Claudia schrokken van de gebeurtenissen die op de opvoering van *Milestones* volgden, was Francesca helemaal niet verbaasd. Ze had zo lang in een droomwereld geleefd, waarin de wonderbaarlijkste dingen als vanzelfsprekend gebeurden, en haar ongebreidelde fantasie had haar altijd ingefluisterd, dat ze niet voorbestemd was voor het leven dat haar vriendinnen zouden leiden. Niets had haar ervan kunnen weerhouden alles te grijpen wat het leven bood.

Francesca Vernon, geboren della Orso, werd een ster in haar eerste film. Haar roem steeg met duizelingwekkende snelheid in die rijke tijd, toen studio's in drie of vier grote films per jaar dezelfde actrice konden gebruiken. Vanaf haar achttiende tot haar vierentwintigste jaar rolde Francesca van de ene film in de andere, want ze was geboren om de grote romantische rollen te spelen. Ruim tien jaar jonger dan Ingrid Bergman, Bette Davis, Ava Gardner of Rita Hayworth, regeerde zij naast hen en veroverde rollen die normaal naar Engelse actrices zouden zijn gegaan, omdat er in Hollywood niemand was die haar als heldin van allure kon evenaren; de edele, door het noodlot gedwarsboomde heldin, de geboren tragedienne.

Francesca woonde een jaar bij de Firestones voor ze zelf een huisje naast hen kocht. De enkele keer dat ze een korte vakantie had ging ze naar San Francisco om haar ouders op te zoeken, maar in 1949 waren ze allebei gestorven. Omdat ze zich niet in het sociale leven van Hollywood stortte, werd ze door de filmbladen al spoedig als een geheimzinnige vrouw bestempeld, een benadering die de gewiekste Matty aanmoedigde, omdat hij wist hoe tergend dat voor de pers was. De publiciteitsafdeling van de studio werkte volop mee aan het waas van geheimzinnigheid dat Francesca omringde, omdat men daar net zo goed als Matty begreep, dat de waarheid voor het preutse publiek van de jaren vijftig volstrekt niet was te pruimen. Francesca werd op bijna al haar tegenspelers roekeloos verliefd en haar tactvolle avonturen, waarin ze zich volkomen uitleefde, eindigden pas als de laatste scène van de film was opgenomen. Matty zou deze amoureuze gewoonte van haar uit pure ergernis niet hebben overleefd, als hij niet had geleerd dat er achter ieder avontuur duidelijk een punt werd gezet. Ze had nooit een echte man van vlees en bloed liefgehad. Ze had de prins van Denemarken bemind en Romeo en Heathcliff en Marcus Antonius en Lord Nelson en een dozijn anderen, maar zodra de gewone sterfelijke acteur voor haar stond, verkilde ze. Het was óf woeste, dramatische hartstocht óf, als Francesca's emoties er aan te pas kwamen, koude havermoutpap.

Margo Firestone die zich over de reeks hevige avonturen van Francesca, dikwijls met getrouwde mannen, ongerust maakte vroeg haar tenslotte waarom ze niet haar best deed om het léuk te hebben, zoals andere jonge actrices.

Francesca viel verontwaardigd tegen haar uit. 'Mijn hemel, Margo, wie denk je in godsnaam wel dat ik ben — een of andere Janet Leigh of Debbie Reynolds soms, met hun schattige kleine damesbladverliefdheden? En wie wil het nu in vredesnaam leuk hebben — wat een belachelijk woord. Ik verlang méér — en ik weet best hoe sentimenteel dat klinkt, dus je hoeft ook niet tegen me te preken. O, ik baal van acteurs! Maar ik kom nooit iemand anders tegen.'

Ze was net vierentwintig geworden toen ze dat zei en die

avond besloot Margo Firestone, dat Francesca verandering van omgeving nodig had. Ze zat veel te veel opgesloten in de kunstmatige wereld van de camera, ze was te rusteloos en te kwetsbaar, en na de dood van haar ouders de laatste jaren was ze gedeprimeerd geworden.

'Als ze mijn dochter was,' zei Margo nadenkend, 'zou ik me hartstikke ongerust maken.'

'Maar ze heeft verleden jaar wel de Oscar gewonnen,' peinsde Matty.

'Dat zou me nog ongeruster maken. Weet je nog wel van Luise Rainer?'

'Toe nou! Dat mag je niet eens zeggen.' Matty klopte het af om de herinnering af te weren aan wat volgens hem de verknoeide carrière van de kwetsbare Oostenrijkse actrice was, die twee Oscars achter elkaar had gewonnen en toen, aan het eind van de dertiger jaren, praktisch uit de rij van belangrijke filmsterren was verdwenen. God verhoede, dat Francesca zoiets overkwam. Of hem.

'Zullen we haar vragen om volgende maand met ons mee naar Europa te gaan?' stelde Margo voor.

'En ik dacht, dat je op tweede huwelijksreis wou,' wierp Matty tegen.

'Ik geloof eigenlijk niet in huwelijksreizen, of het nu de eerste of de tweede is,' zei Margo kordaat. 'Zodra Francesca klaar is met *Anna Karenina*, laat je haar door je kantoor op de eerstvolgende boot zetten — dan kunnen we haar daar afhalen.'

De avond na de polowedstrijd om half acht was Francesca gereed, onder de koortsachtige leiding van Margo. Ze droeg een door Jean Louis ontworpen lange roze-witte avondjapon. Het lijfje zonder schouderbandjes werd opgehouden door dunne baleintjes en was losjes over haar boezem geplooid. De eerste laag chiffon was donker roze, de volgende een tint lichter tot de vijfde en laatste laag die zuiver wit was. Om haar blote schouders wierp ze een stola van vijf lagen chiffon, net als de rok, die vele meters lang was en hier en daar versierd met tere toefjes bleekroze zijden bloemen. Het geheel maakte een achttiende-eeuwse indruk, zo fantastisch alsof ze uit een schilderij van Gainsborough was gestapt. Francesca had haar lange haar, dat ze geweigerd had voor de nieuwste kroeskop op te offeren, in een grote wrong achter in haar nek opgestoken, waaruit een paar kleine krulletjes even voor haar oren en over haar gladde voorhoofd vielen.

Margo monsterde haar met een blik van bewondering en afgunst. Matty was de zitkamer van Francesca's suite binnengewandeld om zijn cliënte te inspecteren. 'Ik hoop maar, dat die vent zich ook heeft opgedoft, schat.'

'Matty, in Deauville laten ze je niet eens de speelzaal van het Casino binnen als je niet in avondkleding bent,' zei Margo neerbuigend. Ze wist hoe het hoorde voor een eerste afspraak met een prins. Sinds haar vijftiende had ze er een voor zichzelf beraamd.

'Luister eens, schat,' ging Matty onverstoorbaar verder. 'Die vent is een echte prins, daar heb ik naar geïnformeerd. Maar hij staat bekend als een groot vrouwenjager en hij is al een keer gescheiden, dus houd daar wel rekening mee. Je bent nu een groot meisje — ik weet het, ik weet het, dat hoef je me niet meer te vertellen.'

Intussen werd er op de deur geklopt. Matty deed open en zag de chasseur van het hotel daar met een witte kartonnen doos in zijn handen staan.

'Bloemen voor juffrouw Vernon,' verkondigde hij. Matty nam de doos aan en gaf de man een fooi. 'Nou, hij kent wel alle foefjes,' merkte hij wrang op. Francesca maakte de doos open en zag dat er een driedubbele krans van rozeknopjes in lag, die ze om haar pols kon winden. Toen zag Margo met haar scherpe blik nog een kleiner fluwelen doosje met een blauw lintje erom, dat onder de rozen verstopt zat. Francesca maakte het vlug open en hield verstomd haar adem in. Daar lag, precies in de met fluweel gevoerde binnenkant van het doosje gepast, een kristallen vaasje, dat driekwart met water was gevuld. In het vaasje staken drie takjes met dikke bloemtrossen op gouden steeltjes. Iedere bloem bestond uit vijf ronde turkooizen bloemblaadjes met diamanten roosjes in het midden en bladeren van jade. Ze haalde het er uit en zette het op tafel. Het hele betoverende voorwerp was acht centimeter hoog en had zijn illusie van water te danken aan de helderheid van het rotskristal.

'Wat...? Wat is dat?' vroeg ze.

'Kunstbloemen,' zei Matty.

'Fabergé... dat is Fabergé... dat kan niet anders,' fluisterde Margo. 'Lees het kaartje eens!'

Toen pas scheurde Francesca het kaartje open dat in het oude fluwelen doosje stak met de tweekoppige adelaar erop, teken van de koninklijke waarborg.

Deze vergeet-me-nietjes zijn van mijn moeder geweest.
Tot vandaag had ik de hoop verloren iemand te vinden aan wie ze toebehoren.

Stash Valensky

'Hij kent zelfs foefjes die nog niet eens zijn uitgevonden,' zei Matty met een somber gezicht, maar zelfs voor zijn nuchtere blik was dit vaasje een buitengewoon kostbaar voorwerp. Wat dit dan ook voor een vent mocht zijn, deze dingen gaf hij niet met handenvol weg.

Juist toen Francesca de rozeknopjes om haar pols had gewonden, belde de receptie om prins Valensky aan te kondigen. 'Hoor eens, schat, denk er maar aan dat een pompoen in een rijtuig kan veranderen,' zei Matty haastig, maar Francesca was zo snel de kamer uit gegaan dat ze hem niet hoorde. Hij wendde zich met een bedrukt gezicht tot Margo. 'Ach, ik bedoelde natuurlijk een rijtuig in een pompoen — denk je, dat ze het verstaan heeft?'

'Je had net zo goed Chinees kunnen spreken,' zei Margo.

Valensky en Francesca Vernon liepen in stilzwijgende overeenstemming door de drukke lounge van het Normandië hotel, waar de mensen zodra ze uit de lift stapte, waren blijven staan om haar in haar volle schoonheid boven de grote wolk van chiffon na te kijken. Zijn open witte Rolls Royce sportwagen stond voor de deur en binnen een paar seconden reden ze door de vrijwel verlaten straten van een stad, waarin de meeste mensen aan het drinken of zich nog voor de avond aan het verkleden waren.

'Besef je wel dat dit een onmogelijk vroeg uur is?' vroeg hij.

'Maar jij hebt gezegd acht uur.'

'Ik geloof niet, dat mijn zenuwen het tot negen uur uit kunnen houden.'

'Heb je last van zenuwen?' Haar beroemde lage, zachte stem kwam moeizaam door haar lippen die plotseling droog waren.

'Sinds vanmiddag wel, ja.' Haar schertsende toon was verdwenen. Hij nam zijn ene hand van het stuur en legde die over de hare. Dat plotselinge, simpele contact maakte, dat ze geen antwoord kon geven. Al haar vele minnaars hadden haar, ook in hun intiemste momenten, nog nooit op die manier aangeraakt. Zijn vingers gaven haar het gevoel, of ze zijn eigendom was.

Een minuut later vervolgde hij. 'Ik was van plan met je in het Casino te gaan dineren . . . daar is vanavond het polobal . . . dat is het hoogtepunt van het seizoen. Vind je het erg om het over te slaan? Wij zouden naar een restaurant kunnen gaan dat ik ken op weg naar Honfleur — Chez Mahu. Het is goed en het is er rustig, vanavond tenminste wel, nu iedereen in Deauville zit.'

Zij reden opnieuw zwijgend door de zacht stralende avond van Normandië, een avond van wijde grijze luchten die zich over een landschap uitstrekten van akkers, boomgaarden en boerderijen, gezien in het laatste daglicht waarin alles tien minuten lang groener lijkt dan het in werkelijkheid is.

In Chez Mahu merkten ze, dat ze alleen maar over koetjes en kalfjes konden praten. Stash probeerde Francesca het polospel uit te leggen, maar ze luisterde nauwelijks, gebiologeerd als ze was door de bruuske bewegingen van zijn gebruinde handen, waarop lichtblond haar groeide, de handen van een groot mannelijk dier. Stash van zijn kant wist nauwelijks wat hij zei. Francesca raakte hem recht in de kern van zijn diepste, meest verborgen droom. Jarenlang had hij zijn hand maar hoeven uitsteken om alle vrouwen te krijgen die hij wilde hebben; mondaine, intelligente, ervaren en decoratieve vrouwen van grote schoonheid, vrouwen uit de internationale set. Hij was een doorgewinterde man van de wereld, die eindelijk de *coup de foudre* ervoer, de donderslag van redeloze verliefdheid op het eerste gezicht.

Ze was zo jong, dacht hij, en stralend in haar vorstelijkheid. Haar donkere blozende schoonheid had behalve Italiaans net zo goed Russisch kunnen zijn. Ze deed hem denken aan de met goud en juwelen omlijste miniaturen van jonge prinsessen, de prinsessen van St. Petersburg die hij had gezien toen hij klein was, die in tientallen lijstjes in nostalgische overdaad op de tafeltjes om de haard van zijn moeder stonden. Haar blote schouders hadden als ze haar stola naar achteren wierp, een bijna onwaarschijnlijke glans en frisheid. De gebogen lijn van haar kaak in de buurt van haar oor was zo hartverscheurend mooi, dat het altijd in zijn geheugen gegrift zou blijven.

Hij vertelde haar dat hij veertig was, maar hij straalde een kracht en zelfbewustheid uit, waarbij jeugdigheid een boze droom leek. Matty was vijfenveertig, maar vergeleken met Stash leek hij wel vijfenzeventig.

Onder de koffie vroeg hij, of zij met hem mee naar zijn stallen wilde gaan kijken.

'Ik ga nooit slapen zonder in de stallen te kijken of alles in orde is,' legde hij uit. 'Zij verwachten mij.'

'En zijn ze ook op damesbezoek gesteld?'

'Dat hebben ze nog nooit gezien.'

'Aha!' Ze huiverde van de sobere eenvoud van het compliment. 'Ja, ik ga mee.'

Ze reden terug in de richting van Deauville en sloegen even buiten Trouville een zijweg in, die overging in een landweg die door een uitgestrekte oude appelboomgaard kronkelde, tot hij voor een hek in een muur van onregelmatige stenen ophield. Op het geluid van de toeter kwam er snel een man aanlopen, die het hek openmaakte zodat ze door konden rijden. Op de binnenplaats stonden een degelijk gebouwde stenen boerenwoning en een stuk of wat bijgebouwen.

'Hier woont mijn bedrijfsleider, Jean, met zijn gezin,' zei Valensky. 'De staljongens wonen in het dorp en komen hier 's morgens met de fiets.'

Hij nam Francesca bij de arm en leidde haar naar de stallen die een eindje van de boerenwoning af stonden. Op het geluid van hun voetstappen begonnen een paar pony's onmiddellijk te hinniken en in hun boxen te stommelen:

'Ze hebben ook niet veel om naar te kijken, de arme dieren,' zei Valensky lachend. 'Ik ben hun nachtvoorstelling.' Hij liep langzaam van de ene box naar de andere en bleef bij iedere pony staan, om aan Francesca te zeggen hoe hij heette en iets over zijn eigenaardigheden te vertellen, terwijl hij met een snelle, scherpe blik de gezondheid en geestelijke staat van elk dier in zich opnam.

'Tiger Moth hier graast deze week buiten. Hij heeft een snee in zijn mond — niets ernstigs, maar ik wil niet met hem rijden voordat het helemaal is genezen. Gloster Gladiator heeft de gekke gewoonte om zijn bed op te eten, zodat ik het stro heb laten vervangen door turfmolm. Goed; Bristol Beaufighter slaapt. Hij heeft een zware middag achter de rug.'

'Bristol Beaufighter, Gloster Gladiator?'

'Ja, dat zijn ook rare namen voor paarden. Het zijn eigenlijk de namen van vliegtuigen... geweldige vliegtuigen. Dat vertel ik je later nog wel eens.'

'Vertel het me nu,' verzocht ze, zonder dat het haar echt iets kon schelen. Ze had alleen zijn achteloze zinnetje 'Dat vertel ik je later nog wel eens,' gehoord.

'De Tiger Moth was een oefenvliegtuig... de Havilland. De Gladiator was een gevechtsvliegtuig, de Bristol een nachtgevechts — ...er waren er een heleboel die nu zijn vergeten, tenzij je er zelf mee hebt gevlogen. Dan vergeet je het nooit meer.'

Zijn stem stierf weg toen hij zag dat ze niet luisterde. Het maanlicht op haar avondjapon veranderde haar in een wit marmeren beeld.

'Kom,' zei hij met tegenzin, 'ik moet je terugbrengen. Het galabal is nog niet afgelopen en we kunnen binnen een kwartier in het Casino zijn.'

'Het Casino? Geen sprake van. Ik wil meer over de Tiger Moth horen.'

'Dat wil je niet.'

'Dat wil ik wel.' Francesca kwam bij een lege box, waarin dekens en tuigen waren opgeslagen en ging op een schone baal stro zitten, die tegen een muur stond. Ze legde haar hoofd achterover tegen de muur en liet haar stola achteloos van haar schouders vallen; ze wist precies welk effect de belofte van dit gebaar op hem had. Hij zag onmiddellijk dat ze het niet deed om te koketteren of te plagen. De blik die ze hem toewierp was zo diep, dat haar hele vurige aard er in lag, die ze hem met geraffineerde overtuiging aanbood. Valensky was met één stap achter haar, sloeg zijn arm om haar middel en draaide haar naar zich toe. Hij fluisterde in haar oor: 'De Tiger Moth was een belangrijk oefenvliegtuig voor de RAF.'

'Belangrijk...' zei Francesca ademloos.

'Heel erg belangrijk...' Valensky kuste de gebogen lijn van haar kaak, bij haar oor, zachtjes zijn mond verschuivend tot hun lippen elkaar vonden. Op dat ogenblik veranderde er voorgoed iets in hen beiden. Zij waren een onzichtbare barrière overgestoken en ontdekten dat ze stevig aan de overkant van hun leven waren neergeplant. Zij wisten vrijwel niets van elkaar, maar ze hadden alle vragen, verzekeringen of voorwaarden vooraf reeds achter zich gelaten. Het was alsof zij, twee afzonderlijke wezens, door bij elkaar te komen een derde, hele nieuwe eenheid vormden, die nu nooit meer tot de twee oorspronkelijke vormen terug kon worden herleid.

Francesca trok zich van zijn lippen terug en speldde met beide opgestoken handen haar wrong los, zodat al haar donkere haar over haar schouders viel. Ze schudde het ongeduldig los en zag toen, recht in zijn ogen kijkend, kans handig haar bovenlijfje en haar wijde rokken los te maken en zo haastig opzij te gooien, alsof het hobbezakken waren. Roekeloos stapte ze uit de wolken chiffon waarin ze was gehuld, om in niets anders dan haar luisterrijke vlees tevoorschijn te komen en ging spiernaakt op een stapel paardedekens liggen, zachtjes lachend naar Stash kijkend, die tijdelijk verbijsterd en overrompeld, zich van zijn smokingjasje ontdeed. Even later was hij net zo naakt als zij. Hij verlustigde zich aan haar aan hem overgeleverde lichaam met een dwingende aan kannibalisme grenzende kracht die hij in jaren niet had gekend. Dit schepsel van rozen en parels was als bij toverslag veranderd in een veeleisende sterveling die hem in hongerige hese toonaarden smeekte haar zo vlug mogelijk te nemen. Ze wilde hem op geen enkel punt laten talmen; overwegingen van haar eigen genot smolten weg voor haar vurige verlangen hem diep en vol in zich te voelen, hem te bezitten. Toen hij haar besteeg en zij zich voor hem opende, een koningin die vreugdevol al haar schatten verkwist, was het een oergebeuren. Toen hij zich in zijn climax ontlaadde, keek Francesca in het maanlicht naar zijn gezicht, met stijf gesloten ogen in een uitdrukking van intense concentratie. Een foltering bijna die zijn trekken doorploegde, en zij glimlachte op een manier, waarop zij nog nooit had geglimlacht. Na afloop lagen ze onder de paardedekens dicht tegen elkaar aan, en hun lichamen straalden een zegevierende warmte uit. Ze konden elkaar nu vol tederheid aanraken, elkaar verkennen in plaats van plunderen, en elkaar liefkozen in plaats van verslinden. Weer vrijden ze, maar nu wilde Stash het tempo niet door Francesca laten bepalen, maar bracht hij haar met de grootste vaardigheid tot zo'n alles doordringend orgasme, dat het haar beangstigde. Nadat ze een poosje hadden geslapen werden ze wakker, en zagen de verandering van het licht; de onmiskenbare tekenen van het naderende ochtendgloren in dat kleine stukje lucht, dat ze uit hun hoekje van de paardebox konden zien.

'Je vrienden — allemachtig, wat zullen ze wel denken?' zei Stash, die plotseling aan de Firestones dacht.

'Matty zal tekeer gaan als een verontwaardigde vader in een Victoriaans melodrama, en Margo vindt het opwindend en is nieuwsgierig en met zichzelf ingenomen. Of ze zijn vroeg naar bed gegaan en weten niet eens, dat ik nog niet thuis ben . . . wat bijzonder onwaarschijnlijk zou zijn. Over twee uur zal Matty er over gaan denken om naar de politie te gaan, maar dat zal hij niet doen, want hij wil geen publiciteit.'

'Ik zal ze maar even laten weten, dat je niets is overkomen.'

'Maar het is te vroeg om op te bellen . . . kijk, de zon komt net op.'

'Ik zal wel even tegen Jean zeggen, dat hij het hotel op moet bellen om te zeggen dat het uitstekend met je gaat en dat je gauw terugkomt. Blijf jij maar hier.'

Even later was hij terug. 'Dat is voor elkaar. Nu gaan we plannen maken en dan gaan we kijken of we ergens kunnen ontbijten.'

'Plannen?'

'Voor de bruiloft. Zo vlug mogelijk en zonder drukte . . . of juist een heleboel drukte, wat je maar wilt. Als het maar vlug is.'

Francesca rees verbaasd half uit de stapel dekens omhoog; haar tepels deden nog zeer van de aanval van zijn lippen en tanden en er zaten sliertjes stro in haar woeste, verwarde haren. Ze staarde verbaasd die man aan die met de grootste overtuiging op haar neerkeek.

'Trouwen?'

'Weet jij iets beters?' Hij ging zitten, nam haar in zijn armen en drukte haar voorhoofd tegen de plek waar zijn bruinverbrande hals in de witroze huid van zijn borst overging. Ze hief haar hoofd op en vroeg weer: 'Trouwen?'

Stash trok een deken over haar schouders tegen de ochtendnevel. Met zijn sterke handen, gewend gehoorzaamd te worden, pakte hij haar beide bovenarmen, en toen hij sprak had zijn stem die wel zacht was, de klank van een charge van de cavalerie.

'Ik ben oud genoeg om te weten, dat zulke dingen maar één keer in je leven voorkomen. Op mijn leeftijd bestaat er niet zoiets als een bevlieging. Het is liefde en ik ben verdomd slecht in de liefde — ik ken de juiste woorden niet, ik kan je niet vertellen wat ik voel, omdat ik dat nog nooit heb gedaan. Ik heb de echte woorden nooit gebruikt, alleen andere woorden, speelse liefdeswoordjes, om te verleiden — '

'Maar ik heb álle echte woorden gebruikt, de mooiste die ooit zijn geschreven — en ik ben ook nooit goed in de liefde geweest — dus dan staan we quitte,' antwoordde Francesca en besefte dat dit een waarheid was, die ze nog nooit hardop had gezegd.

'Heb jij je wel eens zo gevoeld? Kun jij je voorstellen, dat je je nog eens zo zult voelen?' vroeg Stash.

Francesca schudde haar hoofd. Het was gemakkelijker om alles wat tot gisteren haar leven had uitgemaakt de rug toe te keren dan aan een leven zonder Stash te denken.

'Maar . . . moeten wij elkaar dan eerst niet leren kennen?' zei ze en moest toen hartelijk lachen om de banaliteit van die vraag.

'Elkaar leren kennen? O, God — dan zouden we alleen maar precies op dezelfde plek uitkomen. Nee, we zeggen gewoon dat we besloten hebben te gaan trouwen en daarmee uit. Zeg ja, Francesca!'

Francesca's hele romantische natuur kwam boven. Ze zei geen ja, maar ze boog haar koninklijke hoofd en kuste zijn handen in een heftige uitbarsting van onderwerping en bezitsdrang. Ze huilde en hij kuste haar betraande ogen.

De zon was op en alle geluiden van de boerderij drongen plotseling tot hun bewustzijn door.

'Zou je je niet aankleden?' zei Stash, jongensachtig grinnikend.

'Aankleden? Heb je enig idee . . .' Francesca wees naar een hoop gekreukelde chiffon en zijden bloemen, die op de vuile stalvloer lagen. 'En wat dacht je hiervan!' Ze zwaaide met een wit kanten stuk onderkleding, dat onder de paardedekens was terechtgekomen, een corselette, bestaande uit een strapless bh die uitliep in een smalle taille en tot halverwege de heupen reikte, met jarretels eraan om de kousen op te houden.

'Ik help je wel even — je hebt het toch ook heel vlug uitgekregen.'

'Er zijn nu eenmaal verschillende manieren — maar om alles weer aan te krijgen is heel iets anders. Nee, Stash, dat gaat eenvoudig niet meer,' zei ze smekend. 'Kijk, mijn vingers trillen.'

Ze versteenden allebei van schrik door het fluiten van een staljongen die er aan kwam.

'Ik houd hem wel tegen,' fluisterde Stash, die moeite had om zijn lachen in te houden. 'Kruip er maar weer in.' Francesca dook giechelend onder de dekens. Het was een drastische overgang van loodzware romantiek naar een klucht, dacht ze, toen ze uit haar ooghoek de pony in de box ernaast zijn hoofd in haar richting zag uitrekken en hem verontwaardigd hoorde snuiven, ongetwijfeld om de hele stal op hun gescharrel attent te maken, dacht ze panisch. Even later kwam Stash met een bundeltje kleren in de hand terug.

'Ik heb het goed met die jongen gemaakt,' zei hij en reikte haar een paar goed gepoetste oude rijlaarzen, een blauw gerafeld overhemd en een sjofele rijbroek aan. 'Hij is ongeveer net zo groot als jij en ik geloof, dat hij vanmorgen in bad is geweest — maar daar sta ik niet voor in.'

Terwijl Francesca zo goed en zo kwaad als het ging de kleren van de jongen aantrok, die gelukkig schoon en slechts twee maten te groot waren, haalde Stash haar avondtasje uit de auto. Ze tuurde in het spiegeltje van haar poederdoos en zag dat er geen spoortje make-up op haar gezicht zat. Ze besloot zich maar niet op te kalefateren. Francesca was blij met haar rode, geschaafde huid, haar gekneusde lippen, haar vreemde opgewonden ogen.

'Ik moet nog een ceintuur hebben,' ontdekte ze.

Stash inspecteerde al het tuig dat aan de muur hing. 'Die van Martingale is te lang. De teugels? Nee, daar heb je niets aan. Je kan mijn vlinderdasje wel krijgen als ik het vinden kon, maar dat is te kort. Kijk, dit kan wel.' Hij overhandigde haar een lange dubbelgevouwen reep stof.

'Wat is dat?'

'Staartband — om te zorgen dat de staart van de pony niet met de polostok verstrikt raakt.'

'Wie heeft gezegd dat de romantiek dood was?' vroeg ze.

'Zeg maar tegen ze dat het force majeure was,' zei Francesca lachend tegen Matty die helemaal perplex stond.

'Daar moet je zwanger voor zijn,' barstte de agent uit. 'Je hebt niet eens een fatsoenlijk excuus! Je smijt toch geen schitterende carrière weg om met een of andere uit de lucht gevallen Russische polospeler te trouwen.'

Francesca zei uitdagend, dwars tegen zijn logica in:

'Matty, hoeveel jaar moet iemand aan de top leven? Die jaren van vuurwerk en ongekende hoogtepunten, Matty? Ik houd voor het eerst van een echte man, dus wees blij voor me!'

Ze kwam voor zichzelf op met een zorgeloze glimlach die hem woest maakte. 'Wij willen alles uit het leven halen wat er in zit, Matty, en wel nu meteen. Waarom zouden wij dat niet mogen hebben? Kun je mij één enkele reden geven die hout snijdt — ook over tien jaar?' tartte ze hem.

'Goed, goed, ik ben blij, ik ben dol enthousiast, ik ben helemaal in de wolken — mijn beste actrice die als een dochter voor mij is, gaat trouwen met een vent die ze gisteren heeft ontmoet — wie kan er nu een betere reden bedenken om gelukkig te zijn? En wat zegt ze, als ik haar vraag waarom het zo ineens moet, waarom ze niet naar huis kan gaan om eerst gewoon *Robin Hood* te spelen en daarna te trouwen? Wat zegt ze, als ik haar vertel dat niemand haar van haar huwelijk met haar prins wil afhouden, maar dat ze hem misschien eerst wat beter moet leren kennen?'

'Ik heb gezegd,' antwoordde Francesca, 'dat ik het gevoel heb dat het góed is. Ik heb gezegd, dat ik nog nooit ergens zeker van ben geweest — dat ik mijn hele leven op hem heb gewacht en nu ik hem gevonden heb, laat ik hem nooit meer los.'

Margo hoorde aan de toon van Francesca's stem, dat wat het meisje ook aan het doen was, het niet kon worden uitgesteld of ontkend.

Matty hief zijn handen ten hemel. 'Ik geef het op. Ik had trouwens toch geen enkele kans. Nou, vooruit, jij gaat dat dus doen en daarmee uit en ik ga de studio telegraferen. Dan gaan ze je natuurlijk een proces aandoen — daar hebben ze ook het volste recht toe — en zij zullen het winnen ook. Ik wist wel, dat we niet naar Europa hadden moeten gaan. De mensen worden er knettergek!'

Francesca deed al jaren niets meer aan het katholieke geloof, maar zoals alle katholieken bleef ze met de kerkelijke riten vertrouwd. In vergelijking met de missen in Berkeley, leek de trouwdienst in de Russische Orthodoxe kathedraal in Parijs haar een fantastische droomproduktie uit Hollywood; Byzantijns en bizar. Ze verwachtte bijna de stem van de regisseur 'stop' te horen zeggen toen zij en Stash na een eindeloos lange dienst driemaal uit een beker rode wijn dronken en door de priester driemaal om de kansel werden geleid. In het licht van honderden kaarsen golfden wolken wierook om hen heen en de onwezenlijkheid werd nog benadrukt door de majestueuze diepe basstemmen van het mannenkoor, dat zonder instrumenten zong, met als enige contrapunt de hemelse klank van het kinderkoor. Twee vrienden van Stash hielden gouden kronen boven hun hoofd terwijl ze voortschreden en voor Francesca leek de kring geboeide toeschouwers precies een groep figuranten.

Hoewel ze hadden geprobeerd de datum van de plechtigheid geheim te houden en slechts een kleine groep vrienden hadden uitgenodigd, had het gerucht van hun voornemen zich verspreid. De hele kathedraal was propvol nieuwsgierigen die, zoals de gewoonte was, tijdens de hele dienst stonden en nauwelijks de orde konden bewaren, zo groot was hun verlangen een glimp van de plechtigheid op te vangen.

Stash had ondanks al zijn aanvankelijke praatjes over geen drukte, deze dienst in al zijn grootsheid en langdurig ritueel gewild, indachtig aan de haastige voltrekking van zijn eerste huwelijk in Londen in oorlogstijd, in een bureau van de burgerlijke stand. Hij wilde Francesca graag dubbel gekroond zien, eerst met bloemen in het haar en daarna met de zware bruidskroon die boven haar hoofd werd gehouden. Hij, die alleen maar het eerste vergeten jaar van zijn leven in Rusland had doorgebracht, wenste de hele rijke symboliek van de edele openbare dienst, atavistisch maar nog springlevend. Hij had zelfs aan de eerbiedwaardige priester met de fraaie baard, die een zilveren kazuifel en een priesterlijke hoofdtooi droeg gevraagd, zijn hand met die van Francesca in een zijden zakdoek samen te verbinden als hij ze om het altaar voerde, in plaats van alleen maar hun handen in de zijne te nemen.

Francesca vond alles best. Vanaf het moment dat ze in de stal haar besluit had genomen, vond ze geen enkel detail van enig belang. Ze leefde in een roes, waarin alles om haar heen haar volstrekt koud liet. Ze was alleen maar gericht op Stash en het beeld van hen beiden voor altijd samen, dat zij in zich droeg.

Margo was in haar element en trof voorbereidingen die niemand anders ooit zou hebben klaargespeeld. Ze was trots op het zegevierende huwelijk van Francesca en haalde er alles uit wat er in zat, waarbij ze zichzelf bekende dat smaakvolle eenvoud iets was dat ze in wezen verafschuwde en wantrouwde.

De huwelijksreceptie in het Ritz was ongetwijfeld de grootste Margo Firestone-produktie die ooit was vertoond. Naderhand verdween prins Stash Valensky met zijn nieuwbakken prinses. Zelfs de Firestones wisten niet, dat zij in het grote buitenhuis van Stash in de buurt van Lausanne verbleven, waar ze eindelijk op hun gemak konden beginnen met de verkenning van elkaar, die nooit zou eindigen. Als zij samen paard reden of wandelden of bij elkaar lagen, vertelden zij elkaar lange verhalen over hun jeugd en verwonderden zich erover, dat zij zonder de terloopse opmerking in de bar van een Parijs hotel van een man die ze geen van beiden kenden, elkaar misschien nooit hadden ontmoet.

Francesca lag 's nachts dikwijls wakker, hoewel haar lichaam, gedompeld in het vredige klimaat van gestilde hartstocht, haar zei te gaan slapen. Ze bleef liever mijmerend naar het gezicht van Stash liggen kijken in het flakkerend licht van het brandende lampje onder een icoon die aan de muur van hun slaapkamer hing. Hij was de held, hield ze zichzelf voor, van alle verhalen die ze ooit had gelezen. Onvervaard, fier, zonder vrees . . . dat was hij allemaal en verder nog iets. Ze zocht naar het woord en vond het eindelijk. Onvergankelijk.

Als de vader van Stash, prins Vasilli Alexandrovitch Valensky zo lang had geleefd, dat Francesca hem had kunnen leren kennen, had zij diezelfde term misschien ook voor hem gebruikt. Die hooggeplaatste man met een indrukwekkende persoonlijkheid, en grote fysieke kracht, was een veteraan die wel vijftig liefdesavonturen met de mooiste balletdanseressen van het Marinsky theater had gehad, voordat hij op veertigjarige leeftijd besloot dat het tijd was om een echtgenote te nemen. Na rijp beraad had hij prinses Titiana Nikolaevna Stargardova ten huwelijk gevraagd, omdat zij van alle debutantes van 1909 het best bij zijn eigen positie paste. In de winter van 1910 ontdekte hij tot zijn stomme verbazing, dat hij op de meest onverwachte wijze en in strijd met zijn waardigheid, onherroepelijk tot over zijn oren verliefd op zijn eigen vrouw was geworden.

Vóór hun verloving had Titiana, aantrekkelijk als ze was, iedere keer als ze elkaar op een feest of in de opera ontmoetten haar grote blauwe ogen neergeslagen gehouden. Ze droeg altijd zedige, tamelijk hooggesloten avondjaponnen en sprak met een hele zachte stem, die niets verleidelijkers had dan een onschuldig vrolijke lach. Door haar eenvoudig gekapte blonde haar en haar gewoonte om te blozen als zij iets tegen hem zei, had Vasilli een vrouw verwacht die bezadigd was, zich behoorlijk gedroeg en natuurlijk behoudend zou zijn; en bijna zeker zo vervelend als de vrouwen van zijn meeste kennissen. Maar voor hun wittebroodsweken voorbij waren had Titiana, die even warmbloedig als intelligent was, haar man volkomen in haar ban en ontdekte hij, dat hij met een gebiedende, veeleisende meesteres was getrouwd.

Vandaag, nog geen jaar na zijn huwelijk, toen prins Valensky zijn paleis met de marmeren pilaren aan het Moika-kanaal verliet, constateerde hij geamuseerd, met nauwelijks iets van berusting, dat alles in het paleis weer eens overhoop werd gehaald, nu Titiana een van haar vele bals voorbereidde. Ze vond het heerlijk om een der vooraanstaande gastvrouwen van St. Petersburg te zijn. Door haar huwelijk bevrijd van het schitterende decorum van de *bals Blanc*, waarop jonge meisjes, onder strenge geleide, een bezadigde cotillon dansten, zorgde de nieuwe, levendige negentienjarige prinses er in minder dan geen tijd voor zich dicht bij het middelpunt van het luxueuze gezelschapsleven van de keizerlijke stad te plaatsen.

'Naar Denisov-Oeralski,' commandeerde prins Vasilli de met medailles behangen portier in uniform, die de ingang naar het bruisende paleis bewaakte. Twee livreiknechten sloten de zware deuren achter hem en hij stapte kwiek op de achterbank van de prachtige, uit ebbenhout gebeeldhouwde en met zacht opgevuld leer gevoerde arreslee.

Boris, de koetsier, droeg zijn winteruniform, een robijnrode fluwelen jas, helemaal gevoerd met zwaar bont en een gouden riem er om met een bijpassende steek. Evenals alle koetsiers van de adel, was hij een enorme man met een baard, die niets heerlijkers vond dan zo snel hij kon met zijn span van vier grote zwarte paarden te rijden, alsof er niemand anders in de drukke straten van St. Petersburg was. Boris, die de grootvorsten slechts als versiering beschouwde, was ervan overtuigd dat zijn meester die de onderscheidingen van de Alexander Nevsky, de Valdimir en de St. Andries droeg, de belangrijkste man na de tsaar was. Hij ging er prat op, dat hij de afstand tussen het paleis en de winkel van Denisov-Oeralski had afgelegd zonder voor een andere slee te stoppen of ook maar in te houden. Dat zou een belediging voor de prins zijn geweest.

Op die decemberdag had Vasilli Valensky tot opdracht een hele menagerie te kopen. Zijn vrouw was nog kinderlijk verzot op dierenfiguurtjes en hij had zich voorgenomen haar met deze Kerstmis ermee te overladen—als zij tenminste al ooit tevreden te stellen was, dacht hij in zichzelf glimlachend bij de gedachte aan haar. In een half uur had hij een aantal kostbare dieren uitgezocht, van elk twee, zodat Titiana een ark van Noach zou hebben om mee te spelen. Er waren uit keizerlijke jade gesneden olifanten met Ceylon saffieren ogen, topazen leeuwen met robijnen ogen en staarten van aan gouddraad geregen diamanten, en giraffen van amethist met ogen van gepolijste smaragden en diamanten pupillen. Vervolgens ging de prins te voet naar Fabergé om nog wat kleinere dieren aan de verzameling toe te voegen, zoals schildpadden van roze agaat met zilveren en gouden koppen, poten en staarten, waarvan de ruggen met parels waren bedekt; papegaaien van witte koraal en een hele school goudvissen van groene, roze, paarse en bruine jade, allemaal met ogen van diamanten roosjes.

Na afloop van deze plezierige taak gaf hij Boris opdracht hem naar zijn kantoor te rijden. In de elfhonderd jaar dat zijn familie van adel was, hadden hun bezittingen zich over geheel Rusland verspreid en prins Vasilli was alleen met een staf bedrijfsleiders, waaronder veel Duitsers en Zwitsers, in staat zijn zaken in orde te houden. In de Oeral kwam een kwart van de wereldopbrengst van platina van zijn bezittingen. In Koersk was hij de eigenaar van de honderden mijlen suikerplantages en tientallen houtzaagmolens voor het hout uit nog eens honderden mijlen bossen. In de Oekraïne was hij eigenaar van uitgestrekte tabaksplantages, maar in de vruchtbare provincie Kasjin had hij zijn lievelingslandgoed. Daar, op het land vol bloeiende boomgaarden, met hier en daar zuivelboerderijen, fokte hij zijn snelle renpaarden en nodigde hij gezelschappen van zo'n honderd edellieden uit om op zijn prachtige herten, zijn wilde zwijnen en zijn duizenden vogels te komen jagen.

Daar reed hij ook samen met zijn vrouw over de bospaden en, zoals prins Vasilli er nog verbaasd aan terugdacht, daar hadden ze de afgelopen zomer op diep in het bos verborgen geheime plekjes vaak gevrijd, net als de lijfeigenen. Het was moeilijk om het beeld van het onstuimige meisje, waar hij in het nest dat hij van mos en bladeren had gemaakt zo wild mee vrijde, in overeenstemming te brengen met de voorname dame, gekroond met zijn moeders diamanten en smaragden tiara, die vanavond achthonderd gasten zou ontvangen, allemaal van adel en op haar bevel allemaal in goud en zilver gekleed. Ze zouden dansen op de muziek van zes orkesten en te middernacht een souper opgediend krijgen van zilveren en gouden schalen door honderd bedienden in livrei, terwijl zigeunerorkesten van Colombo en Goulesko hen serenades brachten. Toen hij het paleis verliet, had Valensky de verwarmde wagens zien aankomen met de bloemen die Titiana in de Rivièra had besteld. Hun particuliere trein was naar Nice gestuurd om daar met de bloemen in knop te worden volgeladen. Ze werden in sneltreinvaart door de Europese winter gevoerd en in het station te St. Petersburg uitgeladen toen ze juist begonnen te bloeien. De helft van de bloeiende bloemen van Frankrijk zoals seringen, rozen, hyacinten, narcissen en blauwe viooltjes, openden zich voor maar één nacht in deze stad aan de Finse Golf, waar de wind ijskoud en vochtig en de winters eindeloos waren.

In november van het daarop volgende jaar, in 1911, werd de zoon van Vasilli en Titiana geboren. Ze noemden hem Alexander, naar zijn grootvader van vaders zijde en de jonge moeder, die gedurende de tijd van haar zwangerschap zoveel afleiding had gemist, had haar zinnen er op gezet om iedere avond te dansen. Valensky legde zijn vrouw geen strobreed in de weg bij het najagen van haar genoegens, en zij verscheen op de bals van de Sjerementevs en de Yoesoepovs, de Saltykovs en de Vasilsjikovs. Ze voerde alle andere dames van St. Petersburg aan in de geestdrift waarmee zij walste, en verblufte hen met haar fantasierijke kostuums op de bals van gravin Marie Kleinmichel.

De komst van de vastentijd die op zondag voor Aswoensdag begon, was het teken dat het afgelopen was met dansen. Tijdens de vasten werden de bals vervangen door concerten en diners en naar de mening van Masja, de min van Alexander, was het maar goed dat haar meesteres dan gedwongen zou zijn vroeger naar bed te gaan. Hoewel de prinses alleen af en toe even binnen kwam wippen om naar Masja te kijken als die het kind de borst gaf, vond het eenvoudige, struise meisje met haar gezonde verstand, dat de prinses er ondanks haar schoonheid moe uitzag en te mager was. Masja was pas zeventien en had haar hele leven als kind van een lijfeigene op het landgoed van Valensky in Kasjin doorgebracht, waar ze het ongeluk had gehad een dag voor de geboorte van Alexander een onwettig kind ter wereld te brengen. Maar de baby van Masja was niet in leven gebleven en de bedrijfsleider stuurde haar onmiddellijk naar St. Petersburg om de pasgeboren erfgenaam te zogen. Zodra de kleine prins Alexander haar melk had opgeëist, was haar heimwee op slag verdwenen.

Die laatste zondag gingen de Valensky's naar het landgoed van vrienden om te lunchen. Daarna namen ze deel aan een parade van galopperende trojka's en besloten ze de middag met een luidruchtig sneeuwbalgevecht. Toen de laatste dans van het seizoen ophield onder de klanken van de grote klok in de gang die middernacht sloeg, vond Vasilli het vreemd dat Titiana bereid was naar huis te rijden. Hij had verwacht, dat ze bij het vooruitzicht dat er voorlopig een eind aan de pretmakerij was gekomen in zak en as zou zijn, maar in plaats daarvan voelde ze zich zo moe, dat ze in hun verwarmde rijtuig in zijn armen in slaap viel. De volgende ochtend sliep ze lang uit en ontwaakte niet uitgeruster dan ze de vorige avond was geweest. Tobberig zei ze, dat ze zeker oud werd.

Vasilli liet direct de dokter komen. Hij had Titiana nog nooit lusteloos en zorgelijk gezien, en hij was bang. De dokter bleef eindeloos lang in de roze met zilveren damasten slaapkamer van Titiana. Toen hij er eindelijk uitkwam, sprak hij over een lichte aandoening van bronchitis, een neiging tot overspannen zenuwen, en koorts.

'Wat is daaraan te doen?' vroeg Vasilli ongeduldig, om de onbegrijpelijke ellenlange medische uiteenzetting van de man te onderbreken.

'Wel, hoogheid, ik dacht dat u het meteen wel begreep. Het zou wel eens longontsteking kunnen zijn, al ben ik geen specialist, begrijpt u goed, het zou eigenlijk wel tuberculose kunnen zijn.'

Valensky wachtte alsof hij beschoten was en op het punt stond te vallen. Titiana *tuberculose*? Titiana die in rijbroek galoppeerde als in de tijd van Catherina de Grote; Titiana die lachte als ze tijdens een wedren uit een omgevallen trojka in de sneeuw werd gegooid; Titiana die zonder vrees in een bobslee over de gevaarlijke bochtige ijshellingen vloog; die zonder een kik in zes uur hun zoon ter wereld had gebracht; Titiana die zich door hem liet nemen in een veld, waar oogsters hen hadden kunnen aantreffen?

'Onmogelijk!' schreeuwde hij.

'Hoogheid, ik ben geen specialist. U moet dr. Zevgod en dr. Koeskov laten komen. Ik kan de verantwoordelijkheid niet op me nemen.' De dokter schoof naar de deur omdat hij wilde ontsnappen voor het tot de prins doordrong, dat hij uitgesproken had wat in die tijd vaak op een doodvonnis neerkwam.

Zevgod en Koeskov werden het eens over de noodzakelijke stappen die moesten worden genomen. Prinses Valensky had tegenover hen toegegeven, dat ze de laatste maanden last had gehad van nachtelijke zweetaanvallen en gebrek aan eetlust, maar ze had, dom genoeg, geweigerd zich daar ongerust over te maken. Door haar onvoorzichtigheid en haar inspannende leven was haar toestand verergerd, en nu was er geen tijd te verliezen. De prinses moest direct naar Davos in Zwitserland, waar de beste behandeling van de ziekte voorhanden was.

'Hoe lang?' vroeg Valensky streng.

De beide artsen aarzelden; ze wilden zich geen van beiden vastleggen. Tenslotte zei Zevgod: 'Dat is onmogelijk te zeggen. Als de prinses op de behandeling reageert kan ze over een jaar terug zijn—misschien twee; misschien iets langer. Maar ze mag niet in deze vochtige stad terugkomen voor ze helemaal beter is. Die is zoals u weet op moerasgrond gebouwd. Hier terugkomen zou voor iemand met zwakke longen gelijk staan aan zelfmoord.'

'Een jaar!'

'Dat zou een wonder zijn,' zei Koeskov ernstig.

'U bedoelt dus eigenlijk dat het wel voor jaren kan zijn — dat probeert u mij te vertellen, is het niet zo, heren?'

'Helaas, ja, hoogheid. Maar de prinses is jong en sterk . . . Wij moeten op een spoedig herstel hopen.'

Valensky stuurde de artsen weg, ging naar zijn studeerkamer en sloot de deur. Hij kon zijn bruisende, dappere, innig geliefde vrouw onmogelijk vertellen dat zij weg moest, al was het maar drie maanden of drie weken. Niets ter wereld kon hem ertoe bewegen haar te veroordelen om in een sanatorium te leven. Het woord alleen al vervulde hem met afgrijzen. Nee! Ze zou naar Davos gaan, dat kon niet anders, maar ze zouden Rusland meenemen.

Prins Vasilli stuurde zijn eerste secretaris naar Davos om het grootste chalet te huren dat hij kon vinden. Drie Franse kameniers werden onmiddellijk aan het werk gezet om de hutkoffers van Titiana te vullen. Er was er een die niets anders dan handschoenen en waaiers bevatte, drie met slechts smalle geborduurde satijnen muiltjes, twaalf voor haar japonnen, vier voor haar bontmantels en vijf voor haar onderkleding. Onweerstaanbaar pruilend over de kleren die ze moest achterlaten, zei ze tegen Vasilli, dat het maar goed was dat ze niet zo overdreven verzot op haar garderobe was als keizerin Elisabeth die vijftienduizend japonnen bezat.

Intussen pakten de andere bedienden onder leiding van een andere particuliere secretaris van de prins die alleen de beste Franse stukken uit de periode van Louis XV en XVI uitkoos, het mooiste meubilair van het paleis in. Valensky zelf besliste welke kunstwerken werden meegenomen. Hij was een hartstochtelijk verzamelaar, maar omdat hij niet precies wist hoe groot het chalet was waar ze gingen wonen, nam hij alleen de kleine schilderijen van Rembrandt, Boucher, Watteau, Greuze en Fragonard mee en liet de grote doeken van Raphael, Rubens, Delacroix en Van Eyck achter.

Ondanks hun moderne levenswijze waren de Valensky's net als alle Russen altijd de iconen blijven vereren en de prins haalde de ruimten die als bidvertrekken hadden dienstgedaan leeg. Daar stonden talloze rijen iconen, waarvan er veel zo rijk met goud en juwelen waren versierd, dat ze letterlijk onbetaalbaar waren, met lampjes ervoor die dag en nacht brandden. De beschermende gordijnen ervoor waren dicht en zij werden in hun eigen fluwelen kistjes gelegd en daarna zorgvuldig in speciale kratten verpakt. Enkele speciale iconen, die als de persoonlijke beschermers van het huis werden beschouwd, zouden met de familie in hun eigen coupé meereizen.

Alles wat nodig was om het paleis aan de Moika te reproduceren ging mee, vanaf de keukenpotten en pannen tot de drie rotskristallen kroonluchters, die ooit van madame de Pompadour waren geweest.

Tien dagen later verzamelden veertig bedienden, een voldoende maar naar de mening van Vasilli te kleine staf, zich op het station van St. Petersburg. Er waren extra slaapwagens aan de trein van de prins toegevoegd om ze allemaal onder te brengen. De bagagewagens waren allemaal tot aan de nok toe volgeladen en de twee keukenwagens waren zo volgepakt met levensmiddelen, dat de chef-koks zich met moeite van hun taak konden kwijten.

Prins en prinses Valensky reden met Masja die de kleine Alexander droeg, in een gesloten rijtuig naar het station, vergezeld door een zeer belangrijke lijfeigene, Zachary, de livreiknecht in zijn donkerblauwe uniform met gouden epauletten en officiële steek met witte pluimen. Zachary was belast met de organisatie van de reis zelf; hij moest ervoor zorgen dat er aan de grenzen geen vertraging optrad, dat er geen gebrek aan verse proviand was, dat er geen bagage verloren ging en dat alles tijdens de lange reis van de trein naar het zuidwesten vlot verliep.

In Landquart, Zwitserland, moest de privétrein achterblijven, omdat hij niet op het smalle spoor door de Alpen kon lopen. De Valensky's bleven er een paar dagen in tot al hun bedienden en hun bezittingen omslachtig door een kleinere Alpentrein omhoog naar Davos Dorf waren getransporteerd. Toen legden ook zij de steile, bochtige weg naar boven tussen de bevroren watervallen en door sneeuw verstikte pijnbomen af. Titiana huiverde, hoewel het warm in de coupé was en zij dik in het bont zat. Haar blik schrok terug voor de steile afgrond aan de ene kant van de trein, maar vond ook geen rustgevend punt op de pieken waarnaar zij klommen. Met haar kleine gehandschoende hand omklemde ze de arm van haar man naarmate ze hoger kwamen en de nacht begon te vallen. Het was buiten donker voor zij het punt bereikten waarop het dal begon en de spoorweg vlak werd.

'We zijn er bijna, mijn liefste,' zei Vasilli. 'Boris wacht met de Rolls-Royce aan het station.'

'Wat?' vroeg Titiana, haar vreemde angst even vergetend door de verbazing.

'Ja, natuurlijk. Dacht je soms, dat we in een of andere huurwagen gingen rijden als een stel brave burgers op weg naar een doopfeest? Ik heb verleden jaar de nieuwe Silver Ghost besteld als cadeau voor jou. Hij was twee weken geleden klaar, daarom heb ik gewoon meneer Royce in Manchester een telegram gestuurd met het verzoek hem hierheen te zenden.'

'Maar Boris kan toch geen auto rijden,' wierp Titiana tegen.

'Ik heb Royce opdracht gegeven een Engelse chauffeur-monteur met de wagen mee te sturen. Hij kan het Boris leren — of, zo niet, dan houden we de man aan.'

'Dat heeft de tsaar niet eens!' Titiana klapte opgetogen in haar handen. 'Hoe snel zou hij rijden?'

'Vorig jaar was er een speciaal model met een snelheid van honderdvijftig kilometer per uur — maar ik denk dat wij daar een flink stuk onder blijven — ik wil Boris geen schrik aanjagen.' Vasilli was dolblij dat zijn verrassing zo insloeg. Dit had hij precies nodig om Titiana's gedachten van haar aankomst in een vreemd land af te leiden, waar ze haar ziekte eindelijk onder ogen zou moeten zien. Het was alle moeite en de tienduizenden roebels die ervoor nodig waren te zorgen dat de auto op tijd voor hun aankomst in Davos zou zijn, waard geweest.

Het was voor Titiana Valensky een volstrekt natuurlijke zaak, dat haar chalet in Davos een kopie in het klein van haar paleis in St. Petersburg was en dat de bediening van dezelfde kwaliteit was als ze altijd als vanzelfsprekend had beschouwd. Een dienstbetoon, dat zo ver ging, dat dezelfde vrouw die zonder aarzeling op een paard haar leven waagde, zelf nog nooit haar eigen kousen had aangetrokken. Vrouwen van haar stand wisten nooit ergens de prijs van, niet van hun juwelen, hun schoenen of hun bontmantels. Zij zouden het stukje papier dat een bankbiljet heette niet eens herkennen als ze er toevallig een onder ogen hadden gekregen. Ze kozen alles uit wat ze wilden hebben zonder te vragen of aan de prijs te denken.

Kosten bestonden niet voor hen, zelfs niet als abstract begrip, evenmin als het bij hen opkwam een kijkje in de keukens van hun eigen paleizen te nemen.

Nu Titiana verplicht was in Davos te blijven, legde ze zich er op toe haar gezondheid met dezelfde blinde hardnekkigheid terug te winnen als waarmee ze alles had gedaan om hem kwijt te raken.

Vasilli, geïsoleerd als een bergtop, onderhield vrijwel dagelijks contact met de gebeurtenissen in Rusland door middel van post en telegraaf en ontving tweemaal per week Russische, Franse en Engelse kranten via een speciale koerier uit Zürich. Toen in 1912 vijfduizend arbeiders in de goudvelden van Lena in staking gingen en het tegen ieders verwachting in een maand volhielden, schonk hij daar grote aandacht aan. Deze staking breidde zich uit tot andere sectoren, tot er in 1912 meer dan tweeduizend stakingen plaats vonden. De laatste keer dat er in Rusland zulke ernstige onlusten waren geweest, was in 1905, toen regeringstroepen voor het Winterpaleis op arbeiders hadden geschoten; een dag die altijd onder de naam Bloedige Zondag bekend zou blijven.

Urenlang zat Vasilli in zijn bibliotheek in Davos te peinzen. Uit de rapporten van de doktoren bleek zonneklaar, dat zijn familie en zijn bedienden de eerste jaren Zwitserland niet zouden verlaten. Zijn vrouw was er weliswaar niet ernstig op achteruit gegaan, maar ze vertoonde ook geen tekenen van vooruitgang. Wilskracht was niet opgewassen tegen koorts, moed kon geen bacil overwinnen. De curve van haar nachttemperatuur was iets hoger dan een aantal maanden geleden toen ze er pas waren en het geruis in de rechterkwab van haar long was sterker dan ooit. De artsen spraken nooit over tijd; een vraag over de toekomst werd afgedaan alsof hij niet gesteld was, alsof het de vraag van een gek was.

Prins Vasilli Valensky klemde zijn tanden op elkaar en stelde vast, dat als hij met zijn gezin dan jarenlang in ballingschap moest leven, zij in ieder geval moesten leven zonder de zorg om geld, dat uit St. Petersburg moest komen. Hij besloot de platinamijnen in de Oeral, zijn suikerplantages, bossen en houtzaagmolens in Koersk te verkopen, en zette het aldus verkregen enorme fortuin op Zwitserse banken, waar hij er onmiddellijk over kon beschikken.

Tattersall, de Engelsman uit Manchester die geen kans had gezien Boris in de geheimen van de Rolls-Royce in te wijden, leerde Vasilli met de Silver Ghost te rijden. De prins kwam tot de ontdekking, dat de prachtige automobiel, het beroemdste model dat de firma Rolls-Royce had gemaakt, wel alle bergwegen die er waren kon beklimmen, maar dat er rondom Davos niet genoeg wegen waren voor een hele dag autorijden. Toen liet hij de grote houten trojka uit Rusland komen en zodra de grond met sneeuw was bedekt, nam Vasilli de teugels van de drie sterke paarden en bond Alexander op de bank naast hem stevig vast. De vader en zoon boden een vertrouwde en alom bewonderde aanblik in de feestelijke winkelstraten van Davos, als zij onderweg naar de sneeuwweiden door de stad reden.

Er bevonden zich meer Russen van adellijke afkomst onder de patiënten van Davos, naast een behoorlijk aantal Engelse en Franse aristocraten, en weldra kon men velen van hen die mochten wandelen bij prinses Titiana aantreffen. Het was nog nooit bij iemand van de familie opgekomen ook maar één poging te doen zich aan dit vreemde land aan te passen; knus, schilderachtig, behaaglijk, veilig, oersaai Zwitserland. Het chalet binnentreden was in St. Petersburg komen: alles daar was een diep nostalgische imitatie van de overdadige, zorgeloze luxe en warmte van hun verdwenen thuisland. Er waren refugiés die voor het eerst het chalet betraden, verbaasd om zich heen keken, de geur van de donkere Russische sigaretten met gouden mondstuk opsnoven, naar het rap gesproken Frans luisterden, en in tranen uitbarstten.

Deze elegant geklede bezoekers, met iets te rode wangen en te glanzende ogen, hadden een onverzadigbare eetlust. In alle ontvangstvertrekken stonden lange tafels met etenswaren. De Valensky's hielden op theetijd en met avondeten open huis, met tientallen Russische bedienden om glazen en borden te vullen, en dozen geïmporteerde sigaren en sigaretten te presenteren. Als de prinses zich op die avonden niet goed genoeg voelde om te verschijnen, was geen van haar gasten zo tactloos om iets over haar afwezigheid op te merken. Op dagen wanneer ze zich wel sterk genoeg voelde, kleedden haar kameniers haar in een van haar tweehonderd middagjaponnen. Kwijnend besliste Titiana of ze haar snoer van Birmese saffieren van het fraaie korenbloemenblauw dat bij haar ogen paste zou dragen of haar driedubbele zwarte parelsnoer, voor ze aan de arm van Vasilli afdaalde om de scepter over haar gasten te zwaaien.

De feestelijke sfeer van het Valensky-chalet had een wildvreemde misschien kunnen bedriegen, maar iedereen in het grote huis was zó afgericht dat alles om de ziekenkamer draaide. De stemming van de familie hing af van het feit of de prinses een rustige of onrustige nacht had doorgebracht. De stemmingsbarometer steeg of daalde van de keuken tot de studeerkamer van Vasilli, van de bediendenkamers tot de kinderkamer van Alexander, al naar gelang de koortstabel van Titiana, of het nieuws dat ze buiten mocht wandelen ofwel op haar balkon moest blijven. Iedere dag behandelden twee artsen haar en twee gediplomeerde verpleegsters maakten dag en nacht deel van de huishouding uit.

Vanaf zijn vroegste herinnering wist de kleine Alexander niet hoe het was om een gezonde moeder te hebben. Zijn kinderspelletjes met haar werden altijd afgebroken door iemand die bang was dat hij haar vermoeide. Als Titiana hem voorlas, sloot een verpleegster altijd veel te gauw het boek. Toen Alexander groot genoeg was om met zijn moeder een eenvoudig kaartspelletje te spelen, nam haar hoofdarts hem terzijde en waarschuwde hem ernstig voor de gevaarlijke opwinding die gokspelletjes teweeg brachten. Zijn liefde voor haar werd vanaf zijn vroegste herinnering gekenmerkt door de vreselijke spanning die tussen zieken en gezonden heerst. Van jongsaf aan werd hij voortdurend gehinderd door een diepe, woordeloze afkeer en een redeloze bijgelovige angst voor elk teken van ziekte. Zelfs normale zwakheid vond hij weerzinwekkend, maar zijn gedwarsboomde kinderlijke liefde voor zijn moeder maakte dat hij zijn gevoel van afschuw verborg.

Dit leven van half gedwongen vakantie, half gewijd aan de dagelijkse sleur van de kuur, duurde van 1912 tot 1914. Op die dag van 28 juni 1914, toen de Oostenrijkse aartshertog Frans Ferdinand in Serajewo werd vermoord, hield de familie Valensky een door tien bedienden verzorgde zeldzame picknick in een groene weide, waar zij duidelijk de klanken van koeiebellen konden horen. Titiana maakte het beste van een van de kortstondige, bedriegelijke periodes waarin ze zich goed voelde. Hun wereld was zojuist doodgegaan maar niemand wist het nog.

Twee maanden na die blijde Alpen-picknick vond de nederlaag van Tannenberg plaats, waarbij de bloem van Ruslands strijders sneuvelde. Nog geen jaar later waren er ruim een miljoen Russische soldaten omgekomen, terwijl Alexander in Davos, ver van het gebulder van kanonnen, voor zijn vierde verjaardag zijn eerste pony kreeg. In 1916, het jaar van Verdun, het jaar waarin bij de slag van de Somme in één dag negentienduizend Engelse soldaten sneuvelden, was Alexander niet uit de garage weg te slaan, waar hij spelenderwijs in de geheimen van een Rolls-Royce motor werd ingewijd.

Op 12 maart 1917, na weer een lange winter waarin zijn vader zelden had geglimlacht, was Alexander, zes jaar oud en reeds een vermetel skiër, met zijn schoolkameraadjes naar de hellingen met voorjaarssneeuw gegaan. Op die dag werd op de Alexanderbrug in St. Petersburg, dat nu Petrograd heette en weldra Leningrad zou worden, een hongerende menigte aangetroffen die met de rode vlaggen van de revolutie zwaaide. Daar tegenover, aan de overkant van de brug, stond een regiment gardesoldaten als de wrekende gerechtigheid van de oproerkraaiers. Maar de meute bleef vooruitrukken en de soldaten schoten niet. Toen, in een ogenblik dat de hele wereldgeschiedenis zou veranderen, vermengden de twee groepen zich als twee druppels water en werden de massa en het leger één lichaam. Toen Alexander voor de laatste keer die dag de beschaduwde helling opklom, Titiana warm water uit de samovar schonk en een Franse graaf een kopje thee aanbood en Vasilli afgetobd en somber van de jaren van zijn onvrijwillige internering in Zwitserland, over drie dagen oude kranten gebogen zat, begon de Russische revolutie.

Het was bijna drie jaar na de Eerste Wereldoorlog toen besloten werd om Alexander naar school te sturen. Hij was pas negen jaar en Titiana had hem wel op de school in Davos willen laten, waar hij de onbetwiste leider van de bende dorpsjongens was, eigenzinnig, groter, ruwer, sterker en eerder bereid tot roekeloze daden dan de anderen, maar Vasilli zag heel goed in, dat hun zoon voor galg en rad opgroeide. Hij was als prins geboren maar liep gevaar een boer te worden. Zelfs in een wereld, waarin prinsen als iets verouderds werden beschouwd — vooral Russische prinsen — áls ze al kans hadden gezien te overleven, moest hij toch de Valensky-traditie hooghouden en zou hij het Valensky-fortuin erven. Daarom moest hij worden opgevoed als de edelman die hij zou worden.

'Wij zullen hem naar Le Rosey sturen,' zei hij tegen zijn vrouw. 'Ik heb al geïnformeerd. Hij kan in het najaar, vlak voor zijn verjaardag beginnen. Kijk nu niet zo bedroefd, liefste — het is hier niet ver vandaan, in Rolle, en 's winters verhuist de hele school naar Gstaad. Het is zo dichtbij dat het voor Alexander een koud kunstje is om met de vakanties thuis te komen.'

Uiteindelijk legde Titiana zich bij het idee neer, zoals ze

zich met de noodzakelijke zelfzuchtigheid van de chronische zieke bij het feit had neergelegd, dat haar huisgenoten tot eeuwige ballingschap waren gedoemd, dat de wereld van haar meisjestijd niet meer bestond, en dat haar kwaal altijd op de loer lag. De hoop in haar ziel had plaatsgemaakt voor lijdzaamheid.

Iedere keer als Alexander met de vakanties thuiskwam, zagen zijn ouders hoe hij door zijn nieuwe leven in de duurste en meest exclusieve kostschool van de wereld veranderde. Zij constateerden hoe langzamerhand uit zijn optreden, zoals in zijn internationale groep schoolkameraden gebruikelijk was — jonge potentaten, erfgenamen van dynastieën — begon te blijken, dat hij zich overal waar hij zich bevond volkomen op zijn gemak voelde. Hij was op zijn gemak op hún manier, die gebaseerd was op een gevoel van verheven zijn en dat tenslotte veranderde in dat speciale, hooghartige gevoel van humor, dat de elite van de studenten van Le Rosey om zich heen heeft; een geheime, inwendige glimlach. Hij kreeg zelfs een nieuwe naam — Stash — waar zijn ouders allebei bezwaar tegen maakten, omdat het een Pools en geen Russisch verkleinwoord was, maar zij moesten toegeven dat het in tegenstelling tot Alexander helemaal bij hem paste.

Toen Stash zoals altijd met de kerstvakantie thuiskwam, in 1925, was hij net veertien jaar geworden. Hij had de leeftijd bereikt, waarop de lichaamsbouw van de man die hij zou worden voor het oplettende oog onmiskenbaar aanwezig was. Zijn neus was bij een ruzie met de erfgenaam van een Frans markizaat voor de eerste keer gebroken, zijn krullen waren kortgeknipt en hoewel zijn spieren nog niet in volle omvang waren ontwikkeld, was hij reeds bijna één meter tachtig lang. Zijn lippen waren rood van onstuimige jeugdige vitaliteit, en vertoonden altijd barsten van het buiten sporten. De onschuldige blik in zijn ogen had plaatsgemaakt voor een uitdrukking, waarin reeds iets van de meedogenloosheid van zijn latere jaren was te bespeuren.

Zoals altijd na een dag van sport, liet Stash zijn skischoenen buiten voor het chalet staan, om door een van de bedienden te worden gepoetst. Hij trok een paar after-ski schoenen aan en glipte de salon in op zoek naar iets eetbaars. Hij had er een buitengewone handigheid in zich met een soort afwerende beleefdheid, onder zijn moeders coterie te bewegen, waardoor ze er van afzagen hem met vervelende vragen lastig te vallen. In zijn hart vond hij ze allemaal beneden de waardigheid van zijn moeder, deze adellijke groep tuberculosepatiënten, alleen bij elkaar gebracht door hun ziekte. Zijn afschuw voor ziekte uitte zich in de vorm van minachting voor de zieken zelf. Met een hoogmoed, waarin hij alleen een uitzondering voor zijn moeder maakte, verachtte hij zelfs de moed en berusting waarmee zij hun lot onder ogen zagen en zei bij zichzelf dat hij liever gaaf doodging dan met verrotte longen te blijven leven.

Hij ging zonder aarzelen een flinke beker chocolademelk en een bord met gebakjes halen en begaf zich op weg naar zijn eigen kamer, toen echter een loom opgeheven hand in een hoek hem beduidde, dat dit een van die dagen was, waarop zijn moeder haar gasten gezelschap hield en hij draaide zich onmiddellijk om en liep de kamer door om haar te begroeten.

Titiana zat met haar boezemvriendin, de markiezin Claire de Champery, in diep gesprek gewikkeld. De roodharige Française hield haar weelderige lichaam stijf ingesnoerd en had haar glanzende haar zorgvuldig bedwongen, maar niets kon de katachtige blik van haar gemelijke groene ogen, haar inhalige pruilmondje of haar boosaardige flauwe glimlachje verbergen. Ze was maar heel licht opgemaakt en vrijwel geheel in het zwart gekleed met een nietsontziende strenge allure. Mannen die met haar in aanraking kwamen, kregen een erotische schok.

Hoewel de markiezin al zeven jaar in Davos woonde, vertoonde ze geen spoor van ziekte. Ze was oorspronkelijk met haar man, Pierre de Champery, naar de Alpen gereisd, in de hoop dat een paar maanden berglucht hem zou afhelpen van de vervelende hoest, die hij in zijn succesvolle militaire loopbaan had opgelopen. Het was nooit bij deze welgemanierde, chique Parisienne opgekomen, dat ze zeven jaar lang in de verwachting naar de beschaving terug te keren zou doorbrengen, maar ze was een gevangene in Davos, door een van de sterkste banden, die van een toekomstige erfenis, geklonken aan een man van wie ze zelfs voor haar huwelijk nooit had gehouden. Om haar positie in de salon van prinses Titiana te handhaven, werkte ze ijverig en met veel vernuft voor haar spiegel om de sporen van haar laaiende zinnelijkheid weg te werken en haar vermomming van dame uit de hoogste maatschappelijke kringen te bewaren.

De man van Claire de Champery klemde zich aan haar vast met alle hardnekkigheid die een vermogend man, getrouwd met een twintig jaar jongere vrouw zonder geld, zich kan veroorloven. Hij woonde in een sanatorium, omdat hij veel te ziek was om ergens anders te wonen, maar hij had een aardig chaletje gehuurd voor zijn vrouw. De artsen hadden tegen haar gezegd dat het niet lang zou duren . . . maar dat zeiden ze al jaren.

Stash kwam bij de twee vrouwen, kuste zijn moeder op het haar en bukte zich om de lucht boven de hand van de markiezin te beroeren.

'Zo, is mijn kleine Stash weer thuisgekomen van school,' zei de elegante roodharige vrouw die voornaam beheerst in een fauteuil zat, spottend. 'En, vertel eens, jongenlief, heb je uiteindelijk kans gezien goede cijfers te halen? En ben je ook nog lid van dat boeiende kringetje, waar je het van de zomer over had — die kleine snobistische Amerikaanse miljonairs en die kleine Engelse lords met slechte tanden en die ondeugende vee-baronnetjes uit Argentinië en al die andere beroemdheden van je school?'

Stash perste woedend zijn lippen op elkaar. De afgelopen zomer, toen hij nog maar dertien was, had hij de vergissing begaan haar zijn beste vrienden te beschrijven, omdat zij echt in zijn schoolleven belang scheen te stellen. De meeste vriendinnen van zijn moeder, in beslag genomen door de ontelbare intriges van hun hermetisch afgesloten wereldje van ziekte en roddel, hadden er van af gezien aan de norse, moeilijke jongen aandacht te besteden, maar de markiezin had hem net zo lang uit zijn tent gelokt, tot hij haar een zeldzame blik in zijn schoolleven had gegund.

'En u, madame de markiezin,' beet hij haar toe, zonder op

haar vragen in te gaan, 'bent u nog steeds die beruchte femme fatale van dit wijdse middelpunt van de wereld? Of bent u vervangen door iemand die ik nog niet heb ontmoet?'

'Alexander,' stoof zijn moeder op. 'Zo is het wel genoeg! Je moet het hem maar niet kwalijk nemen, Claire. Hij is net veertien geworden, weet je, die onmogelijke leeftijd, waarop je denkt dat het leuk is om onbeschaamd te zijn. Alexander, bied onmiddellijk je excuus aan!'

'Nee, lieve Titiana, doe niet zo mal . . . ik plaagde hem en daar is de kleine boos om geworden.' Claire de Champery was in een opperbeste stemming. Ze voelde het opgekropte bloed tussen haar preuts tegen elkaar gedrukte dijen stromen, een duidelijk bewijs dat ze er goed aan had gedaan de jongen te tarten. Vanaf het moment dat ze hem door de kamer had zien lopen, was het haar opgevallen dat de kinderlijke schoonheid waar ze jarenlang in het geheim van genoten had, in een jongensachtige aantrekkelijkheid was overgegaan. Ze zag het eerste begin van een snorretje op zijn bovenlip en mat met haar blik de nieuwe lichamelijke ontwikkeling die een veertienjarige zijn gespierde bouw gaf. Hij was geen jongen meer, maar ook nog geen man — een zeer delicaat, kwellend, vluchtig stadium; een moment in een mannenleven, dacht ze bij zichzelf, dat niet lang duurde. Een jongeman — een zuivere, volmaakte jongeman — dat allersmakelijkste brokje. Hij wist nog van niets, daar was ze van overtuigd. Wat had hij daar ergens op een jongensschool het hele jaar kunnen leren, behalve misschien de vieze spelletjes die ze met elkaar speelden? Maar zijn felle reactie op haar spotternij zei haar, dat hij bereid was om onderricht te worden.

'Claire,' hield Titiana vol, 'hij moet echt zijn excuus aanbieden. Ik wil niet hebben dat hij zich zo bot gedraagt.'

'Laat hem in plaats daarvan maar boete doen, lieve Titiana. Een excuus aanbieden is al te gemakkelijk. O, ik weet het al — hij moet een trojkarit met mij maken — als hij tenminste oud genoeg is om de paarden in bedwang te houden?'

'Ik rijd al meer dan vier jaar met de trojka,' zei Stash minachtend.

'Tant mieux. Dan heb ik niets te vrezen. Als je morgenmiddag om drie uur naar mijn chalet komt, ben ik klaar om te vertrekken. Ga nu je taartjes maar eten, kindje . . . je ziet eruit of je er naar snakt.'

Nadat de markiezin de norse jongeman had weggestuurd, wendde ze zich weer tot Titiana en zette het gesprek voort met de vlotte charme, die de prinses dadelijk zo voor haar had ingenomen.

De dag na de scène van Stash met markiezin de Champery, kwam hij op tijd om de Française voor een rit met de trojka af te halen, omdat zijn moeder er steeds op had aangedrongen.

Het dienstmeisje dat hem de chalet binnenliet zei, dat haar mevrouw nog niet helemaal klaar was om weg te gaan. Ze nam zijn jas aan en ging hem voor naar een kleine zitkamer vlak naast de slaapkamer van de markiezin. Er was een vuur aangemaakt en het was erg warm in de kamer. Het meisje wees naar een blad met flessen met allerlei dranken en een reeks dozen met verschillende sigarettenmerken en liet hem alleen. Stash kneep geërgerd zijn lippen samen. Hij was nog te jong om te drinken of te roken en dat wist de markiezin heel goed. Dat was weer een van die flauwe grappen van haar, om hem er aan te herinneren dat hij nog maar een kind was. Hij stond nog nijdig midden in de knusse, weelderig ingerichte kamer, toen de markiezin binnenkwam. Ze was gekleed in een wijde middagjapon van zwarte chiffon afgezet met kant.

'O, u gaat zeker niet mee uit rijden,' riep Stash opgelucht uit, toen hij zag dat ze er niet op was gekleed.

'Nee, ik heb alleen je boete veranderd, mijn jongen.'

'Boete! Komedie zult u bedoelen! Dit is volslagen belachelijk. Ik laat me niet als een kind behandelen. Ik ga weg . . . ik heb er genoeg van!'

'Dat denk ik niet,' zei de markiezin zacht. 'Je bent erg grof tegen mij geweest en je lieve maman is nog heel boos op je.' De vrouw wist heel goed dat de enige invloed waar Stash zich aan onderwierp die van zijn moeder was.

'Kom eens hier bij me op de bank zitten, dan zal ik je zeggen wat het is.'

De jongen onderdrukte een zucht van boosheid en deed zwijgend wat hem gezegd werd.

'Ik heb er eens over nagedacht,' zei ze. 'Wij kennen elkaar al heel lang . . . is het niet zo? Je was pas zeven toen ik je voor het eerst zag . . . een kleine jongen. En nu ben je bijna een man. Heb je enig idee hoe oud ik ben?'

Stash schrok en was zeer gestreeld te horen dat hij bijna een man was. Zijn boosheid vergetend, antwoordde hij verlegen: 'U bent in ieder geval niet zo oud als mijn moeder . . . maar ik kan de leeftijd van vrouwen niet schatten.'

'Ik ben negenentwintig,' zei ze en dat was maar drie jaar gelogen. 'Dat lijkt je zeker wel ontzettend oud, hè? Nee . . . spreek het maar niet tegen, wees maar niet beleefd, dat staat je niet. Toen ik zo oud was als jij, was negenentwintig stokoud. Daarom heb ik besloten om je als boete een lesje te geven . . . een lesje in betrekkelijkheid.'

Het volle ronde mondje van de markiezin was sappig als een rijpe vrucht en ze likte nadenkend haar lippen. Ze schoof wat dichter naar Stash toe, die stijf op de roze satijnen bekleding zat, die ze zich — hoewel ze best wist dat het smakeloos was — in haar privé-vertrekken veroorloofde. Ze stak een mollige witte arm uit, zodat de zwarte kant naar achteren viel en legde haar hand op zijn hoofd. 'Ik mis je krullen,' zei ze zacht, door zijn dikke haar woelend. Hij bleef roerloos rechtop zitten en snoof de onbekende geur van een vrouw in een laaggesneden japon in, die zijn neusvleugels binnendrong. Bij het licht van het haardvuur kon hij uit zijn ooghoek de blauwe schaduw zien daar waar haar borsten begonnen. Haar hand gleed van zijn haar af en begon zijn hals te liefkozen met een volstrekt neutraal gebaar, alsof ze verstrooid een huisdier streelde. Stash voelde tot zijn afgrijselijke verwarring, dat zijn penis in zijn broek stijf was geworden. Hij merkte Claire's blik naar zijn kruis niet op; haar wenkbrauwen gingen slechts onmerkbaar iets omhoog toen haar geoefend oog haar zei wat er was gebeurd. Onbewust speelde ze met zijn oorlelletje, zonder dat ze dichter bij hem ging zitten.

'Nou, wat is nu betrekkelijkheid? Kun je me dat vertellen? Nee, . . . dat dacht ik wel. De les in betrekkelijkheid begint met het besef, dat mijn hand en jouw hals helemaal geen leeftijd hebben. Het is alleen maar vlees in aanraking met ander vlees, maar om de ware betekenis van betrekkelijkheid te begrijpen, moeten we verder gaan . . . veel verder.' Ze liet haar vingers naar de zachte holte onder aan zijn keel dwalen, die in zijn openslaande kraag zichtbaar was en toen liet ze haar hele hand in zijn hemd glijden, vond een tepel en begon die met een vinger te omcirkelen. Stash kreunde hardop en zij dronk het geluid in als een fijnproever — dat was zijn eerste kreun als man, dacht ze en voelde zijn tepel hard worden. Nu zou hij haar nooit vergeten. 'Aha, kleine man, je begint iets van de betrekkelijkheid te begrijpen,' fluisterde ze tegen de jongen die met een tollend hoofd voor zich uit bleef kijken. Wat deed ze nu . . . die vriendin van zijn moeder . . . onmogelijk . . . ze bespotte hem weer. In zijn verwarring dacht hij — maar hij wist het niet zeker — dat haar hand die ze uit zijn hemd had teruggetrokken, heel even naar beneden was gevallen, naar zijn kruis, en als een veertje over de stijve bobbel van zijn penis had gestreken. Maar toen knoopte diezelfde snel opgeheven hand voorzichtig zijn hemd los en onthulde zijn sterke jongemannenborst met over het midden een rechte, flauwe schaduw van fijn blond haar. Ze schoof wat dichter naar hem toe, trok zijn hemd naar achteren en liet de vingers van allebei haar handen over zijn halfnaakte, reeds gespierde armen glijden, in zichzelf mompelend: 'Wat ben je toch eigenlijk al volwassen, mijn Stash.' De jongen was zo verbluft, dat hij onbeweeglijk bleef zitten, zelfs toen ze de schaarse, zijden haarplukjes betastte die zo kort geleden onder zijn armen waren ontsproten. Hij schaamde zich over de pijnlijke opzwelling van zijn penis, een bekentenis van zwakheid tegenover deze overheersende vrouw. Hij wist wel wat ze in haar schild voerde. Ze wilde hem zover krijgen dat hij haar aanraakte, en dan zou ze hem voor de voeten werpen dat hij nog maar een kind was. Hij greep de kussens waar hij op zat beet om zich niet te verroeren en haar die voldoening niet te gunnen.

Toen voelde hij dat ze zijn riem losgespte en zijn gulp losknoopte. Ze liet zich op het dikke tapijt glijden. Hij beet met zijn tanden op zijn onderlip in een grimas die zijn gezicht verhardde tot een uitdrukking die er pas tien jaar later van nature op zou verschijnen.

'En nu... nu komen we tot de boete, Stash. Jij moet opstaan.' Ze bleef doodstil zitten en wachtte geduldig, hem onafgebroken aankijkend, zonder haar bevel te herhalen. Langzaam stond hij op en zijn broek viel op zijn voeten. Met moeite haar ademhaling bedwingend, keek de vrouw naar de slanke jongeman die voor haar stond en haar niet in de ogen durfde kijken. Door de opening van zijn onderbroek was de dikke uitstekende paal van zijn penis duidelijk te zien.

'Trek je broek uit,' fluisterde ze. Hij gehoorzaamde. Zijn lichaam was prachtig gebouwd en blank, op zijn aan de winterzon blootgestelde grote handen en zijn hals na. Al zijn gewrichten en pezen waren zacht van huid maar toch stevig en duidelijk afgetekend. Er groeide een beetje blond haar op de benen en een donkerder schaduw van grover krullend haar onder aan zijn testikels.

'Stap uit je onderbroek en ga op de bank liggen,' beval ze. 'Raak me niet aan, Stash, anders houd ik op met wat ik met je ga doen. Ik ben de lerares hier en jij doet boete, dus wees gehoorzaam. Als je je ook maar één centimeter verroert, houd ik op met de les, dat zweer ik je.' De dreiging in haar stem klonk echt. Ze trok aan haar japon, zodat hij van haar schouders gleed en haar borsten wipten uit het knellende kant. Ze legde om elke borst een hand en leunde naar hem toe, zodat hij kon zien hoe prachtig vol en zwaar ze waren, met de lichtbruine tepels van een echte roodharige. Hij lag heel stil op het roze satijn en durfde zijn rug niet te buigen en zijn martelende, harde penis omhoog te steken. Ze streek met haar tepels tergend langs zijn gebarsten lippen. 'Verroer je niet!' waarschuwde ze weer en genoot van het ruwe gevoel van zijn jonge, open mond over haar vlees. Toen hij vol vrees en verlangen kreunde en ze met zijn tong wilde aanraken, schoof ze meteen weg. 'O, nee! Ik begin pas!' Heel teer en met zo licht mogelijke aanraking bewoog ze haar volle sappige mond over zijn lichaam, dat zojuist uit de jongenstijd tevoorschijn was gekomen en hield bij elke tepel stil om er even met de punt van haar flitsend tongetje aan te likken. Tenslotte bleef ze even boven zijn penis verwijlen, terwijl hij zijn adem inhield; met haar gladde hoofd als in meditatie gebogen keek ze ernaar en zag hoe hij met kleine rukjes omhoog naar haar mond streefde. Maar zonder hem zelfs ook maar aan te raken ging ze verder naar beneden met haar tong langs de binnenkant van zijn stevige dijen. Toen ze op de bank knielde, was haar japon geleidelijk van haar afgegleden, zodat haar rijpe lichaam in zijn volle omvang van weelderig, geurig vlees was ontbloot, maar vanuit zijn positie op de bank kon hij haar naaktheid niet duidelijk zien zonder zijn hoofd op te tillen. Ze had hem alleen nog maar met haar tepels en haar mond aangeraakt en hij had haar helemaal niet aangeraakt. Knarsetandend en met machteloos gebalde vuisten hoorde hij haar zachte lachje van voldoening, het lachje van een echte fijnproever.

'O, ja zeker, je gaat al vooruit, hoor. Je begint door te krijgen wat betrekkelijkheid is. Je bent bijna aan het eind van de les toe.'

De tong van de markiezin gleed doodbedaard van de dijen van Stash terug naar zijn testikels. Ze blies eventjes op zijn schaamhaar en nog eens en hij kon niet verhinderen, dat er een kreun van zijn droge lippen ontsnapte. Als een vurige streep trok ze met het puntje van haar ervaren tong langs de onderkant van zijn gespannen penis en bleef toen één duizelingwekkend ogenblik op de eikel rusten.

'Nee,' zei ze peinzend, 'nee, je kunt je niet voldoende beheersen.' Met een kleine verandering van houding ging ze schrijlings over het lichaam van Stash heen zitten, met haar knieën aan weerszijden van zijn gestrekte dijen. Langzaam, met de bedaardheid van een vrouw van tweeëndertig, trok ze haar dikke rode schaamhaar uit elkaar, opende met de vingers van haar ene hand de lippen van haar vagina en trok met de andere de penis van Stash van zijn buik af tot hij recht omhoog stak. Hij was zo hard dat zij hem stevig tegen moest houden terwijl ze, eindeloos de tijd nemend, zich langzaam op de gezwollen eikel liet zakken. Ze verzamelde haar rijpe lichaam in een zachte pilaar van vlees en zette zich op hem neer. Toen hij helemaal door haar was omsloten, leunde ze naar voren en fluisterde in zijn verwrongen lippen: 'Nu, toe maar . . .'

Stash, bevrijd uit zijn slavernij, greep de knielende vrouw met zijn beide armen om haar middel en zonder zijn penis uit haar stevige schacht terug te trekken, tilde hij haar op en draaide haar om, zodat zij onder hem lag. Met een geweldige stoot stortte hij zich in haar uit, terwijl hij meedogenloos in haar lippen beet en met beide handen in haar borsten kneep. Zodra hij weer op adem was gekomen zei hij: 'Als je het nog eens waagt op mij te rijden! In het vervolg zal ík dat wel doen!'

'O, ho,' fluisterde ze hees, 'deel jij nu de lakens uit? Maar, één van ons is maar bevredigd, beste vriend . . . dus, uit het oogpunt van betrekkelijkheid is de les niet begrepen.'

'O, nee?' Het drong tot haar door dat zijn penis nog steeds in haar vagina zat. Hij groeide weer, nog groter dan tevoren. Hij boorde hem met onregelmatige stoten in haar wachtende lichaam tot zij een hevig orgasme bereikte. En nog steeds bereed hij haar, met opgezwollen bloed, en hield alleen even op om zijn sperma met haar zwarte kanten japon van haar schaamhaar te vegen. De tweede keer had hij al een heleboel geleerd dat hij weten moest, en hij nam de tijd om zichzelf genot te bezorgen, zonder op haar protesten te letten dat hij haar pijn deed, dat hij even moest ophouden, dat hij te groot voor haar was. Zijn tweede orgasme was veel intenser dan het eerste en het leek niet alleen van zijn penis en testikels, maar van zijn hele ruggegraat te komen. De veertienjarige jongen lag, tijdelijk uitgeput, naast het wellustige, verzadigde lichaam van de vrouw. Het vuur in de haard knetterde en ze spraken geen van beiden. Buiten was het donker.

'Claire,' zei Stash, 'ik ga naar je badkamer om een bad te nemen. Bel het meisje om warme chocolade en breng het me daar maar. En daarna . . .'

'Daarna . . .' onderbrak ze hem, verbaasd over de commandotoon die van de jongen kwam, die ze zojuist zijn eerste les in de liefde had gegeven.

'En daarna hebben we nog een les in betrekkelijkheid. In de slaapkamer. Die bank van je is me te glad.' Zijn stem klonk ruw van zijn nieuwe gezag.

'Maar . . . je bent gek!'

Hij pakte haar hand en legde hem op zijn penis. Het hete, kleverige orgaan begon alweer te rijzen en te zwellen, en bewoog onder haar aanraking als een dier. 'Wil je dat ik geen bad neem?' vroeg hij. 'Zullen we dan maar zo naar de slaapkamer gaan?'

'Nee, Stash — nee — ga jij maar in het bad. Ik zal om de chocolade bellen.' Ze bedekte zich haastig met de verfomfaaide japon.

'Vergeet de taartjes niet.'

Die kerstvakantie hield Stash iedere dag eerder op met skiën en bracht hij verder de hele middag in de roze met rode zitkamer of de lavendelkleurige slaapkamer van markiezin de Champery door; hij ging pas weg als het tijd was om thuis te gaan eten. Ze schreef Titiana een briefje, dat ze door een verkoudheid in haar hoofd was verhinderd de gebruikelijke bijeenkomst in het chalet bij te wonen, en gaf met alle genoegen haar diner-afspraken op om het verhaal kracht bij te zetten.

Stash raakte vertrouwd met de lange, langzame stoten, het snelle doordringen, de ondragelijke ingehouden pauzes die ze allebei nog vuriger maakten, de trilling, het terugtrekken, het gezamenlijk kloppen van het bloed — alle hoogte- en dieptepunten van het vrijen. De Française leerde hem hoe hij haar en alle andere vrouwen die hij zou bezitten plezier kon geven, met een sensualiteit die ieder detail verkende. Ze leerde hem net zo schaamteloos te zijn als zijzelf, zodat alles wat in de conventionele seksualiteit was verboden, nooit kans had indruk op hem te maken. Ze leerde hem de vele geraffineerde manieren om zijn mond, zijn tong, zijn tanden en zijn vingers te gebruiken en tussen haar benen te bewegen. Ze leerde hem het belang van geduld en heimelijke zachtheid. Ze leerde hem niets over tederheid of gevoel . . . daarvan was er niets tussen hen . . . ze was niet vals, wat ze verder ook was. Als zij afscheid namen, als hij vertrok om weer naar school te gaan, werden er geen beloften gedaan of blikken achterom geworpen. Hij was een jongeman, zij een vrouw die zich niet de luxe veroorloofde ook maar één seconde te geloven dat hij voor iets anders bij haar terug zou komen dan haar lichaam . . . en dan nog alleen als hij niemand anders vond waar hij de voorkeur aan gaf. Maar zij wist, dat zij in het hele leven dat zich voor Stash Valensky uitstrekte, een plaats zou innemen die geen andere vrouw ooit zou vullen. Als hij een oude man was en honderd andere vrouwen was vergeten, zou hij zich nog de roze satijn en het licht van het haardvuur en de les in betrekkelijkheid herinneren.

Na het vertrek van de jongen verdween de verkoudheid in het hoofd van madame de markiezin. Ze besloot echter niet meer iedere dag naar de benauwende theevisite bij prinses Titiana te gaan. In plaats daarvan legde ze zich toe op het skiën. In de daarop volgende tien jaar, terwijl haar man hardnekkig en onvergefelijk op de rand van de dood zweefde, was het de verdienste van Claire de Champery de lerares te zijn van een heel legioen naïeve dorpsjongens, die skileraren van de Alpen die heden ten dage legendarische pleziermakers zijn. Ook al hebben ze nooit van haar gehoord, ze hebben veel te danken aan haar lessen die van de ene generatie skischoolhelden op de volgende zijn overgedragen.

In 1929 behaalde Stash Valensky op Le Rosey zijn einddiploma. Hij bracht die zomer op een grote veeboerderij van de vader van een van zijn klasgenoten in Argentinië door. In Zuid-Amerika werden de mooiste polo-pony's van de wereld gefokt, en daar woonden velen van de beste polospelers. Zij kwamen uit Argentinië om zich met Amerikaanse of Engelse ploegen te meten en brachten vaak een reeks van veertig pony's mee, die zij ná het seizoen voor hoge bedragen verkochten. De gouden tijd van de polo duurde van 1929 tot 1939. Het waren de jaren waarin Tommy Hitchcock, Winston Guest, Tommy Inglehard, Cecil Smith, de Irish Brothers, Jai, de Maharadja van Jaipur, Pat en Aiden Rourk, Eric Pedley uit Santa Barbara en andere even grote spelers allemaal met elkaar wedijverden, allemaal fantastische ruiters die allemaal hun leven aan het spel wijdden.

In Rolle, op de voorjaars- en najaarscampus van Le Rosey en tijdens zijn zomervakanties in Davos, was Stash een volleerd ruiter geworden. Nu, in Argentinië, ontdekte hij hoe dat kwam. Polo had voor hem kunnen zijn uitgevonden. Had hij een ander leven gehad, dan had hij Akbar, de Mogul, heerser van India in de zestiende eeuw willen zijn, die zo dol was op polo, dat hij het in het donker speelde, met ballen van smeulend hout en achter het spoor van vonken dat ze achterlieten galoppeerde. Na drie maanden achter elkaar oefenen in de 'pit' en op het veld, vonden zijn gastheren het verantwoord Stash de eer aan te doen hem te vragen mee te spelen in een oefenwedstrijd. Buiten zichzelf van vreugde schreef hij naar huis om uit te leggen dat het absoluut noodzakelijk was dat hij zijn bezoek nog drie maanden verlengde, omdat het Zuidamerikaanse poloseizoen net was begonnen.

Prinses Titiana was ontroostbaar dat haar zoon zo lang wegbleef, maar prins Vasilli nam het verzoek heel nuchter op. Wat moest een jongen tenslotte anders doen?

'Liefste, als de Russische revolutie of de Grote Oorlog er niet was geweest, zou jouw Alexander een schitterende cavalerie-officier zijn geweest. Polo is tenminste heel geschikt voor een prins.' Hij stortte een grote geldsom op de bankrekening van Stash in Buenos Aires en schreef hem, dat hij zijn eigen pony's moest kopen en niet meer afhankelijk moest zijn van geleende rijdieren.

De onmisbare eigenschap van een groot polospeler, als hij zijn rijkunst en zijn coördinatie eenmaal heeft geperfectioneerd, is nietsontziende moed. Stash Valensky die nu zijn volle lengte van een meter vijfentachtig had bereikt, was volmaakt geoefend voor de sport, maar wat belangrijker was, zijn krijgshaftige aard had er behoefte aan.

Beginnend in die zomer van 1929 toen hij achttien was, zwierf Stash door de wereld, en volgde de poloseizoenen: Engeland in de zomer, Deauville in augustus, herfst in Zuid-Amerika, winter in India, voorjaar in de Verenigde Staten. Met hem mee reisde zijn huishouding: zijn lijfknecht, een Engelsman, Mump genaamd; zijn stalknechten, zijn trainer en natuurlijk het voornaamste van alles, zijn pony's.

De taak van Mump beperkte zich niet tot de zorg voor de garderobe van de prins. Hij besteedde evenveel tijd bij de bloemist en met het afgeven van briefjes als aan de laarzen van zijn meester. Stash die al zo vroeg in de zinnelijke liefde was ingewijd, verspilde geen tijd met het belegeren van huwbare maagden of jongedames van goede reputatie, of ze nu maagd waren of niet. Hij legde spoedig een voorkeur voor een ander soort vrouw aan de dag en zulke vrouwen waren onvermijdelijk de echtgenotes van andere mannen. Dat was een complicatie die echter niet onoplosbaar was, vooral met de medewerking van Mump — die er voor zorgde, dat briefjes discreet werden afgeleverd en ontvangen; dat bloemen alleen voor of na een feestje aankwamen om geen achterdocht te wekken; en dat een dame die zich een ogenblik alleen in de appartementen van Stash bevond, nooit op bewijzen van een ander zou stuiten.

Stash ontdekte dat polo hem noopte zich tot één liefdesaffaire tegelijk te beperken, omdat de dame in kwestie het steevast als haar speciale voorrecht beschouwde om naar het veld te rijden om naar de ploegen te kijken die aan het trainen waren. Het fatsoen eiste, dat er geen twee vrouwen te zien waren die, elk in een grote open wagen, hem tegelijkertijd toejuichten. Maar de ploegen bleven nooit lang achter elkaar in één land en de vurige vrouw van de generaal in Brazilië wist niets af van de jonge maharani in Delhi; de lieftallige Engelse gravin kwam geen enkel gerucht ter ore over de aantrekkelijke jongedame uit San Francisco, die iedere dag in de Old Monterey Polo Club kwam.

De enige onderbreking in de gulden jaren van plezier die Stash na zijn eindexamen van Le Rosey leidde, kwam toen prinses Titiana, uitgeteerd en weggekwijnd maar tot het eind toe vechtend, in 1934 stierf. Stash had zijn ouders altijd tweemaal per jaar in Davos bezocht en ze hadden geen van beiden ooit iets opgemerkt over het wilde, onbezorgde leven dat hij leidde. Ze waren maar al te blij hem bruisend van gezondheid, vol onstuimige levenslust te zien. Nu bleef Stash lang genoeg om zich er rekenschap van te geven, dat zijn vader vijfenzestig was, een gebroken man die zijn reden van bestaan had verloren. De daarop volgende maanden bleef Stash bij prins Vasilli in Davos en hield zijn ongeduld om zijn eigen leven te hervatten in toom. Het duurde niet lang of hij zag dat zijn vader wegkwijnde, het had opgegeven en aan het eind van een ballingschap was gekomen die hij zichzelf had opgelegd. Een ballingschap, waarin zijn fortuin bewaard was gebleven, maar hij zelf slechts als een half mens was achtergebleven. Alleen maar in staat naar de grote historische gebeurtenissen te kijken zonder er zelf aan deel te nemen, in zijn zelf-afzondering van het hooggelegen Davos-Dorf.

Na de dood van prins Vasilli Valensky ontdekte de nieuwbakken erfgenaam, dat hij naast de geslonken maar toch nog aanzienlijke hoeveelheid Russisch goud, dat tweeëntwintig jaar op Zwitserse banken was gezet, een groot huis met doodsbenauwde bedienden had geërfd, die allemaal met zijn ouders uit Rusland waren meegekomen en nu al aardig op weg naar de middelbare leeftijd waren. Zij kenden geen van allen iets anders dan een leven in dienst van de familie Valensky. Vroeger lijfeigenen, nu huispersoneel, was hun grootste zorg wat er van hen zou terechtkomen. Stash was voor zover dat in de moderne wereld mogelijk was, hun feodale heer; zij accepteerden en verlangden ook geen ander standpunt. Hun kinderen waren als Zwitserse burgers opgevoed, maar niets kon de behoefte van deze oude Russen om zich aan elkaar vast te klampen in een sfeer die hen herinnerde aan een land net zo ver weg als het verdronken Atlantis, doen wankelen.

Hij was nu voor hen verantwoordelijk, begreep Stash met een verbaasd gezicht. Hij had er nooit bij stil gestaan, wat hij met ze moest beginnen als zijn ouders niet meer leefden; hij had nog nooit realistisch over de toekomst gedacht. Nu riep hij hun leiders, Zachary, de vroegere lakei en Boris, de vroegere arresleekoetsier, bij zich.

'Ik heb een hekel aan Davos,' zei hij tegen ze. 'Ik heb er te veel treurige herinneringen aan. Maar sommigen van jullie hebben wel kinderen op Zwitserse scholen zitten. Wat vinden jullie ervan, als ik naar een lager gedeelte van Zwitserland verhuis — en jullie allemaal meeneem? Zouden jullie dan mee willen of zouden jullie liever hier blijven? In beide gevallen worden jullie zolang ik leef doorbetaald.'

'Prins Alexander,' antwoordde Zachary, 'wij hebben geen huis, dat niet úw huis is. Wij zijn niet te oud om te verhuizen, maar wij zijn wel veel te oud om te veranderen.'

Weldra vond Stash de villa buiten Lausanne en korte tijd later had hij daar de inrichting van het paleis in St. Petersburg dat hij nooit gezien had, gekopieerd, zoals zijn vader het in zijn geheel naar Davos had gebracht. Maar in de vestiging in Lausanne was ieder spoor van de ziekenkamer en het gebabbel van zieken verdwenen, alle heimwee was weggevaagd, behalve dat wat er nog aan de steeds kostbaarder wordende schilderijen en het meubilair mocht hangen. Stash kwam jaarlijks maar een paar maanden in Lausanne wonen, net lang genoeg om de bedienden gerust te stellen, maar zij onderhielden het grote huis, alsof hij iedere avond thuis kon komen.

In 1934 werden polo en vrouwen bijna verdrongen door een nieuwe hartstocht. Na afloop van het Engelse zomer-poloseizoen kreeg de verlokking van het vliegen hem te pakken. Een nogal ernstig gebroken been, dat hij aan een match in september had overgehouden, had Stash er dat jaar van weerhouden naar Zuid-Amerika te gaan. Op 20 oktober 1934 bevond hij zich onder de toeschouwers die zich bij het ochtendkrieken in Mildenhall in Suffolk hadden verzameld om naar de start van de MacRobertson Race van Engeland naar Australië te kijken, het eerste grote sportieve evenement in de korte geschiedenis van de luchtvaart. Hij voelde zich onmiddellijk in de adembenemende, enthousiaste spanning van de zestienduizendkoppige menigte opgenomen. Die zag twintig van de mooiste experimentele vliegtuigen uit die periode opstijgen en in de richting van het oosten, naar de eerste controlepost in Bagdad vliegen. Diezelfde dag liet Stash, nog op krukken lopend, zich bij de Londense luchtvaartvereniging, een afdeling van de koninklijke luchtvaartvereniging, als lid inschrijven. De daarop volgende week had hij zijn dokter ervan overtuigd, dat hij geen krukken meer nodig had en hij reed meteen naar de luchtvaartvereniging om les te nemen. Na zes uur vloog hij solo in een kleine les-tweedekker, de Havilland Moth en na nog eens drie uur solo vliegen, gevolgd door een examen, verkreeg hij zijn vliegbrevet.

Stash kocht een eendekker, de Miles Hawk, en begon de jacht op snelheid die hem de volgende zes jaar zou opslokken. Het jaar daarop nam hij aan de eerste race in Frankrijk deel, de Coupe Deutsch de la Meurthe. Hij vloog daarin met een slank houten Caudron wedstrijdvliegtuig met kleine vleugels en een extra sterke Renault motor, dat op zijn hoogtepunt een recordsnelheid van 314 mijl per uur kon bereiken. In 1937 ging hij naar de Verenigde Staten om deel te nemen aan de Bendix Trophy race en ging in 1938 terug om het nog eens te proberen. Hij werd een van de tien mannen die verloren van Jacqueline Cochrane, een vrouw die in tien uur, zevenentwintig minuten en vijfenvijftig seconden het uithoudingsrecord van kust tot kust vestigde. Hij vloog met Severskys; hij vloog met de krankzinnig gevaarlijke kleine Mignet Pou-du-ciel of met Sky Louse. Hij vloog met alles wat vleugels had en hij vloog altijd alleen, een voorkeur die hem verhinderde aan een van de vele lange afstandscompetities mee te doen, waar hij een tweede piloot bij nodig had. Maar voor Stash maakte het alleen in de lucht zijn meer dan de helft van de vreugde van het vliegen uit, omdat het zo volslagen in tegenstelling met het teamspel van polo was. De lucht betekende eenzaamheid, een eenzaamheid die op de grond praktisch niet meer te vinden was. De volgende vier jaar, waarin hij vrijwel zonder onderbreking in roekeloze achtervolging onbezonnen achter snelheidsrecords in de lucht en vrouwen en poloballen op de grond najaagde, las Stash op een dag aan het eind van september 1938 over de terugkeer van Chamberlain uit München met de belofte van 'vrede in onze tijd'.

Maar zodra hij het jaar daarop, in maart 1939, het bericht over de Duitse inval in Tsjechoslowakije las, zag Stash duidelijk in dat de oorlog onafwendbaar was en vertrok hij direct uit

Bombay naar Engeland. Na zijn aankomst ging hij rechtstreeks naar het hoofdkwartier van de vrijwilligersreserve van de koninklijke luchtmacht om zich aan te melden voor een opdracht. In juni had kapitein vlieger A.V. Valensky zijn handen vol aan de opleiding van jonge piloten in Duxford in Cambridgeshire, de meesten jeugdige leden van het universiteitseskader.

Toen Engeland en Frankrijk op 3 september 1939 aan Duitsland de oorlog verklaarden, bijna een maand voordat Stash zevenentwintig jaar werd, had hij een opleiding als gevechtspiloot achter de rug, en behoorde hij tot het 249e eskader en vloog in een Hurricane die tot zijn blijdschap was voorzien van een Rolls-Royce Merlin motor. Maar toen zijn eskader in juli operationeel en geschikt voor nachtgevechten werd verklaard, werd Stash tot zijn onbeschrijfelijke woede en bitterheid tot luitenant-vlieger gepromoveerd en naar Aston Down gestuurd, waar hij was gedoemd een heel jaar te blijven om jonge piloten de techniek van het gevechtsvliegtuig bij te brengen.

In zijn hele leven van actie had hij nooit iets ervaren om hem voor te bereiden op die twaalf maanden die hem tot razernij brachten; waarin mannen die hij had opgeleid in groepen werden weggestuurd 'om dat tuig in de pan te hakken', zoals zij dat opgewekt uitdrukten en hem achterlieten om les te geven, niet om te vechten. Zodra hij maar enigszins kans zag ging Stash naar Londen om de luchtmacht-autoriteiten te belegeren met zijn grimmige pogingen om naar een gevechtseskader te worden overgeplaatst.

'Wees toch verstandig, Valensky,' zeiden ze dan met kille regelmaat. 'Je doet verdomd veel nuttiger werk voor ons waar je nu bent dan wanneer je de kans loopt ergens te worden neergeschoten — er moet tenslotte iemand zijn om die jongens op te leiden.'

Vol opgekropte teleurstelling begon Stash die zich volstrekt waardeloos voelde, voor het eerst van zijn leven zwaar te drinken. Toen hij Victoria Woodhill, een Luva, ontmoette, stopte hij al zijn opgekropte teleurstelling in het veroveren van de tamelijk stugge, gereserveerde jonge vrouw, waarvan de voornaamste attractie was dat ze geen belangstelling voor hem toonde. Alles waar hij maar met succes tegen aan kon rammen was tijdens die maanden, waarin de Duitsers steeds dieper het lichaam van Europa binnendrongen, een doelwit voor Stash. Zij trouwden in juni 1940 en bijna vlak daarna verloren zij elkaar uit het oog, toen Victoria naar Schotland werd overgeplaatst.

Officieel duurde de slag om Engeland bijna vier maanden, van 10 juli tot en met 31 oktober 1940. Het was eigenlijk een hele reeks van slagen, gestreden door zeshonderd RAF vliegtuigen tegen de machtige Luftwaffe die met drieduizend bombardementsvliegtuigen en twaalfhonderd gevechtsvliegtuigen vloog om Engeland te overdonderen. Als de RAF had verloren, hadden de Duitsers vrijwel zeker een inval in Engeland gedaan.

Voor Stash duurde de slag om Engeland maar drie maanden, te beginnen in augustus 1940, toen de machten die zulke dingen beslisten, tot de harde conclusie kwamen, dat ze zich niet meer de luxe van opleidingseenheden konden veroorloven, maar hun kersverse vliegers naar de operationele eskaders stuurden om tijdens en tussen de gevechten door te worden getraind.

Tenslotte werd Stash naar Westhampnett bij Portsmouth overgeplaatst, waar hij aankwam op een dag die als 'Zwarte Donderdag' bekend zou worden, namelijk op 15 augustus 1940. Dat was de dag waarop Göring in een grootscheepse aanval uit alle flanken die onder zijn commando stonden zijn 'adelaars' de lucht instuurde. Een enorme armada van Dorniers 17 en Junkers 88, geëscorteerd door gevechtsvliegtuigen, was de kust van Engeland gepasseerd en het nieuwe eskader van Stash, direct gealarmeerd, steeg meteen op. Zijn eerste luchtgevecht in de Engelse blauwe lucht was een heksenketel van duiken, zwenken, om de as wentelen, vliegtuigen beschieten, aanvallen en achtervolgen, ook als ze reeds waren geraakt.

Toen de slag was afgelopen, had de inlichtingendienst bevestigd, dat Valensky twee Duitse bombardements- en drie gevechtsvliegtuigen onschadelijk had gemaakt. Hij had niet eens het geschreeuw gehoord dat in zijn koptelefoon klonk, als de andere piloten elkaar waarschuwden voor een aanvaller of in gejuich uitbarstten als ze iets hadden geraakt — de kille, geconcentreerde, dodelijke razernij waarmee hij zelf vloog maakte hem doof voor hen. Het drong evenmin tot hem door dat hij, iedere keer als hij een vijand neerschoot, een schelle oorlogskreet uitgilde die in de oren van de andere vliegers uit zijn eskader drong. Nadat zij de Duitsers met de staart tussen de benen hadden verdreven, gonsde de lucht van commentaar.

'Jezus, wat was dat verdomme nog an toe?'

'Die nieuwe vent — kan niemand anders zijn — hier zijn alleen wij, uilskuikens.'

'Nou, het klonk meer als een woeste condor!'

En als Condor Valensky streed Stash in de slag om Engeland; later, overgeplaatst naar de luchtmachtafdeling in de woestijn, vloog hij overdag en 's nachts in de operatie 'Crusader' om in november 1941 de havenstad Tobroek te ontzetten. Als Condor Valensky vloog hij met een Hurricane tegen Rommel in El-Alamein; en als Condor Valensky kreeg hij de DFC en de DFO onderscheidingen en werd in 1942 eskadercommandant. Hij werd pas weer Stash genoemd toen de oorlog was afgelopen. En was gewonnen.

Toen de herfst naderde, begonnen Francesca en Stash, nog tot over de oren in de eerste wittebroodsweken, plannen voor de toekomst te maken. Zij bespraken het idee om tegen het eind van november naar India te reizen, zodat zij in het poloseizoen van december en januari in Calcutta zouden zijn, gevolgd door de wedstrijden in februari en maart in Delhi. Maar op een dag op de helft van oktober had Francesca de zekerheid gekregen dat ze zwanger was.

'Dat moet die eerste nacht in de stallen zijn gebeurd,' zei ze tegen Stash. 'Ik vermoedde het al drie weken nadat we waren getrouwd, maar ik wilde het absoluut zeker weten voor ik het je vertelde.' Ze was helemaal stralend.

'Toen? In de stallen? Weet je het zeker?' vroeg hij, plotseling meegesleept door blijdschap.

'Ja, toen. Ik weet het. Ik weet niet, hoe ik het weet, maar het is zo.'

'En weet je ook dat het een jongen wordt? Want dat weet ík nu weer.'

Francesca mompelde alleen maar: 'Misschien.' Ze wist, waarom Stash zo dolgraag een jongen wilde hebben. Hij had een zoon uit zijn kortstondige eerste huwelijk, een jongetje dat nu bijna zes was. De jongen was geboren, nadat Stash en Victoria Woodhill uit elkaar waren. Dat overhaaste huwelijk, het resultaat van Stash zijn gedwarsboomde strijdlustigheid, had in vredestijd niet lang geduurd. Ze hadden met de scheiding gewacht tot na de geboorte van het kind. De moeder van de jongen vond die ene vreemde naam waarmee hij geboren was genoeg, en daarom werd hij George Edward Woodhill gedoopt. Als baby had ze hem de bijnaam Ram gegeven, omdat hij de gewoonte had met zijn hoofd tegen de zijkant van zijn ledikantje te rammen en Ram was het gebleven. Hij woonde met zijn moeder en stiefvader in Schotland en kwam maar een enkele keer bij Stash op bezoek. De stellige bewering van Stash dat het kind van Francesca een jongen zou zijn, was zijn manier om zich van een andere zoon te verzekeren, een die hem niet zou worden afgepakt.

Francesca had foto's van Ram gezien, een smalle rechte jongen met samengetrokken wenkbrauwen, die met een strenge, onkinderlijke uitdrukking op zijn mooie gezicht uitdagend in de camera keek. Ze herkende weinig van Stash in deze zoon die een houding van aristocratische koelheid had. Een nerveus geprikkelde, bijna norse uitdrukking die reeds aangaf dat hij nooit de ruwe zelfverzekerde houding van zijn vader zou krijgen.

'Hij is nu, op zijn leeftijd al, een uitstekende ruiter,' zei Stash. 'Ram is lichamelijk een model van volmaaktheid, opgevoed als een kleine soldaat — typisch die traditie van de Engelse hogere klassen.' Hij keek weer hoofdschuddend naar de foto. 'Maar hij is wel intelligent en stronteigenwijs. Hij heeft iets... afgeslotens... net als de hele familie van zijn moeder. Of misschien komt het wel door de scheiding. Hoe het ook zij, daar was nu eenmaal niets aan te doen.' Hij haalde zijn schouders op, legde de foto's weg met het gebaar van iemand die voorlopig niet van plan is er weer naar te kijken, en drukte Francesca tegen zich aan. Hij keek onderzoekend in haar gezicht en even kwam er een zachte blik in zijn felle ogen. Ze voelde, dat zij het was die zijn rots in een stormachtige zee was.

De villa buiten Lausanne was zo ruim en comfortabel, dat de Valensky's besloten daar te blijven tot hun kind was geboren. Het was maar een korte afstand naar Lausanne zelf met zijn voortreffelijke artsen. Omdat er geen sprake meer van was dat zij naar India zouden gaan, stuurde Stash al zijn pony's naar Engeland om ze daar op het gras te laten zetten. Na de oorlog had hij het grootste deel van zijn kapitaal uit Zwitserland gehaald en in de Rolls-Royce onderneming geïnvesteerd. In Rusland geboren, opgegroeid in de Alpen en een nomade van de poloseizoenen, had hij ontdekt dat zijn nationaliteit iets emotioneels was, niet gebonden aan een land, maar aan een motor, de Rolls-Royce motor die volgens zijn denkwijze Engeland beslist had gered en de loop van de oorlog had bepaald.

In de zomer van het daarop volgende jaar, als de baby een paar maanden oud was, zo verzekerde Stash Francesca, zouden ze naar Londen verhuizen en een huis kopen om zich daar te installeren en er voor de toekomst hun thuisbasis van te maken. Maar intussen leefden ze die eerste maanden van hun huwelijk in een toestand van zó'n ongelooflijke verering voor elkaar en gingen ze zó hartstochtelijk in elkaars lichaam op, dat ze geen van beiden zin hadden om verder te reizen dan naar Evian, aan de overkant van Lac Leman, waar ze af en toe naartoe gingen om in het casino te spelen. Het tochtje met de stoomboot over het meer in het begin van de avond was een sprookjesachtig genoegen, als zij samen aan de railing stonden en naar de zeilscheepjes keken die met hun gele, rode en blauwe zeilen als grote vlinders in de zonsondergang op weg naar de haven voeren. Als zij met de boot van middernacht naar de landingssteiger van Ouchy teruggingen, wisten zij nooit of zij met *chemin de fer* gewonnen of verloren hadden en het liet ze koud ook.

Om het verstrijken van de weken aan te duiden, gaf Stash nog meer Fabergé rotskristallen vaasjes uit zijn moeders verzameling aan Francesca. In elk vaasje zaten een paar van edelstenen, diamanten en email bewerkte takjes bloemen of vruchten, zoals bloeiende kwee, veenbessen en frambozen, lelietjes-van-dalen, narcissen, wilde rozen en viooltjes. Ze waren allemaal met buitengewoon groot vernuft en vakmanschap vervaardigd, zodat de kostbare materialen de eigenlijke vormen van de bloemen en vruchten nooit overheersten. Zo had Francesca al spoedig een bloeiende Fabergé-tuin bij haar bed staan en toen hij hoorde dat het kind op komst was, gaf Stash haar een met goud ingelegd lazuurstenen ei van Fabergé. In het ei zat een donkergele emaille dooier. Bij het openen van die dooier kwam er een mechanisme in werking, dat een miniatuurkroontje uit het binnenste van het ei deed oprijzen, een volmaakte kopie van de koepelvormige kroon van Catharina de Grote, bedekt met diamanten en bovenop een robijn. In de kroon hing ook weer een eitje, gevormd van een grote robijn die aan een gouden kettinkje hing.

'Mijn moeder wist nooit of dit een Keizerlijk Paasei was of niet,' zei Stash tegen haar toen ze het kleinood bewonderde. 'Mijn vader heeft hem na de revolutie gekocht van een refugié die bij hoog en bij laag beweerde dat het een van de eieren was die aan de douairière tsarina Marie was geschonken. Maar hij kon niet verklaren hoe hij er aan was gekomen en mijn vader wist te veel om aan te dringen . . . maar het Fabergé merk staat er wel op.'

'Ik heb nog nooit zoiets volmaakts gezien,' zei Francesca, die het in haar handpalm hield.

'Ik wel,' zei Stash en hij liet zijn handen langs haar hals glijden tot zij haar borsten vonden, die met de dag voller en rijper werden. Het ei viel op het tapijt, toen hij met zijn lippen haar donker wordende tepels omsloot en er als een veeleisend kind op sabbelde.

Toen in de grote villa bij Lausanne de winter inviel, reed Stash 's middags de grote paarden in zijn stal af en deed Francesca een dutje onder een luchtige, met lila zijde overtrokken donsdeken, om pas wakker te worden toen ze uit de bijna onmerkbare geur van sneeuw die hun kamer binnendrong kon opmaken dat hij terug was.

In het begin van de avond, na de thee, ging Stash als het niet te winderig was, met Francesca een tochtje maken met de door paarden getrokken arreslee. En dikwijls, als ze de maan zag opkomen wanneer ze terugkeerden naar hun grote villa, zo uitnodigend vrolijk en helder verlicht als een oceaanstomer, en lekker warm onder de met bont gevoerde reisdeken, met de capuchon van haar lange sabelbontjas opgetrokken tot over haar kin naar het gesnuif van de paarden en het tedere gerinkel van de bellen luisterde, voelde Francesca tranen op haar wangen. Geen tranen van geluk, maar tranen van die plotselinge weemoed, die op die zeldzame momenten van volmaakte vreugde komt, en waarvan men zich op hetzelfde ogenblik waarop ze beleefd worden volledig bewust is. Een dergelijke wetenschap brengt altijd een voorbode van verlies met zich mee, die geen reden of verklaring nodig heeft.

Uit de inlichtingen, die Stash bij zijn vrienden in Lausanne had ingewonnen bleek, dat dr. Henri Allard als specialist in de stad het hoogst stond aangeschreven. Hij hield er een particuliere kliniek op na, die eigenlijk een klein, buitengewoon goed geleid modern ziekenhuis was, dat door rijke vrouwen uit alle delen van de wereld druk werd bezocht.

Dr. Allard was een stevige, opgewekte, competente en energieke man die bijna even goed tulpen kon kweken als baby's. Hij zei tegen Francesca, dat ze haar kind ongeveer tegen eind mei kon verwachten. Haar maandelijkse bezoeken aan Allard waren een kleine, wat vervelende onderbreking van de grote dialoog, waar zij en Stash zich in hadden begeven. Op een dag in februari boog dr. Allard zich met zijn stethoscoop ongewoon lang over Francesca's buik. Naderhand in zijn spreekkamer was hij nog opgeruimder dan deze altijd en eeuwig joviale man altijd al was geweest.

'Ik geloof dat wij een verrassing voor de prins hebben,'

verklaarde hij, en zat bijna te wippen op zijn stoel. 'Vorige maand was ik er nog niet helemaal zeker van, daarom heb ik niets gezegd, maar nu wel. Er zijn duidelijk twee verschillende hartslagen, met een verschil van tien slagen per minuut. U draagt een tweeling, mijn lieve prinses!'

'Een verrassing voor de prîns?' Francesca's stem klonk luid van verbazing.

'Zijn er in uw familie dan nooit tweelingen voorgekomen?' vroeg hij.

'Tweelingen? Niet dat ik weet . . . nee. Dokter, is het iets bijzonders . . . is het moeilijker om een tweeling te krijgen . . . ik kan het niet geloven . . . een tweeling . . . weet u het zéker? Moet er geen röntgenfoto worden gemaakt om er zeker van te zijn?'

'Dat doe ik liever nog niet; volgende maand misschien. Maar er zijn twee hartslagen, allebei apart, dus er is geen twijfel mogelijk.' Hij keek haar stralend aan, alsof ze juist een gouden medaille had gewonnen. Francesca was zo uit het veld geslagen, dat ze niet wist wat ze ervan moest denken. Ze kon zich het bestaan van één baby al bijna niet voorstellen, laat staan twee. De laatste tijd had ze van een baby gedroomd, altijd een jongen, die in haar armen lag en sprekend op Charlie McCarthy leek en die tegen haar praatte alsof hij volwassen was — prettige, grappige dromen. Maar twee!

'Dus, lieve madame,' ging de dokter verder, 'komt u de volgende maand om de veertien dagen bij me en daarna, om het zekere voor het onzekere te nemen, eenmaal per week tot de baby's de wens te kennen beginnen te geven dat ze op de wereld willen komen. Ja?'

'Natuurlijk.' Francesca wist nauwelijks wat ze zei. Plotseling was de betovering van haar droomwereld vernietigd met de luchtigheid van een regenboogkleurige zeepbel. Ze wilde hier alleen maar weg en naar de villa terugrijden om te trachten deze inbreuk, deze nieuwe werkelijkheid tot zich te laten doordringen.

Februari en maart verstreken zorgeloos, op Francesca's steeds toenemende ongemak na. 's Nachts kon ze alleen op haar zij liggen met Stash achter haar. Dikwijls hield hij urenlang haar geurige lichaam helemaal tegen zich aangedrukt met zijn armen om haar heengeslagen, zodat hij de bewegingen van haar dikke buik kon voelen.

'Zij duwen je als twee paardjes,' mompelde Stash trots. 'Toen ik een baby was, zei Masja altijd tegen mijn moeder dat ze nog nooit van een kind gehoord had dat zo krachtig zoog. Ze zei, dat nog nooit een man haar zo ruw had durven behandelen, zelfs niet die man die haar een bastaard had gegeven. Mijn God, stel je voor, twee zoals ik!' Hij grinnikte hooghartig.

Op een dag in de derde week van april, had Francesca meer pijn in haar rug dan anders. Die nacht werd ze wakker, alsof ze in het donker op haar schouder was getikt. 'Wie . . .?' zei ze, nog niet helemaal wakker, en toen wist ze het. 'Nou . . . nou . . . wat denk je?' vroeg ze zich fluisterend af, en ging toen rustig achterover liggen wachten. Een half uur later, nadat ze weer tweemaal kramp had gekregen, maakte ze zachtjes Stash wakker.

'Het is waarschijnlijk niets bijzonders, lieverd, maar dokter Allard heeft gezegd hem op te bellen zodra er maar iets gebeurde. Dit zullen wel geen echte weeën zijn, en het is niets om je over op te winden, maar zou je hem even voor me willen bellen?' Ze vond het een beetje vervelend om de dokter midden in de nacht wakker te maken.

Ontwaakt uit een diepe slaap, sprong Stash in de onmiddellijke reactie die in de RAF een tweede natuur was geworden het bed uit.

'Wacht even, het is geen alarmsein, doe maar kalm aan,' zei Francesca die zich koesterde in een sterk gevoel van welzijn.

Stash kwam een minuut later terug van de telefoon. 'De dokter heeft gezegd, dat je onmiddellijk naar de kliniek moet komen. Hier zijn je mantel en je handtasje . . . o, je laarzen.'

'Ik zal mijn tanden even poetsen . . .'

'Nee,' beval Stash die haar in een mantel pakte en zich bukte, om haar blote voeten in haar leren laarsjes te stoppen.

'Maak dan tenminste iemand wakker om te zeggen dat we weg zijn,' zei Francesca zacht.

'Waarom? Daar komen ze morgenochtend wel achter.'

'Het lijkt wel of we weglopen,' giechelde Francesca, naar Stash kijkend die haastig zijn kleren aantrok. Ze bleef zachtjes lachen, toen hij haar door de stille villa naar de garage voerde en onhandig trachtte haar op hem te laten leunen, terwijl ze heel goed in staat was op eigen benen te lopen.

Toen ze in de kliniek kwamen, stonden dr. Allard en zijn hoofdassistent, dr. Rombais, al achter de deur op hen te wachten. Francesca was verbaasd haar keurige gynaecoloog in een wijde broek en bijpassende kiel gekleed te zien. Ze had dr. Allard nog nooit zonder een smetteloos wit gebiesd vest onder zijn maatcolbert gezien.

'Zo, prinses, we hoeven misschien niet zo lang te wachten als we hadden gedacht,' begroette hij haar met zijn gewone opgewektheid.

'Maar het is te vlug, dokter. Het zullen wel valse barensweeën zijn. U hebt toch gezegd, dat het pas in mei zou komen,' riep ze uit.

'Misschien is het niets bijzonders,' gaf hij toe. 'Maar wij moeten het wel zeker weten, nietwaar?'

Vanaf dat ogenblik, toen Francesca in een bed met zijleuningen werd gestopt, was de rest vergeten. Zodra ze was geïnstalleerd, kwam dr. Allard binnen en sloot de deur achter zich.

Allard kende de statistieken. Voor een vrouw die op het punt staat een tweeling te baren, is de kans twee- of driemaal zo groot dat de geboorte fataal voor haar is. Maar die kleine kans was niet zijn voornaamste zorg, hoewel de staf van zijn operatiekamer op alle eventualiteiten was voorbereid. Francesca vertoonde geen hoge bloeddruk of tekenen van een toxische conditie, maar volgens zijn berekening waren de weeën vijf, misschien zelfs zes weken te vroeg, en onder zulke omstandigheden, vooral bij een tweeling, had hij alle reden om op zijn hoede te zijn.

'Nou, maman,' zei hij, nadat hij haar had onderzocht, 'de grote dag is aangebroken.' Allard noemde alle vrouwen in barensweeën 'maman', omdat hierdoor hun aandacht meer op de toekomst dan op het heden werd gericht.

'Het zijn dus geen valse weeën?'

'Dat is niet het geval, nee. U bent al een eind op weg, maar wij moeten er op rekenen, dat het nog wel een aantal uren zal duren. Het is tenslotte uw eerste bevalling, ook al bent u een beetje te vroeg.'

Na het volgende half uur van weeën, begon de kalmte waarmee Francesca haar lichamelijke ongemak had aanvaard, haar in de steek te laten. Een grapje is leuk, zei ze tegen zichzelf, maar dit deed echt pijn. Ze kon zichzelf op geen enkele manier als een vrouw in barensnood voorstellen. Ze zat er nu echt in, en ze wilde er uit zijn, en vlug ook.

'Dokter Allard, kan ik alstublieft iets krijgen voor de pijn? Ik ben bang dat ik het nu nodig heb.'

'Helaas niet, maman, het is in uw geval niet goed om u verdovende middelen te geven.'

'Wat!'

Met een stralend gezicht alsof hij haar goed nieuws gaf, ging hij verder: 'Alles wat ik u nu gaf zou een slechte invloed op de ongeboren kinderen hebben, want het wordt door uw bloedstroom naar hen doorgegeven. Omdat u ruim een maand te vroeg bent, hebben ze nog niet hun goede gewicht bereikt. Om de waarheid te zeggen kan ik u helemaal niets geven . . .'

'Geen pijnstillende middelen!' Francesca was bleek van schrik. Als zoveel generaties Amerikaanse vrouwen was haar idee van een bevalling zonder verdoving stevig gebaseerd op de lange, fatale foltering van Melanie Wilkes in 'Gejaagd door de wind'.

'Het is alleen maar met de beste bedoelingen, maman.'
'Maar mijn God, hoe lang dan wel?' vroeg ze.
'Tot u klaar bent om de kleintjes te baren. Dan kan ik u een lendeprik geven en daarna voelt u helemaal geen pijn meer.'
'Een lendeprik? Mijn God, wat is dat?' riep ze vol angst en afschuw.
'Gewoon een verdovende injectie,' verklaarde hij en vertelde er maar niet bij, dat deze in de wervelkolom werd toegediend. De prinses was zonder uitleg van bijzonderheden al zenuwachtig genoeg.
'Maar dokter, kunt u dan nu geen lendeprik geven?' smeekte Francesca.
'Helaas niet. Dan kunnen de weeën ophouden en uw baby's willen geboren worden, maman!' Hij was vriendelijk, maar ze wist dat wat ze ook zei, niets hem ertoe zou kunnen bewegen.
'Waarom hebt u me dit niet eerder verteld, dokter? Het is toch ongelooflijk dat met de moderne geneeskunde . . . ' Francesca zweeg, ze kon geen woorden vinden om haar angstige en ongelovige verontwaardiging uit te drukken.
'Maar u hebt een premature tweeling, maman. De moderne geneeskunde vereist nu juist deze maatregelen.' De dokter pakte haar hand en streelde hem vaderlijk. 'Ik zal mijn verloskundige hoofdverpleegster nu bij u achterlaten, maar ik ben in de kamer hiernaast. Als u me ergens voor nodig hebt, zegt u het maar tegen haar, dan kom ik direct.'
'De kamer hiernaast? Waarom kunt u niet hier blijven?' smeekte Francesca, doodsbang bij het idee dat hij haar een poosje alleen liet.
'Om even een dutje te doen, maman. Ik heb vannacht al twee baby's ter wereld gebracht. U moet proberen zich tussen twee weeën door volkomen te ontspannen — ik zou u ten sterkste aanraden ook een dutje te doen.'

De volgende acht uren gingen in een caleidoscoop van emoties voorbij: lichamelijke marteling van een aard die ze nooit had ervaren of gedroomd, en haar geen tijd liet om te denken. Woede, dat dit zoveel erger was dan ze had verwacht; een gevoel van diep welbehagen, getint door de wetenschap dat dit slechts tot de volgende kramp duurde; angst, als van een zwemmer die beseft dat het getij te sterk en alle hoop er tegen te vechten is vervlogen en boven alle andere emoties uit, triomf, die deze uren met hun onvergetelijke licht overgoot. De triomf van met alle vezels te leven en met al haar geestelijke, morele en lichamelijke krachten bij haar belangrijkste levenswerk te zijn betrokken.

Francesca verduurde het zonder geneesmiddelen, alleen gesteund door de niet aflatende bemoediging van de beide artsen en de vele verpleegsters die kwamen en gingen, bezig met onderzoeken die ze al gauw gelaten over zich heen liet komen. Toen ze de twee broeders met de brancard zag verschijnen, waarop ze haar naar de verloskamer zouden rijden, was ze te afwezig om te begrijpen waarvoor ze waren gekomen.

Op de verlostafel wachtte dr. Allard tot Francesca tussen twee weeën in was en hielp haar toen rechtop zitten voor de lendeprik. Daarna legden ze haar plat op haar rug met een kussen onder het hoofd. Het effect dat de pijn als bij toverslag verlicht werd, was zo onverwacht dat het Francesca alarmeerde.

'Het lijkt wel of ik verlamd ben — dat is toch niet zo, dokter?'

'Welnee, maman — u bent fantastisch. Alles gaat precies zoals het moet. Ontspannen, ontspannen . . . wij zijn hier allemaal voor u.' Hij boog zich voor de honderdste keer met zijn stethoscoop over haar heen en luisterde naar de hartslag van de ongeborenen.

'O, wat is dit zalig . . .' zuchtte Francesca.

Hoewel zich in de verloskamer Allard en dr. Rombais en drie verpleegsters en een anesthesist bevonden, heerste er de daarop volgende veertig minuten een voorgeschreven stilzwijgen, op Allards instructies aan Francesca na. Allards team was erop getraind zwijgend samen te werken, door tekens van ogen en handen, want hij geloofde dat barende vrouwen meer dan normaal waren gespitst op gesproken woorden die ze vrijwel zeker verkeerd uitlegden. 'Denk eraan,' zei hij altijd tegen zijn staf, 'een maman kan onder anesthesie wel bewusteloos lijken, maar het gehoor verdwijnt het laatst — dus niets zeggen.'

Veertig minuten later was Francesca zich weer bewust van pijn, maar in sterk verminderde graad.

'Dokter, dokter,' mompelde ze, 'ik geloof dat de injectie is uitgewerkt.'

'Nee hoor — wij zijn alleen aan het eind gekomen,' verzekerde hij haar op zijn meest joviale toon. 'Als ik nu zeg, persen, dan drukt u zo hard als u kunt. U zult de contracties niet voelen, maar ik kan ze zien, dus u moet mijn instructies opvolgen.'

Weer tien minuten later hoorde Francesca hem tevreden grommen. Bijna direct daarna hoorde ze de schreeuw van een baby.

'Is het een jongen?' fluisterde ze.

'U hebt een prachtige dochter, maman,' antwoordde Allard en overhandigde het kind aan dr. Rombais die zorgvuldig de navelstreng afsnoerde. Allard begaf zich weer in zijn positie tussen de dijen van Francesca. De verpleegster die de hartslag controleerde, had hem juist dringend beduid, dat de hartslag van het ongeboren kind langzamer werd. Hij zag tot zijn ontsteltenis, dat het vruchtwater dat nog verscheen, geelgroen in plaats van helder van kleur was. De hartslag van het tweede kind werd met de seconde langzamer. Allard beklopte Francesca's baarmoeder en constateerde, dat die helemaal stijf was geworden. Alle contracties waren opgehouden. Hij seinde heftig naar dr. Rombais dat hij onmiddellijk druk op Francesca's fundus moest uitoefenen, terwijl dr. Allard uit alle macht op haar baarmoeder drukte, die nu zo stijf was als een plank. Met inspanning van al zijn krachten manoeuvreerde hij het tweede kind door het open geboortekanaal in een positie, waaruit hij het met de tang kon verlossen.

Na een aantal minuten, niet minder dan vier en niet meer dan vijf, werd de tweede baby verlost. Ze begon niet spontaan adem te halen, zoals de eerste, maar moest eerst stevig met een ruwe handdoek worden gewreven, voor er een zwak kreetje uit haar mond kwam. Toen dr. Allard haar navelstreng doorknipte, constateerde hij voorzichtig dat hoewel het kind volmaakt gevormd leek, het niet meer dan vier pond kon wegen. Een vermoeden dat door de weegschaal in de verloskamer werd bevestigd. Erger was, dat Francesca, zoals hij bij het zien van het geelgroene kinderpek in het vruchtwater had gevreesd, een zware inwendige bloeding had gekregen als gevolg van het abrupt loslaten van de moederkoek van de baarmoederwanden, voordat het tweede kind was verlost.

'Dokter?' kwam Francesca's stem smekend. 'Wat gebeurt er nu — is het een jongen of een meisje?'

'Nog een dochter,' antwoordde hij kortaf. Zijn afgebeten antwoord, de neutrale klank van zijn anders zo opgewekte stem, was voor de anderen in de verloskamer een teken, dat hun chef ernstig over het tweede kind bezorgd was. Er was iets totaal mis.

Op hetzelfde ogenblik zag de anesthesist die op Francesca's verschijnselen lette, dat haar bloeddruk plotseling was gedaald en haar hartslag duidelijk merkbaar was versneld. Ze vergat de schok van bittere teleurstelling over de verklaring van dr. Allard, toen ze voelde dat ze plotseling misselijk en duizelig werd. Ze begon over haar hele lichaam te zweten, maar ze hield aan: 'Laat mij ze zien . . . mag ik ze alstublieft zien?'

'Nog één minuutje, maman. U moet proberen nu te ontspannen.' Allard beduidde twee verpleegsters, dat ze allebei in een arm van Francesca bloedtransfusie moesten toedienen. Ze begon in een shocktoestand te geraken, maar korte tijd later brachten de transfusies haar polsslag en haar bloeddruk weer terug op een veilig peil.

Zodra hij zag, dat de toestand van zijn patiënt stabiel was, verzocht Allard dr. Rombais de baby's naar de verlostafel te brengen. De beide kinderen hadden hun oogjes stijf gesloten en allebei hadden ze stevig hun vuistjes gebald. Bij een van de twee was het Saksische witte haar dat juist voorzichtig was afgedroogd, reeds begonnen te krullen. Bij de andere was het bleke haar nog een beetje vochtig.

De kinderen waren allebei in zachte flanellen kleertjes gehuld, en toen Francesca, zwak maar oplettend, naar ze keek, voelde ze een verbazing in zich opkomen zoals ze nog nooit had gekend. De overgang van de schepsels waarmee ze, toen ze hen nog in haar buik droeg, zo'n totale verbondenheid had gevoeld, naar de aanblik van deze twee afzonderlijke menselijke wezens, was zo'n wonderbaarlijke en onbegrijpelijke verandering, dat ze het met haar verstand niet kon bevatten maar alleen emotioneel kon ondergaan.

'Zijn ze identiek, dokter?'

'Ja, maar uw tweede dochter weegt minder dan de eerste. Deze,' zei hij, op de kleinste baby wijzend, 'moet direct in een couveuse tot ze wat is aangekomen. Maar u kunt gerust zijn, wij hebben geteld en ze hebben allebei al hun vingers en tenen.'

'Goddank,' fluisterde Francesca.

'Nu moet u rusten, maman.'

'Wilt u het mijn man vertellen?'

'Hij moet nog even wachten.' De dokter was niet van plan Francesca alleen te laten, voor hij er volkomen van was overtuigd, dat het nieuwe bloed dat in haar armen stroomde, zijn werk helemaal had gedaan. Hij liet haar niet alleen, voor ze gereed was om naar de ziekenkamer te worden overgebracht. Toen ging hij de lege verloskamer uit, terwijl hij uitgeput de banden van zijn witte muts losknoopte.

Toen de vermoeide dokter de kamer binnenkwam, waarin

Stash had zitten wachten, zag hij dat hij rechtop gezeten in slaap was gevallen. Zijn voorhoofd tegen het raam gedrukt, waaruit hij die hele lange nacht zonder iets te zien naar buiten had zitten turen. Dr. Allard bleef een minuut lang achter de slapende man staan. Toen legde hij zuchtend zijn hand op Stash' schouder. De prins werd meteen wakker.

'Zeg het me!'

'U hebt twee dochters. Madame maakt het goed, maar is erg moe.'

Stash staarde verwilderd naar de dokter, alsof er misschien nog iets anders kwam. Dit was zo'n verpletterende aanval op zijn gespannen verwachtingen, dat hij geen woord kon zeggen. De dokter ging, na een korte pauze, onverstoorbaar verder de niet gestelde vragen te beantwoorden, waarmee andere mannen hem zouden hebben bekogeld.

'Uw ene dochter is in uitstekende conditie, hoogheid. Wat de andere aangaat . . .'

Stash had eindelijk zijn stem weer teruggekregen. 'Wat is er met de andere . . . vertel het me!'

'Er heeft zich een probleem voorgedaan voor het tweede kind werd geboren. De moederkoek is vlak voor de geboorte van de baarmoeder losgekomen en madame kreeg een inwendige bloeding.'

Stash liet zich tegen de muur zakken. 'Het kind is dus dood. U kunt het me wel zeggen, dokter.'

'Nee, het kind leeft, maar ik moet u wel waarschuwen, dat haar toestand ernstig is. Ze is erg klein, ze weegt maar vier pond en twee ons en vanwege het abrupt loslaten van de moederkoek en de aanwezigheid van kinderpek in het vruchtwater weten we, dat er een korte periode is geweest, waarin geen zuurstof naar de hersenen is gevoerd. Wij hebben zo snel mogelijk gehandeld, hoogheid, maar het duurde vier, misschien viereneenhalve minuut, voor wij in staat waren de baby veilig te verlossen.'

'Wat probeert u mij te vertellen? Zegt u het nu maar,

dokter! Ik wil, ik moet het nu weten!'

'Dat de mogelijkheid, nee, de zekerheid van hersenbeschadiging bestaat.'

'Hersenbeschadiging? Wat betekent dat voor den donder — wat zegt u me daar?' Stash pakte de dokter bij de schouders alsof hij hem door elkaar wilde schudden en liet toen zijn hand zakken.

'Vergeef me.'

'Het is nog te vroeg om dat te kunnen zeggen. De omvang van de schade kan niet worden vastgesteld voor ik de gelegenheid heb gehad het kind nauwkeurig te onderzoeken.'

'Hoe lang duurt het voordat — wanneer gaat u de andere onderzoeken?'

'Zodra ik denk dat ze sterk genoeg is. Intussen moet ze als voorzorg gedoopt worden. Welke naam krijgt ze, prins?'

'Het kan me geen barst schelen.'

'Prins Valensky! Weest u toch kalm. Er is geen enkele noodzaak om de hoop op te geven; en u hebt één gezond, volmaakt dochtertje. Wilt u haar niet even zien? Ze is in de kinderkamer. Ze woog vijf pond, tien ons, dus het was niet nodig haar in een couveuse te leggen. Wilt u nu naar haar toe?'

'Nee!' zei Stash zonder na te denken. Het enige wat hij wist was, dat hij onmogelijk naar een baby kon kijken. De dokter nam hem onderzoekend op. Dit was lang niet de eerste keer dat hij een dergelijk antwoord had ontvangen.

'Als ik u een goede raad mag geven,' zei hij vriendelijk, 'gaat u nu naar huis om te slapen en daarna komt u terug om de prinses op te zoeken. U hebt de hele nacht onder grote spanning gewaakt. En als u terug komt zijn de kleine prinsesjes ongetwijfeld ook wakker.'

'Ongetwijfeld.' Stash draaide zich om en wilde weggaan, bedacht zich toen, en zei op een toon, waarin een verborgen vraag klonk: 'Ik ben ervan overtuigd, dat u uw uiterste best hebt gedaan.'

'Ja, inderdaad, hoogheid. Maar soms zijn er dingen die we niet in de hand hebben.'

Stash bleef hem met een boze blik aankijken. De kleine dokter richtte zich op, beledigd in zijn kunnen. 'Er gebeuren nu eenmaal ongelukken in de natuur, waartegen de mens, al is hij nog zo knap, niets anders kan doen dan redden wat er te redden valt.'

'*Redden*?' Stash sprak het woord uit alsof hij er nog nooit van had gehoord. Wat had hij met redden te maken? Er was in zijn leven nooit ruimte voor ongeluk geweest, dus dan kon er ook geen ruimte voor redding zijn. 'Tot ziens, dokter.'

Hij reed met levensgevaarlijke snelheid naar huis en deed alsof hij de bedienden die bij de voordeur stonden niet zag. Hij stopte niet voor de villa maar reed door naar de stallen. Daar stormde hij de auto uit, rende de stal in en sprong op de rug van het eerste het beste paard dat hij zag. Toen de stalknecht zag dat zijn meester op het punt stond zonder zadel weg te rijden, rende hij naar Stash toe en schreeuwde: 'Hoogheid? Hoe is het met de tweeling — en met de prinses?'

'Met de prinses is het goed. Eén kind. Een meisje. En ga nu uit mijn weg!' Stash dreef zijn hielen in de flanken van zijn vos en begroef zijn handen in de manen van het dier, met een commando dat meer op een gebrul leek. Het dier, plotseling net zo wild als zijn meester, steigerde luid hinnikend en galoppeerde de bergen in met Stash die hem met de sporen voortdreef alsof de duivel hem op de hielen zat.

De maand april 1952 ging in de kliniek van dr. Henri Allard voorbij; de maand mei ging ook voorbij en nog steeds hadden Francesca en haar tweelingdochters de kliniek sinds de voortijdige geboorte niet verlaten. Op een dag tegen eind juni bracht een verpleegster Marguerite, de eerstgeborene van de tweeling in de kamer van haar moeder voor het eerste van haar tweemaaldaagse bezoekjes. De verpleegster, zuster Anni, keek nauwelijks naar de passieve vrouw die roerloos als altijd met een uitgeblust gezicht in een fauteuil zat. De eentonigheid van deze zinloze routinebezoekjes verveelde zuster Anni al lang. Alle andere verpleegsters in de kliniek, die aanvankelijk niet raakten uitgepraat over deze interessante patiënt, waren ook op het geval uitgekeken. Prinses Valensky deed nooit een mond open en had nog geen minuut belangstelling voor haar baby's getoond. Ze wilde geen enkele zorg aan zichzelf besteden, hoewel ze niet lichamelijk ziek was, en ze verliet alleen het bed als ze door twee verpleegsters bij de ellebogen vastgehouden zonder protest de kleine omsloten tuin naast haar lichte zonnige kamer werd rondgeleid.

Postpartum depressie in al zijn treurige vermommingen was niets nieuws voor ze. Arme stakker, gaven ze toe, maar ook de artsen wisten niet wat ze ertegen moesten doen. Soms werden ze uit zichzelf beter en soms herstelden ze helemaal niet — iedere verpleegster wist wel een of ander dramatisch verhaal over zo'n geval te vertellen — maar zij pasten er wel voor op er zich niet aan te bezondigen binnen gehoorsafstand van de speciale dag- en nachtverpleegsters die permanent op deze patiënt pasten, die nooit alleen gelaten mocht worden, zelfs niet als ze sliep.

Zuster Anni zei met een knikje tegen de speciale verpleegster die in een hoekje zat te breien: 'Je kunt nu wel even je pauze nemen. Ik ben hier toch met het kind — het heeft toch geen zin dat wij hier met zijn tweeën rondhangen?'

'Eigenlijk niet. Ze is rustig geweest, zoals gewoonlijk.'

Het was een bijzonder warme zonnige dag. Met Marguerite stevig in haar gebogen arm, zette zuster Anni de ramen wijd open en trok de gordijnen opzij om de frisse, naar bloemen geurende lucht binnen te laten. Toen ging ze naast Francesca op de stoel zitten en na tien minuten die in het gebruikelijke stilzwijgen voorbij gingen, begon ze te knikkebollen.

Er vloog een lieveheersbeestje de kamer in en ging op het voorhoofd van de baby zitten, precies tussen haar ogen, als een Hindoe kasteteken. De verpleegster, de ogen halfgesloten, besteedde er geen aandacht aan. Francesca keek zonder een sprankje belangstelling naar de slapende verpleegster met het kind. Maar om een hoekje van haar geest wachtte ze, zonder het te weten, tot de verpleegster het insekt opmerkte. Na een paar minuten vertoonde het zachte gesnurk van de verpleegster nog geen teken van ophouden. Het lieveheersbeestje wandelde op het gezichtje van de baby rond en belandde tenslotte op een teer ooglid, tot dichtbij de fijne lijn van de wimpers. Te dichtbij, griezelig dichtbij, en Francesca stak voorzichtig een vinger uit om het lieveheersbeestje weg te strijken. Toen ze dat deed, raakte ze haar kind voor het eerst aan. Ze voelde de huid van de baby, en vond hem schokkend zacht en levend. De ogen van het kind gingen wijd open en keken haar recht aan en ze zag dat ze zwart waren, even zwart als haar eigen ogen. Ze streek met een vinger over de bijna onzichtbare blonde wenkbrauwen en krulde toen bedeesd een lokje van het vlashaar van het kind om haar vingers.

'Mag ik . . . mag ik haar vasthouden?' fluisterde ze tegen de licht sluimerende verpleegster. Ze kreeg alleen een gesnurk tot antwoord.

'Zuster?' Haar stem klonk nu krachtiger. Op dat geluid verschoof er iets zwaars in haar, er sprong een of andere massa uit elkaar toen ze haar eigen stem weer ontdekte. 'Mijn God, mijn God,' zei ze hardop en streelde het haar van de baby met vingers, waarin het leven en de vreugde weer waren teruggekeerd.

'ZUSTER, GEEF ME MIJN KIND!'

De zuster schrok wakker en was helemaal van de wijs. Ze hield het kind stevig vast.

'Wat? Wat?' stamelde ze. 'Ho, wacht even, dan zal ik de dokter roepen.' Ze sprong haastig op en liep achteruit.

'Kom hier,' gelastte Francesca haar. 'Ik wil haar vasthouden. Nu. Geef onmiddellijk mijn kind hier. Er zat een tor op haar oog!' zei ze er beschuldigend achter. Francesca stond van haar stoel op en richtte zich op met het volle gezag, waarmee ze eens voor de camera's had gestaan. Plotseling stond Francesca Vernon, de grote filmster, voor de zuster en stak gebiedend haar armen uit.

De zuster was flink geschrokken, maar liet zich niet uit het veld slaan. 'Vergeef me, madame, maar dat mag ik niet toestaan. Ik heb strikte instructies het kind geen ogenblik los te laten.'

Nu veranderde de vrouw opnieuw. Zonder haar armen te laten zakken, werd ze onmiskenbaar prinses Francesca Valensky, een prinses die altijd werd gehoorzaamd en aan wie nooit werd getwijfeld — een prinses wie alles was geoorloofd. 'Laat direct dr. Allard komen!' Francesca's stem was geroest, maar schalde door de kamer. 'Wat is dat hier allemaal voor onzin!'

Allard had maar een paar minuten nodig om de kamer van

Francesca te bereiken. Hij kwam binnenrennen en bleef met een ruk staan, toen hij de plotseling zo mooie vrouw zag, donker en hartstochtelijk als een poema die hongerig naar het kind staarde. Boordevol adrenaline sloop ze om de verbijsterde zuster heen, die geen strobreed toegaf.

Zijn opwinding verbergend, zei de dokter vriendelijk: 'Zo, maman, beginnen wij ons nu beter te voelen? Worden we vrienden?'

'Dokter Allard, wat is hier in vredesnaam aan de hand? Deze idiote vrouw wil me mijn kind niet geven.'

'Zuster Anni, u mag Marguerite aan haar moeder geven. Misschien zou u ons even alleen willen laten.' De zuster gaf het kind zonder een woord aan haar moeder over. Marguerite droeg een luchtig hemdje, waaruit haar tere armpjes en beentjes die juist wat molliger begonnen te worden, vrijuit spartelden van plezier in de zon en de zachte bries. Ze was een eindeloos juweeltje van roze en goud, zo klein en toch zo áf, dat zelfs afgestompte artsen en verpleegsters over haar wiegje hingen.

Allard stond gespannen te kijken naar Francesca die in de ogen van het kind staarde. 'Wie ben jij?' vroeg ze. Bij het horen van de menselijke stem, hield Marguerite even op met spartelen en keek naar het gezicht van haar moeder. Toen, tot Francesca's ongelovige verbazing, glimlachte ze.

'Ze glimlachte tegen me, dokter!'

'Natuurlijk glimlachte ze.'

Francesca negeerde die opmerking. 'Dokter, wat is dit voor flauwekul om mij niet met het kind alleen te laten? Ik snap er niets van.'

'U bent ziek geweest, prinses. Tot vandaag wilde u haar niet vasthouden.'

'Maar dat is onmogelijk! Belachelijk... ronduit belachelijk! Ik heb nog nooit van mijn leven zoiets krankzinnigs gehoord!' Francesca keek de dokter aan alsof ze hem nog nooit goed had gezien. 'Waar is mijn andere baby?' vroeg ze. 'Ik begrijp niet wat er gebeurd is, en het bevalt me helemaal niet. Waar is mijn man? Dokter, bel prins Valensky op en zeg dat hij onmiddellijk hier komt,' commandeerde ze. 'En zeg me, waar mijn andere baby is . . . ik wil haar ook vasthouden.'

'Uw kleinste dochtertje ligt nog in de couveuse,' zei de dokter snel. Er kon hoegenaamd geen sprake van zijn, dat zijn patiënt naar het andere kind ging kijken. Het kind had die ochtend nog een stuipje gehad, het tweede sinds ze geboren was. De aanblik van het zieke, beklagenswaardige kindje kon de moeder wel zodanig van streek brengen dat ze weer in de depressie terugviel, waar ze zo lang in verzonken was geweest. Dat kon hij voor geen goud riskeren.

'Waar is de couveuse, dokter?' vroeg Francesca, op het punt met Marguerite in haar armen naar de deur te lopen.

'Nee! Maman, ik verbied het u! U bent nog niet beter en niet zo sterk als u denkt. Hebt u enig idee hoe lang u hier bent, lieve dame?'

Francesca bleef niet begrijpend staan. 'Een poosje? Ik weet het niet precies — veertien dagen misschien?'

'Bijna negen weken . . . ja, negen weken . . . Wat jullie Amerikanen een hele ruk noemen,' zei de dokter vriendelijk, toen hij zag dat zijn patiënt het idee om naar de couveuse te gaan had opgegeven.

Francesca ging met het kind nog steeds dicht tegen zich aangedrukt zitten. Ze had de indruk dat ze ver weg in een treurig oord was geweest, opgesloten in een wereld zo somber en kleurloos als regen in de winter, een verloren plek, waarin vage gebeurtenissen voor haar ogen voorbij trokken, als een schimmenspel in de verte, gezien door een beslagen raam. Maar negen weken! Plotseling voelde ze haar kracht uit haar gebeente en spieren wegtrekken. Woordeloos stak ze de baby naar de dokter uit.

Allard maakte van de gelegenheid gebruik. 'Wij moeten op krachten komen, maman, voor wij bezoekjes gaan afleggen.' Francesca knikte vermoeid. 'Over een week, misschien wel eerder als u zich niet al te veel inspant. U hebt nog een hele tijd voor de boeg, lieve dame, voor u weer helemaal de oude bent. U moet weer even gaan slapen, hè?' Hij bracht de baby vlak bij haar. Francesca beroerde met haar lippen het heerlijkste plekje van een baby, de geurige zijdeachtige plooitjes die later de hals worden. 'Ze komt vanmiddag bij u terug — dan mag u haar het volgende flesje geven,' beloofde de dokter en hij deed de deur open, zodat de wachtende zuster kon binnenkomen. Hij droeg Marguerite naar de kinderkamer terug, almaar tegen zichzelf zeggend: 'Goddank! Goddank!'

Zodra de dokter opbelde, reed Stash met een vaart van honderdvijftig kilometer per uur naar de kliniek. Tijdens de afgelopen weken had hij dagelijks uren bij Francesca doorgebracht en vergeefs getracht haar in zichzelf gekeerde zwijgzaamheid, haar peilloze ellende, zo zwaar dat het van buitenaf leek te komen, als een wolk die haar had omhuld en haar onzichtbaar maakte, te doorbreken. Zijn wachttijd was draaglijk gemaakt door de bezoekjes van Marguerite aan haar moeder, in opdracht van dr. Allard, of Francesca er nu op reageerde of niet. Stash was dolverliefd geworden op zijn dochter. Hij speelde met haar zolang zij het maar goed vond. Hij wilde haar met alle geweld helemaal uitkleden, zodat hij haar naakt kon zien. Hij hield haar heerlijke lijfje onder de neus van Francesca, in de hoop dat de aanblik van deze pasgeboren volmaaktheid haar net zo ontroerde als hem, maar het mocht niet baten. Hij had lange gesprekken met dr. Allard gevoerd, en voortdurend de verzekering geëist, dat alles zou worden gedaan om Francesca te verhinderen zichzelf iets aan te doen.

Als hij niet bij Francesca was, sloot Stash zich in de villa op zonder iemand uit de buitenwereld te zien. Evenals hij en Francesca kans hadden gezien om zonder door verslaggevers te worden ontdekt op hun huwelijksreis te ontsnappen, was hij ook in staat te voorkomen dat het bericht van de geboorte van zijn kinderen in de pers verscheen. In de kliniek van dr. Allard lekte niets uit en de enigen die hadden geweten dat Francesca zwanger was, waren Matty en Margo Firestone.

Stash had hen de eerste week na de voortijdige bevalling geschreven, en alleen van Marguerite en de postpartum depressie van Francesca melding gemaakt. Hij had ten behoeve van de zieke vrouw hun stilzwijgen verzocht en gekregen.

Maar nu... nu kon het leven eindelijk weer beginnen, dacht hij bij zichzelf, terwijl hij ongeduldig in de spreekkamer van dr. Allard zat te wachten. Hij had van meet af aan geweten, dat hij dit wrede spel moest winnen. Hij had zich duizendmaal voorgehouden, dat het slechts een kwestie van tijd was voor hij Francesca en Marguerite mee naar huis kon nemen. Voor Stash had daar nooit de geringste twijfel aan bestaan.

Eindelijk verscheen Allard, bijna dansend van voldoening.

'Mogen ze nu met me mee?' vroeg Stash, meteen met de deur in huis vallend.

'Binnenkort, als de prinses wat sterker is. Maar eerst moeten we het over de andere baby, Daniëlle, hebben, beste vriend.' Zelfs de dokter had ten tijde van Francesca's depressie geen kans gezien Stash ertoe te bewegen over zijn tweede kind te spreken. Als goed katholiek had dokter Allard ervoor gezorgd, dat ze de dag na de geboorte was gedoopt, omdat hij geen zekerheid had dat ze nog een etmaal zou blijven leven. Hij had zelf de naam uitgezocht, die van zijn eigen moeder, in de hoop dat deze het arme kind wat geluk zou brengen.

'Daniëlle.' Stash sprak de naam uit of het een vreemd woord was dat hem absoluut niets zei. 'Ik verwacht niet dat ze in leven blijft.' Hij zei het op een afdoende toon waarmee hij het volkomen van zich afzette.

'Maar als ze wel in leven blijft, en dat kan best, zult u met de neurologische complicaties rekening moeten houden...'

'Nu niet, dokter!'

De dokter ging met nadrukkelijke gebaren en op officiële

toon onverstoorbaar verder. 'Ik heb allebei uw kinderen onderzocht, hoogheid. Er bestaat een nauwkeurige serie proeven om vast te stellen in hoeverre het zenuwstelsel bij pasgeboren baby's is ontwikkeld. Dokter Rombais en ik hebben ze samen onderzocht teneinde hun reacties te vergelijken en . . .'

Stash onderbrak hem met de felheid waarmee hij iedere hindernis op zijn weg te lijf ging. Zijn hoofd en hals leken op de scherpe snavel van een kwade roofzuchtige vogel toen hij zei: 'Geef me alleen maar het resultaat!'

'Hoogheid,' antwoordde de dokter, zonder zijn afgemeten, belerende toon te wijzigen, 'u moet zich er rekenschap van geven waar wij mee te maken hebben, hoe weinig u er ook over wenst te horen. Ik verzeker u dat het mij ten enenmale onmogelijk is u het resultaat, zoals u dat noemt, in een paar woorden te geven. Welnu! Als u mij toestaat verder te gaan — Marguerite reageert in alle opzichten als een normaal, sterk kind. Ze zuigt krachtig en de Moro-reflex was normaal. Hiertoe heb ik haar op de rug gelegd en mijn hand met een luide klap naast haar neer laten komen. Ze stak abrupt haar armpjes en beentjes omhoog en spreidde haar vingers en tenen uit. Toen ik haar rechtop hield zodat haar voetjes de onderzoektafel raakten, maakte ze stappende bewegingen en toen ik haar op de tafel liet zitten voor de spierreactie, trokken de spieren van haar schouder en hals samen. Het was allemaal bij elkaar een levendige zitting.'

Stash volgde ieder woord dat de dokter zei met moeizaam bedwongen aandacht. Hij had geen dokter nodig om hem te vertellen dat Marguerite volmaakt was. Er volgde een kleine pauze, waarin Allard zijn woorden verzamelde voor wat hij vervolgens te zeggen had. Hij zuchtte diep, maar vastberaden.

'Daniëlle vertoonde heel weinig reactie op al deze proeven. Ik heb het onderzoek tweemaal herhaald met een tussenruimte van drie weken en er was geen verschil in de verkregen resultaten. Er is een schaarste aan bewegingen, ze huilt zelden, ze heeft haar hoofdje nog niet opgetild en ze is nog maar heel weinig aangekomen . . . wat wij groei-achterstand noemen.'

'Groei-achterstand! U bedoelt dat ze een plant is!' Stash kon zich niet langer inhouden.

'Beslist niet, prins! Ze is pas negen weken en er is absoluut hoop dat haar lichaam, bij uitstekende verzorging, zich normaal zal ontwikkelen. Mocht ze in gewicht blijven toenemen in hetzelfde tempo als nu, hoe langzaam dat ook is, dan staat haar niets in de weg om een lichamelijk actief kind te worden. Ze is in geen enkel opzicht misvormd, alleen zwak, erg zwak.'

'En geestelijk?'

'Geestelijk? Geestelijk zal ze nooit normaal zijn. Dat hebben we van het begin af aan geweten.'

'Maar wat vertelt u me nu precíes, dokter? Hoe ver wijkt ze van het normale af?'

'Ze zal geestelijk gestoord zijn, dat staat vast. In welke graad precies, kan ik op het ogenblik nog met geen mogelijkheid voorspellen. Wij kunnen bij uw dochtertje pas een intelligentietest uitvoeren als ze drie jaar is en zelfs dan valt er waarschijnlijk geen definitief oordeel te geven — in dit soort gevallen zijn er zoveel variaties mogelijk, hoogheid, van licht tot matig of ernstig . . .' Dr. Allard hield abrupt op en verviel tot stilzwijgen.

'Zou het . . . een licht geval kunnen zijn?' dwong Stash zich tenslotte op zachte, ongelovige toon te vragen, en ieder aarzelend woord was als een bijtend zuur op zijn lippen.

'Hoogheid, er is ruimte voor allerlei speling; soms kunnen slechts enkele punten in het I.Q. het verschil uitmaken tussen een kind dat nauwelijks iets aan kan leren en een kind dat bepaalde vaardigheden kan ontwikkelen — niemand kan voorspellen welke krachten aanwezig zijn . . .'

'Spaar me die vage algemeenheden!' zei Stash nijdig. '*Wat is haar toekomst, verdomme*!'

Er was even een kort stilzwijgen. Dr. Allard antwoordde tenslotte met de meest nauwkeurige informatie die hem ter beschikking stond.

'Het beste dat we kunnen hopen is, dat de kleine Daniëlle ergens op de grens van heel licht tot meer dan matig gestoord zal zijn, dat ze zichzelf tot op zekere hoogte kan verzorgen, dat ze sociale relaties kan vormen, dat ze eenvoudige zinnetjes kan zeggen — zoals dat van een vierjarig kind . . .'

'Een vierjarig kind — dokter, u spreekt nu over een *kleuterschoolmentaliteit*! En u noemt dat "gematigd" — ongeacht hoe oud ze wordt?'

'Hoogheid,' antwoordde de dokter die het probleem vierkant onder ogen zag, 'dat is waarschijnlijk het allerbeste resultaat dat u kunt verwachten. Gezien het zuurstofgebrek voor en tijdens de geboorte, het onvoldoende reageren op de proeven — de stuiptrekkingen — nee, meer kunnen wij onmogelijk verwachten.'

Men kon minutenlang een speld in de kamer horen vallen. Eindelijk zei Stash weer: 'En als u zich nu vergist, als ze ernstig gestoord is? Wat dan?'

'U moet geen moeilijkheden zoeken. In ieder geval zal het wel een kwestie van permanente verzorging zijn, ook in geval van matige gestoordheid. Bij ernstige gestoordheid wordt het een zeer groot probleem. Uiterste waakzaamheid is in alle gevallen noodzakelijk, het hele leven van het kind door. Als het kind eenmaal kan lopen, zal er altijd gevaar dreigen. Als de puberteit aanbreekt, verergeren de problemen. Vaak is een inrichting dan de enige uitkomst.'

'Als . . . als ze blijft leven, dokter, hoe lang kan ze dan hier in uw kliniek blijven?' vroeg Stash.

'Tot ze zwaar genoeg weegt om bij de anderen op de kinderafdeling te worden geplaatst; niet voordat ze vijf pond, acht ons weegt. Dat zal naar mijn mening een kwestie van een paar maanden zijn, als er geen complicaties optreden. Zolang ze nog in de couveuse ligt, blijft ze natuurlijk volledig onder onze verantwoordelijkheid, maar als ze groot genoeg wordt voor de kinderafdeling, kunnen wij haar niet langer hier houden. Op dat tijdstip moet u voorbereidingen treffen om haar thuis te nemen.'

Bij het woordje 'thuis' kwam er een harde trek op het gezicht van Stash. 'Dokter Allard, ik ben niet van plan om hier met mijn vrouw over te spreken voor ze sterker is.'

'Dat ben ik met u eens. Ik zou u zelfs willen aanraden voorlopig zeer voorzichtig te zijn. De prinses heeft geen van beide kinderen willen accepteren, maar ze heeft nu normaal contact met Marguerite gelegd en de prognose is uitstekend. Maar ze heeft een zware depressie gehad, en in zo'n geval moeten verdere schokken worden vermeden. Als de prinses blijft vooruitgaan, kunt u haar en Marguerite over een paar dagen mee naar huis nemen. Ik zal er voor zorgen dat ze Daniëlle niet ziet, voordat ze de moeilijkheden te boven is. De natuur zal het juiste tijdstip bepalen.'

Het was op een stralende dag, bijna de laatste dag van juni, toen dr. Allard Francesca gezond genoeg verklaarde om naar huis te gaan. Vanaf het moment dat Stash via een agentschap in Lausanne een kindermeisje in dienst had genomen, leek het alsof alle internationale krantencorrespondenten op het nieuws attent waren gemaakt. Een horde verslaggevers en fotografen wachtten met toenemend ongeduld voor de hermetisch gesloten deuren van de particuliere kliniek. Zij hadden vanaf 's morgens vroeg de wacht gehouden en nu, zeven uur later, toen Stash en Francesca Valensky eindelijk met hun baby verschenen, ontstond er een groot tumult, en werd er in een dozijn talen geëist, dat het kind voor de camera's omhoog werd gehouden.

In weerwil van de waarschuwende frons van haar man tilde de bleke vrouw, wier extravagante schoonheid al maanden uit de bladen was verdwenen, de witte kanten cocon voorzichtig een beetje schuin omhoog, zodat het slapende gezichtje van het kind was te zien. Haar hoofdje was in een gewatteerde zijden capuchon gehuld, maar er kwamen sliertjes haar uit als zilveren tere bloemblaadjes in de zachte wind. Hoewel het kind Marguerite Alexandrovna was gedoopt, leek ze in de armen van haar moeder zozeer op een bloem in mensengedaante, dat de verbeelding van de pers was geprikkeld. Op alle foto's die vanaf dat ogenblik verschenen, had ze de bijnaam prinses Daisy gekregen.

Ze was een stralende baby als ze wakker was, deelde glimlachjes uit aan alle over haar heen gebogen bewonderaars, tilde haar hoofdje een eindje van de matras van haar wiegje als ze een vlinder of een bloem of een vriendelijke vinger in het oog kreeg, maakte muziek met de verzameling rammelaars die aan haar wiegje hingen, en trappelde met haar beentjes van pret als ze werd aangeraakt. Ze sliep bijna achttien uur per dag, volgens berekening van Francesca en at twee uur, maar de overige vier uur hield ze een receptie ten hove.

De eerste dagen was alle aandacht van Francesca op Daisy gericht. Iedere ochtend vroeg ze om haar naar Lausanne te rijden om haar andere dochter te zien, maar Stash wist haar er zonder moeite van te overtuigen, dat ze nog niet sterk genoeg was om die tocht af te leggen. Het duurde dan ook bijzonder lang voor ze haar levenslust terugkreeg. Aan het eind van de ochtend was ze zo moe, dat ze bijna de hele verdere dag op de chaise longue in haar kamer lag. Maar eindelijk, na een week, hoewel ze nog steeds doodmoe was, verzocht Francesca kribbig haar onmiddellijk naar Daniëlle te brengen. Het moment, waar Stash zo tegen op had gezien, was aangebroken. Hij had talloze malen overwogen wat hij zeggen zou.

'Liefste, de dokter en ik zijn het er over eens, dat het helemaal niet goed voor je is dat je nu al naar Daniëlle toegaat.'

'Waarom niet?' vroeg ze meteen verschrikt.

'Het kindje is . . . erg klein, uiterst zwak . . . ze is eigenlijk heel, heel erg ziek, mijn liefste.'

'Maar dat is een reden temeer . . . ik kan misschien iets

dóen, misschien kan ik haar helpen . . . waarom . . . waarom heb je me niet eerder verteld dat ze ziek was?' Haar gezicht was verwrongen en haar ogen puilden uit van ontzetting.

'Christus! Zie je wel!' riep hij geschrokken. 'Ik wist wel dat ik het je niet had moeten zeggen! Je bent te veel van streek. Je was nog niet sterk genoeg om het te horen en je bent verdomme nu ook nog niet sterk genoeg.'

'Stash. *Wat scheelt haar*? Zeg het me! Je maakt het alleen maar erger!'

Stash nam Francesca in zijn armen. 'Ze is te klein, liefste. Je zou haar niet eens aan mogen raken. Luister nu eens naar me, liefste, nu je weet dat het niet zo goed met haar is, zal ik je meteen maar alles vertellen. Dat is de enige manier om te begrijpen waarom je haar beter nog niet kunt zien. De kans dat de baby blijft leven is miniem. Allard is van mening, en daar ben ik het helemaal mee eens, dat wanneer je nu aan de baby gehecht raakt en er zou . . . iets met haar gebeuren . . . dat je dan weer in je depressie terugvalt.'

'Maar Stash, mijn eigen kind . . . mijn BABY.'

'Nee, Francesca! Nee! Besef je dan niet hoe ziek je bent geweest? Er is absoluut geen sprake van zoiets nog eens te riskeren. Dat kun je echt niet beoordelen — je bent nog niet sterk genoeg, al geloof je zelf van wel. Denk aan Daisy, als je niet aan jezelf wilt denken, denk aan Daisy en denk aan mij.'

Hij had de toverformule gevonden. Hij voelde Francesca in zijn armen niet meer tegenspartelen, zag dat zij haar tegenstand opgaf, en keek met opluchting naar haar toen zij zich aan haar verdriet overgaf. Ze moest maar eens flink uithuilen, want dit had nu eenmaal geen enkele zin en maakte de zaak er niet beter op.

De weken volgden elkaar op en Stash ging trouw naar de kliniek en berichtte dr. Allard dat Francesca maar heel langzaam herstelde, en dat ze naar zijn mening nog te kort uit haar lange depressie was om haar de gelegenheid te geven naar een baby toe te gaan, die zichtbaar niet in orde was. 'Ze is te kwetsbaar, dokter,' zei hij. 'Het zou heel slecht voor haar zijn.'

Als hij van deze uitstapjes terugkwam, zei hij tegen Francesca dat er in de toestand van de baby nog niets was veranderd, dat ze slechts in leven bleef zolang ze ademhaalde en dat de dokter geen valse hoop wilde wekken. Haar ellende was zo groot, dat ze na een paar weken alleen maar naar zijn sombere gezicht keek en er van af zag naar Daniëlle te vragen. Ze wist dat hij, als de berichten beter waren, het haar onmiddellijk zou vertellen.

In de kliniek ging Stash nooit naar de couveuse-zaal om naar Daniëlle te kijken. Na wat de dokter hem over haar toekomst had gezegd, had hij haar van zich afgezet. Ze bestond niet voor hem. Ze kon niet bestaan. *Ze mocht niet bestaan.* Hij had haar nooit gezien, en hij was ook niet van plan haar ooit te zien. De natuur was wreed, er kunnen ongelukken gebeuren, maar iemand die sterk was kon de slagen van het noodlot ongedaan maken. Alleen al het idee aan een kind van hem — een kind van hém — in zíjn huis, dat opgroeide en toch nóóit opgroeide, tot iets opgroeide waarin hij weigerde zich te verdiepen — *nee*! Als die gedachte in zijn hoofd opkwam, verwierp hij hem met alle kracht van zijn krijgslustige aard. Na zijn jeugd die zo abnormaal was verlopen door de overdreven gerichtheid op het langzame sterven van zijn moeder, was die zeer menselijke emotie, het medelijden, in hem doodgegaan. Het lot dat het kind dat hij nooit zag wachtte, was zo afschuwelijk, dat hij besloot het uit zijn leven te bannen. Het was het enige ter wereld waarvoor hij bang was.

Stash verborg deze gevoelens zonder moeite voor dr. Allard en stelde heel geleidelijk en met tact de vragen die hem de antwoorden opleverden welke hij nodig had om zich aan zijn besluit te houden. Ja, het was zeer goed mogelijk dat de prinses enorm aan Daniëlle gehecht zou raken; ja, de moeders van achterlijke kinderen brachten vaak veel minder tijd met hun normale kinderen door, om zoveel mogelijk bij het zieke kind te zijn; ja, het was helemaal niet onmogelijk dat de prinses zou weigeren het kind in een instituut te laten opnemen, ook al was dat noodzakelijk. Zulke gevallen kwamen inderdaad heel vaak voor. Een man kon zich niet voorstellen, dat het moeder-instinct dikwijls werd versterkt door de zorg voor een ziek of achterlijk kind, en er bestond geen sterker kracht dan dat instinct. Ja, de natuur was fantastisch. Moeders offerden zich op, de prins had gelijk en dat ging zelfs zover, dat het niet meer redelijk of verstandig was. Maar zo was het leven nu eenmaal — wat kon de mens daartegen uitrichten?

Grimmig nam Stash het nieuws over Daniëlle in ontvangst. Ze begon in gewicht toe te nemen. Ze had geen stuiptrekkingen meer gehad. Naar de mening van dr. Allard was het volkomen veilig voor de prinses naar de kleine te komen kijken. Hij had eigenlijk verwacht, dat de prinses ondanks haar zwakheid wel eerder zou zijn gekomen, want hij wist hoe vastberaden ze was.

'Mijn vrouw is niet van plán naar haar toe te gaan, dokter.' Stash had al dagenlang antwoorden gerepeteerd voor het onvermijdelijke moment dat nu was aangebroken.

'Wérkelijk?' De dokter drukte zijn verbazing alleen in dat ene woord uit. Hij had in de loop van die vele jaren waarin hij zijn beroep uitoefende geleerd bijna geen verbazing te tonen.

Stash ging met zijn rug naar de dokter bij het raam staan, en zei, naar buiten kijkend: 'Wij hebben er eindeloos over gepraat en het van alle kanten overwogen. Wij zijn tot de conclusie gekomen, dat het heel verkeerd zou zijn om — Daniëlle — bij ons thuis groot te brengen en dat het nu het tijdstip is om dit besluit te nemen, niet later. Meteen de knoop maar doorhakken, dokter.'

'Maar wat wilt u dan doen?' vroeg de dokter. 'Daniëlle weegt nu ruim vijf pond. Ze zal binnenkort de kliniek kunnen verlaten.'

'Ik heb natuurlijk uitgebreid inlichtingen ingewonnen.

Zodra ze oud genoeg is, gaat ze naar een van de beste instituten voor dergelijke kinderen. Ik begrijp dat er uitstekende instituten zijn als geld geen rol speelt. Ik vind dat ze tot zo lang bij een pleegmoeder moet worden ondergebracht. Ik heb zelfs gehoord, dat er hier in Lausanne wel een aantal adressen zijn. Zou u misschien eens naar dit lijstje willen kijken en mij zeggen of er een bij is dat u speciaal kunt aanbevelen?'

'En dit hebt u dus besloten met Daniëlle te doen?' vroeg de dokter met nadruk. 'En de prinses is het daarmee eens?'

'Zeer beslist,' zei Stash, en overhandigde de dokter het velletje papier. 'Wij zijn het in gezinskwesties altijd met elkaar eens.'

Madame Louise Goudron, de stiefmoeder die door dr. Allard in het bijzonder was aanbevolen, was beschikbaar geweest om de zorg voor Daniëlle op zich te nemen. Zolang de bankcheque voor de verzorging van het kind trouw iedere week bleef komen, verlangde ze behalve het verzoek van dr. Allard geen nadere inlichtingen. Daniëlle was lang niet de eerste baby met een afwijking die ze in haar huis had opgenomen, waar een gezellige sfeer heerste, wat niet het geval zou zijn geweest als de kinderloze weduwe niet had ontdekt dat sommige mensen, wier namen haar niet aangingen, liever niet de last voor hun eigen kinderen op zich wilden nemen.

Enkele weken nadat madame Goudron Daniëlle uit de kliniek mee naar huis had genomen, kwam Francesca tot een besluit. Ze voelde zich lichamelijk zoveel sterker en had haar emoties nu weer zó onder controle, dat ze ervan was overtuigd, dat ze haar tweede dochtertje moest zien, wat dr. Allard of Stash er ook van vonden. Zij hadden geen van beiden enig idee van wat ze aankon. Zij beschermden haar allebei te veel en daar had ze nu genoeg van. Ze moest Daniëlle zien, of het leven van de baby in gevaar was of niet, en of ze haar nu wel of niet mocht aanraken. Het zou veel erger zijn als haar kind stierf en ze had haar sinds de geboorte nog nooit in leven

gezien — waarom konden zij dat niet begrijpen?
'Maar dat is onmogelijk, arme lieverd,' zei Stash.
'Onmogelijk? Ik zeg je dat ik het áán kan — je hoeft je geen zorgen te maken — ik kan alles hebben — maar niet deze afschuwelijke onzekerheid, Stash. Besef je dan niet dat het al ruim vijf maanden duurt en dat ze nog steeds in leven is?'
Stash gaf geen krimp. Hij had dezelfde uitdrukking op zijn gezicht als hij had gehad bij een luchtgevecht als hij op de knop van de mitrailleur drukte die de vijand uit de lucht zou schieten. Hij nam de handen van Francesca in de zijne en trok haar naar zich toe.
'Liefste, liefste — de baby is dood.'
Ze gilde maar één keer en wachtte in de vreselijke angst van iemand die zich diep, tot op het bot, heeft gesneden maar het bloed nog niet heeft zien vloeien. Haar ogen schoten vuur en doofden toen alsof de laatste kaars in een donkere kamer was uitgeblazen. Stash hield haar zo vast tegen zich aangedrukt, dat ze zijn gezicht niet kon zien.
'Ze is kort nadat wij Daisy mee naar huis hebben genomen gestorven,' ging hij verder. 'Ik heb gewacht met het je te vertellen tot je het kon aanhoren . . . Ze was er veel slechter aan toe dan je ooit hebt geweten . . . Ze zou nooit helemaal goed zijn geworden, lieveling, nooit en te nimmer.' Hij praatte snel en streek teder over haar haar. 'Ze was vanaf het eerste ogenblik dat ze was geboren ernstig ziek. Wij wilden het voor je verzwijgen, maar er was geen toekomst voor haar, ze zou nooit normaal zijn geweest — hersenbeschadiging tijdens de geboorte — niemands schuld — maar als ik je dat had gezegd toen je emotioneel nog zo in de war was, was je misschien helemaal nooit hersteld.'
'Ik wíst het,' fluisterde Francesca.
'Onmogelijk.'
'Nee . . . ik had altijd al een gevoel . . . ik wist dat er iets mis was, dat er iets voor mij verborgen werd gehouden . . . maar ik was te laf om uit te vinden wat het was . . . ik wilde er niet

achter komen... ik was bang... een lafaard.'

'O, liefste van me, je moet jezelf niet beschuldigen, je instinct was juist, je redde jezelf... en redde ons ook. Wat zou Daisy zonder haar moeder moeten beginnen? Wat zou ik zonder jou moeten beginnen?'

'Maar ik wíst het! Ik moet het al die tijd hebben geweten.' Ze snikte hartverscheurend, rukte zich van hem los en knielde op het tapijt, dubbelgevouwen in de kramp van haar verdriet. Het kon uren duren, dacht hij, voor ze ertoe was te bewegen zich door hem te laten troosten, haar weer tegen zich aan te drukken. Maar Stash verwachtte reeds de geleidelijke aanvaarding van de dood van het kind — voor hem een realiteit — die uiteindelijk in haar lichaam zou postvatten en maken dat ze zich aan hem vastklampte, zoals ze vanaf het ogenblik dat ze elkaar hadden ontmoet had gedaan. Hij wachtte geduldig, deze man die zo zelden ergens op wachtte.

Na enkele weken oordeelde Stash, die nauwkeurig op Francesca had gelet, dat ze over haar ergste verdriet en de klap die ze had gehad heen was. Hij gaf 'Life' toestemming om Philippe Halsman te laten komen en foto's voor hun omslag te nemen. Francesca bracht nu bijna al haar tijd met Daisy door, die na haar spelletjes met haar rammelaars nu een onverzadigbare belangstelling in de glinsterende, rinkelende geluksarmband van haar moeder had gekregen. De baby kon uitbundig schateren en ze vond niets zo prachtig als naar de bungelende armband te mogen graaien. Het was een echt leuk spelletje en ze gilde van verrukking, iedere keer als ze hem te pakken kreeg, en rukte er bijna zó hard aan dat hij er af ging. Stash en Francesca keken met ingehouden adem toe als het dikke blonde propje zich helemaal van haar rug op haar buik wentelde. Ze scheen zowaar met haar beertjes te praten, al was het niet in mensentaal. Haar grote ogen waren levendig en blij vanaf het ogenblik dat ze wakker werd, en als ze op haar buik sliep met haar hieltjes onder haar billetjes in de luier opgetrokken, stelde

Francesca vast dat ze op een heerlijke, springende kikker leek. Zij zetten haar op een stapel bontmantels van Francesca, naakt op haar luier na, en ze tilde haar hoofdje op met hoog opgeheven borst en kraaide van verbazing.

'Ze mag best eens weten hoe sabelbont aanvoelt,' zei Stash.

'Je verpest haar grondig.'

'Natuurlijk doe ik dat.'

'Waarom begin je niet eerst met mink? Een beetje zelfbeheersing tonen?'

'Onzin. Ze is een Valensky, dat mag je nooit vergeten. En nu we het daar toch over hebben,' zei Stash, plotseling ernstig, 'ik vind eigenlijk, dat we nu wel genoeg van het leven op het land hebben, jij niet? Zwitserland zit me tot hier. Wat zou je er van zeggen om naar Londen te verhuizen? Ik ken daar ongeveer iedereen waar je iets aan hebt. Dan kunnen we ons weer in het volle leven storten, naar het theater gaan, feestjes geven, vrienden bezoeken . . .'

'O, ja! Ja! Ik wou hier al steeds weg. En nu . . .' Francesca hield op en bedacht dat ze Zwitserland nooit meer wilde terugzien.

'Nu is het tijd voor Londen, nu is het tijd voor dat huis dat ik je heb beloofd. En dan gaan we avonturen beleven — met zijn drietjes!'

'Ze hebben me voor je gewaarschuwd, de playboy-prins! Denk maar niet, dat ik niet weet op welke manier jij door de wereld hebt gezworven. De verhalen, die ik daarover heb gehoord . . .'

'Allemaal waar.'

'Maar nu voorbij? Je bent niet rusteloos als huisvader?' Ze plaagde hem, mooier dan ze in maanden was geweest.

'Allemaal voorbij. Ik heb alles wat ik wens.' Hij stond weer versteld over het genot dat ze hem kon schenken, de wijze waarop iedere lijn en ronding van haar gezicht in zijn oog was verlicht, zoals geen ander gezicht ooit had gedaan. Opnieuw ontmoette de bandeloosheid in hem de bandeloosheid in haar, en zij verenigden zich in uitzinnige vreugde. Hoe eerder zij Lausanne en de kliniek van dr. Allard verlieten, hoe beter, dacht hij, terwijl hij Daisy van de sabelbontmantel tilde en haar buikje kietelde.

'Laten we naar Londen gaan en een huis kopen. Kun je morgen klaar zijn met pakken?' vroeg hij.

'Nee, ga jij maar alleen, lieverd. Ik wil Daisy niet alleen laten, ook niet met Masja en de bedienden — ik zou geen seconde rust hebben.'

'Goed. Maar als het huis dat ik uitzoek je niet bevalt, zit je er wel aan vast.'

'Je spreekt als een echte prins,' lachte ze. 'De laatste man ter wereld zonder bediendenproblemen. Ik zie je er voor aan dat je het beste huis in Londen neemt — dat verwachten ze van je.'

'Waar beklaag je je in 's hemelsnaam over? Ik ken vrouwen die voor jouw positie een moord hadden begaan,' mopperde hij.

'Doe niet zo verontwaardigd — het zilver is tenminste altijd gepoetst.' Ze gooide een kussen naar zijn hoofd. 'Geef mijn baby eens hier. Je hebt haar lang genoeg gehad. Arm kindje — pas zes maanden en nu al blasé.'

De dag waarop Stash naar Londen vertrok, stuurde Francesca Masja met een uitgebreide boodschappenlijst naar Lausanne. Ze had eigenlijk zelf moeten gaan, dacht ze, want Masja zou ongetwijfeld kans zien met de verkeerde kleur nylons thuis te komen; maar ze had het plannetje beraamd die middag uitsluitend alleen met Daisy te zijn. Hoewel de gediplomeerde kinderverzorgster weken geleden was ontslagen, had Masja, in haar positie van vroegere min van Stash en met haar tientallen jaren van trouwe dienst aan alle Valensky's, nooit geleerd behoorlijk op een deur te kloppen. Ze kwam ieder ogenblik binnen en bleef er bij staan als Francesca Daisy aan het verzorgen was, terwijl ze de hele tijd goedbedoelde maar lichtelijk kritische opmerkingen maakte. Het zou onmogelijk zijn geweest haar te vragen weg te gaan zonder haar grootmoederlijke eigendomsgevoelens te kwetsen, en Francesca, nog maar zo kort in de wereld van alledaagse vreugden teruggekeerd, deed niet graag iemand verdriet.

Ze keek geërgerd op toen Masja een uur voordat ze werd verwacht alweer terugkwam. De Russische vrouw kloste Daisy's kamer binnen; haar brede, goedhartige gezicht was rood van kwaadheid, haar mond bewoog zwijgend en iedere centimeter van haar forse, betrouwbare lichaam stond op ontploffen.

'Masja — wat mankeert jou?' fluisterde Francesca. 'Daisy slaapt net — stil zijn, hoor.'

Masja was zo in de war, dat het haar moeite kostte om zacht te praten.

'Zij — die verpleegster — zuster Anni — ik zag haar in het warenhuis — dat, dat schepsel had het lef tegen me te zeggen — ik ken haar al jaren, weet u, en zij, o, het is niet te verdragen . . . tegen míj . . . ach, ik kan het zelf niet eens zeggen, het is walgelijk, de roddel, de dingen die de mensen zeggen . . .' Masja hield abrupt op en ging vierkant in de gele schommelstoel zitten, uit pure woede niet in staat verder te gaan.

'Masja, wat heeft zuster Anni dan precies gezegd?' vroeg Francesca rustig. Ze wist, dat ze in de negen weken van haar depressie wel heel erg zonderling moest zijn geweest, vreemd op een manier die Masja niet kon bevatten. Het was op zijn zachtst gezegd niet erg correct van de verpleegster om over een vroegere patiënt te praten, maar haar jaren in Hollywood hadden haar gehard tegen het geroddel van kletskousen.

'Ze vertelde me . . . ze zei . . . ze . . . ach — wat deze idioten niet allemaal geloven! Ze zei dat ons arme kleine kindje dat gestorven is — dat de baby helemaal niet dood was!'

Francesca werd grauw. Roddel was goed en wel, maar dit was van zo'n laagheid, zo intens slecht, om over haar tragedie te spreken alsof het niet was gebeurd, haar verdriet als onderwerp voor een gerucht te gebruiken. Eén blik op het gezicht van Masja zei haar dat dit nog lang niet alles was.

'Ik wil woord voor woord weten wat zuster Anni heeft gezegd. Het is een gevaarlijk mens — het hele verhaal, Masja, voor de dag ermee!'

'Ze zei dat de kleine Daniëlle, dat onze baby, nog maanden — maanden — nadat u weg was, in de kliniek is geweest tot ze groot genoeg was. Daarna hebben ze haar bij madame Louise Goudron in huis gedaan, een vrouw die kinderen opneemt . . .'

'Ze? Heeft ze gezegd wie die "ze" waren?'

'Nee, dat wist ze niet, maar het ergste, madame, het ergste was wat ze tegen me zei, toen ik haar vertelde dat het de smerigste leugen was die ik ooit had gehoord. Ze zei dat ik kon zeggen wat ik wilde, maar dat zij mensen kende die zo rijk en arrogant waren, dat ze, als de baby die ze hebben ze niet bevalt of als er iets mis mee is, zich er gewoon van ontdoen! Ik heb haar vervloekt om in de hel te branden, prinses, pal in haar gezicht!'

'Masja! Kalm nu maar . . . je maakt Daisy wakker . . . Het is niet mogelijk dat zuster Anni — ik ben natuurlijk onaardig tegen haar geweest, maar om nu zó gemeen te zijn en een dergelijk verhaal uit haar duim te zuigen . . . Ze is gek, volslagen gek. Ik moet daar iets aan doen. Ze mag nóóit meer in de buurt van zieke mensen komen. Ze is niet goed wijs, Masja, begrijp je dat dan niet, echt helemaal krankzinnig.'

'O, prinses, prinses . . . wat is dat schandelijk. Stel dat ze het ook aan anderen heeft verteld, stel dat zij haar geloven?'

'Onzin. Niemand die bij zijn verstand is zou naar haar luisteren. De prins zou die vrouw wurgen als hij het hoorde — is dat alles wat ze tegen je gezegd heeft?'

'Ja, woord voor woord. Ik ben uit het warenhuis gelopen en direct teruggegaan om het u te vertellen.'

'Ik zal meteen dr. Allard opbellen . . . Nee . . . wacht even, dan lijk ik wel net zo gek als zuster Anni. Jij bent mijn getuige.

Wij gaan morgenochtend naar de stad om eerst met hem te spreken. Dan kan ze ook niet ontkennen wat ze tegen je heeft gezegd. Dat loeder. Dat doortrapte loeder!'

De lijfknecht van Stash klopte op de deur.

'Wat is er?' vroeg Francesca boos.

'Prinses, of u aan de telefoon wilt komen. Het is de prins, uit Londen.'

'Ik kom er aan, Mump.'

De telefoon stond in de bibliotheek van de villa. Francesca vloog de trap af en nam de hoorn op.

'Lieverd, wat ben ik blij dat ik je stem hoor! Waarom? O, ik voelde me zo ontzettend eenzaam zonder jou, dat is alles. Het was een lange dag.' Intussen vond ze dat er geen reden was om Stash over zuster Anni te vertellen. Dan kreeg hij weer een van die aanvallen van kille, verscheurende woede die ze over hem had zien komen als iets of iemand zijn macht over zijn leven tartte en de hemel weet wat hij die idiote vrouw zou aandoen. Ze was heel goed in staat dit vervelende voorval zelf af te handelen. 'Daisy?' ging ze verder. 'Is net gaan slapen. Wij hebben een heerlijke middag gehad, helemaal alleen met zijn tweetjes. Nee, lieverd, geen nieuws... nog twee dagen... drie misschien? Het valt dus blijkbaar niet mee de ideale prinselijke residentie te vinden. Haast je maar niet, hoor... Er wordt goed voor me gezorgd. Welterusten, liefste van mijn hart. Ik houd van je.'

De volgende ochtend werden Francesca en Masja door de chauffeur naar Lausanne gereden. Francesca verzocht Masja in de wachtkamer van dr. Allard te blijven, terwijl zij zijn spreekkamer binnenging. Toen de receptioniste haar binnenliet, sprong de kleine dokter zodra hij haar zag vanachter zijn bureau op.

'Aha, maman, u bent van inzicht veranderd! Dat wist ik wel! Daar was ik van overtuigd! Ik wist wel, dat u uw kind nooit echt zou opgeven, zeker geen vrouw als u bent! Natuurlijk, in die tijd — maar, lieve mevrouw, wat is er?' Dr. Allard ving Francesca op toen ze net naar een stoel wankelde. Hij hield zich druk bezig met haar uit haar flauwte bij te brengen, mompelend: 'Natuurlijk, al die emotie . . .'

Toen ze weer tot zichzelf kwam, was het afgrijzen overal om haar heen, een akelige draaikolk, maar zonder naam, zonder nadere aanduiding, iets vaags dat haar omringde en verstikte. Ze wist alleen maar dat er iets heel ergs had plaatsgevonden, iets misdadigs. Francesca raapte alle handelingsbekwaamheid die ze bezat bij elkaar, toen het langzaam tot haar doordrong wat de woorden van dr. Allard precies inhielden. Een instinct van sluwheid, waarvan ze het bestaan nooit had geweten, nam de overhand.

'Neem me niet kwalijk, dokter . . . dat zal de reactie zijn geweest dat ik weer in de kliniek ben. Het gaat nu weer uitstekend. Nee, geen water, dank u. Het gaat prima. Zo! En hoe gaat het met u?' Ze was bezig tijd te winnen tot ze weer zichzelf was en haar woorden kwamen over haar verdoofde lippen alsof ze zich echt helemaal in bedwang had.

'Ik? Ik ben vandaag een gelukkig man, hoogheid. Toen de prins me vertelde, dat u had besloten Daniëlle nooit te zien en dat u haar niet wilde opvoeden, moet ik u eerlijk zeggen dat ik diep was teleurgesteld. Maar ik beschouw het niet als mijn zaak op zulke besluiten commentaar te leveren, begrijpt u, dat is altijd een kwestie waar de ouders over moeten beslissen. Maar ik had op de een of andere manier het gevoel, toen al, dat u als u weer helemaal de oude was, er op zou terugkomen.'

'Dokter, ik heb een zware tijd achter de rug. Ik geloof niet dat ik het nog echt helemaal begrijp, zelfs nu ik ben hersteld, wat er precies is gebeurd. Zou u het voor me op een rijtje kunnen zetten en me gewoon vertellen wat er is voorgevallen? Ik heb niet genoeg aandacht aan die hele geschiedenis besteed, en ik schaam me voor mezelf . . . Ik wil niet dat mijn man weet dat ik zo slecht naar hem heb geluisterd.' Ze glimlachte hem toe, beheerst, vertederend hulpeloos.

Toen de dokter zijn lange voordracht had beëindigd, waarbij hij elk detail met Zwitserse precisie invulde en zich moeiteloos al zijn gesprekken met Stash en alle bijzonderheden van Daniëlle's toestand herinnerde, bleef Francesca als verlamd zitten. Ieder woord was een puntig voorwerp dat recht op haar hart viel, de ene klap na de andere. Het voorgevoel van naderend onheil was zo tastbaar als een open lijkkist. Ze wilde gillen, hard gillen om nooit meer op te houden, zodat ze nooit hoefde te denken over wat de kleine dokter haar had verteld. In plaats daarvan hoorde ze haar stem, kalm, uit een grot aan de achterkant van de maan, die vroeg: 'U hebt me nog niet precies gezegd, wat voor speciale zorg Daniëlle nodig heeft.'

'Dezelfde die u Daisy hebt gegeven — ik zie dat ze tegenwoordig zo in de krant wordt genoemd, onze kleine Marguerite. Op het ogenblik, voordat Daisy begint te lopen, zullen de verschillen tussen hen kleiner zijn dan in de toekomst. Daniëlle zal zich natuurlijk in allerlei opzichten langzamer en later ontwikkelen en veel minder actief zijn dan haar zusje, maar ze zal, zoals ik u heb verzekerd, er normaal uitzien. Het duurt niet lang voor het tijd wordt om te gaan praten — het eerste grote probleem. Dan, over een paar jaar, kan Daniëlle worden getest. Met wat geluk zijn er een heleboel dingen die de kleine zelf kan leren doen, maar dat komt allemaal later pas. Op het ogenblik heeft ze alleen maar liefde en aandacht nodig.'

'Dokter Allard, ik ben zo dom geweest om haar wieg en al haar kleertjes weg te geven . . . alles dat me zou hebben herinnerd . . . ik heb nog één dag nodig om alles voor haar gereed te maken.'

'Maar natuurlijk . . . een dag, twee dagen, wat maakt dat nu nog uit?' De dokter keek haar onderzoekend aan en dacht, dat ze in werkelijkheid misschien tijd nodig had om aan het idee te wennen, nu haar moeilijke beslissing eindelijk was gevallen.

Toen Francesca de spreekkamer uitkwam, wachtte Masja met vurig ongeduld om als getuige tegen zuster Anni te worden opgeroepen. Francesca was haar voor.

'Masja, onze zaak is helemaal geregeld. Kom, we gaan meteen weg, er is nog een heleboel te doen.' Ze pakte de oudere vrouw bij de arm en trok haar de deur uit, haastig door de gang van de kliniek naar de straat.

'Hoogheid, hebt u die vrouw er uit laten gooien? Waarom hebt u het mij niet tegen hem laten zeggen? U bent zo lang binnen geweest, dat ik me ongerust begon te maken.'

'Masja,' begon Francesca en hield toen op. In de tijd van een uur was alles waar ze haar geloof op had gebaseerd verdwenen. Niets was zoals het leek. Bedrog, leugens, wreedheid, ondraaglijke pijn — een uitgestrekt, verward landschap omringde haar.

'Masja, ze heeft niet tegen je gelogen. Daniëlle — ze leeft!' De sterke boerenvrouw wankelde. Francesca hield haar met al haar kracht overeind. 'Masja, kom, we gaan in het park zitten. Dan zal ik het allemaal uitleggen.'

Aan het eind van Francesca's relaas, onderbroken door ongelovige kreten van Masja, bleven de twee vrouwen zwijgend op de bank in het park zitten, onder de lichtelijk verwonderde blikken van de chauffeur die nog steeds voor de kliniek stond geparkeerd.

Langzaam wendde Masja zich tot Francesca. 'U moet goed begrijpen, hoogheid, dat hij als klein jongetje al doodsbang was voor zwakheid en ziekte, alleen dat, geen andere gebreken. Ik heb al die jaren op hem gelet — o, ik weet wel, dat hij geen aandacht aan mij schenkt, maar ik had hem heel goed in de gaten. Alles moet gaan zoals hij het wil. Hij wint altijd, altijd. Er is geen hoop, hoogheid. Hij zal het arme kind nooit in zijn hart toelaten.'

'Dat hoeft hij ook niet,' zei Francesca met een stem die bijna een schreeuw van machtige, verscheurende woede was. 'Hij heeft geen enkele kans meer.'

Masja's onderdanige reactie op het standpunt van Stash had haar tot een besluit doen komen zoals niets anders had kunnen doen. De oude vrouw probeerde notabene te vergoelijken wat hij had gedaan, alsof zijn daden geaccepteerd konden worden, móesten worden.

'Ik ga weg, Masja, en ik neem mijn kinderen mee. Niemand kan me tegenhouden, ik waarschuw je. Hij heeft tegen me gelógen. Hij heeft me in de waan gelaten dat ze dood was! Hij heeft mijn kind gestólen. Als ik haar niet bescherm, wie weet wat voor een afschuwelijke streek hij dan uithaalt? Bedenk wat hij gedaan heeft, Masja. Bedenk wat hij ís. Ik wil hem nooit meer zien. Voor hij uit Londen terug komt ben ik weg. Het enige wat ik van je vraag is om niets te zeggen voor ik ben vertrokken.'

Er kwamen tranen in Masja's ogen. 'Waar ziet u me voor aan? Ik heb ooit een kind gehad... maar hij is gestorven. Toch heb ik altijd een moederhart gehad. In ieder geval speelt u het zonder mij niet klaar. Hoe denkt u bijvoorbeeld helemaal alleen voor twee kleintjes te zorgen? Ik ga met u mee.'

'O, Masja, Masja!' riep Francesca. 'Ik had gehoopt dat je dat zou zeggen — maar ik zou je nooit hebben gevraagd hem in de steek te laten.'

'Hij heeft me niet nodig. U wel,' zei Masja, waardig en beslist.

Francesca besteedde een dag in de Amerikaanse ambassade in Genève om met behulp van een verveelde, ongeïnteresseerde ambtenaar, met spoed hun paspoorten in orde te maken, kocht vliegtickets bij een reisbureau in Genève, ging terug naar Lausanne om bij hun bank een grote cheque te wisselen, en haastte zich weer naar de villa om in te pakken. Voor zichzelf nam ze bijna niets mee behalve haar reiskleding, maar ze stopte twee grote koffers vol met alle kleertjes van Daisy en allerlei zaken die ze de eerste tijd nodig had. Ze haalde al haar juwelen tevoorschijn en bekeek ze peinzend. Nee, ze was niet meer de vrouw van de man die ze haar had gegeven. Haar tuintje van kristallen vaasjes van Fabergé en de met edelstenen bezette bloemen erin? Ja, die behoorden toch bij een ander leven — een leven vóór de leugens — die kon ze met het volste recht meenemen. Het lazuurstenen ei met de diamanten kroon van Catharina de Grote erin, dat een robijn in het hart droeg? Ja! Dat was onmiskenbaar van haar, voor het dragen van de tweeling. Ze sloot de vaasjes en het ei in hun kistjes en legde de pakjes onderin haar toiletkoffertje. Al haar daden werden stuk voor stuk, de hele dag door, nauwkeurig en met het grootste gemak uitgevoerd. Ze werd gedreven door een gesmolten kern van woede die haar voortstuwde als een enorme motor. Haar energie kende geen grenzen, haar hersens werkten met het tienvoudige van hun normale capaciteit. Ze was als een levend vuur, brandend van ongeduld tot aan het moment waarop ze haar kinderen in veiligheid zou brengen. Zou ze Matty Firestone een telegram sturen om haar in Los Angeles af te halen? Nee. Absoluut niemand mocht weten dat ze vertrok voordat ze weg was.

Ze beantwoordde het volgende telefoontje van Stash 's avonds met zo'n volmaakte imitatie van de toon van de vorige avond, dat ze zich er met dat deel waarmee ze zichzelf observeerde, over verbaasde. Maar die hele nacht sloop ze in haar slaapkamer heen en weer en slingerde hem woorden van walging en bittere verwijten naar het hoofd. Iemand behoorde te sterven voor wat hij had getracht te doen — had gedaan. Wat had ze hem eigenlijk griezelig weinig gekend, wat was ze goed van vertrouwen geweest, hoe gemakkelijk had ze zich voor de gek laten houden, zich laten gebruiken als een pion op een schaakbord. Hoe diep haatte ze hem!

De volgende ochtend belde ze dr. Allard op. Ze zou over twee uur een kindermeisje naar madame Goudron sturen om de baby te halen, zei ze tegen hem. Zou hij zo vriendelijk willen zijn die dame op te bellen en haar willen vragen of ze wilde zorgen dat Daniëlle warm gekleed gereed was? Het was zo'n gure dag. Ja, ja, ze was gelukkig, erg gelukkig en erg opgewonden. De dokter had volkomen gelijk. Het was een fantastische dag. Ja, ze zou de prins zijn beste wensen voor hen allemaal overbrengen . . . erg aardig van hem.

Precies twee uur later zat Francesca achter in een taxi weggedoken met Daisy in haar armen, terwijl Masja het keurige huisje binnenging. Niemand zou de vrouw in een wijde reismantel, met een donkere bril en de hoed diep in de ogen, een onopgemaakte vrouw, met haar haar in een knoetje naar achteren gebonden hebben herkend als die lyrische, beroemde schoonheid met het lange fladderende haar, die met zo'n zorgeloze, onschuldige blijdschap het gejuich van haar bewonderaars beantwoordde bij haar aankomst in Cherbourg, nog geen anderhalf jaar geleden.

Er gingen vijf minuten voorbij voordat Masja naar buiten kwam, wuivend naar de vrouw aan de deur, die weemoedig haar hand ophief. Toen de taxi op weg ging naar het vliegveld, ruilden Masja en Francesca van baby. Francesca lichtte de rand van de deken op die bijna het hele gezichtje van het kind bedekte. Wat was ze klein. Wat ongelooflijk lief. Fijn krullend zilverblond haar. Een ernstig gezichtje, een beetje droevig, maar zo wonderbaarlijk vertrouwd. En die ogen — hetzelfde fluweelzwart, het zwart van een purperen viooltje, de ogen van Daisy. Maar dof. Een heel klein beetje dof. Misschien alleen dof als je haar met Daisy vergeleek . . . en dat was iets wat je nooit en te nimmer meer mocht doen.

Met één blik verbond ze zich onherroepelijk haar kind te beschermen en te koesteren, wetend dat hoeveel geluk deze band ook zou schenken, het altijd verbonden zou zijn met donkere schaduwen en een oneindige droefheid die ze verwierp, al zat het nog zo stevig in haar ziel gegrift.

Geen van de bedienden durfde een woord tegen zijn meester te zeggen. Het gezicht van Stash Valensky, terwijl hij bezig was de enorme villa bij Lausanne te verkopen en ze allemaal naar Londen te verhuizen, was vertrokken in rimpels van pijn die hem bijna onherkenbaar maakten. Ook onder elkaar fluisterden zij slechts enkele veronderstellingen. De onverklaarde verdwijning van de prinses met Daisy en Masja was zo bedreigend voor hun gevoel van veiligheid, dat ze het trachtten te negeren. Zij sloten hun gedachten af voor het raadsel. Een echtelijke ruzie, hoopten ze maar, die even plotseling en geheimzinnig zou worden bijgelegd als hij was ontstaan.

Stash kon niets beginnen. Wettelijke stappen om Daisy terug te krijgen zouden ogenblikkelijk in de openbaarheid komen en dan zou de hele geschiedenis moeten worden onthuld. Hij vond zijn daden zelf volkomen gerechtvaardigd. Maar gepantserd met verachting, accepteerde hij het feit dat de grote meerderheid, mensen die hun armzalige leven door vervelende ongevallen lieten beheersen, nooit zou begrijpen wat hij in het geval van Daniëlle had moeten doen.

Zij zouden nooit begrijpen hoezeer hij gelijk had gehad. Gelijk hád. Hij redeneerde, dat die toestand niet lang kon duren. Francesca had emotioneel gehandeld, in de schok van het ogenblik. Ze zou weldra tot zichzelf komen en begrijpen, dat hij de gebeurtenissen terwille van haar en van Daisy alleen maar had aangepast. Dat hij de enige verstandige en juiste koers om hen drieën een gelukkig leven te verzekeren, had ingeslagen.

Toch had Stash geen idee waar Francesca was. Toen hij uit Londen was teruggekomen en had ontdekt dat ze weg was, kon hij haar alleen maar tot Los Angeles opsporen. Hij belde Matty Firestone op. Wat er nog voor verdere informatie was, haar vroegere agent was vanzelfsprekend de eerste bron.

Matty drukte zijn bijna onvoorstelbare minachting voor Stash uit door hem mee te delen, dat het met állebei zijn dochters heel goed ging; ja, Daniëlle begon zelfs al haar hoofdje een paar tellen op te tillen. Daisy? O, ja, Daisy. Ze zat al rechtop en kon mama zeggen, maar die kleine Daniëlle, nou, dat was me er eentje. Hij kon bijna zweren dat ze tegen hem glimlachte, toen zij hem voor de derde keer zag.

Stash sprak zo koel mogelijk. Hij schoot er niets mee op zich op te winden. Zou Francesca hem willen zien? Kon hij haar misschien schrijven? Er was een misverstand geweest dat kon worden opgelost.

'Nou,' zei Matty, die zich verkneukelde van leedvermaak. 'Er is niets ter wereld dat mij ertoe kan bewegen hun verblijfplaats te zeggen. Ze zijn veilig en gezond en ze hebben geen honger, en meer kom je niet van me te weten. En dat is meer dan je verdient.'

Er gingen maanden voorbij. Stash ging naar Californië, maar Matty was niet te vermurwen. Hij handelde in opdracht van zijn cliënt. Meneer Valensky zou niets uit hem krijgen. Natuurlijk kon hij een scheiding aanvragen als hij daar zin in had. De kranten zouden hem heel dankbaar zijn. Er waren de laatste tijd geen sappige schandalen geweest.

Stash bracht Nieuwjaarsdag van 1953 alleen in zijn grote huis in Londen door. Zijn vrouw en kind waren nu ruim vier maanden weg. Hij was een gevangene in zijn eigen huis. Hij wist dat als hij zonder Francesca in het openbaar verscheen, geruchten de ronde gingen doen. Hij had al telefoontjes van de Engelse pers ontvangen met het verzoek om interviews met Francesca. Iedereen, zo verzekerden zij hem, wilde weten hoe de filmster die prinses was geworden zich in Londen amuseerde. Zij wilden haar om strijd weer met Daisy fotograferen. De omslagfoto van 'Life' was al maanden oud. Zijn geloofwaardige voorwendsels raakten uitgeput. Hij wist dat al dit uitstel spoedig zinloos zou zijn, en dat de pers nu iedere dag voor het huis kon staan om te kijken of ze ergens een kindermeisje met een kinderwagen zagen.

Stash vluchtte naar India, waar het poloseizoen in volle gang was, maar dit jaar speelde hij niet. Er waren paleizen waar verslaggevers nog nooit over hadden gepiekerd om binnen te dringen, een dozijn maharadja's die maar al te blij waren hun oude vriend als gast te hebben. Calcutta was de hele maand januari veilig; februari en maart kon hij in Delhi, Bombay en Jaipur doorbrengen. Maar waar zou hij in het voorjaar naartoe gaan?

In april had hij er genoeg van. Stash verkondigde dat hij en Francesca van elkaar af waren en dat zij naar de Verenigde Staten was teruggekeerd. Hij had geen plannen voor een scheiding. En hij had er niets aan toe te voegen. Na een week was het verhaal wegens gebrek aan details verbleekt, verdwenen en weldra vergeten.

In die zomer van 1953 speelde Stash weer polo. De dunne scheidslijn tussen sportief rijden en rijden om te intimideren werd nog twijfelachtiger dan hij was geweest, maar hij bleef wel aan de goede kant. Hij stortte zich op de aankoop van nieuwe pony's en de oprichting van een stal in Kent, op gunstige afstand van Londen. Hij verkocht de Engelse straalgevechtsvliegtuigen, de Gloster Meteor en de De Havilland Vampire, die hij na de oorlog had gekocht. Hij schafte zich een Argentijns vliegtuig aan, de Pulgui, ook een straalgevechtsvliegtuig van een later jaar, die werd aangedreven door een Rolls-Royce Derwent motor. Hij spoorde het allerlaatste beschikbare model van de Lockheed XP-80 op, bekend als de Shooting Star en kocht het, een straalvliegtuig dat jarenlang bijna beter dan ieder ander vliegtuig in de wereld kon manoeuvreren en ook betere prestaties verrichtte. Hij verzon uitvluchten om met deze oorlogsvliegtuigen te vliegen: om zijn brevet te behouden, voor ontspanning en tijdverdrijf. Wat hij zichzelf in de jaren nadat Francesca hem had verlaten nooit toegaf was dat hij met vreugde een nieuwe oorlog zou begroeten. Alleen een luchtduel met een vijand, waarbij een van beiden onherroepelijk de dood zou vinden, had hem de verschrikkelijke ontlading kunnen bezorgen die hij zocht. Meisjes, frisse, begeerlijke meisjes op het hoogtepunt van hun jeugd, waren overal waar hij maar rondkeek. Het was zo weinig spannend om ze te veroveren, dat hij zich wel eens afvroeg waarom hij zich druk maakte.

Anabel de Fourment behoorde tot een uniek, weinig bekend slag vrouwen, de grote moderne courtisane. Weinig andere vrouwen dan die van haar eigen soort konden haar afgetakelde aantrekkelijkheid waarderen. Ze was geen grote schoonheid, het ontbrak haar aan chic en ze liep tegen de veertig, maar vanaf haar negentiende jaar bestond er een opeenvolging van aanzienlijke mannen die voor haar gunsten kapitalen hadden uitgegeven. In een kortstondig huwelijk op jeugdige leeftijd was ze erachter gekomen dat de rol van minnares veel prettiger was dan de rol van echtgenote. Beeldschone jonge vrouwen vroegen elkaar vol ongelovige verbazing wat haar geheim was, maar alleen een man die met haar had samengeleefd had het hun kunnen zeggen.

Anabel omringde de man die haar bezat met een sfeer waarin hij zich zeer behaaglijk voelde. Iemand die haar bezat — en dat kon alleen hij die heel rijk was — trad binnen in een voordien onbekend land van harmonie, ongedwongenheid en goede stemming, dat deed denken aan de joviale vriendelijkheid uit de tijd van Edward VII. Ze stelde zich tot taak de beste kok uit Londen te vinden en te behouden. Haar huis was zo geraffineerd ingericht, dat geen enkele man nu precies kon aangeven waarom het er zo buitengewoon rustgevend was: het enige wat ze ondervonden was dat de problemen van hun wereld bij haar deur ophielden. Anabel wist niet wat een neurose was. Ze had geen complexen, geen fobieën en geen obsessies. Ze was nooit gedeprimeerd, verdrietig, chagrijnig of geïrriteerd. Ze was kerngezond, en niemand had haar zelfs maar over een afgebroken nagel horen klagen. Niemand had haar trouwens ooit horen opspelen en toch regelde ze haar huishouden snel en efficiënt. Voor de bedienden was ze een verlicht despoot die absolute orde handhaafde.

Ze was nooit en te nimmer vervelend. Ze was zelden geestig, maar ze kon vaak heel grappig uit de hoek komen. Ze kon nooit de clou van een anekdote onthouden, zodat ze de tiende keer net zo hard lachte als de eerste keer als ze hem door dezelfde man hoorde vertellen. Het was een lach die haar alleen al haar fortuin opleverde, zó'n gulle schaterende lach vol bewondering, dat iemand die hem hoorde het gevoel had, dat hij bij het vuur zat en groeide in zijn koesterende warmte. Ze was niet bijzonder scherpzinnig, maar begreep intuïtief waarom de mensen zo handelden als ze deden. Anabel was niet bovenmatig intelligent of uitgesproken intellectueel, maar ze had een manier om de mensen waar ze mee praatte aan te kijken, waardoor de eerlijke, ongekunstelde dingen die ze zei een speciale betekenis en charme kregen. Ze stelde precies díe vragen die een man maar al te graag beantwoordde. Misschien was het haar karakteristieke stem, misschien het ritme van de woorden zelf, die verklaarde waarom mannen de wijze waarop ze zich uitdrukte zo bijzonder prettig vonden. Zij verheugden zich op een rustig praatje met Anabel zoals zij zich nooit verheugden op een tête à tête met vrouwen die als veel geestiger en briljanter bekend stonden.

Anabel de Fourment had iets speciaals waardoor ze met haar doorsnee aantrekkelijkheid een schoonheid leek. Ze had een gave huid en tanden. Ze had sluik, Titiaan-rood haar dat altijd brandschoon was. Ze had een brede, goedlachse mond, een vrij lange neus en aardige grijsgroene ogen die alleen opvielen door hun vriendelijke uitdrukking. Haar lichaam was zó zacht en soepel, zó heel licht geparfumeerd en zó goed verzorgd, dat het er niet toe deed dat ze altijd een ietsje te dik was. Ze had prachtige zware borsten en ronde billen met kuiltjes en het viel geen enkele man op dat ze een wat gedrongen bouw had.

Anabel was geboren als dochter van een zorgeloze Franse portretschilder, Albert de Fourment, het zwarte schaap van een goede, oude familie van lage adel uit de provincie. Haar moeder, een geëxalteerde, opstandige dochter van een bekrompen Engelse lord, was studente op de kunstacademie. Zij hing in de buurt van Bloomsbury rond en deed verwoede pogingen in dat opgewonden, bloedschennig met elkaar verstrengelde kringetje te worden opgenomen, maar werd slechts zijdelings geaccepteerd als schildersmodel, meer gewaardeerd om haar schoonheid dan om haar talent. Ze trouwde met de eerste de beste echte kunstenaar die haar vroeg, om te ontdekken dat hij ook maar een klein talent bezat, niet veel groter dan dat van haar zelf.

Hun enige meesterwerk was hun dochter Anabel die zij grootbrachten op een dieet van broodkorsten en kaviaar. Anabels vroegste herinneringen waren een combinatie, in een verwarrende wisseling van locatie, van verrukkelijke, geïmproviseerde maaltijden in een armoedig Parijs atelier, waar altijd wijn genoeg was voor de vele gasten, ook al raakte het eten op, en kerstvakanties in een groot Engels landhuis. Daar mocht het kleine meisje opblijven voor het kerstdiner, en keek ze verwonderd naar de grote mensen in avondjaponnen en met feesthoedjes op, die aan knalbonbons trokken en op toetertjes bliezen alsof ze net zo jong waren als zij. Toen ze ouder werd, kwam ze al heel snel tot de conclusie, dat het losse bohémienleven van haar ouders haar wel aanstond, maar dat ze het vervelend vond om arm te zijn: dat de rijkdom van haar grootouders haar wel aantrok, maar dat ze geen zin had om te doen wat er van haar verwacht werd.

Haar enige huwelijk, op haar zestiende, was een vergissing. Al het geld ter wereld kon de verveling die ze had ervaren niet goedmaken, besloot Anabel. Na haar scheiding op haar negentiende, was ze ontdekt door de eerste man die zich de uitzonderlijke luxe kon veroorloven Anabel te onderhouden. Hij was lid van het Hogerhuis, een vriend van haar grootvader, een voornaam man van in de zestig, die ze de laatste tien jaar van zijn leven trouw bleef, de mooiste tijd die hij ooit had gekend. Hij was het die haar in de sappige bijzonderheden van haar eigenlijke loopbaan inwijdde, die haar deskundig wegwijs maakte op het ingewikkelde terrein van wijn, voedsel en sigaren, die een handige Française in dienst nam, die haar kleedde, die haar meenam naar Phillips in Bond Street en haar uitsluitend het beste Georgiaanse zilver leerde onderscheiden en gebruiken, die uitlegde, waarom de mat glinsterende oude diamantroosjes haar meer flatteerden dan iets van Cartier, hoe kostbaar het ook was. Gedurende die jaren met hem leerde ze dat oud, aristocratisch geld het soort geld was dat ze begreep. Ze had een hekel aan alles wat opzichtig, modern en voor de hand liggend was. In de sfeer van geparfumeerd nietsdoen die ze schiep, hing altijd de suikerzoete gratie van een andere, betere tijd dan het heden.

Anabel was geen vrouw voor overdag. Ze sliep heel lang uit, gebruikte de lunch alleen en besteedde de middag meestal met regelen dat haar huishouding op rolletjes liep en het schikken van grote boeketten bloemen die al haar kamers het aanzien gaven van een Renoir. Tot groot verdriet en afgunst van de kokkin, schiep ze er een speciaal genoegen in naar de markt te gaan en persoonlijk het rijpste fruit, het beste vlees en de geurigste kazen uit te zoeken. De kooplieden die haar klandizie genoten, bewaarden hun beste produkten voor haar, omdat Anabel de Fourment niet alleen goed betaalde voor kwaliteit, maar de transactie op zichzelf tot een genoegen maakte. Ze nodigde dikwijls kleine gezelschappen in boeiende combinaties uit om bij haar te dineren. De mannen werden altijd uitgekozen door haar beschermer, de vrouwen door Anabel. Deze vrouwen waren van goeden huize — ten minste dat leek altijd zo — maar ze waren of niet Engels of ze behoorden niet tot de Londense uitgaande wereld. Het was een werelds, losbandig, lichtzinnig, amusant stel en bij hen vergeleken stak Anabel af als een volmaakte edelsteen bij een verzameling fantasie-sieraden. Haar dineetjes werden een verrukkelijke club, waartoe slechts een paar belangrijke mannen behoorden, een club waarvan het bestaan zelf een geheim was. Als Anabel behoefte had aan een vriendin om over vrouwenzaken te praten, wat niet vaak voorkwam, kon ze altijd op de leden van haar trouwe, zij het onconventionele kringetje rekenen.

Anabel zag er op de een of andere manier nooit chic, zelfs niet elegant uit in haar dure kleren die ze overdag droeg. Dat wist ze wel en het kon haar totaal niets schelen. In het schemerlicht, in haar eigen huis, was ze op haar best. Daar was ze fantastisch. Ze gaf kapitalen uit aan wat haar lingerie-naaister 'huiskleding' noemde. Lange robes van fluweel, zijde, chiffon en kant, niet van een bepaalde periode of stijl, zo geraffineerd ontworpen dat ze de prachtige huid van haar boezem onopvallend maar fraai deden uitkomen. Haar ondergoed en nachtjaponnen werden eveneens met groot vakmanschap uit een rijke sortering materialen voor haar gemaakt. Haar beddegoed was dat van een vorstin, waarop een ongelofelijk aantal 'lekkere nummertjes' plaatsvonden, zoals Anabel dat noemde, maar alleen in zichzelf. Ze gaf niet zoveel om seks. Ze was een courtisane, geen grande amoureuse, het type van dramatische hartstochten en tragische liefdesgeschiedenissen. Ze wist, dat het ergste dat haar kon overkomen was, dat ze serieus van iemand ging houden. Dat was helemaal niets voor haar. Jonge, onstuimige mannen waren schoolkinderen voor haar, schoolkinderen waar ze haar tijd niet aan kon verspillen. O, ze hield er wel van als een man met haar vrijde, maar seksualiteit was een verhaal apart, al die moeite nauwelijks waard. Ze snorde en zuchtte en kreunde zachtjes en vond het eigenlijk toch wel prettig.

Na de dood van haar eerste beschermer bevond Anabel zich, op negenentwintigjarige leeftijd, in het bezit van een eigen inkomen, dat wel royaal, maar voor haar behoeften niet helemaal toereikend was. Haar manier van leven, in haar eigen ogen niet overdreven, kostte ongelofelijk veel geld. Ze had ook de pacht in handen, die nog tachtig jaar geldig was, van een behoorlijk groot huis op Eaton Square, dat aan zijn buren precies zo'n voorgevel met pilaren vertoonde als alle andere huizen in dat deftigste deel van Belgravia, maar dat van binnen was ingericht met een aandacht voor comfort waar weinig andere aan konden tippen. Hoewel de door en door vrouwelijke aanwezigheid van Anabel er centraal stond, was het huis ondanks al zijn groene, grijze en taupe tinten, alle bloemen en zilver, in wezen het huis van een man.

Ze maakte plannen voor haar toekomst. Ze voelde er niets voor om te hertrouwen, omdat ze zich in het huwelijk zo ontzettend had verveeld. Een paar kinderen had ze wel leuk gevonden, dacht ze, maar baby's waren zo mogelijk nog vervelender dan het huwelijk. Ze kende de beperkingen van haar uiterlijk net zo goed als die vrouwen die samen gingen lunchen, en haar de grond inboorden uit ergernis dat ze maar niet konden begrijpen, waarom al hun mannen en minnaars haar zo aantrekkelijk vonden. Maar ze kende die ene waarheid waar zij nooit bij zouden kunnen: ze kon de meest gecompliceerde mannen eenvoudig geluk schenken. Een grote courtisane in een tijd waarin courtisanes niet meer in de mode waren? Flauwekul, vond Anabel. Ik ben een klassiek type — van alle tijden. Ze twijfelde er geen moment aan, dat de dag dat haar slag vrouwen uit de mode raakte, de laatste dag van de beschaving was zoals zij deze kende. Wat daarna kwam liet haar koud.

Rustig, het voorrecht genietend te kunnen kiezen, wachtte ze tot haar volgende beschermer zich bekend maakte, en wees alle huldebetuigingen af die niet aan haar kieskeurige smaak voldeden. In de daarop volgende tien jaar behoorde ze na elkaar drie mannen toe, elk stuk voor stuk even waardevol als de gelukkige oude lord die haar had gevormd. Haar privé-inkomen groeide niet, want ze gingen geen van drieën dood, en de enige geschenken die ze accepteerde waren juwelen of schilderijen; maar ze bleef, in een tijd van inflatie en hoger wordende belastingen, net als altijd leven, zonder zich om geld te bekommeren. Laat in het najaar van 1955 was ze negenendertig en op dat moment zonder iemand die kon zeggen dat zij hem toebehoorde.

'Anabel?'

'Sally, lieve Sally — hoe gaat het met je?' Anabel herkende onmiddellijk de nerveuze Amerikaanse stem. Sally Sands, warrige, grappige Sally, was de Londense redaktrice van een Amerikaans modetijdschrift en ze had meestal zorgen, dikwijls over de vervelende noodzaak om een officiële verloving te verbreken. Ze was de laatste twee jaar zes maal verloofd geweest.

'Anabel, zou je mij een heel groot genoegen willen doen?'

'Als ik kan, wel, maar dan moet je eerst zeggen wat het is... Ach, nu ja, vooruit, waarom ook eigenlijk niet?'

'Goddank, dan ben jij mijn voornaamste bruidsmeisje.'

'Nee, Sally, nu ga je te ver — dat is volslagen belachelijk.' Anabel lachte haar kostelijke lach.

'Nee, serieus... ik heb je nodig, Anabel. Asjeblíeft. Hij is ontzettend Engels en ik ben dol op hem en zijn familie komt ook, maar mijn familie niet, dus jij moet mijn stand ophouden, lieverd — er is niemand anders die ik ken, die daarvoor in aanmerking zou komen.'

'Dat staat helemaal niet — bruidsmeisje, notabene, met een bruid die pas zesentwintig is! Maar ik ga ieder jaar naar een of andere bruiloft, alleen om mijn overtuiging te bevestigen dat de huwelijkse staat niets voor mij is — en daar kan jouw trouwerij net zo goed voor dienen als een ander — misschien zelfs wel beter.'

'O, maar dit is de ware Jacob,' zei Sally verwijtend.

'Natuurlijk, pop, voor jou wel, maar ik geloof nu eenmaal niet in die tucht. Het wordt toch niet een hele grote plechtigheid, wel? Ik hoef toch niet je sleep op te houden of zoiets?'

'Wij gaan hier alleen naar de burgerlijke stand. Thuis gaan we voor de kerk trouwen. Hij is een burggraaf en dat kan ik mijn moeder niet ontnemen. Na afloop ben ik van plan een kleine, eenvoudige receptie in Savoy te houden.'

'O, nee, Sally, daar vind ik een hotel eigenlijk nooit zo geschikt voor. De muren stinken naar te veel andere feestjes. Ik geef die receptie hier — dat is dan mijn huwelijkscadeau aan jou.'

'O, ik hoopte al dat je dat zou zeggen! Dank je wel, Anabel!'

'Dat wist ik wel.' Anabel lachte weer. Ze vond het leuk om royaal te zijn voordat iemand haar een gunst vroeg.

'Als je maar niet van mening verandert, Sally. Ik heb nog nooit een huwelijksreceptie gegeven en ik wil niet, dat ik het op het laatste nippertje moet afzeggen en alle champagne alleen moet opdrinken.'

'Dat beloof ik, Anabel, op mijn erewoord. O, je bent een engel!'

'Maar één ding, Sally . . .'

'Wat dan?'

'Houd je kalm.'

'Kalm houden? Goeie God, hoe kun je dat zeggen. Hoe kan ik onder zulke omstandigheden nu kalm zijn?'

'Je gaat zitten en dan zeg je een half uur achter elkaar "burggravin" . . . je zult zien hoe je daarvan kalmeert.'

Het bureau van de burgerlijke stand was wel de minst romantische plek die er voor een huwelijk te vinden was geweest, dacht Anabel die met voldoening het succes van de receptie die ze had georganiseerd, overzag. Het hele gevolg van de bruidegom was zichtbaar opgelucht toen zij haar huis dat vol bloemen stond binnenkwamen, en nu, uren later, volgepropt met kaviaar en pâté en een uitgebreid koud buffet, maakten ze er een echt feest van. De bruid en bruidegom waren evenals de lange, indrukwekkende optocht van familieleden van de bruidegom al lang vertrokken, maar de overgebleven gasten waren nu in het stadium van het zingen van oude liedjes gekomen.

De mannen hadden blijkbaar allemaal samen in de oorlog gediend, stelde Anabel vast, want in haar salon galmde nu de muziek uit een luchtmachtfilm van de jaren '40. Gelukkig stonden er bij haar niet van die breekbare voorwerpen, waar andere vrouwen hun huizen mee volzetten.

Ze had het veel te druk gehad met bruidsmeisje te spelen — een taak die er op neerkwam, zoals ze ook niet anders had verwacht, een weerspannige Sally die over haar zenuwen was, te dwingen op de huwelijksvoltrekking te verschijnen — om veel aandacht aan de andere deelnemers aan het huwelijksfeest te schenken. Ze hield Sally scherp in het oog tot de laatste beloften waren afgelegd, en reed toen vliegensvlug naar huis om zich te verkleden en alles gereed te maken om de gasten op de receptie te begroeten. De kleine, eenvoudige receptie waar Sally van had gesproken was, toen ze wist dat Anabel hem gaf, tot een feest van meer dan honderd gasten uitgedijd, en nu wachtte Anabel geduldig tot het laatste lied was gezongen en de laatste fles was geledigd, om haar gasten uit te laten.

Eindelijk ging ze na middernacht de trap op naar haar slaapkamer. Zoals gewoonlijk had haar dienstmeisje de zware, gele damasten beddesprei er af gehaald en de met kant afgezette lakens gemaakt van linnen zo zacht dat het aanvoelde als zijde, teruggeslagen. Zoals gewoonlijk lag haar chiffon nachtjapon op het bed uitgespreid en stonden haar geborduurde muiltjes op het tapijt. Maar, anders dan gewoonlijk, lag er een man met zijn gezicht naar beneden te slapen, zijn naakte schouders warm onder haar witte wollen dekens.

De volgende keer als Sally trouwt kan ze voor mijn part haar receptie in het Savoy houden, dacht Anabel. Ze keek hulpeloos naar het jacquet, met één mouw binnenste buiten, de gestreepte broek, het overhemd met strikdasje, de glimmende zwarte schoenen, zelfs sokken, en God sta ons bij, onderbroek, allemaal over haar tapijt verspreid. Ze stond op het punt het meisje te bellen en bedacht zich toen. Het had ook geen zin om de butler te wekken. Hij en de kokkin hadden een drukke dag gehad, ook al hadden de leveranciers het meeste werk gedaan. Ze ging naar het bed en nam de indringer op. Uit de kleur van zijn haar leidde ze af dat het de getuige was. Ze hadden alleen in een flits een veelzeggende ironische blik uitgewisseld tijdens de plechtigheid, waaruit sprak dat ze allebei geen erg hoge pet van de hele voorstelling op hadden.

Enfin, dacht ze, hij had er wel uitgezien als een heer en ze was niet van plan op dit uur nog eens een bed in een van de logeerkamers op te gaan maken. Ze kleedde zich in de badkamer uit, trok haar nachtjapon aan en kroop aan de andere kant van het grote bed onder de wol. Hij snurkt tenminste niet, dacht ze en viel in slaap. In de loop van de nacht werd Stash even wakker en kwam tot de conclusie dat hij met een slapende vrouw in bed lag, van wie hem niet duidelijk was wie zij was . . . die hij eigenlijk niet kende. Omdat dit niets bijzonders was, viel hij weer in slaap.

Stash en Anabel werden allebei laat wakker, een paar seconden na elkaar. Ze leunde op haar elleboog, haar donkerrode haar viel los op haar schouders, en vroeg: 'Zal ik om het ontbijt bellen, prins Valensky, of hebt u alleen maar behoefte aan een Alka Seltzer?'

'Ontbijt, graag, juffrouw de Fourment.'

'Eieren? Zachtgekookt in room? Vers gebakken croissants?

Ierse ham? En honing? Aan de raat?'

'Graag.'

'Thee of koffie?'

'Thee, graag.'

'U bent vanmorgen erg beleefd, dat moet ik u nageven.'

Anabel sprak in de telefoon op het nachtkastje, die met de keuken was verbonden en gaf haar bestelling door.

'Hebt u misschien toevallig een badjas bij de hand . . . een herenbadjas?'

'Beslist niet. Ik leef alleen.'

Stash ging het bed uit, stapte naakt naar de badkamer en sloot de deur achter zich. Anabel schudde in het bed van het lachen. De proef op de som was wat hij aan had als hij terugkwam. Er lagen stapels badhanddoeken bij de badkuip. De deur van de badkamer ging open en hij liep terug naar het bed, even naakt als tevoren. Hij heeft tenminste één proef doorstaan, en wel bijzonder glansrijk, dacht ze.

'Goedemorgen, Marie,' zei ze tegen het meisje, dat met het ene blad binnenkwam. Landon, de butler, stond achter haar met het andere blad.

'Goedemorgen, mevrouw.'

'Marie, geef dat blad maar aan de prins. Landon, dat is voor mij. Ja, hier, dank je. Schijnt de zon?'

'Prachtige dag, mevrouw. Zal ik de gordijnen opentrekken?'

'Nee, dank je, Landon. Ik bel wel als ik je nodig heb.' Ze schonk een kopje thee voor zichzelf in. Stash at met smaak.

'Heerlijke eieren,' zei hij.

'Mijn melkboer houdt kippen en bezorgt ze mij op de dag dat ze worden gelegd.'

'Werkelijk?'

'Werkelijk.'

'Lach me niet steeds uit,' stoof hij op.

'Je bent zo ontzettend grappig. Waarom zou ik niet mogen lachen?'

'Dat ben ik niet gewend. Ik vind het niet prettig.'

'O, God. Je neemt jezelf au sérieux.' Ze lachte nog harder.

'Kijk eens, de ochtend nadat je met een man hebt geslapen, behandel je hem niet als de nieuwe pias uit het Palladium. Dat is eenvoudig ongemanierd, zo niet erger.'

Nu leek het alsof het blad door haar geschater om zou slaan en zij uit het bed zou vallen. Stash zette hun bladen op de vloer, pakte haar beet en schudde haar door elkaar. Anabel kalmeerde net genoeg om vier woorden uit te kunnen brengen.

'Maar wij hébben niet . . .'

'Dat was dan een vergissing. Dat zetten we wel even recht.'

'Dat mocht je willen. Je bent mijn type niet.'

'Houd me eens tegen als je kunt.'

Dat kon ze niet. Eigenlijk, bedacht ze uren later, had ze er om eerlijk te zijn ook niet haar uiterste best voor gedaan. Hoewel ze door hem haar ontbijt had overgeslagen — en de lunch ook.

Anabel de Fourment was, zoals Stash besefte, nu werkelijk precies wat hij nodig had. En wat hij nodig had, dat kreeg hij.

Niet dat het zo gemakkelijk was. Hij moest haar eerst nog een maand het hof maken voor ze hem meer toestond dan een nachtkus en nog eens een maand voor ze hem weer in haar bed wilde hebben. Anabel kon maar eenmaal worden overrompeld . . . daarna werd het spel op haar voorwaarden gespeeld. Eerst moesten er allerlei praktische zaken worden geregeld . . . er moesten bepaalde financiële afspraken worden gemaakt en voorzieningen worden getroffen. Nadat aan al haar buitengewoon strenge voorwaarden behoorlijk tegemoet was gekomen, stond ze zich toe zich af te vragen of ze hem voor niets bij zich zou hebben genomen. Gewoon voor haar plezier. Nee, waarschijnlijk niet — ze kon zich dat soort luxe niet veroorloven. Maar ze had wel een ogenblik in verleiding gestaan, waar ze nooit iets over tegen hem zou zeggen. Stash wilde voor de emoties van een vrouw niet verantwoordelijk zijn en uit het weinige wat hij haar had verteld kon ze wel opmaken waarom.

Stash bracht een extra premie met zich mee, in de vorm van onregelmatige bezoeken van zijn zoon Ram die nu elf jaar was en in Eton op school ging. Er was iets onveranderbaar halsstarrigs en onbereikbaars in zijn donkere, magere gezicht, dat de goedhartige Anabel bekommerde.

Rams moeder, de oorlogsbruid van Stash, was hertrouwd en woonde in een bouwvallig kasteeltje in Schotland. Een enkele keer ging de jongen in een schoolvakantie bij zijn vader logeren, als Stash in Londen was. De verhouding tussen de jongen en de man kon als gevolg van een dergelijke regeling dan ook niet anders zijn dan gedwongen. Stash had Ram niet zien opgroeien en wist niet goed hoe hij contact met hem moest krijgen. De jongen koesterde reeds een wrok tegen hem door de hatelijke toespelingen die zijn moeder zo lang als hij zich kon herinneren had gemaakt; hij voelde zich verwaarloosd als zijn vader, zoals zo vaak in die perioden waarin hij naar hem toe had kunnen gaan, weg was om polo te spelen. Hij voelde zich als rechtmatig erfgenaam verstoten als hij de manier waarop Stash leefde vergeleek met het armzalige, saaie, rommelige Schotse leven dat hij moest delen met drie halfzusters en een stiefvader die hij niet mocht.

En hij was er nog wel zo trots op dat hij een prins Valensky was! Hij had die trots gekoesterd, zoals men zijn laatste, enige bezit koestert. Gedurende zijn drie jaar op Eton had hij de pech gehad in een groep terecht te komen waar de keus zonder meer was te pesten of gepest worden. Natuurlijk was hij, sterk als hij was en met het soldatenkarakter van zijn vader, een pestkop geworden. Hij had het nadeel van een buitenlandse naam verkleind door er de nadruk op te leggen dat hij een prins was. Hij wreef het ze flink onder de neus, en verzon verhalen over zijn voorvaders, terwijl de echte al indrukwekkend genoeg zouden zijn geweest, als hij ze had gekend.

Met zijn elf jaar was hij al flink uit de kluiten gewassen, maar met een starheid, een terughoudendheid in zijn benadering van mensen, die niet bij zijn leeftijd paste. Een ongeregelde, maar hevige afgunst op gelukkige mensen — alle gelukkige mensen — maakte dat hij verlegen en op zijn hoede was, en snel was geneigd gevoelens van wrok op te kroppen en bitterheid te koesteren. Hij wist, zonder dat precies in woorden uit te drukken, dat hij was bedrogen — bedrogen vanaf zijn geboorte en hij bleef dat feit eindeloos herkauwen. Een onafgebroken, duister ritme dat overal met hem meeging.

Maar zijn gezicht verried niets. Hij was een uitzonderlijk mooie jongen en had niets van het blonde uiterlijk van de Valensky's, op zijn grijze ogen na, die zóveel op de ogen van Stash leken, dat Anabel zich onmiddellijk tot Ram voelde aangetrokken. Hij was donker, zoals iedereen in de familie van zijn moeder; zijn huid was zó olijfkleurig en hij had zó'n trotse arendsneus, dat hij wel voor een van die jonge Hindoe maharadja's had kunnen doorgaan, wier ingewikkelde stambomen zich duizenden jaren terug uitstrekten en alleen bij de Brahmaanse priesters in de heilige stad Nasik bekend waren. Het was een geheimzinnige jongen, stelde Anabel vast, een ongelukkige jongen, en het ging helemaal tegen haar natuur in om een ongelukkig manspersoon van welke leeftijd dan ook in haar omgeving te hebben. Ze wendde al haar wijsheid en kunstgrepen aan om Ram tot haar vriend te maken en al spoedig hield hij zoveel van haar als hij in staat was van iemand te houden en hij ervoer, als ze hem voor speciale lunches alleen met haar in haar huis uitnodigde, een gevoel van spontaniteit en welzijn dat hij nog nooit had gekend. Alleen bij Anabel hoefde hij gelukkige mensen niet te benijden, want bij haar werd hij — korte tijd — een van hen.

Toen Francesca met de tweeling en Masja uit Lausanne vluchtte, was het enige dat haar duidelijk voor ogen stond, van Stash weg te gaan. Maar terwijl ze naar het westen, naar New York vloog, drong het tot haar door dat de enige mensen ter wereld die haar nu konden helpen de Firestones waren. Zodra zij op Idlewild door de douane heen waren, belde ze Matty in Hollywood op en vroeg haar vroegere agent haar op het vliegveld in Los Angeles af te halen.

'Vraag me asjeblieft niets, Matty,' verzocht ze hem. 'Als ik er ben zal ik je alles wel vertellen.'

'Maar schat... nu ja... wees gerust, wij zijn er.' Ik wist wel, dat ze terug zou komen, dacht hij, toen hij de telefoon ophing. Ik wist wel, dat die zak haar ongelukkig zou maken. Maar ondanks dat hij van tevoren was gewaarschuwd, waren Matty en Margo er geen van beiden op voorbereid twee baby's te zien. Zij waren zó verbaasd dat zij niets vroegen, vooral omdat Francesca en Masja allebei zo waren uitgeput na al die uren reizen, dat zij geen zinnig woord meer konden zeggen. De Firestones reden met het groepje vrouwen en kinderen zo snel mogelijk naar hun huis terug, gaven ze te eten en stopten ze allemaal meteen in bed.

'Nu gaan slapen! Morgenochtend praten we verder,' gebood Margo.

Zodra ze wakker werd, vertelde Francesca de Firestones in één woordenstroom met nieuwe ongelovigheid het hele verhaal. Om haar kudde in veiligheid te brengen had ze zich gedurende de ondraaglijk lange reis met praktische bijzonderheden moeten bezighouden en zich ervan moeten weerhouden bij de feiten die ze zo kort geleden had ontdekt stil te staan. Maar nu ze alle feiten voor Matty en Margo op een rijtje zette, kreeg ze het op haar zenuwen. Alleen de verzekering van Margo dat er voor haar en haar kinderen een veilige plek bestond, voorkwam dat ze instortte.

'Wij gaan daar morgen naar toe,' zei Matty.

'Nee, nú! Ik kan hier niet blijven! Hij vindt me hier!'

'Maar het is zes uur rijden, schat.'

'Als we over een kwartier weggaan, halen we het dan? Wij hebben nog niet eens uitgepakt.'

Matty keek even naar Margo en wendde zich weer tot Francesca. 'Ja, hoor — dan komen we aan als het donker is — dat is geen ramp, we doen gewoon de lichten aan.'

In de grote Cadillac van Matty reden ze over Route 101 naar Carmel. Daar ging Matty langs de kust terug via Route 1, de smalle, bochtige, gevaarlijke kustweg en reed vijftig kilometer naar een vakantiehuisje, dat hij en Margo in de Ventana Wildernis van Big Sur hadden.

De hut die van de steil omhooggaande zandweg die er naar toe liep vrijwel onzichtbaar was, was van roodhouten planken uit de streek gebouwd. Er waren stromend water, elektriciteit en verwarming, want de Firestones hadden ontdekt dat het in Big Sur zelfs in de zomer 's nachts bitter koud kan zijn. Margo had het met zware Amerikaanse antieke meubels uit Carmel ingericht, en oude gewatteerde dekens voor de bedden en bekleding gebruikt. Vanaf de kleine met wilde grassen begroeide open plek voor de hut die tussen pijnbomen, espebomen en esdoorns stond verscholen, had men een uitzicht over de Grote Oceaan, driehonderd meter lager. Op die hoogte waren de woeste golven en de branding vlak geworden en zag de oceaan er kalm, vredig en onschuldig uit.

Daisy was, toen ze vijftien maanden was, begonnen een onafgebroken woordenstroom van eigen maaksel te brabbelen, met daartussen door duidelijk uitgesproken namen en een paar dingen die ze wilde. Toen ze twee was, kon ze met behulp van persoonlijke voornaamwoorden al korte zinnetjes maken en haar belevenissen onder woorden brengen. 'Daisy niet bang voor onweer,' verklaarde ze en greep Masja's hand die ze hard kneep. Vol ongeduld wachtte Francesca op tekenen van spraakontwikkeling bij Dani, die 'mama' kon zeggen, 'Asja' voor Masja en 'Day' voor Daisy. In plaats daarvan hoorde ze slechts klanken zonder betekenis, die uit verminkte lettergrepen en onverstaanbaar gebrabbel bestonden. Ze wachtte geduldig af en probeerde Dani iets te leren, maar het meisje voegde alleen maar een paar eenvoudige woordjes — zoals 'ja' en 'nee', 'vogel' en 'heet' — aan haar woordenschat toe. Tot afschuw van Francesca begon Daisy echter het brabbeltaaltje van Dani te gebruiken. Ze luisterde, verkild van angst, naar de tweeling die zich met elkaar onderhielden als een stel idioten. Ze durfde er niets tegen Daisy over te zeggen in de hoop dat als ze niet over dat vreemde verschijnsel begon het vanzelf wel over zou gaan. In plaats daarvan werd het erger. Tenslotte, toen ze drie jaar waren geworden, vroeg Francesca langs haar neus weg: 'Waar praten jij en Dani over, Daisy?'

'Ze wilde met mijn popje spelen, maar toen ik het haar gaf, wilde ze het niet meer hebben.'

'Waarom praat je zo vreemd met Dani, Daisy?'

'Hoe vreemd?'

'Zoals daarnet — al die gekke klanken. Anders dan je tegen mij praat.'

'Maar zo praat zij ook, mama.'

'Versta je alles wat ze zegt?'

'Natuurlijk.'

'Waar praten jullie nog meer over?'

'Ik weet het niet.' Daisy keek niet begrijpend. 'We praten gewoon.'

Toen Francesca de tweeling 's avonds naar bed bracht, hoorde ze weer die vreemde klanken.

'Wat zei ze zoëven, Daisy?'

'Dani zei, meer kus. Dat betekent, dat ze wil dat u haar nog een nachtkusje geeft.'

'Kun je haar niet leren om kusje te zeggen, net als jij?'

'Ik weet het niet. Ik denk het niet.'

'Wil je het proberen?'

'Ja, mama. Voor mij ook meer kus, dan?'

Die avond sprak Francesca met Masja over de eigenaardige manier, waarop de tweeling zich met elkaar onderhield.

'Ja, dat heb ik al heel vaak gehoord, madame,' antwoordde Masja langzaam. 'Dat doet me aan iets uit Rusland denken — iets dat ik heb gehoord toen ik nog jong was — dat moet een jaar of vijftig geleden zijn. Daar was een tweeling — twee jongens — die in het naburige dorp woonden en ik herinner me, dat mijn moeder en mijn tante altijd fluisterend over ze spraken. Die tweeling praatte altijd met elkaar in een taal die niemand begreep. De mensen dachten, dat ze misschien — ze wisten niet of —'

'Waren ze normaal, Masja?'

'O, ja, mevrouw. Toen ze ouder werden hielden ze ermee op en tegen dat ze een jaar of zes waren, dacht iedereen dat ze het waren vergeten, want ze praatten net als iedereen. Maar daarna ben ik naar St. Petersburg vertrokken, dus meer kan ik u niet vertellen — over hen of over iemand anders in dat dorp,' eindigde ze bedroefd.

Francesca kende weinig andere mensen die ze over dit probleem of enig ander probleem in haar leven kon raadplegen. Op de telefoontjes van Matty en Margo na, leefde ze in de grootst mogelijke afzondering. Francesca begreep, dat als verslaggevers er lucht van kregen dat Francesca Vernon

Valensky met identieke tweelingkinderen in Big Sur woonde, zij haar tot in alle uithoeken van de wereld zouden achtervolgen, net zo lang tot de hele afschuwelijke geschiedenis uit de doeken was gedaan. Ze beschermde Stash niet, maar ze beschermde Daisy ertegen, dat ze er ooit achter kwam wat haar vader had gedaan.

Als ze met de auto naar Carmel moest om artikelen te halen die niet waren te krijgen in het kleine warenhuis dat leverde aan de paar verspreid wonende permanente bewoners in de omtrek, liet ze de twee kinderen bij Masja thuis en droeg kleren en sjaals om haar hoofd en zonnebrillen, zodat ze nooit werd herkend. Ze durfde geen vrienden te maken. Behalve Matty en Margo waren geen andere vrienden, of ze nu oud of nieuw waren, te vertrouwen. Ze leefde heel sober en accepteerde het huisje terwille van haar kinderen zonder zich te schamen. Via Margo verkocht ze een voor een de met edelstenen ingelegde bloemen in de kristallen vaasjes. Ieder voorwerp was slechts zo'n vijftienhonderd dollar waard voor een handelaar in Beverly Hills, maar van vijftienhonderd dollar konden ze met zijn vieren zes maanden leven. Ze bewaarde het lazuurstenen ei voor het laatst, als de bloemen op zouden zijn. Margo had het beschreven aan een handelaar in 'A la Vieille Russie' in New York, die zei dat als het echt Fabergé was, het hem wel twintig- tot dertigduizend dollar waard zou zijn. Dat het echt was betwijfelde Francesca niet — het was haar enige financiële zekerheid. Ze vloekte zichzelf iedere nacht in slaap, als ze aan de juwelen dacht, die ze zo trots en dom had achtergelaten, en als ze aan het geld dacht dat ze in Hollywood had verdiend en tot de laatste stuiver achteloos uitgegeven, aan kleren en auto's en boeken, en overdreven dure cadeaus aan haar ouders en vrienden.

Af en toe stuurde Matty haar een scenario dat een of andere hoopvolle producent hem had gegeven om 'zo mogelijk door te geven'. De eerste drie jaar sloeg Francesca al die aanbiedingen zonder er over na te denken af, omdat ze er niet over piekerde Masja alleen te laten om haar maanden achtereen voor de twee kinderen te laten zorgen.

Twee jaar na de vlucht van Francesca ontving Stash een brief van Matty Firestone, met de mededeling dat Francesca van mening was dat Daisy, nu drie jaar oud, haar vader moest leren kennen. Ze wilde hem toestaan het kind vier maal per jaar, drie dagen achter elkaar, vier uur per dag te bezoeken, mits hij dat zou doen zonder een poging te doen Francesca te spreken of uit te vinden waar ze woonde. Hij werd verzocht naar de Highlands Inn in Carmel te gaan en daar te wachten.

Stash vertrok nog diezelfde ochtend uit Londen. Een paar uur nadat hij was aangekomen, zei de receptionist dat er bezoek voor hem was. In de landelijke conversatiezaal zat Masja op hem te wachten met Daisy die stijf haar hand vasthield.

Francesca of Daniëlle waren in geen velden of wegen te bekennen. Stash stelde Masja geen enkele vraag en uit zichzelf zei ze niets, behalve een zachte begroeting voor de man die ze eens aan haar borst had gezoogd.

Aan het eind van de eerste uren met zijn sterke, dappere, mooie dochter, tekende Stash poppetjes voor haar, streepfiguurtjes van een man en een klein meisje versierd met grote rode harten. Hij legde haar uit dat als ze zo'n tekening per post ontving dat het betekende, dat hij iedere dag aan haar had gedacht. Hij postte er een om de twee of drie dagen tot zijn volgende bezoek. Zodra hij met haar alleen was, vroeg hij of zij ze ontvangen had.

'Ja, pappie.'

'Vind je het leuk om ze te krijgen?'

'Ja.'

'Weet je nog wat ze betekenen?'

'Dat je aan me denkt.'

'Bewaar je ze?'

'O, ja, pappie, ik bewaar ze.'

'Waar bewaar je ze dan, Daisy, lieverd?'
'Ik geef ze aan Dani.'
'O.'
'Ze vindt het leuk om ermee te spelen.'
'Daisy, ga mee naar het poesje kijken.'

Iedere keer als hij uit Californië naar Londen terugkeerde, dwong Stash zich om niet de weken te tellen tot hij Daisy weer mocht zien. Hij faalde jammerlijk. Hij kon de verleiding niet weerstaan een rechter te raadplegen die hij persoonlijk kende, zonder hem iets over het bestaan van Daniëlle te vertellen. Hij verklaarde alleen dat zijn vrouw nadat zij uit elkaar waren hem de toegang tot zijn kind had beperkt. De enige wegen die hem openstonden, werd hem spoedig te verstaan gegeven, zouden publiciteit met zich meebrengen. Stash kreeg het advies te wachten. Vaak wordt in gevallen als deze, als een kind ouder wordt, de toegankelijkheid gemakkelijker gemaakt, vooral als het kind zelf sterker beïnvloed kan worden naarmate het volwassener wordt. Dus wachtte hij, met dezelfde razende, onverdroten maar machteloze woede die hij in zijn eerste jaar in de RAF had gekend; toch kwam er nooit iets anders bij hem op dan dat hij zou zegevieren. Zo niet nu, dan heel spoedig.

Tegen dat Daisy vijf was geworden, hielp het kind al een aardig handje mee in huis, maakte haar bed op en dat van Dani, hield de kamer schoon die zij samen deelden, droogde de vaat, gaf de moestuin water en wiedde het onkruid. Francesca die juist een brief van Matty had ontvangen waar weer een scenario was bijgesloten, dat zij wel goed vond, legde Daisy uit, dat ze misschien een poosje weg moest om te werken en voor hen allemaal wat geld te verdienen, maar dat ze heel gauw weer terug kwam. 'Hoe lang?' vroeg Daisy angstig.

'Zes weken maar,' antwoordde Francesca en Daisy barstte in tranen uit.

'Daisy,' zei Francesca verwijtend, 'je bent nu groot genoeg om het te begrijpen. Zes weken is niet zo lang, en ik kom thuis zodra ze om zijn. Het zijn maar zes zondagen en zes maandagen . . . dat is toch niet veel?'

'En zes dinsdagen en zes woensdagen,' zei Daisy droevig. 'Verdient u dan een heleboel geld, mama?'

'Ja, lieverd.'

'En komt u dan direct thuis?'

'Ja, lieverd, zodra het werk klaar is.'

'Goed dan, mama, ik begrijp het,' zei Daisy schoorvoetend.

Even later spraken Daisy en Dani lange tijd met elkaar in een gebrabbel vol sisklanken, waarbij Daisy bijna alles zei en Dani kennelijk allerlei dingen vroeg. Aan het eind van het gesprek, liet Dani die nu uitstekend kon lopen, zich op handen en voeten vallen en kroop als een baby in een hoekje van de kamer, trok een lappenkleedje omhoog en ging er stilletjes onder liggen, met haar ongelukkige gezichtje naar de muur gekeerd.

'Daisy? Wat heb je gezegd?' vroeg Francesca verschrikt.

'Ik heb haar gezegd wat u mij heeft uitgelegd, mama. Ze begreep het niet. Ik kon het haar niet aan het verstand brengen. Ik heb het almaar geprobeerd, echt waar. Ze weet niet wat terugkomen betékent, ze begrijpt niets van geld verdienen.'

'Probeer het nog eens!'

'Ik heb het geprobeerd . . . ze wil nu niet naar me luisteren. O, mama, ik heb zo mijn best gedaan.'

'Goed . . . het geeft niets, lieverd. Daisy, ik hoef eigenlijk niet weg te gaan. Het was maar een idee. Wil jij tegen Dani zeggen dat ik niet wegga, dat ik nergens naar toe ga?'

Daisy sloeg haar armpjes om de hals van haar moeder en drukte haar warme, zachte gezichtje tegen Francesca's wang. 'Niet verdrietig zijn, mama. Wees asjeblieft niet verdrietig. Ik zal u wel helpen met werken. Ik zal u helpen wat geld te verdienen. Dat beloof ik u.'

Francesca keek naar het moedige figuurtje met de ogen als bloemen, haar witblonde haar in een lange vlecht die tot halverwege haar middel reikte, haar bruine knietjes vol schrammen van haar avontuurlijke zwerftochten diep in het bos, haar handen die hun kinderlijke molligheid begonnen te verliezen om bekwaam, zorgzaam en sterk te worden.

'Dat weet ik wel.' Ze glimlachte zonder een zweem van treurigheid. 'We vinden er wel iets op . . . iets leuks.'

'Kunnen we het niet aan pappa vragen?'

'Nee! Daisy, dat is nu iets wat we nooit en te nimmer doen.'

'Waarom niet?'

'Dat zal ik je wel uitleggen als je ouder bent.'

'O,' zei Daisy met een berustend gezicht. 'Dat is ook weer iets dat ik onthouden moet, wat u mij moet uitleggen als ik ouder ben.'

'Zeg ik dat dan zo vaak?'

'Ja, mama. Maar dat geeft niet. Niet meer verdrietig zijn.'

Plotseling begon Daisy over iets anders. 'Mama, ben ik heus een echte prinses? Dat heeft pappie gezegd.'

'Ja, dat is zo.'

'Is Daniëlle een prinses?'

'Natuurlijk — hoe kun jij nu een prinses zijn als Dani ook geen prinses is?'

'Maar u, mama, bent u een koningin?'

'Nee, Daisy, ik ben geen koningin.'

'Maar in sprookjes is de moeder van een prinses altijd een koningin,' zei ze eigenwijs.

'Vroeger — was ik ook een prinses, Daisy,' murmelde Francesca.

'Vroeger . . . Bent u dan geen prinses meer?'

'Daisy, Daisy, dat is veel te ingewikkeld voor je om nu te kunnen begrijpen. Het is trouwens alleen maar een woord, het betekent eigenlijk niets, niets belangrijks, niets om je het hoofd over te breken. Wij leven hier niet in een wereld van prinsessen — alleen wij tweeën en Masja en Dani en de herten en de vogels — Is dat niet goed genoeg voor je, Daisy-mijn?'

Iets in Francesca's gezicht zei Daisy het met haar eens te zijn. Maar dat was niet voldoende voor haar, ze begreep het helemaal niet en niemand scheen haar ooit antwoord op haar belangrijkste vragen te geven, vooral de vragen die ze nooit naar voren had durven brengen: waarom kwam haar vader haar alleen maar met lange tussenpozen opzoeken? Waarom zag hij Dani nooit? En het belangrijkste van alles, wat had zij, Daisy, verkéérd gedaan, dat hij iedere keer na een paar dagen weer wegging. Er werd nooit over gesproken, zelfs nooit een toespeling op gemaakt en op de een of andere manier begreep ze, dat ze het nooit mocht vragen, nooit.

'Kijk eens, Masja, ik heb alle erwtjes gedopt.'

'Hoeveel heb je er opgegeten, kleintje?'

'Zes maar. Acht. Tien misschien.'

'Rauw zijn ze ook lekkerder. Dat vond ik ook altijd.'

'O, Masja, je weet alles!'

'Ach, zeg me dat over tien jaar nog eens?'

'Masja, Masja . . . waarom is Dani anders dan ik?'

'Wat . . . wat bedoel je?'

'Ze is mijn tweelingzusje. Dat betekent dat we tegelijk zijn geboren. Dat heeft mama me verteld. Dat is een tweeling, twee kindjes in dezelfde moeder. Maar Dani praat niet zoals ik en ze kan ook niet echt hollen zoals ik — niet zo hard — en ze kan niet in bomen klimmen en ze is bang voor onweer en regen en vogels en ze tekent geen plaatjes zoals ik en snijdt haar eigen vlees niet en ze kan niet tellen zoals ik of haar eigen schoenen vastmaken. Waarom Masja?'

'O, Daisy, dat weet ik niet.'

'Jawel, Masja, dat weet je wel. Mama wil het me niet zeggen maar jij wel. Jij vertelt me altijd alles.'

'Daisy, jij bent het eerst geboren, dat is het enige dat ik weet.'

'Eerst geboren?' Daisy was verbaasd. 'Tweelingen worden tegelijk geboren, daarom zijn het tweelingen. Je bent niet wijs, Masja.'

'Nee, Daisy, de twee kinderen worden na elkaar geboren. Jullie zitten allebei in dezelfde moeder, zoals je mama je heeft verteld, maar de ene moet eerst uit de moeder komen en dan de andere. Jij bent het eerst geboren.'

'Dus het is mijn schuld.' Ze sprak langzaam, alsof iets wat ze al lang had vermoed, eindelijk door het volwassen gezag was bevestigd.

'Doe niet zo mal, kleintje, het is Gods wil, niet iemands schuld. Je zou beter moeten weten dan zo te praten! Daisy?'

'Ja, Masja?'

'Je begrijpt het toch wel?'

'Ik begrijp het, Masja.' Ja, ze begreep het. Ze wás het eerst geboren dus het was haar schuld. Masja praatte altijd over Gods wil, maar Daisy wist dat als Masja dat zei, het betekende dat Masja het ook niet begreep.

Naarmate 1957 vorderde voerden de winterstormen drijfhout naar de verscholen stranden van Big Sur, woeste, door de wind geteisterde stranden waar strandlopers rondscharrelden en grote golven grillige bruggen uit reusachtige rotsen slepen; waar dikwijls zeeleeuwen brulden. Stranden vanwaar men soms walvissen in hun goedaardige stille vloten voorbij kon zien trekken.

Francesca had in Carmel een handwerksman gevonden, die van drijfhout lampen maakte en ze verdiende er wat bij met het hout op het strand bijeen te zoeken, de beste stukken glad te schuren en ze af en toe naar hem toe te brengen. Meestal ging ze alleen naar het strand, maar op een vroege voorjaarsdag in 1958 nam ze Daisy en Dani mee. Ze liet Dani onder de hoede van Daisy achter en zwierf langs het strand, voortgelokt van het ene aangespoelde stuk hout naar het andere, tot ze zich omdraaide en er zich plotseling van bewust werd dat de kinderen totaal uit het gezicht waren verdwenen.

'Goeie God!' Ze rende de weg die ze gekomen was terug en bleef plotseling staan. Daisy zat op het warme zand buiten bereik van het verste kabbelende golfje. Ze hield Dani wat onhandig op haar kleine schoot, want ze waren bijna even groot. Over een week vierden ze hun zesde verjaardag. Daisy wiegde Dani heen en weer en aan de vorm van haar mond kon Francesca zien, dat ze voor haar zusje een liedje zong. Af en toe aaide Daisy met haar hand over Dani's haar, en kuste haar wang met een moederlijk gebaar. Dani had de gewone lieve, tevreden uitdrukking op haar mooie gezichtje. Er daalde een grote innerlijke vrede op Francesca neer, een gevoel van vreugde, zo eenvoudig en diep dat ze bijna op haar knieën viel. Ze had gelijk gehad. Ze had het enige gedaan wat mogelijk was. Ze was gezegend.

Een week later ontving Stash een internationaal telefoongesprek van Matty Firestone in Californië. De agent snikte ongegeneerd.

'Kom zo gauw mogelijk hier. Francesca is er niet meer . . . ze is dood. Ze was in de auto op de terugweg van Carmel, op Route 1 langs de oceaan, ik heb haar altijd al gewaarschuwd — een of andere idioot in een vrachtwagen maakte een te grote bocht, ze is van de weg af geraakt . . . de zee in.'

'*Daisy*!' gilde Stash.

'Francesca was alleen. Ik ben naar haar huis gegaan en heb Masja en de kinderen mee teruggenomen. Zij zijn hier in ons huis. Kom ze halen, Valensky . . . Jij bent het enige dat ze nog hebben, God sta ze bij.'

Op een zondag in het voorjaar van 1963 in Londen, traden Stash Valensky en Daisy die nu elf was, het Connaught hotel binnen om zoals gewoonlijk met zijn tweeën de zondagslunch te gebruiken.

Lunch in het Connaught hotel is een van de voornaamste ervaringen van de westerse beschaving, een culinaire Uffizi-galerie, en Stash, nog steeds bezig zijn onoverwinnelijke kind te temmen, vond dat het Connaught met zijn weelderige gedempte sfeer van behaaglijke pracht, meer de sfeer van een voornaam herenhuis dan van een hotel, waarin men onbewust altijd het tikken van een bescheiden vriendelijke Victoriaanse grootvadersklok hoort, voor zijn doel de beste entourage creëerde. De portier begroette hen als oude vrienden. Zij liepen over het zware tapijt van de kleine, roodbruin getinte hal, gedomineerd door een brede, ongelofelijk glimmende mahoniehouten trap en sloegen rechtsaf om door de gang te lopen die naar het restaurant voerde, dat als een van de drie beste van Engeland was erkend. Zoals gewoonlijk moest Stash Daisy stevig bij de elleboog vasthouden, want langs de kant stonden rijen tafeltjes waarop zilveren schalen, volgeladen met een dozijn verschillende soorten koude hors d'oeuvre, meloenen, saladen, kreeften, gevulde krab en een sortering wildpaté's. Het stond er in die brede gang stampvol met die met voedsel beladen tafels, waar ook een kleine bar was met een spiegel erachter en lange vazen met voorjaarsbloemen, op een wijze die een rijke overdaad suggereerde, zodat Daisy nieuwsgierig even bij ieder gerecht bleef staan, om nog voor ze het menu had gezien te trachten een keus te maken uit wat er vandaag het appetijtelijkst uitzag.

De muren van het restaurant waren betimmerd met glimmend gewreven, donker honingkleurig hout, waaraan kristallen armblakers met abrikooskleurige kapjes gloeiden. De stoelen en banken langs de muur waren bekleed met Bourgondisch gestreept fluweel en grote schermen verdeelden het restaurant in afdelingen, wat de solide zaal een gevoel van Alice in Wonderland gaf, want de onderste gedeelten van de schermen waren op zithoogte van bewerkt hout, maar de bovenkant was van gegraveerd glas, zodat men er rechtopstaande doorheen kon kijken. Stash en Daisy zaten bij voorkeur aan een tafeltje in het midden van het restaurant, in plaats van op een bank langs de muur, omdat het een gunstige positie bood om al hun mede-lekkerbekken te zien en bespiegelingen over ze te houden.

Veel mensen keken op van hun bord als ze binnenkwamen. Stash was vrijwel niet veranderd. Tweeënvijftig jaar oud, was zijn haar nog net zo blond, dik en kortgeknipt als altijd; had hij nog net zulke uitgesproken trekken, waaruit moed en doortastendheid spraken. Alleen zou hij al de aandacht hebben getrokken, maar met Daisy erbij waren alle ogen op hen gericht; zelfs in dit heiligdom van degelijke, voorname onverschilligheid, want zij was een kind uit sprookjesland. Daisy was nu een meter vijftig lang en had de slanke rondingen van de pre-puberteit die zo teder, zonder één foutje, zo pril en toch zo vol bruisend leven was, dat het de meest doorgewinterde volwassenen deed zuchten om een verdwenen kwetsbaarheid en kracht die ze ooit moesten hebben bezeten. Ze droeg een ivoorkleurige jurk van heel dunne wollen stof, bedrukt met trosjes lichtroze bloemen en bleekgroene blaadjes, met plooien van voren en een van achteren vastgestrikte ceintuur en het kraagje van uit de jurk geknipte appliqué bloemen lag als een kleine krans om haar hals.

Haar goudblonde haar viel bijna tot op haar middel en was naar achteren geborsteld, bijeengehouden door een eenvoudig lint, maar op haar voorhoofd en boven haar oren ontsnapten weerbarstige krulletjes.

Stash leidde haar naar hun tafeltje met een bezitterig air, dat hij niet kon onderdrukken. Hij koesterde zo'n diepe liefde voor Daisy dat het hem beangstigde. Hij had al lang geleden geleerd, dat het onverdraaglijk gevaarlijk was om zoveel emotioneel kapitaal in een ander mens te investeren. Maar hij was hulpeloos, louter en alleen door het bestaan van deze dochter van hem, deze schat die hij bijna had verloren, dit eigenwijze, vrijgevochten, liefdevolle vrouwelijke wezen dat hij vanaf het eerste, onvergetelijke ogenblik dat hij haar zag had aanbeden, zoals hij nog nooit van zijn leven een andere vrouw had aanbeden.

Nu, in Daisy, zag hij zichzelf als kleine jongen, het voorgoed verloren, voorgoed onschuldige, voorgoed hoopvolle eigen ik, dat alleen in een droom kan worden heroverd. Het vergeten ik dat verdwijnt zodra men ontwaakt, en alleen een gevoel van onvoorstelbare blijdschap en onberedeneerd geluk achterlaat, een gevoel dat nooit langer duurt dan een paar seconden.

Toen de gerokte ober Daisy het witte menu met een bruin met gouden randje en eronder gedrukte datum overhandigde, slaakte ze een zucht van verwachting, hoewel ze het na bijna drie jaar van zulke lunches bijna uit het hoofd kende. Ze had het stadium van kippepastei, lamskoteletten en zelfs geroosterde lende van Schots rundvlees, de drie gerechten waar ze eerst altijd een voorkeur voor had, al lang achter zich gelaten. Stash had in het begin geprobeerd haar voorzichtig door het menu heen te leiden, maar hij ontdekte al heel gauw, dat hij haar er niet met argumenten of met lieve woordjes toe kon bewegen iets nieuws te bestellen. Ze voelde er niets voor 'haar smaakpapillen te oefenen', zei ze tegen hem, met een plagende blik zijn schoolmeesterachtige uitdrukking herhalend. Hij vroeg zich dikwijls af waar zijn kwieke meisje, dat nooit aarzelde haar eigen beslissingen te nemen, geleerd had zo onvermurwbaar te zijn in die binnenlanden waar ze de eerste jaren van haar leven had doorgebracht. Maar zelfs bij haar eerste kennismaking met de deftige bediening van het Connaught, bracht Daisy's glimlach de maître d'hôtel aan het verstand dat ze niemand anders ter wereld vertegenwoordigde dan zichzelf, en dat ze omdat ze een jaar lang 's zondags kippepastei had gewild, dit nu ook zou bestellen.

'En, prinses Daisy,' begroette de maître d'hôtel haar enthousiast. 'Wat zal het vandaag zijn?'

'Wat,' vroeg ze, 'is de "croustade d'oeufs de caille Maintenon" behalve eieren?'

'Kwarteleitjes, geserveerd met champignons in roomsaus en hollandaise op kleine pastei barguettes.'

'Daisy, je hebt voor het ontbijt ook al eieren gehad. Waarom begin je niet met wat Schotse gerookte zalm?' vroeg Stash.

'Dat staat onder de "extra's", vader,' berispte Daisy hem ernstig.

Stash zuchtte inwendig. Hoe vaak hij haar ook had uitgelegd dat ze uit de extra's mocht bestellen, ze deed het nooit. Ze kon haar zo jong aangeleerde gewoonte van zuinigheid niet overboord zetten, zelfs niet in dit restaurant, waarin de eindrekening zo'n verbazingwekkend hoog totaalbedrag zou opleveren, dat een of twee extra gerechten niets uitmaakte. Ze ging naar het Connaught omdat hij haar daar mee naartoe nam, maar wat hij ook zei, niets kon haar ertoe bewegen een extra te bestellen, zelfs niet de 'salade Caprice des Années Folles', toch wel het gerecht met de verrukkelijkste naam ter wereld.

'Mag ik u misschien de serveerwagen met hors d'oeuvre aanraden,' zei de maître d'hôtel, 'zodat u daar een keuze uit kunt maken en daarna bijvoorbeeld de geroosterde kreeft met kruiden — wij hebben zojuist een uitgelezen zending uit Frankrijk ontvangen —'

'Leven ze nog?' vroeg Daisy.

'Maar vanzelfsprekend! Ze moeten wel levend zijn voor we ze kunnen bereiden.'

'Geef mij dan maar een Lancashire jachtschotel,' verklaarde Daisy die geen flauw idee had wat dat was, maar zich vast voornam niet de directe aanleiding van de dood van ook maar één kreeft te zijn.

Aha, dacht de ober, prins Valensky mag wel oppassen. Als het kleine meisje vegetariër zou worden, wat rampzalig zou zijn, zien we haar waarschijnlijk niet meer iedere zondag.

Toen de lunch eindelijk was besteld, gingen Daisy en Stash over tot de ongedwongen gesprekken, waarvan hij nu meer dan iets anders in zijn leven genoot. Hij bracht haar langzamerhand op de hoogte van zijn wereld, en zij vertelde hem van haar kant alle opwindende gebeurtenissen uit haar schoolleven en stelde hem in kennis van de kleine belevenissen van haar vriendinnen. Maar vandaag had ze iets bijzonders op haar hart.

'Vader, vindt u dat ik wiskunde moet doen?' vroeg Daisy.

'Natuurlijk — dat geven ze toch op school?'

'Ja, maar ik heb er een hekel aan en ik kan niet mijn wiskunde leren en tegelijkertijd behoorlijk voor mijn nieuwe pony zorgen. Hoe kan ik nu 's middags na schooltijd met Merlin rijden en daarna haar stal uitmesten en haar stro verversen, haar met de roskam bewerken en helemaal stofzuigen en haar met de paardeborstel bewerken en afwrijven en de hoeven schoonkrabben en . . .'

'Dat kost allemaal bij elkaar precies een half uur, dat weet je ook wel,' zei Stash lachend om die hele lijst van gewichtige bijzonderheden die ze opsomde, in de hoop dat hij ervan onder de indruk zou zijn. 'Dan heb je nog best tijd voor wiskunde.'

Daisy liet, als een uitgekiend strateeg, het onderwerp Merlin onmiddellijk vallen. 'Anabel zegt dat ze niet begrijpt waarom ik wiskunde moet doen — zij heeft het nooit gedaan en ze zegt, dat ze het nooit heeft gemist. Anabel zegt dat ze nog nooit van haar leven een chequeboek heeft gecontroleerd, en de enige reden voor wiskunde is om chequeboeken te controleren om te kijken of de visboer je heeft afgezet en als je dat tegen hem zegt, krijg je niet de beste kwaliteit vis, dus je kunt je er maar het beste bij neerleggen.'

'Dus Anabel is jouw autoriteit op het gebied van je studie geworden?'

'Anabel is mijn autoriteit op allerlei gebied,' zei Daisy waardig. 'Maar als u mij drie goede redenen kunt geven, waarom ik wiskunde moet doen, zal ik het proberen, al geloof ik dat er op de plaats in mijn hersens waar andere mensen een wiskundeknobbel hebben, iets ontbreekt.'

'Ik zal je één goede reden geven, omdat ik geen andere nodig heb — lady Alden staat er op dat alle meisjes op haar school wiskunde leren.'

'Dat vind ik erg onredelijk van lady Alden . . . buitengewoon onredelijk,' mopperde Daisy.

'Heeft Anabel je geleerd te zeggen dat dingen onredelijk zijn?'

'Nee, u. U hebt gezegd, dat het erg onredelijk van me was om met Merlin over de hekken op Wilton Crescent te willen springen.' Daisy trok ondeugende rimpeltjes in haar gezicht. Ze wisselde zo snel van stemming, dat Stash zich soms afvroeg of hij met een kind, een volwassen vrouw, een sjofele boerenjongen of een verstandig parlementslid sprak.

'Je lijkt wel een heiden, Daisy.'

'Dat vind ik niet erg. Die dansen toch om bomen en doen rare dingen bij volle maan?'

'Ik geloof dat dat druïden waren. Heidenen zijn net als de oude Grieken of Romeinen, mensen die niet één maar veel goden aanbaden.'

'O, best, zo iemand wil ik ook wel zijn. Net als u, vader.'

Snel vroeg Stash, om haar van dit heilloze onderwerp af te

brengen: 'Begint Merlin al een beetje aan de stal te wennen?' Merlin, de laatste van een reeks pony's, iedere keer een grotere dan de vorige, was naar de oude lievelingspony van Stash genoemd, die nu uit de strijd was teruggetrokken. Het paard van Daisy was ondergebracht in een stal op Grosvenor Crescent Mews, een paar minuten van Wilton Row, waar het huis van Valensky stond. De stal werd al twintig jaar gedreven door mevrouw Leila Blum. Het was er donker, met keistenen op de vloer en Merlin huisde in een van de vier paardeboxen, in plaats van in een minder ruime stal, waar ze zou moeten worden vastgebonden.

'Ze is er zo gelukkig als de dag lang is,' zei Daisy wijs. 'Er hangen een paar zwarte katten rond en daar kan ze uitstekend mee overweg, maar Merlin wil eigenlijk echt liever een hond. Ze verlangt vurig naar een hond.'

'O, ja? Heeft ze ook gezegd wat voor soort hond?'

'Gewoon een hond!'

'En daar snakt ze vurig naar?'

'Absoluut.'

'Ik heb zo'n idee dat Merlin met Anabel heeft gesproken.'

'Nee, vader, ze praat met mij. U weet toch dat paarden dat kunnen als ze willen.'

'Hmmm. Is het niet tijd voor een toetje, Daisy?'

Daisy keek onderzoekend naar het gezicht van haar vader. Ze probeerde hem nu al drie jaar zo ver te krijgen een hond voor haar te kopen. Hij was geen man die van honden hield, hij was zelfs geen man die iets om honden gaf, en hij had haar met succes weerstaan. Vandaag besefte ze, aan de blik in zijn ogen te zien, dat het geen zin had het onderwerp voort te zetten.

'Ik wil dolgraag een toetje,' zei Daisy. De kwestie was nog niet geregeld, maar het was slechts een kwestie van tijd. Ze was niet van plan het op te geven.

Stash wenkte de kelner die een dessertwagentje naar hen toereed. Een glimmend geval van massief mahonie op vier geruisloze kogellagers, met een aantal dienbladen boven elkaar, elk met een keur van nagerechten: chocolade-, citroen- en frambozenmousse, rijstpudding, appeltaart, gesorteerde gebakjes, in port gepocheerde vruchten, verse fruitsla met dikke room uit Normandië, grote botercake en mille feuilles aux fraises. De gedienstige kelner, een waardige erfgenaam van de Connaught-traditie, wachtte nooit tot Daisy de kwellende keuze had gemaakt, maar vulde eenvoudig een bord met kleine voorproefjes van alle nagerechten op het wagentje, behalve de rijstpudding. Na het dessert, terwijl Stash zijn koffie dronk, bracht de kelner, zoals bij alle tafeltjes, een zilveren plateau waarop allerlei soorten kleine zoete versnaperingen lagen, zoals verse in chocolade gedoopte aardbeien, kleine roomsoesjes en geconfijte kersen, allemaal stuk voor stuk in een papieren puntzakje. Terwijl Stash strak naar de vloer keek, stopte Daisy deze lekkernijen een voor een met een handige beweging in haar handtasje die ze als voorzorg voor deze buit met haar beste zakdoeken had bekleed. Toen ze dat de eerste keer had gedaan, was Stash vol afgrijzen geweest.

'Daisy! Een dame kan hier aan tafel zoveel van eten als ze maar wil, maar ze neemt het niet mee naar huis!'

'Het is niet voor mij.'

'O.' Stash wist onmiddellijk voor wie het was bestemd. Ze nam het mee naar die andere. Hij kwam er nooit meer op terug, maar verdroeg zwijgend de vernedering van het wekelijkse incident. Daisy zou hem niet hebben toegestaan een doos met de geconfijte lekkernijen voor haar te kopen, wist hij, want dan was het 'extra' en hij kon het niet over zijn hart verkrijgen haar van het genoegen dat ze in het cadeautje aan haar zusje schiep te beroven.

Toen Stash het telefonische bericht over de dood van Francesca van Matty Firestone ontvangen had, was hij reeds toen hij de vlucht naar Los Angeles boekte begonnen zijn mogelijkheden te overwegen. Hij begreep vrijwel onmiddellijk, dat hij het verhaal dat hij tot nu toe voor de hele wereld volstrekt geheim had gehouden, aan iemand zou moeten vertellen. Hij had hulp nodig om de toekomst te regelen, en Anabel was de enige die hij vertrouwde. Tijdens de paar dagen, dat Stash daarginds in Californië was, slaagde Anabel erin Queen Anne's School te vinden, het beste tehuis voor geestelijk gehandicapte kinderen in Engeland, en een afspraak te maken dat Daniëlle daar zou komen wonen.

Ze reed met de grote wagen van Stash naar het vliegveld om het kleine gezelschap af te halen, omdat ze was doordrongen van de noodzaak de komst van de kinderen verborgen te houden, zelfs voor de chauffeur. Toen zij door de douane kwamen zag ze Stash die met Daisy aan de hand voorop liep. Het kleine meisje was door de snelle veranderingen die de laatste week hadden plaatsgevonden even verward als zielsverdrietig. Ze begreep nog steeds niet helemaal hoe het mogelijk was dat haar moeder op een middag was weggereden en niet was teruggekomen. Hoe kon ze nu dood zijn? Noch Matty of Margo, noch Stash zelf hadden het reeds kunnen opbrengen haar uit te leggen hoe het ongeluk precies was gebeurd, en Daisy werd overspoeld door de werkelijkheid geworden kinderlijke angst om in de steek gelaten te worden. Achter Stash liep Masja die Daniëlle droeg, die zich in een wereld van stilzwijgen en onbeweeglijkheid had teruggetrokken. Snel en zonder iets te vragen, reed Anabel hen naar de school, die buiten Londen lag.

Toen zij bij het grote gebouw aankwamen, dat vroeger het hoofdgebouw van een groot particulier landgoed was geweest en nog steeds werd omringd door brede gazons, prachtige oude bomen en bloementuinen, zei Stash tegen Masja, Daisy en Anabel, dat zij in de auto op hem moesten wachten. Hij tilde Daniëlle op, de eerste en laatste keer dat hij haar aanraakte, stapte de auto uit en zette Daniëlle stevig met haar voeten op de oprijlaan. Daisy sprong de auto uit en volgde hem; ze hing aan zijn been toen hij de treden opliep en Daniëlle kwam zwijgend achter hem aan.

'Pappie, waar gaan we naar toe? Woont u hier? Waarom komt Masja niet mee?'

Stash liep verder de brede trappen op. 'Daisy, lieverd, je zusje gaat hier een poosje wonen. Het is hier een fantastische school voor haar. Jij gaat bij mij in mijn huis in Londen wonen.'

'NEE!'

Hij bleef staan, bukte zich en sprak ernstig tegen het ongelovige, opstandige kind. 'Luister nu eens naar me, Daisy, dit is heel belangrijk. Al die dingen die jij wel kunt, kan zij niet — zoals klok kijken en de briefkaarten lezen die ik je stuur en touwtje springen. Nou, als ze een poosje in deze school woont, leert ze al die dingen van de beste onderwijzers van de wereld, en dan kunnen jullie met elkaar spelen op de manier zoals je altijd graag hebt gewild . . .'

'Ik vind het léuk met haar te spelen op de manier zoals ze nu is — o, laat haar niet gaan, pappie, toe — ze zal me zo missen. Ik zal haar missen — asjeblieft, pappie, asjeblieft!' Naarmate de onverzoenlijkheid van zijn voornemen tot haar begon door te dringen, maakte Daisy's opstandigheid plaats voor een verschrikkelijke angst.

'Daisy, ik begrijp best dat het heel moeilijk is, maar je denkt alleen maar aan jezelf. Daniëlle zal het hier heel gauw prettig gaan vinden, en er zijn een heleboel andere kinderen om mee te spelen. Maar als ze niet op een bijzondere school zoals deze woont, leert ze niets. Dat zou je toch niet willen, is het wel . . . je wilt haar er toch niet van af houden alle volwassen dingen te leren die jij wel kunt? Dat zou niet eerlijk zijn, dat weet je ook wel. Nou, zou dat eerlijk zijn, Daisy?'

'Nee,' snikte ze en de tranen biggelden over haar gezicht, langs haar hals en verdwenen in de kraag van haar jurk.

'Ga mee, dan kun je haar prachtige kamer zien en met een paar onderwijzers kennis maken.'

'Ik kan niet ophouden met huilen . . . dan maak ik haar ook aan het huilen.'

'Je moet ophouden. Ik wil, dat je haar alles vertelt wat ik heb gezegd. Je zegt altijd dat ze jou het beste begrijpt.'

'Ze zal het nu niet begrijpen, pappie.'

'Probeer het nu maar.'

Tenslotte beheerste Daisy zich zover dat ze zich met haar zusje in hun eigen privé-taal kon onderhouden. Het duurde niet lang of Daniëlle huilde dikke tranen en jankte als een klein dier.

'Ze zei: "Day, niet weggaan!" '

'Maar heb je haar dan niet verteld over al die dingen die ze gaat leren?' zei Stash ongeduldig.

'Ze wist niet wat ik bedoelde.'

'Nou, zie je wel, dat ik gelijk heb. Als ze de dingen leert die ze haar hier kunnen bijbrengen, begrijpt ze het wél. Nou, vooruit, Daisy, laat haar nu met dat vreselijke geluid dat ze maakt ophouden, dan brengen we haar samen naar haar gezellige kamer, en voor je het weet voelt ze zich helemaal thuis.'

De toegewijde beroepskrachten die het instituut leidden, waren gewend aan 'moeilijke afscheidsscènes', zoals zij het noemden, als een kind in hun uitmuntende zorg werd achtergelaten, maar zoïets als de scheiding tussen Daisy en Daniëlle hadden ze nog nooit meegemaakt. Iedereen die het ongeluk had om erbij te zijn, voelde zich radeloos, en sommigen werden zo zwak dat ze tranen vergoten, toen Stash Daisy tenslotte zo omzichtig mogelijk losweekte, maar niet helemaal zonder dat hij brute kracht moest gebruiken.

Nadat Daisy gillend, tegenspartelend en schoppend lijfelijk uit Dani's kamer door de gang was gedragen en in de auto gestopt, besloot Stash dat zulke emotionele klappen alleen maar slecht voor haar konden zijn. De zondag daarop, toen hij had beloofd dat Daisy naar haar zusje mocht, weigerde hij haar erheen te brengen en legde haar uitvoerig uit, dat het voor haar eigen bestwil en ook voor de bestwil van Daniëlle was.

Het kleine meisje luisterde aandachtig naar ieder woord dat hij zei en draaide zich daarna, zonder zich een antwoord te verwaardigen, om en ging naar haar eigen kamer terug.

Een dag later klopte Masja op zijn deur.

'Hoogheid, kleine Daisy wil niet eten.'

'Ze is zeker ziek. Ik zal de dokter laten komen.'

'Lichamelijk mankeert ze niets.'

'Wat mankeert ze dan? Kom nou, Masja, schei nu maar uit met die afkeurende blik van je . . . dat heeft sinds mijn zevende geen enkel effect op mij gehad.'

'Ze wil niet eten zolang ze niet naar Dani toe kan.'

'Belachelijk. Ik ben niet van plan me door een kind van zes de wet te laten voorschrijven. Ik heb bepaald wat het beste voor haar is. Ga nu maar tegen haar zeggen dat het niet helpt. Als ze honger krijgt eet ze wel.'

Masja ging zonder iets te zeggen de kamer uit. Ze kwam niet terug. Er ging weer een dag voorbij en Stash zocht haar op.

'En?'

'Ze wil nog steeds niet eten. Ik heb u gewaarschuwd. U kent Daisy eenvoudig niet.' Masja keek hem grimmig aan tot hij zich afwendde, nog steeds vastbesloten.

Er was nog een dag van hongerstaking nodig voordat Daisy haar vader dwong toe te geven. Er ging geen kruimeltje eten haar mond in voor hij plechtig had gezworen, dat ze Daniëlle iedere zondagmiddag mocht bezoeken. Stash had voor eens en altijd afgeleerd haar ergens in te dwarsbomen dat met Daniëlle had te maken.

Gedurende een aantal maanden na de dood van Francesca had Stash brieven van Matty Firestone ontvangen, om te vragen hoe het met de kinderen ging en of ze al in Londen begonnen te wennen. Dit was een complicatie waarvan Stash zich besloot te ontdoen. Hij kon de mogelijkheid niet overwegen de briefwisseling met de agent en zijn vrouw die hij als zijn gezworen vijanden beschouwde, voort te zetten. Uiteindelijk stelde hij een brief op, waarin hij verzocht van verdere vragen naar zijn privé-aangelegenheden verschoond te blijven. Het was een brief die zo kortaf, zo bijzonder onvriendelijk, zo door en door hatelijk en afdoend was, dat Matty en Margo allebei besloten dat er geen reden meer was om Valensky te schrijven. Daisy en Daniëlle waren zijn kinderen, hij kon wettig volledig aanspraak op ze maken en, zoals Margo treurig en realistisch vroeg, wat konden zij er aan doen? Het was nu maar het beste alles te vergeten; Francesca te vergeten, de tweeling te vergeten en het hele tragische hoofdstuk in hun leven achter hen te laten. Het was afgelopen, voorbij, verloren, en ze hadden hun uiterste best gedaan. Nu moesten ze de zaak maar met rust laten.

'Proberen te vergeten, bedoel je,' zei Matty bitter.

'Precies. Het enige alternatief is te procederen om de voogdij en je weet dat we die toch nooit krijgen.'

'Maar die kleine meisjes — ze waren famílie, Margo.'

'Voor mij ook, schat, maar niet voor de wet. En daar gaat het om.'

De Firestones schreven niet meer en Daisy in Londen bleef Dani iedere zondag bezoeken. Stash bracht haar nooit zelf naar de Queen Anne's School. Om niet de kans te lopen het andere kind te zullen zien, stuurde hij Daisy, vergezeld door Masja, met de trein en taxi op die reis van een uur.

Gedurende de zomermaanden van de daarop volgende jaren, als Daisy vakantie had van school, nam Stash haar mee naar het huis in Normandië, La Marée, dat hij kort nadat Anabel in zijn leven was gekomen als geschenk voor haar had gekocht. Maar om de twee weken verklaarde Daisy dat ze het weekend naar Engeland terug moest om Dani te kunnen bezoeken. Met onwillig op elkaar geperste lippen, bracht Stash zijn dochter en Masja zaterdagochtend naar het vliegveld van Deauville, en kwam op zondagavond terug om hen af te halen, zonder ooit iets te vragen over de tijd dat ze waren weggeweest.

Stash ontving maandelijks verslagen van de Queen Anne's School over Daniëlle, verslagen die hij vaak wekenlang rond liet slingeren, voor hij zich ertoe zette ze open te maken. Ze waren toch allemaal hetzelfde, zei hij tegen zichzelf, en dat was ook zo. Ze was gezond, ze was gelukkig en gedroeg zich uitstekend. Ze had een paar eenvoudige dingen geleerd, ze hield van muziek en speelde met een paar andere kinderen en ze was in het bijzonder aan een aantal leerkrachten gehecht. Ze kende enkele nieuwe woorden en had contact met de leerkrachten op wie ze was gesteld, maar ze scheen alleen met haar zusje een soort gesprek te hebben.

Merkwaardig genoeg sprak Daisy nooit met Stash over haar zusje, nadat zij hem gedwongen had in de kwestie van het bezoek het onderspit te delven. Er was niemand anders in haar leven behalve Masja, met wie ze ook maar de geringste neiging had om over Dani te praten. Ze had het nooit met Anabel over haar, hoewel ze wist dat Anabel van het bestaan van Dani op de hoogte was, en ze vertelde ook nooit aan een van haar schoolvriendinnetjes dat ze een tweelingzusje had. Dat durfde ze niet. Het was een verbod, zo streng, dat het niets te maken had met een gewoon geheim. Het was in de meest fundamentele zin taboe. *Haar vader wilde het niet hebben*. Op de een of andere mysterieuze wijze was Daisy ervan overtuigd dat haar overleving — en ook die van Dani — van haar stilzwijgen afhing. Het ging haar begrip te boven, maar ze wíst het. Ze kon niet riskeren de liefde van haar vader te verliezen, die liefde die ze in de eerste jaren van haar leven had ontvangen en die daarna zo onverklaarbaar was ingetrokken. Hij had ongelijk wat Dani betreft, maar Daisy was zich bewust van de grenzen van haar macht. Ze kon Stash met sommige dingen plagen, ze kon het spelletje van tiran spelen, maar alleen binnen bepaalde nauwkeurig afgebakende grenzen. Moederloos, moest ze zich wel aan haar vader vastklemmen en zijn opvatting over haar zusje zonder verdere uitleg accepteren, of anders volstrekt ouderloos zijn.

Het compromis dat ze die eerste week hadden bereikt, dat Daisy in staat stelde Daniëlle te bezoeken, werd langzamerhand steeds aanvaardbaarder voor haar, naarmate haar zusje met haar volgzame aard zich opgewekt aan de leerkrachten en de andere kinderen op de Queen Anne's School aanpaste. Daisy moest onwillekeurig wel begrijpen, dat zij niet naar de school van Dani en dat Dani zeker niet naar de school van lady Alden kon.

De vijf jaar van afzondering in Big Sur raakten hoe langer hoe verder weg naarmate haar nieuwe leven in Londen zich ontplooide, een leven dat ze steeds onmogelijker vond om ook maar te pogen aan Dani uit te leggen. Hun gesprekken bleven beperkt tot Dani's beperkte kringetje, en ieder jaar voelde Daisy zich meer als een volwassene die tegen een kind praat, in plaats van het ene kind tegen het andere. Daisy maakte vaak tekeningen voor Dani, tot de muren van haar kamer er bijna helemaal mee waren behangen.

'Pony maken' was een van Dani's regelmatige verzoeken, vanwege de oude paarden die in een weiland bij de Queen Anne's School graasden. In een periode, waarin Daisy's medeleerlingen van lady Alden's school verwoede pogingen deden fatsoenlijke appels en bananen op papier te krijgen, kon Daisy al een levendige schets maken van een van de moeilijkste onderwerpen om goed te tekenen, een paard.

Toen Daisy voor het eerst in Londen verscheen, was Ram een vroegwijze, waakzame dertienjarige. Hij had het bestaan van deze halfzuster, voortgekomen uit een huwelijk dat na zijn eigen geboorte was gesloten, altijd verworpen. Hij accepteerde niet, dat deze indringster rechten had. Ze telde niet mee. Maar wat nog veel erger was, ze was een mededingster.

Ram werd nog meer dan zijn meeste vrienden, allemaal kostschooljongens uit de hogere kringen, in beslag genomen door het belang van 'erfgenaam' te zijn.

Op Eton was er, sinds de school in 1442 door Hendrik VI

was opgericht, een enorm belangrijk onderscheid met betrekking tot de erfenis gemaakt. In 1750 verscheen de lijst leerlingen van Eton nog in volgorde van stand, met bovenaan zoons van graven. Adellijke jongens droegen speciale kleren, hadden een speciale plaats en genoten allerlei speciale voorrechten. In de zogenaamde democratische jaren '50 en '60, waren sommige van deze verouderde kenmerken van een star kastesysteem afgeschaft, maar het regelmatig doorgeven van eigendom en titels van de ene op de andere generatie was diep in het collectieve onderbewustzijn van Eton en de andere befaamde Engelse kostscholen verankerd. Dat hing net zo goed in de lucht als het belang van cricket of de slechte gewoonte van zich opzichtig te gedragen.

Ram kon zich geen tijdstip herinneren waarop hij zich er niet op had verheugd de bezittingen van Stash te erven, maar dan ook álles. Niet dat hij zijn vader dood wenste, hij was zich niet eens echt ervan bewust dat hij die bezittingen alleen door zijn vaders dood kon verkrijgen. Hij verlangde er alleen vurig naar, zonder dat hij geplaagd werd door schuldgevoelens. Hij geloofde diep in zijn hart, dat het bittere gevoel van onrechtvaardigheid waaronder hij leed — en dat hij nooit als afgunst op geluk herkende — zou verdwijnen als hij de bezitter, de onbetwiste eigenaar, dé prins Valensky was.

Daisy's bestaan betekende, dat hij het nooit allemáal zou krijgen. Hoe vaak hij zich zelf ook verzekerde, dat zelfs als ze iets kreeg, er meer dan genoeg voor hen allebei zou zijn, toch had ze het mooie, gave beeld van zijn vooruitzichten vernietigd. Maar hij was te sluw en te verstandig om ooit een van deze gevoelens aan de oppervlakte te laten komen en aan volwassen ogen te onthullen.

Wat Daisy betreft, vanaf het eerste ogenblik dat ze Ram zag, nam hij een vooraanstaande plaats in haar verbeelding in. Hij leek op de jonge helden in de verhalen die haar moeder haar altijd voorlas. Iemand die over gevaarlijke rivieren kon springen en de wildste paarden kon temmen, steile bergen van glas kon beklimmen, harder kon rijden dan de wind en kon strijden met reuzen. Voor het kleine meisje dat zolang als ze zich kon herinneren in de eenzaamheid van het verre Big Sur had gewoond, was deze lange, rechte, donkere mooie jongen met zijn magere, strenge gezicht, zijn donkere wenkbrauwen en hooghartige Etoniaanse houding, de boeiendste mens in haar nieuwe leven. Vooral omdat hij haar behandelde met een hooghartige nonchalance, zonder de toegeeflijkheid die ze van iedereen ondervond.

Ze zou zich de worm van niet aflatende afgunst die aan Ram knaagde nooit hebben kunnen voorstellen. Met Kerstmis, als ze allebei hun pakjes openmaakten, keek hij achter neergeslagen oogleden toe en zag, dat hoewel hij en Daisy even dure geschenken kregen, de ogen van Stash alleen op Daisy waren gericht als zij de cadeautjes uitpakte, in afwachting om háár blijdschap in te drinken. Onmiddellijk verloren Rams eigen geschenken alle betekenis voor hem. Als hij op Eton Daisy's brieven ontving en zij argeloos over een zondagslunch bij Connaught schreef, bedacht Ram bitter, dat de enige keren dat Stash hem mee naar het Connaught had genomen, op zijn verjaardag of om een schoolvakantie te vieren was geweest. Tweemaal had zijn moeder er bij een kerstvakantie op gestaan, dat hij thuiskwam in dat koude, tochtige kasteel bij Edinburgh, in plaats van bij zijn vader te logeren, en dat waren de twee maal dat Stash verkoos Daisy mee naar Barbados te nemen voor een maand in de zon . . . Ongetwijfeld een opzettelijke keuze, maakte Ram zichzelf wijs, die de pijn van erbuiten te staan diep voelde branden, hoewel hij er nooit met een woord tegen iemand over repte.

Naarmate Daisy ouder werd, hoopte hij iedere keer als hij naar Londen kwam, dat ze eindelijk jeugdpuistjes had gekregen of dik begon te worden. Hij nam haar bewonderende blikken zonder gevleid te zijn in ontvangst, en als ze hem iets over zijn schoolleven vroeg, gaf hij zo kort mogelijke antwoorden. Hij zag zonder dat iets hem ontging, hoe ze alle aandacht kreeg die hem toekwam, de plaats naast zijn vader innam waar Ram recht op had. En al die tijd werd Daisy die er nooit een flauw idee van had hoe hij zich voelde, er door zijn houding toe aangespoord contact met hem te blijven zoeken, bezield door een diepe vrouwelijke impuls die zo sterk was dat zij uit al haar innerlijke reserves putte, op zoek naar zijn liefde. Ze tekende zo vaak zijn gezicht, dat Dani begon te zeggen 'Ram maken', hoewel ze geen flauw idee had wie Ram wel mocht zijn.

Stash had een huis gekocht dat niet karakteristiek was voor Londense huizen, waarvan de mooiste voorbeelden dat gelijkvormige klassieke uiterlijk hebben, dat de oorzaak is van de opmerkelijke architectonische eenheid van de pleinen en halvemaanvormige huizenrijen van Londen. Hij had een huis in Wilton Row ontdekt, een doodlopend straatje bij Wilton Crescent, op korte afstand van Hyde Park aan de linker- en het park van Buckingham Palace aan de rechterkant, maar er hing een sfeer of het een afgelegen plek met een bijna geheim bestaan was.

In dat rustige, uiterst aristocratische deel van Londen, waar het wemelde van indrukwekkende buitenlandse ambassades, had Stash kans gezien een uitzonderlijk groot huis te vinden, laag en vrij breed, lichtgeel geschilderd met grijze luiken. Het zag er beslist on-Engels uit, dit huis, dat heel goed in allerlei delen van het Europese platteland zou hebben gepast. De drie zijden van Wilton Row omringden een met keien bestrate ruimte met een bleekblauwe lantarenpaal in het midden, waar geen auto's mochten parkeren, tenzij ze van de andere huiseigenaars waren, die allemaal hun huizen in on-Engelse pastelkleuren hadden geschilderd.

Op de benedenverdieping van het huis van Stash Valensky waren ronde erkers en de kamers waren fraai van afmeting. Hij had ze volgezet met de inhoud van de villa uit Lausanne; die zeldzame, kostbare Franse vloerkleden, meubilair, schilderijen en met juwelen versierde snuisterijen, die ooit met zijn ouders de reis van St. Petersburg naar Davos hadden gemaakt. Het kwam nooit bij Stash op, zijn huis op een andere manier in te richten dan waar hij als kind aan gewoon was geweest.

Het geluid van Londen was in Wilton Row uitgeraasd en er heerste een sfeer van landelijke rust. Op de hoek van Wilton Row en een steegje, Old Barrack Yard genaamd, stond een kroeg, de Grenadier, prachtig rood met goud beschilderd, met banken ervoor die beschut werden door een gekronkelde, eerbiedwaardige, wisteriawingerd. Op een bord stond, dat alleen klanten die per taxi of te voet op Wilton Row waren gekomen, mochten worden bediend. Alles bij elkaar was er in die hele grote, grijze stad nauwelijks een meer besloten woning dan het huis van Valensky.

Vele jaren brachten Stash en Daisy hun zaterdagen grotendeels door in Kent, waar hij stallen bezat waarin hij een groot aantal van zijn paarden had ondergebracht. Na een van die gezellige ritten te paard door het land, op een dag toen Daisy bijna twaalf was, kregen vader en dochter twee zigeunerwagens in het oog. Ze stonden dicht bij het terrein van Stash en hij keek wantrouwend naar de wagens, met hun dak van over ronde ribben gespannen geschilderd canvas. Die hadden er de week tevoren nog niet gestaan. Stash ging er naar toe.

'Daisy, ga jij maar vast naar de stal,' zei hij. 'Ik kom zo.'

'O, vader, u wilt me toch niet de kans ontnemen om zigeuners te zien?!' riep ze teleurgesteld.

'Het zijn gewoon ketellappers, Daisy, maar ik wil ze niet in de buurt van mijn pony's hebben. Ze kunnen er altijd nog wel een stuk of wat paarden bij gebruiken.'

'Hè, toe, vader,' zei ze verlangend.

'Nou, vooruit,' zuchtte hij, niet in de stemming om streng te zijn. 'Als je je maar niet de toekomst laat voorspellen — daar heb ik een hekel aan.'

De zigeuners waren vriendelijk, al te vriendelijk, vond

Stash, en antwoordden grif op zijn vragen in hun vreemde accent.

Zij zouden wel weggaan als hij dat wilde, maar ze waren van plan om nog maar een paar dagen te blijven, net lang genoeg om in het naburige dorp wat reparaties te doen.

Niet helemaal gerust, maar niet bij machte ze van een terrein af te sturen dat niet van hem was, draaide Stash zich om om weg te gaan, maar Daisy was niet meer naast hem. Ze zat op haar knieën voor een kistje een liefdesliedje te zingen en had in haar beide handen een jong hondje dat in de ogen van Stash op een zakje bonen leek. De achterpoten van het hondje hingen uit de ene hand van Daisy naar beneden, en zijn kop en voorpoten van de andere. In het midden van Daisy's handen rustte zijn bolle buikje. De kleur van het beestje was tegelijk grijs, bruin en blauw, met witte voetjes en witte oortjes. Het hondje kon van alles zijn behalve een herkenbaar ras.

Wel allemachtig, dacht Stash, hondjes! Dat had ik kunnen weten.

Stash was geen jager, en de vreugden van de renbaan en de genoegens van de jacht lieten hem koud; ze haalden niet bij polo. Hij had niet de minste belangstelling voor dieren buiten paarden en hij wist niet, welk een rol de jacht te voet in het leven van veel buitenmensen speelt.

'Het is een goede stropershond,' zei de zigeuner, 'hij is te koop.'

Als Stash óók maar enig verstand van honden of de jacht had gehad, zou hij na deze bewering Daisy bij de arm hebben gepakt en meteen zijn vertrokken. Geen enkele zigeuner kan je een 'goede' stropershond verkopen, omdat dit niets zegt zolang hij nog maar een welp is en nog niet oud genoeg om te jagen, want dat is zijn taak in het leven. Het is een stropershond, een zwervershond, een zigeunerhond, geruisloos, snel en dodelijk. Een goede stropershond kan in één sprong een laagvliegende zeemeeuw vangen; een goede stropershond kan een gezin onderhouden in zijn dodelijke, nachtelijke strooptochten op het land, kan over hoge prikkeldraadafrastering springen, kilometers over bevroren grond rennen en op zijn eentje een hert doden.

'Het lijkt mij meer een mormeltje,' zei Stash.

'Nee, een stropershond. De moeder is een half Ierse wolfshond, gekruist met een hazewind en de vader is een kruising van ruigharige en gladharige hazewind, met whippet en herdershond erin van een generatie terug. Iets mooiers kun je niet verlangen.'

'Dat is dus een bastaard.'

'Nee, meneer, een jachthond. Op de hondententoonstellingen zult u ze niet tegenkomen, maar een betere hond kunt u niet hebben.'

'Waarom verkoop je hem dan, als het zoiets bijzonders is?'

'Het is een nest van acht jongen. Daar kan ik toch niet allemaal mee rondreizen? Maar degene die hem koopt vaart er wel bij.' De zigeuner wist, dat de ene achterpoot van de welp die Daisy zo vol bewondering vasthield, korter was dan de andere. Zo'n jachthond kon een haas waarschijnlijk niet inhalen en was zijn voer niet waard. De zigeuner was van plan geweest om hem achter te laten als hij verder ging, maar het voorgeslacht van het hondje was precies zoals hij had opgegeven en als hij niet die te korte poot had gehad, zou hij hem voor duizend gulden hebben verkocht.

'Kom, ga maar mee terug, Daisy.'

Daisy hoefde niets te zeggen. De smeekbede in haar blik was genoeg om Stash het gevoel te geven, dat hij het hondenprobleem te lang had uitgesteld.

'Goed dan,' zei hij haastig, 'ik beloof je dat je een hond van me krijgt. Volgend weekend, Daisy. We gaan naar een paar goede kennels en dan kun je zelf een hond uitzoeken die je hebben wilt. Dit is een bastaard, een soort van hazewind en de hemel weet wat nog meer. Dat is niets voor jou. Jij moet een zuiver rashondje hebben.'

'Ik wil Theseus.'

'Theseus? Hoe kom je daar nu bij?'

'U weet toch wel, vader, die jongen die in het labyrint tegen de minotaurus ging vechten — we zijn nu met de Griekse sagen bezig bij lady Alden.'

'En dát is Theseus?'

'Ik wist het meteen zodra ik hem zag.'

'Typische naam voor een stropershond,' zei de zigeuner.

'Dat doet er niet toe,' snauwde Stash. 'Hoeveel vraag je ervoor?'

'Tweehonderd gulden.'

'Ik geef je er vijftig voor.'

'Dan leg ik die andere honderdvijftig erbij, van het geld dat ik voor Kerstmis heb gekregen, vader.' Daisy viel midden in de onderhandeling, tot de schrik van de twee mannen die van tevoren al bereid waren de koop op honderd gulden af te maken.

En zo kwam Theseus, de stropershond, waar Stash tenslotte honderdtwintig gulden voor had moeten geven, in Londen wonen, waar Daisy nu naast haar andere bezigheden de taak op zich nam hem eten te geven, af te richten en met hem te wandelen. Ze overwon met succes de eerste moeilijke weken, waarin Theseus dikwijls door de zwaarte van zijn ronde buik in elkaar zakte en zonder hulp niet op kon staan, maar dank zij flinke porties gehakt, rauwe eieren, melk en honing werd hij al gauw sterker. Hij deed zijn naam als stropershond eer aan op de dag, waarop hij als een schim de grote provisiekast in de keuken indook, en zonder zich door enig geluid te verraden een schotel met gevulde kippeborstjes leegvrat, tot grote woede van de kokkin die wel haar vermoedens maar geen bewijzen had.

Hij kon al heel gauw met zijn kortere achterpoot uit de voeten, die alleen tot uiting kwam door een slingerende gang, als van een iemand die drie borrels op heeft, maar er nog best een paar lust. Hij sliep in een mand naast Daisy's bed, vaak op zijn rug met alle vier zijn pootjes in de lucht, en stond al vlug op hartelijke en vertrouwelijke voet met de pony van Daisy, snuffelde als een vurige minnaar aan Merlins neus en ging opgerold aan haar hoeven liggen.

Maar door hem waren de bedienden van Valensky in twee kampen verdeeld: zij die met hem aanpapten en hem verwenden, slachtoffers van zijn misleidende tactiek van wild enthousiasme samen met een blik van diep ontroerende weemoed, waardoor hij hun hart wist te doen smelten. En zij, die hem niet konden luchten om de gegronde reden, dat voor Theseus niets heilig was, hun rosbief niet, hun blinis niet, hun plakken spek niet. Ook niet hun pirosjki of hun fondue, en hun kroezen donker bier al helemaal niet.

De Russische bedienden van Stash waren nu allemaal in de zeventig, velen van hen waren overleden en anderen gepensioneerd. Maar zij die nog waren overgebleven, die Rusland in 1912 als hele jonge mensen hadden verlaten, aten nu een menu dat de hoogtepunten van de Engelse, Zwitserse en Russische keuken in zich verenigde. Met de leeftijd was hun gezonde eetlust alleen nog maar toegenomen.

Theseus at iedere dag ongeveer zijn eigen gewicht en in korte tijd werd het flodderige welpje een slank gespierd dier. Zo groot als een flinke, sterke windhond; vijfenzeventig centimeter hoog tot aan de schouder. Zonder de deuren van de keuken en de provisiekast stevig op slot te doen was het onmogelijk hem eruit te houden. Hij was een laag tegen de grond, heimelijk sluipend vrijwel onzichtbaar dier, dat stilletjes op zijn prooi toesprong, het in één hap opslokte en verdween voor de diefstal werd ontdekt. Hij vervulde alleen maar zijn functie in het leven, maar slechts weinig mensen hadden begrip voor deze aangeboren misdadigheid, een bandeloosheid die er eeuwenlang in was gefokt.

Toch zijn stropershonden, ondanks hun stiekemigheid, edele dieren. Honderden jaren geleden mochten alleen maar prinsen er deze ruwharige, gemengdbloedige hazewindhonden op na houden. Ze droegen gouden halsbanden en waren onmisbaar aan het hof, waar jagen het voornaamste tijdverdrijf was, en veel wandtapijten werden getooid met hun koninklijke aanwezigheid.

De school van lady Alden, die Daisy bezocht, was de deftigste school van Londen. Hij stoelde op twee principes die merkwaardigerwijze uitstekend opgevoede jonge vrouwen tot resultaat hadden. De leerkrachten moesten allemaal van adellijke afkomst zijn; lady Alden had een uitgesproken voorkeur voor de dochters van verarmde graven — het wemelde er van lady Janes en lady Maries. De meisjes, van zes tot zestien jaar, hoefden niet aan die eisen te voldoen. Het enige wat ze moesten hebben, waren rijke ouders, liefst op vorstelijke schaal. Dat veel van die ouders ook van goede familie waren, was alleen maar een gelukkige bijkomstigheid.

In al die negen jaar dat ze leerling van lady Alden's school was, droeg Daisy de dure uniformen die ieder jaar in een andere maat bij Harrods werden gekocht. Altijd van precies hetzelfde model: donkerblauwe matrozenjurkjes met witte kraagjes en biesjes, met een lichtblauw schort er overheen die van achteren werd dichtgeknoopt.

Iedere dag verscheen ze voor negenen bij de ingang van de drie aaneengesloten schoolgebouwen in een stille straat, niet ver van Kensington Gardens en het Albert Memorial. Na het gebed liepen Daisy en alle andere leerlingen, alles bij elkaar zo'n honderd meisjes, in een rij langs lady Alden, maakten een kleine buiging voor haar en wensten haar goedemorgen met een duidelijk hoorbare, goed gearticuleerde stem. Lady Alden, een vroegere schoonheid, was een strenge directrice, en als ze haar aandacht op een bepaald meisje vestigde, begon een hart meteen sneller te kloppen. Ze had altijd een grote lineaal bij zich en aarzelde niet deze op de knokkels van haar leerlingen te gebruiken, en zelfs de adellijke leerkrachten sidderden voor haar.

Toen Daisy op een dag in de herfst naar school was gegaan,

kort nadat Theseus in haar kamer was komen wonen, voerden de kokkin en de oude butler een plannetje uit om zich van Theseus te ontdoen. De kokkin lokte de hond naar de voordeur door een kip hoog in de lucht te houden. Ze wierp de kip naar buiten, op de keien, en toen Theseus door de open deur heen schoot, sloot ze de deur achter hem en deed hem op slot. De twee samenzweerders wachtten op het geluid van de voorpoten van de hond tegen de voordeur, vastbesloten er niet op te reageren tot hij wegzwierf. Theseus verslond eenvoudig de kip, schudde krachtig zijn langharige pels die ruw aanvoelde, stak zijn witte oren op en volgde Daisy's reuk naar lady Alden. Toen ze die middag naar buiten kwam trof ze hem daar aan, geduldig voor de ingang van het wachthuisje liggend, van waaruit Sam, de portier, de school met zijn kostbare jongedames voor contact tegen de buitenwereld beschermde.

'Is dat nou uw hond, juf?' vroeg Sam die alle leerlingen juf noemde, omdat hij al die verschillende titels die ze hadden toch niet kon onthouden. 'Hij kan hier natuurlijk niet iedere dag blijven, als u dat soms denkt. Tegen de regels. Als lady Alden het wist, kréég ze iets.' Theseus, helemaal buiten zichzelf van blijdschap, sprong tegen Daisy op, legde zijn voorpoten op haar schouders en likte hartstochtelijk haar gezicht, geluidloos zoals een goede stropershond betaamt.

'Nee, Sam, natuurlijk niet,' zei Daisy nadenkend.

Was er wel eens meer een hond op de school van lady Alden geweest? Dat wist niemand. Een dergelijke overtreding viel buiten het rijk der verbeelding, net zoiets als wanneer er voor de schildersklas een naakte man zou poseren, of een naakte vrouw. Maar drie jaar ging Theseus naar school; naar binnen gesmokkeld door een klein achterdeurtje van het gebouw, dat altijd open bleef voor de tuinman. Tactvol sliep hij de hele dag op een bed van kussens die Daisy een voor een uit haar eigen kamer meebracht, zo helemaal in een donker hoekje verstopt dat niemand het merkte, behalve de hulpvaardige tuinman die net zo de pest aan lady Alden had als hij dol was op honden.

Hij vroeg nooit iets, maar zorgde er wel voor dat hij zijn eigen twaalfuurtje in een gesloten tasje meenam, omdat hij voor hij in de stad kwam veel ervaring met stropershonden had gehad.

Daisy was vijftien jaar. Het was april 1967 en Londen was op zijn hoogtepunt, het middelpunt van alles wat nieuw en vitaal was. Daisy was tegelijk verliefd op alle Beatles, Vidal Sassoon, Rudolf Nureyev, Twiggy, Mary Quant, Jean Shrimpton en Harold Pinter. Ze was niet verliefd op Andy Warhol of Baby Jane Holzer en zelfs niet op Mick Jagger.

Maar in een jaar, waarin ieder winkelmeisje zich naar verkiezing kon kleden als een Amerikaanse indiaan in leer, kralen en met een band om het hoofd, of als een romantische slons in Viva Maria-stijl met kanten pofbroeken en plooirokjes en bloesjes vol tierlantijnen, in een jaar waarin de minirok een microrok werd en tenslotte in hot pants overging, droeg zij nog steeds niets anders dan een donkerblauwe matrozenjurk en een schort.

'Als het aan vader en Masja ligt zou ik mijn schooluniform dag en nacht moeten dragen,' barstte ze tegen Anabel uit na de lunch op zaterdag op Eaton Square, terwijl ze op een van Anabels grijsgroene banken haar lange slanke benen onder zich optrok.

'Hmmm. Het lijkt mij niet dat je zo ontzettend te kort komt,' antwoordde Anabel, haar van hoofd tot voeten bekijkend. Daisy droeg een zwart fluwelen kniebroek en een bijpassend jasje, versierd met gouden knopen en zwart gevlochten band, over een wit zijden blouse met jabot. Ze had een wit geribbelde panty aan en platte zwarte muiltjes met een rozet erop. Vandaag had ze haar prachtige haar in ponykrulletjes gekapt en het aan weerszijden van haar gezicht met glimmende zwarte strikken naar achteren gebonden. Ze had haar blonde wenkbrauwen wat donkerder gemaakt en had een vleugje mascara op, maar geen andere make-up.

Vanaf het eerste ogenblik dat Anabel Daisy had gezien, een meisje van zes waarvan de moeder net was gestorven, een meisje van zes, op het punt van haar tweelingzusje te worden gescheiden en dat in een vreemd land kwam wonen bij een vader die ze slechts van vluchtige bezoeken kende, was Anabel geboeid geweest door het niet te onderdrukken gevoel van het meisje voor rechtvaardigheid. Ze kon bijna niet geloven dat een kind in staat was tot de onwankelbare trouw, waardoor ze zelfs Stash, die staalharde man die er naar de mening van Anabel nooit helemaal achter was gekomen waar het in het leven eigenlijk om ging, had kunnen dwingen aan haar hardnekkige wens toe te geven dat ze iedere week naar haar zusje mocht. Ze had Daisy met de grootste belangstelling zien opgroeien, zonder dat haar iets ontging. Anabel vroeg zich vaak af hoe Daisy kans zag om schijnbaar zonder al te grote moeilijkheden een leven binnen te glijden dat haar volslagen vreemd moest zijn geweest. Anabel was te verstandig om te denken, dat ze Daisy helemaal begreep — het was geen kind dat iemand in vertrouwen nam en met haar moeilijkheden op de proppen kwam. Het was geen kind zonder geheimen. Ze moest wel een zware prijs hebben betaald.

Zou Daisy, vroeg Anabel zich toen af, die vroege belofte waarmaken, of gewoon een knap jong meisje worden als ieder ander? Nu, op haar vijftiende, had Daisy niet alleen de zuiverheid en de vurigheid behouden die ze altijd had gehad, maar stond de naderende volwassenheid duidelijk op haar gezicht te lezen. Dat is een meisje, dacht Anabel, dat alle mogelijke meest fantastische moeilijkheden zal aanstichten. Zelfs een andere vrouw moest zich wel de nieuwsgierigheid voorstellen die de harten van de mannen die haar zagen sneller deed kloppen . . . Die volle, raadselachtige mond, zo rijp van belofte en toch zo onschuldig en die ogen, hoe oprecht ze ook waren, onpeilbare, onontwarbare diepten in hun fluwelige zwartheid bevatten . . . en, o, een lichaam, een onberispelijk, slank en sterk lichaam en het kind had ook nog het geluk dat ze het romantische, natuurlijke uiterlijk had dat toen in de mode was. Toch zat Daisy hier nu, plotseling pijnlijk vol van de opgekropte onrust en verscheurende ellende van de puberteit, nu gericht op kleren, waar ze nog nooit iets om had gegeven.

Verontwaardigd ging Daisy verder: 'Je weet helemaal niet hoe ik er als een krankzinnige voor heb moeten vechten, voor vader me naar Annacat liet gaan om inkopen te doen — begrijp je dat nou, Anabel, vader wilde dat ik naar de jongedamesafdeling van Harrod's ging om plooirokken en twin-sets te kopen. *Twin-sets*!'

'Dat dragen Engelse meisjes nog steeds, sommigen tenminste,' merkte Anabel zachtzinnig op.

'Alleen op het land, alleen domineesdochters en dán alleen nog maar bij een spijkerbroek,' zei Daisy opstandig. 'Hij begrijpt niet dat ik geen kind meer ben. Ik mag nog niet met jongens uit, niet dat ik ze ken, hoor! Het is idioot gewoon!'

Ze heeft de opstandige leeftijd, dat is duidelijk, dacht Anabel. Daar kan Stash met zijn ouderwetse ideeën nog wat mee beleven. Op zijn zesenvijftigste was hij wat Daisy betreft zo behoudend geworden als hij voor zichzelf was vrijgevochten. Een dilemma waar vaders van mooie dochters zich wel vaker in bevinden, peinsde ze met een tikje inwendig leedvermaak. Toen ze zelf nog maar een jaar ouder was geweest dan Daisy nu, was ze weggelopen en met die vreselijke vervelende vent getrouwd, hoe heet hij ook weer. Hij is vorig jaar gestorven . . . maar als ze met hem getrouwd was gebleven, was ze nu wel de douairière markiezin geweest. Bij die gedachte moest Anabel onwillekeurig lachen, hoewel ze haar best deed zo ernstig mogelijk te zijn, want ze hield echt veel van het meisje en wist, hoe beledigd pubers zijn als ze niet met gepaste ernst worden behandeld. Anabel had hun intieme etentje juist op touw gezet met het oog op zo'n gesprek, omdat ze de onafwendbare niet te overbruggen eenzaamheid voelde van de periode die Daisy doormaakte.

Het meisje en de vrouw waren allebei verbaasd toen ze op de

benedenverdieping de deurbel hoorden overgaan. Anabel verwachtte voordat Stash 's avonds kwam geen bezoek. Het volgende ogenblik kwam Ram de kamer binnen en Daisy stond vol blijdschap op. Nu hij zijn eigen flat had en in de binnenstad werkte, zag ze haar tweeëntwintigjarige halfbroer nog maar zelden.

'Wat heb je nu voor een verschrikkelijk carnavalspak aan?' vroeg hij. Hij keek verstoord. Hij was onverwachts langs gekomen, in de hoop Anabel alleen aan te treffen, zodat zij een babbeltje konden maken, en nu zat ze in een vertrouwelijk onderhoud met Daisy. Hij merkte niet eens dat Daisy's blik van vreugdevolle verwachting, haar open glimlach toen ze hem zag, een glimlach die zo volkomen was, wegstierf en verschrompelde uit gekwetstheid om zijn onverschillige opmerking.

'Je hebt geen barst verstand van mode, Ram,' zei Anabel op een snibbige toon die hij zelden van haar hoorde. 'Daisy ziet er aanbiddelijk uit, zoals de eerste de beste ezel kan zien.'

'Nou, als jij het zegt, lieve Anabel,' zei hij verstrooid, langs Daisy heen kijkend. 'Ik moet naar huis,' zei Daisy haastig. Ze moest meteen de fluwelen kniebroek en de blouse met de jabot, waar ze zo trots op was geweest, uittrekken. Nu schaamde deze beeldschone page, dit feestelijk uitziende meisje, zich voor de manier waarop ze er uitzag. De goedkeuring van Ram, waar ze nu al negen jaar vruchteloos op wachtte, betekende bijna alles voor haar, hoe vaak ze zich ook had voorgehouden dat hij om redenen die ze niet begreep niet op haar was gesteld en dat ook nooit zou worden. Hij had als geen ander de macht haar pijn te doen. Ram, onbereikbare, afstandelijke, teruggetrokken, gesloten Ram, die op zijn donkere, hooghartige gezicht zo weinig emotie toonde, maakte haar hulpeloos van liefde en hartstochtelijk van verlangen hem te behagen.

Op lady Aldens school, waar Daisy in haar voorlaatste jaar was, was ze de erkende leidster van haar klas, de kampioen pokerspeelster van de school. Eén van de weinige meisjes die door het gebruik van lady Aldens lineaal nog nooit in tranen waren uitgebarsten, en het middelpunt van een speciaal groepje vriendinnen die net zo roekeloos en zo paardengek waren als zij. Zij vormden een potentieel revolutionaire gemeenschap binnen de volgzame massa van de school, en als lady Alden dat had geweten, zou ze de gevreesde lineaal hebben laten zwiepen als nooit tevoren.

Nu overwoog Daisy die nog leed onder de manier waarop haar eerste experiment met volwassen kleding door Ram was ontvangen, haar gevoelens te luchten met een overmoed, zoals in de annalen van de school nog nooit was vertoond. Haar emoties waren bijna volwassen, maar ze kende alleen maar kinderlijke manieren om ze te uiten.

Zelfs haar beste vriendinnen stonden verstomd over haar voorstel.

'Een gymkana! Daisy, je bent gek. Je weet net zo goed als ik, dat een echte gymkana een sportdag moet zijn, met rij-demonstraties en allerlei feestelijkheden en vertoningen. Lady A zou daar niet over piekeren.'

'Belgrave Square is ook niet van lady A.'

'O, Daisy! Maar dat is ontzettend! O — zou dat wel kunnen?'

'Waarom niet? Als jullie allemaal meedoen, wel. Het is alleen maar een kwestie van organisatie.'

Het was de Londense politie nooit gelukt hun meerderen te verklaren waar die grote gymkana op Belgrave Square vandaan was gekomen. Hoe zouden zij de sluwe streken kennen van twee dozijn vurige jonge amazones, die in de vroege ochtenduren dat statige park binnenslopen en vrolijk gekleurde vlaggen en wimpels en allerlei hekken en hindernissen neerzetten? Bij het ochtendkrieken haalden deze duivelinnen in hun beige rijbroek, gepoetste laarzen, stropdas en tweedjasje, die er net zo uitzagen als alle andere keurige jongedames die in Londen paardrijden, stilletjes hun paarden uit allerlei stallen overal in Mayfair. Zij verzamelden zich bij de ingang van dat prachtig onderhouden park van gras en bomen, tegenover de ambassades van Portugal, Mexico, Turkije, Noorwegen, Duitsland, Oostenrijk en heel toepasselijk, de koninklijke academie voor veeartsenijkunde.

Een lid van de onverschrokken bende woonde op de Square en had een sleutel van het hoge ijzeren hek. Voor de politie wist wat hen overkwam was niet alleen de gymkana begonnen, maar waren de ingangen tot alle hoofdstraten die naar de Square leidden — Upper Belgrave Street, Belgrave Place, Wilton Terrace, Wilton Crescent en Grosvenor Crescent — geblokkeerd door auto's die door hun inzittenden waren verlaten, naar buiten gedromd om te kijken wat er aan de hand was. En wat kon een handjevol agenten doen tegen een horde uitbundig juichende woeste jongelui, met een ervaring op tientallen concours hippique? Hardnekkig als de cavalerie en tweemaal zo taai, allemaal op snelle paarden als waanzinnigen in de voorjaarszon rondgalopperend, alsof plotseling een troep Amazones uit een ander tijdperk in de geschiedenis tot leven was gekomen? Aangevoerd door Daisy, met haar glanzende vlechten achter haar aan fladderend, sprongen ze in een bacchantische kring over de ene hindernis na de andere, met hooggeheven vaandels waar ze niet zonder praalzucht mee door de Londense lucht zwaaiden. Toch heerste er discipline in hun gelederen, en op het fluitje van Daisy gingen ze over tot een korte galop of vormden ze een dubbele rij in draf. De politie had ze net zo min kunnen tegenhouden als wanneer ze een garde-regiment op de vaandelparade waren geweest. Men kon ze ook niet te pakken krijgen. De gymkana eindigde pas toen het geluid van politiesirenes Belgrave Square begon te naderen. Op dat moment stak Daisy haar arm op en schreeuwde — en haar hele bezielde bende verspreidde zich, sprongen met hun paarden over de hekken en vluchtten in de hartelijk juichende feestmenigte die het plein had omringd.

Het was zoals Daisy had gezegd volkomen juist, dat Belgrave

Square niet van lady Alden was. Dat was van de graaf van Grosvenor, die ook de eigenaar was van bijna iedere vierkante centimeter van Mayfair en Belgravia. De familie Grosvenor is de rijkste particuliere grootgrondbezitter van Engeland en deze honderdtwintig hectare in het hartje van Londen vertegenwoordigden slechts één van hun bezittingen over de gehele wereld. De graaf van Grosvenor was zeer beslist de eigenaar van Wilson Row... Stash huurde zijn huis van Grosvenor Trust.

Op het kantoor van de beheerders van de Grosvenor Trust was men over de kwestie van Daisy's gymkana weinig te spreken. De hoveniers van Belgrave Square hadden gemeld, dat de schade die aan het gras was aangericht in de duizenden guldens liep. Maar dat was niet hun voornaamste bezwaar... het ging om het principe. Op een typisch bord in een typisch park in het Grosvenor gebied staat hetzelfde als op het bord dat de ingang naar de halvemaanvormige groene ruimte van Wilton Crescent siert. Sommige bepalingen die daarop staan verbieden lawaaiige spelletjes, verbieden de toegang aan kinderen onder de negen jaar zonder begeleiding van volwassenen en bannen alle honden uit. Kinderen onder begeleiding op driewielers en autopeds mogen wel in het park maar moeten binnen de paden blijven, de bloembedden mogen niet worden betreden, en in georganiseerde groepen mogen helemaal niet tot het park worden toegelaten.

De traditie van deze stille, rustige parken was geschonden — tot in de grond verstoord — door Daisy die door een van de Grosvenor parkeerwachters die een hulpeloze toeschouwer van de grote gymkana was geweest, was herkend en geïdentificeerd. Ze was, deelde hij op verontwaardigde toon mee, een jongedame die... een stropershond bezat! Bij dit nieuws alleen al viel er een stilte en gingen de wenkbrauwen van de beheerders omhoog, allemaal landeigenaren en dus tot hun laatste bekende voorvader slachtoffers van stropers en hun honden. Een stropershond nog wel! Wat voor een jongedame hield er nu een stropershond op na?

Niet, zoals een van de beheerders tegenover Stash verklaarde, dat zij er op uit waren zijn dochter te straffen, maar als ze tot zo'n opschudding in staat was, wie weet wat ze de volgende keer zou doen? Stash dacht aan zijn huurcontract, dat nog maar drie jaar liep voor het aan het Grosvenor vastgoed terugviel, en was het met de beheerder eens, dat hij zich inderdaad ernstig over de discipline van zijn dochter diende te beraden. Bovendien was Stash echt van Daisy's gedrag geschrokken. Het was overmoediger dan iets wat hij zich herinnerde zelf ooit te hebben gedaan, zelfs in aanmerking genomen het feit dat ze een vrouw was.

Nadat de beheerder was vertrokken met een cheque voor de schade en de nadrukkelijke verzekering van Stash, dat er aan het probleem van Daisy iets zou worden gedaan, bleef hij lange tijd over zijn doldrieste dochter zitten nadenken. Hoe kon ze nu behoorlijk opgroeien met als volwassen voorbeelden alleen hij zelf en Anabel? Zij waren weliswaar geen van beiden immoreel, maar ze waren wel amoreel, en trokken zich allebei van de wetten van de maatschappij niets aan. Eton had van Ram een ernstige, beheerste, hardwerkende jongeman gemaakt, maar de school van lady Alden had op Daisy geen vergelijkbaar temmende uitwerking gehad. Wat kwam er van Daisy terecht, als ze niet meer onder zijn dak woonde? Die kwestie van de gymkana ging veel verder dan een lichtzinnige kinderlijke streek, vond Stash en voelde zijn zesenvijftig jaar zwaar op hem drukken. Hij gaf zich zelf de schuld. Hij twijfelde er geen moment aan dat hij Daisy had verwend. Maar hoe moest het in de toekomst? Hij zou er niet altijd zijn om haar uit de nesten te halen.

Gedurende de rest van april en mei overdacht Stash dit probleem terwijl hij zijn zaken afhandelde. Tenslotte liet hij zijn notaris komen en bracht een paar zorgvuldige veranderingen in zijn testament aan, waarna hij de kwestie vergat, overtuigd dat hij verstandig had gehandeld. Een groot deel van zijn kapitaal was nu in Rolls-Royce belegd en Stash sloeg met grote belangstelling de pogingen van de firma gade om zich op het terrein van de door Amerika beheerste fabricage van vliegtuigmotoren te begeven. In 1963 was zijn vertrouwen in Rolls versterkt toen hun Spey-turbofanmotor op grote schaal werd verkocht en nu, in 1967, gingen ze achter een contract met Lockheed aan om de motor voor de TriStar Luchtbus, de RB 211 te produceren. Hij had zijn beleggingen altijd meer uit gevoelsoverwegingen dan op een nuchter financieel oordeel gedaan, en Stash stopte nog meer kapitaal in de firma van zijn voorkeur.

Maar de training van zijn stal met polopony's nam het grootste deel van de tijd van Stash in beslag. Hij vloog nu hoe langer hoe minder, omdat hij niet meer de behoefte had de woede af te reageren die hij, nadat Francesca hem had verlaten, in de lucht had gezocht. Dat leek nu allemaal ver weg en onbelangrijk. Maar hij verlengde wel steeds zijn vliegbrevet, en af en toe haalde hij acrobatische toeren uit in de lucht tijdens de vele luchtvaartmanifestaties die in het hele land zo geliefd waren. Dan ging hij weer een paar uur net als vroeger in de cockpit van een met veel liefde in orde gehouden exemplaar van een Spitfire of een Hurricane zitten, met hun Rolls-Royce Merlin motoren, even betrouwbaar als altijd.

Op een mooie zondag in mei zat er geen fout in de motor van de Spitfire die hij op de Essex vliegdemonstratie vloog. Het onderstel van het zevenentwintig jaar oude vliegtuig bleef steken, zodat het landingsgestel niet kon worden uitgeklapt. Stash koerste naar de bossen achter de startbaan, in de hoop dat de bomen de schok zouden opvangen. Menig gevechtspiloot had een noodlanding in deze vliegtuigen gemaakt en het kunnen navertellen. Hij niet.

In de weken na de dood van Stash haalde Anabel die op haar eigen manier om Stash treurde, zoals ze nog nooit om iemand had getreurd, en een voorgevoel had dat Stash de laatste man in haar leven zou zijn, wat nog van de familie over was bij elkaar.

Ze drong er op aan, dat Daisy en Ram de zomer zouden doorbrengen in het huis bij Honfleur, dat Stash zeven jaar geleden voor haar had gekocht. Ze zag dat Ram geheel tegen zijn gewoonte niet zo doeltreffend handelde als anders en haalde hem ertoe over om gedurende de maanden juni, juli en augustus vakantie te nemen. Maar, begiftigd als ze was met gezond verstand, begreep Anabel wel dat drie rouwende mensen nooit alleen bij elkaar mochten zijn. Ze zorgde ervoor, dat er een voortdurende stroom gasten in het grote huis kwam logeren; vrienden uit Londen en van haar Franse zomerwereld, mensen die het bedroefde huishoudentje wat verstrooiing konden bezorgen.

Daisy, besefte Anabel, voelde het gemis veel meer dan Ram. Ze was nu helemaal wees geworden — zelfs Masja was twee jaar geleden gestorven. Toen Daisy om troost naar Dani ging, scheen haar tweelingzusje met haar griezelige intuïtie haar verdriet te ruiken, ook al glimlachte Daisy toen ze haar omhelsde en kuste. Dani raakte zo van streek, dat ze zwijgend begon te huilen. 'Day, niet doen,' zei ze, zich terugtrekkend en toen Daisy haar tenslotte wegstuurde, rende ze opgelucht de tuin door naar haar eigen vrienden.

Ram was eindelijk de echte prins Valensky. Hij had niet alleen het Londense huis met zijn kostbare antieke inhoud geërfd, uitgezonderd de Fabergé dierfiguren die aan Anabel waren nagelaten, samen met een bepaalde hoeveelheid Rolls-Royce aandelen, maar bovendien alle polopony's en de stallen in Trouville en Kent en de helft van het hele vermogen van Stash, in Rolls-Royce aandelen en alles wat er nog van het Zwitserse goud over was. Stash had aan Daisy de andere helft van zijn vermogen nagelaten, dat helemaal in Rolls was geïnvesteerd. Een paar weken nadat hij door de Belgrave Square gymkana tot de overtuiging was gekomen, dat Daisy haar eigen geldzaken niet zou moeten beheren voor ze dertig was, had hij Ram, die pientere, betrouwbare knaap, tot medebeheerder van haar erfenis gemaakt, samen met de Bank van Engeland.

Ram was rijk en hij had het voor het zeggen. Toch had hij een knagend gevoel van onvolledigheid, alsof zijn vader, door zo plotseling om te komen, intact was gebleven, alsof Stash nog steeds de echte prins Valensky was. De hele geschiedenis had iets onafgemaakts — iets dat niet gedaan, niet voltooid, niet gewonnen was.

Die zomer zaten er in La Marée, het huis van Anabel, nooit minder dan acht mensen aan een maaltijd en meestal meer dan een dozijn. Anabels uitnodigingen werden door iedereen die ze kende, met beide handen aangenomen. Naarmate ze ouder werd — ze was nu bijna achtenveertig — en hoe langer hoe meer mensen hun hart bij haar uitstortten, creëerde ze een sfeer van steeds grotere intimiteit om zich heen. Ze droeg hun geheimen als kostbare parels onder de halsopening van een dunne japon, zodat men alleen aan een vage glans kon zien dat ze er waren, maar ze droegen voortdurend bij tot de diepte van haar leeftijdsloze charme en de troost van haar aanwezigheid.

Een van haar katholieke vrienden, die onlangs van zijn geloof was afgevallen, had tegen haar gezegd dat hij nadat hij met haar had gepraat zich net zo gereinigd van zonden voelde alsof hij had gebiecht, alleen — en dat was het mooiste van alles — had hij niet hoeven beloven om nooit meer te zondigen.

La Marée was een huis, dat met geen ander woord omschreven kon worden dan betoverend. Er zijn ongetwijfeld veel grote huizen in de wereld op de top van dik beboste bergen met uitzicht op zee, maar iemand die ooit een tijdlang in La Marée had gelogeerd, vergat nooit van zijn leven meer de vreemde, poëtische, nostalgische, teder geheimzinnige sfeer die daar heerste.

Het stond achter hoge muren en uitgestrekte verwilderde tuinen aan de Côte de Grace, de zwaar beschaduwde, smalle weg die van Honfleur in de richting van Deauville steil omhoog gaat. Uit alle ramen van het huis, behalve die van de voorgevel, had men een weids uitzicht over de hele riviermond van de Seine, met Le Havre dat in de opaalachtige verte duidelijk zichtbaar was. Achter het huis was een breed grindterras, van waar door elkaar gegroeide, geurige bossen steil naar beneden tot aan de grenzen van twee boerderijtjes liepen. Kriskras door deze bossen liep een doolhof van verborgen paadjes. Achter de boerderijtjes lag de zee en op die zee voer een voortdurende veranderende, vrolijke vloot van vissers- en plezierboten de haven van Honfleur in en uit. Verder weg voeren grote oceaanschepen en vrachtschepen heen en weer. Het terras lag precies op het westen en 's avonds, als de zon tenslotte door de horizon werd verzwolgen en de lichtjes van Le Havre zichtbaar werden, ontstond er even een moment van zo'n ondraaglijke ontroering, dat de mensen zachter gingen spreken of zwegen.

La Marée zelf bewees dat betovering nog bestond. Het was langzamerhand door de eeuwen heen uit een oude boerenwoning gegroeid en toen Anabel er de eigenares van werd had het dertien verschillende dakhoogten, allemaal bedekt met stro, waaruit zaden ontsproten die in het stro waren achtergebleven en wilde bloemen opschoten. Sommige delen van het huis waren twee verdiepingen hoog. De keukenvleugel die het oudste deel van het huis was, was gelijkvloers; maar alle verschillende delen van het gebouw vormden een eenheid, doordat ze waren gebouwd van houten balken en pleisterwerk, grotendeels begroeid met een golvende mantel van de grootbladige klimop, die 'la vigne vierge' heette en in de herfst dieprood werd. Hoewel Anabel van haar gasten verwachtte, dat zij zich op La Marée ongedwongen gedroegen alsof zij met vakantie waren, was het huis zelf stijlvol ingericht met een stel goed afgerichte bedienden. De muren in alle slaapkamers waren van het plafond tot de vloer bedekt met geplisseerde damast in dezelfde kleurnuance, geweven in bloemmotieven. Dezelfde stof waarmee de muren waren bekleed, hing ook om de hemelbedden en voor de hoge ramen. De kamer van Daisy was helemaal in het zeegroen, die van Anabel in roze en creme en Ram had de blauwe slaapkamer. De grote salon van het huis was heel hoog en in een hoek leidde een wenteltrap vier meter omhoog naar het balkon, dat aan drie kanten om het huis heenliep. Langs de achterzijde van het balkon zaten boekenplanken, en er waren allerlei nissen die van beneden niet waren te zien, waarin men de hele dag op gemakkelijke canapé's in de wat muf ruikende deeltjes kon zitten lezen, die er al waren in de tijd toen Stash het huis als verrassing voor Anabel had gekocht. Het was hem goed uitgekomen dat het zo dicht bij Trouville lag, waar hij nog steeds de stallen bezat, waar hij eens Francesca mee naar toe had genomen. Hij werd ook aangetrokken door de legende van het huis, waarin — zoals iedereen in Honfleur wist — de vroegere eigenares, madame Colette de Joinville, elf Engelse soldaten na de slag bij Duinkerken had verborgen. Omdat zij de evacuatiekust niet hadden kunnen bereiken, waren zij door de verzetsbeweging, waartoe zij ook behoorde, naar haar toegebracht. Met groot gevaar voor eigen leven hield zij hen negen maanden lang op haar zolder verborgen tot zij allemaal, een voor een, in staat waren via de ondergrondse naar Spanje te komen en naar Engeland terug te keren om weer te vechten.

Weldra regelde het dagelijks leven op La Marée zich vanzelf: laat ontbijt aan de lange, houten tafel in de grote keuken, waar zij allemaal in badjassen of peignoirs naartoe slenterden als het ze zo uitkwam, waarna Daisy en Anabel, met flinke boodschappenmanden aan de arm, naar het havenstadje Honfleur gingen om verse levensmiddelen te kopen. De lunch werd voorafgegaan door sherry op het terras, duurde twee uur en werd gevolgd door koffie, ook weer op het terras. Na de koffie ging iedereen zijn eigen gang: op jacht naar antiek, bezienswaardigheden bekijken, een dutje doen of buiten rondzwerven, met tot besluit cocktails, diner, een paar spelletjes poker of dobbelen en aan het eind van een dag luieren vroeg naar bed.

Daisy merkte dat ze het minst ongelukkig was als ze er alleen met haar schetsboek op uittrok, om de weergaloos schilderachtige huizen van Le Vieux Bassin in Honfleur te tekenen, sinds de laatste honderdvijftig jaar een geliefd onderwerp voor schilders, of te trachten de drie parapludennen die de oceaanzijde van La Marée bewaakten, op papier vast te leggen.

Als Daisy haar bad nam, zag ze dat ze door haar verblijf dag in, dag uit in de buitenlucht, zo bruin was geworden als een vers gebakken croissantje. Ze was niet gewend zichzelf naakt te bekijken, besefte ze, toen ze geboeid het interessante contrast tussen haar witte borsten en haar bruine schouders bestudeerde, die alleen daar wit waren waar de bandjes van haar badpak ze hadden bedekt. Verder was ze weer wit tot daar waar haar tennisbroekje ophield en van daar af waren haar benen nog bruiner dan de rest van haar lichaam. Ze draaide zich voor de spiegel helemaal rond, aan een kant geamuseerd door het komische effect dat ze de kleuren had van een bont paard, aan de andere kant met bewondering naar haar hoge, ronde, fraai van elkaar gescheiden borsten en de slanke, lange ronde lijn van haar heupen kijkend. Daisy was voor haar leeftijd van vijftien jaar en een paar maanden seksueel onontwikkeld. Ze had een streng beschermd leven geleid, gedomineerd door een vader die haar geen contact met jongens van haar leeftijd had toegestaan. Haar vriendinnen op school waren van het slag, dat hun seksualiteit nog op paarden en honden uitleefden. Ze was zich vaak rusteloos bewust geweest van lichamelijke verlangens, maar die had ze onderdrukt of in sport afgereageerd. Ze streek aarzelend met haar hand over haar wit-blonde schaamhaar en haalde hem vlug weg toen ze in de spiegel zag wat ze aan het doen was. Het was zachter dan haar hoofdhaar, dacht Daisy, eigenaardig verward en ze trok haastig haar zomer-uniform aan: een afgedragen, strak tennisbroekje van het vorig jaar, dat ze vergeten had te vervangen en een van de mouwloze gestreepte visserstricots die ze in Honfleur had gekocht. Ze liet haar haar loshangen en na een van haar zwerftochten in het bos zat er vaak een of ander takje in haar warrige haardos.

Ram had een vernietigende kritiek op de manier waarop ze eruit zag. 'Goeie God, Anabel, kun jij er niet eens wat van zeggen over hoe ze erbij loopt? Het lijkt wel een barbaar. Het is niet alleen schandelijk, het is bij het ordinaire af. Het is niet om aan te zien! Je laat dat kind maar een beetje haar gang gaan — ik snap niet dat je haar als een varken laat rondlopen!'

'Kom, Ram, maak je niet zo druk. Honfleur is een badplaats — iedereen kleedt zich zoals Daisy,' zei Anabel vriendelijk vermanend. 'Ik vind juist dat jij een beetje minder stijf moet zijn en wat meer mee moet doen — of hangen de speelterreinen van Eton nog steeds als een steen om je nek, jongenlief?' Maar er kon nog niet eens een glimlachje af en Ram beende weg, star van verontwaardiging. Gekwetst, schudde Anabel treurig haar hoofd toen hij verdween. Iedere keer als Daisy met hem wilde praten, dacht ze, vond Ram wel iets onaangenaams op haar aan te merken, tot het meisje langzamerhand maar geen moeite meer deed hem in haar gesprekken te betrekken. Toch kon Anabel niets anders doen dan te proberen Ram met zachtheid te bereiken... Ze meende dat dit misschien typisch zíjn vreemde manier was om op de dood van Stash te reageren, deze kwaadheid, deze... wreedheid... bijna.

Een paar dagen later, aan het ontbijt, was Ram zo onverstandig eerst een blik in de krant te werpen alvorens aan zijn eieren met spek te beginnen. Theseus schrokte zijn hele bord leeg. Ram haalde met zijn vuist naar de hond uit, maar Theseus was al lang weg. 'Verdomme nog toe, Daisy, dat ellendige mormel van jou moet weg!' Rams gezicht was vertrokken van uitzinnige woede. 'Als ik dat beest te pakken krijg vermoord ik hem!'

'Als jij hem aanraakt, vermoord ik jou!' schreeuwde Daisy.

'Kinderen, kinderen,' mompelde Anabel vergeefs.

'Ik waarschuw je, Daisy — ik duld dat smerige beest niet,' ging Ram verder, 'dit is niet grappig meer.'

Daisy stak haar eigen bord naar hem uit. 'Neem mijn ontbijt maar, dat is hetzelfde wat Theseus heeft opgegeten — Ram, je brengt hem ook in verleiding — je zou hem nu toch moeten kennen. En hij is niet smerig! Asjeblieft, wees nu niet boos.'

Ram duwde het aangeboden bord weg. 'Ik heb geen trek meer. En ik heb mijn buik vol van je uitvluchten voor dat rotbeest. Als je hem maar uit mijn buurt houdt.' Met een ruk stond hij van tafel op en ging naar zijn kamer.

'Ach, hemeltjelief,' zuchtte Anabel. Waren de mensen maar wat aardiger tegen elkaar. De enige menselijke zonde die Anabel echt onvergeeflijk vond was onvriendelijkheid.

Tegen het eind van de eerste week van juli verheugde Anabel zich speciaal op de komst van haar vrienden Guy en Isabelle de Luciny, die hun kinderen meebrachten; Valerie die ruim een jaar jonger was dan Daisy, en Jean-Marc die bijna achttien was. Ze hoopte dat hun gezelschap Daisy van haar eenzame uitstapjes zou afhouden. Ze herinnerde zich Jean-Marc als een stevige jongen van vijftien, een beetje aan de korte, dikke kant, maar beminnelijk en welbespraakt.

Ze herkende de lange, knappe Fransman met de mooie bruine ogen die uit de auto stapte en naar haar toekwam, toen ze hen in de ronde ontvangsthal van het huis stond op te wachten, eerst bijna niet. Hij was zo innemend en welgemanierd als een bijna volwassen beschaafd Frans jongmens maar kan zijn, en Anabel zag met enig leedvermaak, hoe dit zelfverzekerde en nogal arrogante knaapje hals over kop voor Daisy viel, alsof hij in een stomme film een klap op zijn hoofd had gehad. Hij volgde haar nog dichter op de hielen dan Theseus; hij kon zijn ogen letterlijk niet van haar afhouden, wat aan de maaltijden nogal lastig was, want hij at zonder te zien wat er op zijn bord lag en hij hoorde geen woord dat iemand anders zei, zelfs niet het verzoek om het zout door te geven. Aanvankelijk leek Daisy meer in zijn zuster Valerie geïnteresseerd dan in Jean-Marc die 's morgens met alle geweld met hen mee wilde naar Honfleur om boodschappen te doen en Daisy's mand droeg. Maar na enige tijd begon ze aan de verliefde jongeling aandacht te schenken, met een soort ondeugend plezier dat ze voor het eerst sinds weken had laten blijken.

'Ik geloof echt, dat ik wettige maatregelen zal moeten nemen, Jean-Marc. Je bent typisch iemand om te adopteren,' zei ze een keer na de lunch tegen hem, toen het hele huis vol gasten lui op het terras lag, behalve de jongeman die druk bezig was zijn gestreepte linnen ligstoel dichter naar die van Daisy toe te slepen. Haar heldere stem was voor iedereen verstaanbaar, en Isabelle de Luciny en Anabel wisselden hoopvolle blikken.

Onder invloed van de bewondering van Jean-Marc, verscheen er een nieuwe Daisy aan het diner, een Daisy die de tijd had genomen een minirok en een dun zomertruitje aan te trekken, en die na het diner aanbood de koffie te schenken. Een volwassen taak, waar ze zonder belangstelling af en toe wel eens een poging toe had gedaan, maar die ze nu met volmaakte gratie vervulde. Toen Guy de Luciny deze nieuwe Daisy een compliment maakte, nam ze zijn woorden in ontvangst met de rustige zekerheid van een veel oudere vrouw, en liet haar zwarte ogen naar Jean-Marc glijden met een blik die tegelijk onbeschaamd en verlokkend was, alsof ze wilde vragen waarom hij het aan zijn vader had overgelaten te zeggen wat hij dacht.

Nu stond Daisy Jean-Marc toe met haar mee op haar uitstapjes naar Honfleur te gaan om te tekenen en meermaals kwamen ze samen te laat voor de lunch, roodverbrand door de zon en nog schuddend van het lachen om grapjes die de anderen, zoals zij hen verzekerden, niet zouden begrijpen.

Op de avond van de dag van de Bastille, op de 14e juli, wordt in de straten van alle steden in Frankrijk gedanst. In Honfleur is het plein voor het stadhuis in een openlucht balzaal veranderd en iedereen, stadbewoners, toeristen en de eigenaars van de huizen uit de streek, komt dansen met iedereen die hem vraagt, vreemde of niet. Daisy droeg haar mooiste kleren, uit een Londense boutique, Mexicana, een lange, zedige, dunne witte jurk. Het nauwsluitende lijfje en de wijde pofmouwtjes bestonden beurtelings uit stroken kant en stroken geplisseerd katoen, waarvan ook het hoge, gerimpelde kraagje was gemaakt. Om haar middel zat een strakke dieproze satijnen sjerp met een grote strik opzij en daaronder een katoenen plooirok met een wijde kanten strook aan de onderkant, die tot de grond reikte. Ze had de bovenkant van haar haar in zessen verdeeld en iedere lok met witte zijden linten gevlochten, met onderaan iedere vlecht een strik.

De onschuld van de hooggesloten witte japon en de vlechten met strikken stonden in scherp contrast met Daisy's rechte, dikke wenkbrauwen en glinsterende vioolkleurige ogen. Haar volle lippen hadden een nieuwe rijpheid gekregen nu ze voor het eerst van haar leven tot in haar gebeente de bedwelmende sensatie had, dat ze vanavond het onbetwistbare middelpunt van de groep was, de sleutel tot de romantiek van de avond. Ze was een betoverende vrouw geworden; met één slag had ze de geest van La Marée in zich opgenomen en belichaamd. De gasten konden geen van allen hun ogen van haar afhouden. Het was net, dacht Anabel gnuivend, alsof ze allemaal in een troep verdwaasde Jean-Marcs waren veranderd — iedereen behalve Ram, wiens misprijzen door het succes van zijn halfzuster alleen maar scheen te zijn vergroot. Wat terzijde staande, vloog er een onaangename uitdrukking over zijn arendsachtige trekken en zijn grijze ogen stonden killer dan die van zijn vader ooit waren geweest.

Anabel was blij dat Daisy altijd moedig was geweest. Er is moed voor nodig om een mooie vrouw te zijn, dacht ze. Schoonheid was, volgens de opvatting van Anabel, het vrouwelijke equivalent voor ten strijde trekken, en bracht een vrouw altijd in talloze ongewenste situaties die ze anders had kunnen vermijden. En Daisy was al bijna een mooie vrouw — ze had nog maar een paar meisjesjaren tegoed, dacht Anabel, met iets van medelijden en . . . een tikje afgunst.

Het hele gezelschap, zo'n veertien personen, reed naar het stadje om te dansen en naar het vuurwerk te kijken. Daisy die net als een bruid alle aandacht tot zich trok en net zo vrolijk was als de traditionele *guinguette*muziek waarop men niets anders hoeft te doen dan rond te wervelen, ging achter elkaar van de armen van een visser naar die van een plaatselijke schilder, en van de burgemeester van Honfleur naar Jean-Marc; uit de armen van de slager in de armen van de matrozen van de Franse marineschepen die in de haven lagen en weer terug naar Jean-Marc. Ze hield zich fier rechtop als een jonge boom in zijn eerste voorjaarsbloei, haar zilverkleurige haar vloog almaar in het rond, en zelfs de vlechten konden niet voorkomen dat het onder het dansen in de war raakte. Haar lippen waren geopend in een glimlach van pure alles omvattende vreugde zonder bijgedachten. Ze had een diepere blos op haar wangen en de glans van haar zwarte ogen verleende het levendige, zwevende figuurtje in het wit een elementaire aantrekkingskracht. Terwijl de muziek tot diep in de nacht doorspeelde, danste Daisy met iedere man in Honfleur behalve Ram die helemaal niet had meegedaan, maar bij voorkeur afzijdig van de duwende, hossende menigte met de armen over elkaar geslagen aan de kant bleef staan, om met een vreemd boosaardige uitdrukking op zijn gezicht die niet veel goeds voorspelde naar al die pretmakende mensen te kijken. Eindelijk wisten Anabel en Isabelle de Luciny iedereen ervan te overtuigen dat het hoog tijd was om naar huis te rijden, al was het alleen maar uit medelijden met de muzikanten die eruit begonnen te zien alsof ze het liefst rechtstreeks de Bastille in zouden strompelen, als ze maar geen ander wijsje meer hoefden te spelen.

De volgende ochtend kwam iedereen laat aan het ontbijt. Jean-Marc sloeg het helemaal over. Toen hij ook niet aan de lunch verscheen, ging zijn moeder eindelijk maar eens naar zijn kamer om hem wakker te maken. Ze trof zijn bed leeg aan met een aan haar gericht briefje op het hoofdkussen.

Lieve maman,

Ik heb gisteravond een onderhoud gehad met Ram, dat het mij onmogelijk maakt hier nog een minuut langer te blijven. Ik ben vanmiddag weer in Parijs terug. Ik heb een huissleutel, dus u hoeft zich niet ongerust te maken. Wilt u mij bij Anabel verontschuldigen en haar bedanken voor de tijd die ik daar heb doorgebracht. Ik wil het liever niet nader uitleggen, maar ik kon echt niet langer blijven. Maakt u zich geen zorgen.

Liefs.
Jean-Marc

Verbaasd nam Isabelle het briefje mee om het aan Anabel te laten zien. 'Ma chérie, begrijp je hier nu iets van?'

'Ram? Ik begrijp er helemaal niets van. Wat kan Ram er nu in vredesnaam mee te maken hebben? Als hij nu ruzie met

Daisy had gehad, zou het me helemaal niet hebben verbaasd als de arme Jean-Marc verdwenen was — maar met Ram?'

'Ik ga het hem vragen,' zei Isabelle ernstig met moederlijke ergernis. Zij en Anabel begonnen het huis te doorzoeken.

Die dag had Daisy voor de lunch haar schetsboek gepakt en was naar een van haar geheime lievelingsplekjes in het bos gegaan, een heerlijk ruikend eucalyptusbosje met een dik tapijt van geurige bladeren, vanwaar ze een goed uitzicht had op een boerderijtje. Ze zat daar vaak urenlang te tekenen, helemaal afgesloten van de wereld en luisterend naar de vage geluiden van het boerenerf daar beneden. Nog loom van haar triomf van de vorige avond en te lui om aan het werk te gaan, had ze zich op de bladeren uitgestrekt en uren geslapen. Ze werd wakker toen ze voetstappen over de bospaadjes hoorde kraken. Nieuwsgierig gluurde ze uit haar schuilplaats en zag Ram met stevige pas voorbij lopen.

'Ram, ik ben hier,' riep ze slaperig.

Ram kwam het bosje in en bleef vlak voor haar staan, zonder haar te groeten. Daisy keek lachend naar hem op. 'Als je soms komt om mijn uitzicht te zien, je staat er precies voor.'

Hij liet zich naast haar neervallen op de bladeren en sloeg ruw, zonder iets te zeggen, het schetsboek uit haar handen. Toen pakte hij al haar dierbare potloden, brak ze doormidden en wierp de stukken woest weg. Daisy zag het sprakeloos en ongelovig aan.

'Jean-Marc heeft zijn biezen gepakt, dus je hoeft tenminste niet meer als een slet voor zijn neus te dansen!' barstte hij met verstikte stem uit. 'Die vertoning van gisteravond was de druppel die de emmer deed overlopen — ik heb nog nooit van mijn leven zoiets walglijks, zoiets minderwaardigs gezien — zoals je iedere matroos, iedere visser en iedere boerènlul om de hals vloog — ze zullen wel denken dat je alle mannen van Honfleur op wilt geilen!'

'Wát?' Daisy begreep niet waar hij het over had.

'Doe nu maar niet net of je niet donders goed weet wat ik bedoel — zoals je helemaal opgedirkt tegen de plaatselijke idioten aanrijdt — alles voor iedereen! En wat die geliefde Jean-Marc van jou betreft, ik heb hem gezegd dat het in Frankrijk misschien de gewoonte is om de dochter des huizes te verleiden als je bij haar op bezoek bent, maar dat alleen een smerig, gemeen zwijn zo'n smeerlapperij uit zou halen.'

'Verléiden? Maar je bent krankzinnig. O, Ram, hij heeft me alleen maar een kusje op mijn wang gegeven — je kunt met hem lachen, meer niet, ik zweer het. Hoe kan hij nu mijn geliefde zijn? Je hebt het volslagen mis,' zei Daisy die verontwaardigd naar Ram staarde, met een oprechte, verbaasde klank in haar stem. Hij hield zijn blik op de grond gevestigd, koppig aan zijn jaloerse boosheid vasthoudend, met een ongelovige trek op zijn gezicht. 'Kijk me aan, Ram,' zei Daisy gebiedend. 'Zie ik er uit alsof ik je wat voorlieg?' Ze stak haar hand uit, en wilde zijn hoofd naar haar toedraaien, maar bij haar aanraking deinsde hij terug, met een dierlijk geluid van afweer. 'Nee, nee, Ram, dat is niet eerlijk!' riep Daisy uit. En in haar onschuld en gebrek aan wereldwijsheid, bewogen door een opwelling de pijn die ze op zijn geliefde, norse gezicht zag te genezen, kuste ze hem met noodlottige eenvoud vol op zijn strenge mond.

Door dit gebaar verloor Ram volkomen zijn verstand. Kreunend nam hij haar in zijn armen en verborg zijn gezicht in haar haar. Hij kuste haar haar steeds weer opnieuw, over al zijn leden trillend van onderdrukte emotie; half razernij, half begeerte. Hij probeerde nog even haar lippen niet te kussen, maar een rode wind van hartstocht dreef hem ertoe.

Hij gaf de strijd op en verslond haar lippen met de zijne; hij kuste haar alsof hij omkwam van dorst en haar mond een sappige vrucht was. Daisy, stomverbaasd, beantwoordde onschuldig en onhandig zijn kussen, zich overgevend aan het vreugdevolle besef dat Ram die ze vanaf het eerste ogenblik dat ze hem zag, nooit had opgehouden lief te hebben, Ram die in het geheim altijd de held van haar dromen was geweest, Ram van wie ze vergeefs op een glimlach of maar een enkel vriendelijk woord had gehoopt, haar dicht tegen zich aan hield, lief en aardig tegen haar was en haar kuste.

Ze gaf zich over aan de troost van de vervulling van al die jaren van verlangen, die alle gedachten wegvaagde. Daisy, die nog nooit eerder op de lippen was gekust, ontdekte de mond van een ander, het ruwe gevoel van zijn geschoren wangen, het harde gevoel van zijn tanden, het natte gevoel van zijn tong. Ze kuste hem terug alsof iedere kus het leven, waarin ze zorgeloos had gedarteld en gezwolgen, terug kon brengen, het geluk terug kon brengen, alsof ze het door kussen terug kon dwingen.

Daisy gaf zich zo volkomen over aan het geluk dat ze — na al die jaren — door Ram werd omarmd en gekust, dat het niet tot haar doordrong dat hij de knoopjes van haar dunne blouse had opengemaakt, tot ze zijn mond naar de tepels van haar borsten toe voelde gaan. Het was het zaligste gevoel dat ze ooit had gekend — zijn geliefde mond die aan de tere, gevoelige knopjes trok — een nieuw gevoel dat zo verrukkelijk nieuw en prettig was, dat de tranen in haar ogen prikten. In een flits voelde Daisy alle verschijnselen van lichamelijke hartstocht die ze nooit had kunnen plaatsen; dit meisje, voor wie een galop op een stralende ochtend het hoogtepunt van lichamelijk genot was geweest. Haar bleekroze tepels werden stevig en rozer toen hij ze kuste met haar borsten in zijn beide handen, en haar hoofd viel achterover op haar willige hals toen ze zich aan zijn lippen en zijn vingers overgaf en zijn haar tegen haar schouder voelde, zonder iets te horen, zonder te denken, alleen maar een en al gevoel. Ze was verdoofd, verlamd bijna door de elektrische flitsen van verlangen die door haar lichaam schoten, toen ze plotseling tot de werkelijkheid terugkwam. Ram frommelde aan de band van haar tennisbroekje dat hij probeerde uit te trekken. Ze duwde hem zo hard ze kon weg, maar hij gebruikte al zijn kracht tegen haar plotselinge paniek en vertraagd besef. Ze worstelde met hem, haar gedachten in de grootste verwarring. Wat was er gebeurd? Hoe was het gebeurd? Wat ging er gebeuren? Ondanks al haar krachtsinspanning lag ze even later naakt, was haar bruin met witte lichaam in al zijn doodsbange schoonheid ontbloot.

'Nee! Nee!' hijgde ze, 'asjeblieft!' Maar Ram was doof voor haar smeekbeden en doof voor haar gesnik. Zijn gezicht was zo onmenselijk als een speer toen hij zich over haar lichaam heenboog. Niets en niemand kon hem nu tegenhouden. In wellustige vervoering wrikte hij haar dijen open, en met een snelle onverhoedse beweging vond hij de opening die hij zocht. Hij duwde zich bij haar naar binnen, woest door het zachte vlees heen beukend omdat ze maagd was en hij haar moest hebben of anders doodging van kwaadheid en driftig verlangen.

Daisy's gedachten werkten niet meer. Rode, witte en zwarte vonken spatten in haar hoofd uit elkaar als het vuurwerk van de vorige avond. Kermend en woest protesterend, klemde ze zich toch aan zijn stotende lichaam vast, want meer dan iets anders verlangde ze wanhopig naar de verzekering dat deze meedogenloze vreemde Ram haar Ram was — alleen die wetenschap verhinderde dat ze werd vernietigd.

Na afloop was het de man die snikte en het meisje dat hem troostend in haar armen hield, zijn donkere haar kuste en fluisterde: 'Stil maar, stil nu maar,' zich aan hem vastklemmend als iemand die een zware storm heeft overleefd. Eucalyptusbladeren kleefden aan haar rug, de gemengde lucht van zweet en sperma drong voor het eerst van haar leven haar neusgaten binnen, op haar dijen zaten bloedvlekken die ze met bladen uit haar kapotte schetsboek afwiste. Toen Daisy naar Ram keek, die met zijn hoofd in haar armen lag verborgen, begonnen haar donkere ogen vuur te schieten. Hoewel ze hem instinctief trachtte gerust te stellen, verdronk ze zelf in een duistere poel van gevoelens, die totaal niet thuishoorden in een leven waarin ze altijd duidelijk en helder haar weg had gezien. Daisy was vervuld van haar nieuwe kennismaking met lichamelijk verlangen, maar het was vermengd met een soort schaamte die ze nog nooit had gekend. Haar hele geest en lichaam deden pijn van hevige strijd en wrok. Ze wilde het liefst bijten en schoppen, uit alle macht gillen, flauwvallen, wegrennen. Ze wilde terug naar het moment waar ze nog maar een uur geleden was geweest, maar ze wist reeds dat er geen terugkeer mogelijk was. Diep binnenin haar klonk er iets, alsof er op de snaar van een grote cello was getokkeld, een klank van een vage, geheimzinnige maar onmiskenbare waarschuwing.

Toen zij eindelijk naar het huis teruggingen, ging de zon zó stralend onder, dat de ogen van iemand die naar de bossen keek die tussen het huis en de horizon lagen, gedeeltelijk werden verblind. De overige leden van het gezin de Luciny hadden, nadat ze geen kans hadden gezien Ram of een bevredigende verklaring van het geheim van het vertrek van Jean-Marc te vinden, haastig hun koffers gepakt en waren naar Parijs vertrokken. Anabel zat in de salon, toen Ram en Daisy uit het bos te voorschijn kwamen, enkele meters van elkaar af. Daisy draaide zich vlug om en verdween het huis in, bijna op een holletje, maar Anabel kon Ram nog net in zijn kraag grijpen voor hij de trap op wilde gaan.

'Ram! Wij hebben je overal gezocht. Wat is er in 's hemelsnaam met Jean-Marc gebeurd?' wilde ze weten.

'Daar wens ik niet over te spreken.'

'De brutaliteit — jij hebt hem op de een of andere manier weggejaagd — dan mag je wel met een hele goede reden komen.'

'Anabel, ik zeg je dat we daar beter niet over kunnen praten.'

Ze stond op, door een ongebruikelijke boosheid gedreven. 'Vooruit, wat is er gebeurd, voor den donder?'

'Als je het dan met alle geweld wilt weten — Jean-Marc maakte een paar walglijke, onfatsoenlijke opmerkingen over Daisy, en ik heb hem gezegd dat hij geen heer was.'

'O, allemachtig, Ram, je lijkt wel iemand uit de achttiende eeuw. Onfatsoenlijke opmerkingen? Waar heb je het in vredesnaam over? Wat zei hij dan precies?'

'Kijk eens, ik wil gewoon niet hebben dat Daisy wordt beledigd. Jean-Marc denkt blijkbaar dat Engelse meisjes ontzettend geil zijn, vooral Daisy.'

'Dat heeft hij helemaal niet gezegd!' riep Anabel uit.

'Jij bent er niet bij geweest. Jij zou het net zo weerzinwekkend gevonden hebben als ik,' hield Ram keihard vol.

'O, wat een afschuwelijke toestand! Hij bedoelde waarschijnlijk helemaal niet wat jij dacht. En sinds wanneer kom jij eigenlijk voor Daisy op? Nu zijn ze allemaal drie dagen eerder weggegaan dan was afgesproken en er is zo'n onnodige drukte over geweest. Ik zou graag willen, dat je eens wat meer gevoel voor humor ontwikkelde, Ram,' zei Anabel ongewoon scherp.

'Het feit, dat hij er met de staart tussen de benen vandoor is gegaan, spreekt voor zichzelf,' antwoordde Ram koppig.

Anabel keek op haar horloge en schrok. 'Zeg, Ram, weet je wel dat we nog een huis vol gasten hebben en dat het tijd is om iets te drinken? Maak je dan tenminste nuttig en ga even voor me naar de stad om wat ijs te halen — de koelkast laat het afweten, alsof we vandaag nog niet genoeg ellende hadden . . . om je de waarheid te zeggen, Ram, ik ben het zat!' Toen hij vertrok om zijn boodschap te doen, dacht Anabel, dat ze — hoe moeilijk hij sinds ze hem kende ook was geweest — nog nooit echt zo kwaad op Ram was geweest als nu. Hij had zich ook nooit zo weinig aangetrokken van wat ze vond, nu ze er over nadacht.

Maar toen ze anderhalf uur later haar eettafel overzag, moest Anabel bij zichzelf toch toegeven, dat wat er ook in de sfeer van La Marée was veranderd door het vertrek van Jean-

Marc en zijn familie, er alleen maar goeds uit was voortgekomen, hoe onaangenaam de vorige dag ook was geweest. Het was de prettigste avond van de hele zomer die ze zich kon herinneren. Iedereen leek vriendelijk gestemd, vol goede wil en hartelijkheid te zijn, en dat kwam niet alleen door de vier flessen champagne die Ram, toen hij ijs ging halen, had meegebracht. Misschien, mijmerde ze, kwam het doordat Ram zelf eindelijk wat losser was geworden en niet meer die harde, onvermurwbare trek, waar ze helaas zo aan gewend was geraakt, op zijn gezicht had. Hij speelde de gastheer met een charme en gratie die Anabel als volmaakte gastvrouw bijzonder kon waarderen. Hoewel zijn grijze ogen haar letterlijk aan Stash deden denken, was er ook iets van Stash in de manier, waarop hij de tafel overheerste, maar zonder de boventoon te voeren en iedere gast in zijn waarde liet. Hij had die houding van zich thuis te voelen, die Stash overal waar hij ging gedachteloos aan had genomen; hij was attent en beminnelijk tegen alle dames en bij de heren leek hij rijper dan zijn tweeëntwintig jaar, bijna hun gelijke, maar hij behield toch een flitsende, jeugdige vrolijkheid, die zij, ondanks haar verdwijnende boosheid ontroerend vond in hem te zien. Het was zo helemaal niets voor Ram ongedwongen blijdschap uit te drukken, dat ze het hem niet kon misgunnen. Daisy zat er daarentegen wat stilletjes bij, hoewel haar wangen rood waren en haar ogen bijna koortsachtig schitterden. Anabel onthield dat ze het kind er eens ernstig over moest onderhouden dat ze te veel in de zon was: wilde ze soms dat haar huid tegen haar dertigste zo was gelooid dat het een stuk leer leek? Vanavond bood Daisy niet aan om de koffie te schenken, maar liet het graag aan Anabel over, en de grillige grapjes die ze met de arme Jean-Marc had uitgehaald, bleven achterwege. Het leek alsof ze van de wijs en heel ver weg was, alsof haar gebruikelijke energie uit haar was getrokken, en geen wonder, stelde Anabel vast. Die uitbundige avond van achter elkaar dansen gisteren moest in zo'n jong meisje wel een indruk hebben achtergelaten. Ze was dan ook niet verbaasd toen Daisy vrijwel meteen nadat het late diner was afgelopen, besloot naar bed te gaan.

Toen ze zich eenmaal in haar zeegroene toevluchtsoord had opgesloten, liet Daisy zich uitgeput op haar bed vallen. Ze was naar lichaam, ziel en geest in zo'n staat van verwarring, dat het al haar inspanning had gekost om het diner door te komen. Er was te veel gebeurd dan dat ze er ordelijk over na kon denken. In gedachten lag ze nog steeds in dat eucalyptusbosje en hoorde ze Ram nog haar naam zeggen. Er schoten onbedwingbare trillingen over haar pas ontwaakte lichaam. Ze sidderde van haar tenen tot haar kruin. Ze maakte haar vlechten los en borstelde hard haar haar. Ze trok haar jurk uit en wierp de ramen open, in de hoop dat het gezicht van de lichtjes van Le Havre in de verte haar zou kalmeren, maar de nevelachtige lucht was te zacht, de sterren boven de zee hingen te laag, en de krekels tsjilpten op een manier zoals ze nog nooit had opgemerkt; een manier die bijna ondraaglijk was. Ze had nooit begrepen waarom volwassenen elkaar vroegen hoe ze hadden geslapen. Die nacht werd Daisy ingewijd in het grote gezelschap van mensen die slapeloze nachten hebben. 'Witte nachten', zoals de Fransen dat noemen, een nacht vol gedachten die ze niet van zich af kon zetten. Dat wat er gebeurd was — dat was niet de bedóeling van Ram geweest! Hij had er spijt van — had hij niet gehuild, had hij niet gezegd dat het hem speet, iedere keer weer? Natuurlijk zou het nooit meer gebeuren. Natuurlijk moesten zij het nooit tegen iemand zeggen. Deze gekwelde gedachten vermengden zich, en wervelden rond met gedachten aan Rams lippen, Rams woorden van liefde, vooral zijn woorden van liefde. Hij had tegen haar gezegd, dat hij van haar hield. *Hij had gezegd, dat hij altijd van haar had gehouden.* Eerst stormde de ene gedachte op haar af, vervolgens nog een, en daarna kronkelden ze in haar hersens alsmaar rond. Godzijdank ging de zon eindelijk op en raakte de toppen van de pijnbomen voor haar raam en ze wist dat ze op kon staan om Theseus te zoeken die nu buiten sliep, om hem mee te nemen voor een flinke lange wandeling voor het ontbijt.

Ram was nog nooit van zijn leven zo gelukkig geweest. Hij had het gevoel alsof hij vandaag pas zichzelf was geworden. Hij was in het bezit van zijn volledige erfenis gekomen. Eindelijk was hij de echte prins Valensky met alle voorrechten waar die titel aanspraak op maakte. Natuurlijk was het de bedóeling dat Daisy hem toebehoorde, evenals het de bedoeling was, dat alles wat zijn vader had gehad hem toebehoorde. Hij keek op de afgelopen weken terug, en begreep hoe stom hij was geweest, dat hij kwaad, kil en onaardig tegen haar was geweest. Niets anders dan de simpele onrechtvaardigheid Daisy niet te bezitten, was de oorzaak van zijn gevoelens van onvolledigheid, van onveilig geluk geweest.

Dat Daisy zijn halfzuster was deed er eenvoudig niets toe. Er kon geen hinderpaal zijn als twee mensen niet samen zijn opgevoed, hield Ram zichzelf voor. Hij had zelfs voor hij veertien was nog nooit een seconde aan het bestaan van Daisy gedacht. De samen gedeelde gezinswarmte, de afgezaagde grapjes, de weeïge vertrouwelijkheid van gewone mensen, dat was niets voor hen. Zij hadden elkaar alleen maar af en toe tijdens vakanties ontmoet, door leeftijd en belangstelling bijna volkomen van elkaar gescheiden. Eigenlijk, glimlachte hij bij zichzelf, waren ze op een haar na zulke geboren vijanden geweest als twee kinderen van dezelfde vader maar konden zijn. Nee, gewone regels voor gewone mensen waren op hem niet van toepassing en hij was zeer beslist niet van plan zich er om te bekommeren, zoals zijn vader dat ook nooit had gedaan. Hij zou er natuurlijk wel voor zorgen dat andere mensen — vooral Anabel die naar zijn mening in wezen conventioneel was, ondanks het feit dat ze de minnares van zijn vader was geweest — zich niet met zaken bemoeiden die hen niet aangingen, zijn zaken. Hij was zo mateloos gelukkig, zich zo fantastisch bewust van alles wat hij was en zou worden, van alles dat nu eindelijk van hem was, dat ook hij een slapeloze nacht doorbracht.

'Ga mee naar de stallen om te beslissen wat er met de polopony's moet worden gedaan,' zei Ram de volgende ochtend tegen Daisy. Zij waren in de keuken de enigen die op waren. Zelfs de kokkin sliep nog en ze hadden hun eigen ontbijt klaargemaakt, allebei onverwacht verlegen en blij met de afleiding van eieren bakken en de wilde aardbeienjam zoeken, die de kokkin altijd verstopte.

'Ik dacht dat je er geen beslissing over wilde nemen — dat heb je tenminste tegen Anabel gezegd.'

'Ja, laatst — maar ik kan niet dat hele stel, niet alleen de paarden maar ook de mensen, zich in Trouville tonrond laten eten zonder er iets aan te doen. Of ik houd ze, of ik verkoop ze — maar eerst gaan we eens poolshoogte nemen.'

'Over een kwartiertje ben ik klaar. Wil jij een briefje voor Anabel achterlaten?' Daisy rende de trap op om met woest kloppend hart haar rijkleren aan te trekken.

Zij bleven de hele dag weg, alsof ze aan het spijbelen waren, en reden urenlang in de groene velden, van de ene pony op de andere overgaand. Eindelijk lieten zij zich bekaf onder een boom vallen om te picknicken; lange, zachte radijsjes met boter en een knapperig blad gevuld met ham en kaas, die zij van de vrouw van de stalopzichter gekregen hadden.

Uiteindelijk besloot Ram dat hij, omdat hij toch geen polo speelde, alle pony's bij de eerste gelegenheid op de veiling ging verkopen. Het had geen zin om zelfs de beste zelf te houden om gewoon op te rijden; het waren te mooie rasdieren, te nerveus naar zijn smaak. Hij had liever een groter paard dat goed kon springen, en Daisy had pas een mooie lichte vos gekregen met zwarte manen en staart, die in een stal in Londen stond, zodat zij geen paard meer nodig had.

Die hele lange dag en tijdens de rit terug werd er met geen woord over de vorige dag gerept. Maar juist toen zij de oprijlaan van La Marée inreden, nam Ram zijn ene hand van het stuurwiel en legde hem met gezag op haar dij.

'Daar ga ik je vanavond kussen, precies op dat plekje,' zei hij kortaf. Ze durfde hem niet aan te kijken. Ze bloosde over haar hele lichaam. Er stroomden emoties over die de hele dag vlak onder de oppervlakte hadden getrild, slechts in bedwang gehouden door de onafgebroken activiteiten waaraan ze zich hadden overgegeven.

'Nee, Ram!' verbood ze hem met een zachte stem die verder alles uitwiste, zelfs het schouwspel van een paar gasten die in de tuin badminton speelden.

'Stil,' commandeerde hij, en ze was stil en wist ergens een glimlach vandaan te toveren om de anderen te begroeten, een bedreven lachje, waar ze het bestaan niet van kende, een sociaal lachje en een sociaal stemgeluid.

Die avond, nadat alle lichten van het huis uit waren, klopte Ram op de deur van Daisy's slaapkamer en kwam binnen zonder op haar antwoord te wachten. Hij deed hem achter zich op slot. Daisy zat op de vensterbank met opgetrokken knieën, haar armen om haar benen geslagen en met haar kin op de knieën, alsof ze daar al heel lang had zitten denken. Hij liep naar haar toe en schoof het bleke gordijn van haar haar, dat over de zijkant van haar gezicht naar achteren viel. Ze verroerde zich niet toen ze haar gezicht ophief zodat hij haar ogen kon zien.

'Dat mogen wij niet doen, Ram,' zei ze.

'Je bent nog steeds een kind, Daisy. Voor ons bestaan niet van die bekrompen dingen als mogen of niet mogen — behalve dat wij van elkaar moeten houden.'

'Maar niet zoals... niet wat je gisteren hebt gedaan... Ram, alleen maar... lief zijn, bij elkaar zijn,' zei ze, smekend en hoopvol tegelijk.

'Liefste Daisy,' zei hij, 'gewoon bij elkaar zijn.' Hij sloeg zijn armen helemaal rondom haar slanke leest heen en droeg haar naar haar bed toe. Ze bleef daar liggen met de armen om zichzelf heen, stijf, zich zwijgend verzettend, beschaamd.

Toen hij haar de eerste keer kuste, perste ze haar lippen stijf op elkaar en trachtte haar hoofd om te draaien, maar dat stond hij niet toe. Heel zachtjes, heel teder, maar volstrekt overtuigd, opende hij haar lippen met het puntje van zijn tong. Nu hij haar bezat kon hij haar langzaam maar zeker nemen. Haar adem bleef in haar keel steken toen ze zijn tong tegen haar vastgeklemde tanden voelde en hem toen terug voelde wijken en om haar lippen cirkelen, tot ze voelde dat haar mond een vurige ring was. Geleidelijk, ondanks zichzelf, strekte ze haar leden toen zijn lippen over haar keel omhoog naar haar oorlelletje gingen. 'Daisy, mijn Daisy,' fluisterde hij in haar oor met zo'n zachte stem dat ze hem nauwelijks kon horen. Met een klaaglijke zucht sloeg ze haar armen om zijn hals en hield hem met al haar kracht vast. O, wat vond ze dit prettig, dit was genoeg, alleen zo heel dicht bij elkaar zijn, deze innige genegenheid. Ze voelde zich beschut, beschermd, veilig voor alles en iedereen, een veiligheid die ze voorgoed meende te hebben verloren toen ze hoorde dat haar vader dood was.

'Omhels me stevig,' vroeg ze. 'Omhels me alleen maar heel stevig, houd me alleen maar vast, Ram, beloof het me, beloof het me ...'

'Ja, Daisy, ja,' antwoordde Ram, terwijl zijn vingers stiekem de bandjes van haar lange peignoir losmaakten. 'Ja, ik zal je omhelzen, liefste van me, ik zal je omhelzen.' En hij voelde de omtrek van haar volmaakte, stevige borsten met voorzichtige, verraderlijke handen; zachtjes over de puntjes van haar tepels strijkend, steeds maar weer, net zo lang tot ze onder zijn aanraking overeind gingen staan. Zó prikkelend gevoelig, dat hij wist dat hij zijn hoofd maar hoefde te buigen om er aan te zuigen en ze zou niet meer vragen om alleen maar te worden omhelsd. Hij nam de tere roosjes in zijn mond, herinnerde zich hoe bleekroze ze waren, nog steeds heel zacht, heel teder, tot ze achterover op het kussen ging liggen, zich met nieuwe verbazing overgevend aan de pijlen die van de beide tepels naar haar vagina schoten, alsof een paar belangrijke zenuwen waren opgewekt, verbindingen waarvan ze het bestaan nooit had geweten.

Ram had een erectie gekregen zodra hij Daisy op de vensterbank had aangeraakt, maar hij had instinctief de aanraking van zijn stijve penis met haar vermeden tot ze stap voor stap tot opwinding was gebracht. Nu nam hij haar hand in de zijne. 'Voel eens hoeveel ik van je houd, Daisy.' Hij leidde haar hand naar zijn penis en sloot haar hand om het trillende orgaan. Ze trok onmiddellijk geschrokken haar hand weg, angstig en gealarmeerd. Hij probeerde haar niet opnieuw over te halen hem te betasten, maar bedekte haar lippen met diepe, langzame, hete kussen tot hij haar mond uit zichzelf open voelde gaan, tot hij haar tong voorzichtig naar buiten voelde komen om de zijne aan te raken.

Een half uur lang kuste hij haar mond en zoog hij op haar tepels tot hij voelde dat zij, even maar, haar heupen begon te bewegen, die ze onbewust ronddraaide in een eeuwenoud ritme. Toen fluisterde hij weer: 'Daisy, raak me aan, toe dan . . . voel eens hoeveel ik van je houd . . . raak me asjeblieft aan,' en weer pakte hij haar hand. Deze keer was ze door haar eigen opgezweepte hartstocht te verward om hem te weerstaan. Hij pakte haar hete vingers en wilde ze om zijn pijnlijk opgezwollen penis laten sluiten, maar hij had buiten zijn eigen geweldige begeerte gerekend. Bij de aanraking van Daisy's hand voelde hij dat hij op het punt stond een orgasme te krijgen. Ram pakte zijn penis in zijn hand en duwde hem ruw in het meisje, net op het moment dat hij hevig begon te schokken. Hij beet op zijn tong om het in het stille huis niet uit te schreeuwen. Verbijsterd en bezeerd voelde ze hem trillen, met grote, zwijgende schokken.

Na een korte tijd, waarin hij lag uit te hijgen, kuste hij haar nog eens. 'Nu zal ik je vasthouden, mijn kleine Daisy,' mompelde hij, en hij bleef half slapend minuten lang stil en bewegingloos met zijn armen om haar heengeslagen liggen. Daisy durfde zich niet te verroeren of iets te zeggen. Ze was medeplichtig. Ze had het zich door hem laten aandoen. Als ze bezwaar maakte, dan kreeg hij een plotselinge woede-aanval of erger nog, dan zou hij zich van haar afkeren en haar helemaal alleen laten. Maar ze kon niet meer alleen zijn. Ze had geloofd dat het enige wat ze in Rams armen wilde, bescherming en veiligheid was en het gevoel dat iemand van haar hield, maar nu, pijnlijk opgewonden en opnieuw schipbreuk geleden, wilde ze... ze wist niet wat ze wilde. Ze drukte heimelijk haar lippen op zijn blote schouder en tegelijkertijd hoorden ze iemand in de gang een deur openen en even later weer sluiten.

'Ik kan beter weggaan,' fluisterde Ram.

'Ja.'

Hij verliet haar met een haastige kus, liet haar aan zichzelf over, brandend, misselijk van verlangen, misselijk van schaamte, en brandend.

De volgende dag, na de lunch, zei Anabel tegen Daisy dat er zo veel gasten die ze voor de volgende week had uitgenodigd, hadden aangekondigd dat ze kwamen, dat Daisy haar kamer met iemand anders moest delen, omdat er twee bedden in stonden.

'Ik had helemaal geen idee, dat ze allemaal ja zouden zeggen, maar daar is niets meer aan te doen. Je zult je kamergenootje vast heel aardig vinden, hoop ik — het is een Amerikaans meisje, Kiki Kavanaugh, de dochter van een oude vriendin van me. Haar moeder is ook een Amerikaanse — toen ik haar voor het eerst ontmoette heette ze Eleanor Williams. Ze is met een man getrouwd, die in Detroit in het autobedrijf zit.'

'Ik ben ook een half Amerikaans meisje, Anabel — hoewel ik het niet zo voel.'

'Weet je daar eigenlijk nog veel van, Daisy?' vroeg Anabel, getroffen door een pathetische klank in de stem van het meisje, die ze zich niet herinnerde eerder te hebben gehoord.

'Heel weinig. Voornamelijk dat ik samen met moeder en Dani en Masja was — een wat droomachtige herinnering aan hoe alles er uitzag, de grote golven op het strand, de bossen, het licht — zulk licht heb ik in Engeland nooit gezien. Ik wou dat ik mij er nog meer van kon herinneren. Het lijkt net of mijn leven doormidden is gespleten.' Er klonk iets weemoedigs in haar stem, als het restje suiker in een leeg kopje, de herinnering aan iets ongecompliceerd zoets. Anabel had er spijt van dat ze had gevraagd, of Daisy nog iets van haar Amerikaanse jaren wist — het meisje zag er nog matter uit dan de vorige avond aan het diner, al viel het niet mee op haar leeftijd tekenen van vermoeidheid te bespeuren.

Ach ja, de dood van Stash was nu eenmaal een periode, waar zij allemaal doorheen moesten. Het was niet mogelijk om het over te slaan en gewoon door te gaan alsof er niets was gebeurd. Anabel had zelf het uiterste van alle emotionele spankracht die ze bezat moeten vergen om het huis bezet en gezellig te houden. Haar eigen impuls was om in een stille kamer te kruipen en de troosteloosheid maar over zich te laten heenkomen, maar dat kon ze zich niet veroorloven, voornamelijk omwille van Daisy. Er werd verder niets meer tussen hen gezegd, toen zij op de gestreepte strandstoelen op het terras zaten, met hun rug naar de zee die op dit uur te hel was om naar te kijken. Anabel had de gave om rustig te kunnen zwijgen en ze vroeg nooit wat iemand dacht, een eenvoudige combinatie en een van die vele dingen die mannen zo prettig vonden, waarvan weinig andere vrouwen iets hadden begrepen.

In de loop van die volgende week kwam Ram iedere avond naar Daisy's kamer. Nu hij haar bezat, waren de gevoelens die hij langer dan hij zich was bewust had onderdrukt, bevrijd. Zij barstten, tot volle ontplooiing gekomen, in een bezeten waanzin los. Hij kon aan niets anders denken dan aan Daisy. Eindelijk had hij haar voor zichzelf, eindelijk kwam zijn vader bij haar niet op de eerste plaats, eindelijk kon hij met haar doen wat hij wilde.

's Nachts wachtte hij alleen nog tot de gang leeg was voor hij haar deur binnenglipte. Het liet hem, nadat hij de sleutel had omgedraaid, koud of er verder nog licht in het huis brandde. Zodra hij de verborgen, tere blankheid van haar borsten en haar buik zag, zodra hij de rokerige, zoete wijn van haar haar rook, zodra hij haar armen om zich heen voelde, werd hij zo overweldigd door de drang haar te nemen, dat hij alle aandacht, alle voorzichtigheid en het laatste restje verstand uit het oog verloor. En zij werd door hem overheerst, totaal doordrongen van een vreemde mengeling van verlangen, steeds weer, naar zijn kussen en toch angst voor wat zij nu wist wat hij uiteindelijk met haar ging doen. Iedere avond wachtte zij gekweld op hem, in de mening dat ze deze keer de wil zou hebben hem te beletten zijn gang te gaan, en iedere avond ontbrak haar de moed.

Daisy ondervond nooit enige lichamelijke bevrijding en ze was zo groen en totaal niet op de hoogte, dat het haar niet helemaal duidelijk was hoe het had kunnen zijn. En ook al had ze het wel geweten, dan zou ze zich ervoor hebben geschaamd erom te vragen, want erom vragen zou hebben betekend dat ze nog meer dan waartoe hij haar al dwong deel moest nemen aan wat hij met haar deed. Ze beperkte zich uitsluitend tot de minuten waarin zij elkaar kusten en omhelsden en zette de rest zo goed en zo kwaad als ze kon uit haar hoofd. En achteraf kwam haar straf; de duizeligmakende mist van ellende en het gevoel van taaie, loodzware teleurstelling dat haar door de hele lange, hete dagen heen omhulde.

In tegenstelling tot Ram leed Daisy onder een ondraaglijk schuldgevoel, al was ze te onschuldig om die emotie duidelijk te onderkennen; ze ervoer het alleen als een dodelijke vermoeidheid en een sombere treurigheid. Maar ze werd verscheurd door haar niet aflatende behoefte aan Ram, een behoefte die net zo sterk was als haar schuldgevoel. Ze had vanaf haar zesde jaar van hem gehouden, en ze wist niet hoe ze zich van zijn greep op haar kon losrukken. Schuldgevoel en haar angst, niemand te hebben om zich aan vast te houden, niemand om bij te horen, streden dagelijks in haar en ze werd steeds ongelukkiger en verward en niet in staat over de dingen na te denken . . . ze kon helemaal niet meer denken.

'Daisy, ga je vandaag de hele dag mee naar Deauville, wij met zijn tweetjes, om te winkelen. Er zijn nu allemaal najaarskleren in de boutiques — dan kunnen we zien wat er bij Dior, St. Laurent en Courrèges aan de hand is. Je bent zo gegroeid dat je iets nieuws nodig hebt,' zei Anabel, met een ongeruste blik naar de tekenen van iets op Daisy's gezicht dat volkomen mis was.

'Ik ben niet in de stemming om iets te kopen, Anabel — ik ben zo doodop dat ik het geloof ik niet opbreng om kleren te passen.'

'Dan heb ik een goed idee. Ik wilde altijd al eens naar die minerale bron bij het strand — het schijnt dat je je daar verrukkelijk van gaat voelen — een verjongingskuur. Eerst bespuiten ze je krachtig met zeewater uit een grote slang om je bloedcirculatie te versnellen. Daarna ga je in een heet bad van borrelend zeewater liggen, dan volgt een lange massage en tenslotte word je als een baby in handdoeken gepakt en mag je een half uur in een luie stoel uitrusten. Tegen theetijd is het afgelopen en dan gaan we daarna meteen thee met moorkoppen gebruiken. Zullen we het niet eens proberen?'

'Het lijkt mij meer een waterfoltering,' zei Daisy onverschillig.

Anabel, niet uit het veld geslagen, stelde een ritje naar Pont-l'Evêque voor, om de sinds de dertiende eeuw onvolprezen kaas te kopen, of om alleen maar te gaan lunchen bij de Ferme St. Siméon, aan de voet van hun berg, waar de impressionisten elkaar altijd troffen, wat voor Daisy vroeger een speciale attractie was. Maar Daisy sloeg alle voorstellen van Anabel onder een of ander voorwendsel af. Ze wilde niet met haar geheim en Anabel alleen zijn. Ze was bang dat Anabel die haar stemming altijd zo goed aanvoelde, de waarheid zou vermoeden. Ze was eigenlijk nog banger dat ze het Anabel zou vertellen. En wat zou Ram haar dan aandoen?

Op een middag, troosteloos en rusteloos, zonderde Daisy zich in een van de diepe nissen van het balkon bij de salon af, met het voornemen te trachten Balzac in het Frans te lezen. Dat was iets wat de eerzame juffrouw West, de Franse lerares van lady Aldens school, voor de zomervakantie aan alle meisjes had voorgesteld. Nog voor ze meer dan drie bladzijden in het stoffige boek was gevorderd, vrijwel zonder dat er een woord van wat ze las tot haar doordrong, had Ram haar schuilplaats ontdekt.

'Ik heb in het bos naar je gezocht,' zei hij, met een verwijtende klank in zijn stem. 'Waarom heb je je hier opgesloten — het is buiten fantastisch.'

'Ik had zin om alleen te zijn.'

'Nou, ik wil met je praten. Ik heb besloten wat ik met het huis in Londen ga doen. Het is veel te groot voor ons — vader heeft al die ruimte nooit nodig gehad — en de huizenmarkt is nog nooit zo gunstig geweest. Ik ga het verkopen en een huis kopen waar je iets aan hebt; waar niet meer dan een stuk of drie, vier bedienden voor nodig zijn om het in orde te houden. Ik vind dat we in Mayfair moeten gaan wonen, of Upper Brook Street of South Audley Street — ergens daar in de buurt.'

'Bedoel je — samenleven?' Ze staarde hem met grote ogen aan.

'Vanzelfsprekend. Je moet toch ergens wonen. Of vind je dat je oud genoeg bent om alleen te wonen?'

'Maar, ik dacht, ik nam aan — dat ik bij Anabel ging wonen, Ram, niet bij jou,' zei Daisy met alle volwassen waardigheid waarover ze beschikte.

'Onmogelijk. Dat wil ik niet hebben. Anabel heeft over een paar maanden een andere man gevonden om haar te onderhouden, en die omgeving is niet goed voor jou.'

'Ram! Dat is smerig en gemeen van je om dat te zeggen — Anabel is als een moeder voor me!'

'Dat bewijst alleen maar dat ik gelijk heb — je bent veel te kinderlijk om te begrijpen, dat Anabel op de zak van rijke mannen leeft — dat heeft ze altijd gedaan en dat zal ze blijven doen.'

'Dat is niet waar! Hoe kun je zo afschuwelijk zijn?'

'Waarom is vader dan nooit met haar getrouwd?'

Daisy weifelde, omdat ze geen antwoord op die vraag wist. Verwoed zocht ze een ander bezwaar. 'Hoe moet het dan met de bedienden? Wat ga je daarmee doen?'

'Ze met pensioen sturen, natuurlijk,' zei Ram op onverschillige toon. 'Ze zijn veel te oud — stuk voor stuk afgeleefd — en we hoeven heus niet te denken, dat we gedoemd zijn ze net zo lang te laten rondstrompelen, tot ze een voor een in de keuken dood neervallen — zij hoorden bij die idiote uitspattingen van vader, zoals hij ook om sentimentele redenen al zijn geld in Rolls-Royce heeft gestopt. Ik stap uit Rolls, Daisy, en ik haal jouw geld er ook uit. Het wordt hoog tijd dat we dat geld rendabel maken — en om zoveel mogelijk uit Engeland weg te halen!'

'Nee, Ram! Je kunt mijn aandelen niet verkopen . . . die heeft vader mij nagelaten en ik ga ze niet verkopen.'

'Daisy,' sprak Ram redelijk, 'de markt is geen plaats voor emotionele gehechtheden. Ik ben de wettige beheerder van je geld en als ik jouw aandelen wil verkopen, kan ik dat.'

'Zou je mij dat aandoen? Tegen mijn wil?' voer ze tegen hem uit. De aandelen in Rolls-Royce leken haar plotseling het enige wat ze nog had om zich aan vast te klemmen, een echt, tastbaar overblijfsel van haar vaders bezorgdheid, zijn zorgzame bescherming, van het feit dat ze nog een verbinding met het verleden had, dat Ram zo abrupt aan het afbreken was.

'O, laat maar barsten,' blafte hij. 'Houd die aandelen dan maar, als dat zoveel voor je betekent.'

'En mijn paard? Waar moet ik dat dan laten?' vroeg Daisy die wanhopig een andere vaste grond in haar leven zocht, die Ram niet met één woord uit kon wissen.

'Daar vinden we wel een andere stal voor, vlak bij ons nieuwe huis — maak je maar niet ongerust. Je mag twee dozijn witte paarden hebben als je dat wilt, en een kennel vol met stropershonden,' zei Ram, opgelucht dat Daisy blijkbaar geen redenen meer kon vinden, waarom zij niet konden samenleven.

'Maar jouw flat dan,' zei ze zwakjes, 'daar was je zo blij mee.'

'Die is veel te klein voor ons beiden. Die kan ik zo van de hand doen, en met winst ook. Vaders schilderijen brengen bij Sotheby een kapitaal op, ook al wil ik minstens twee Rembrandts en het meubilair zelf houden — goeie God, heb je enig idee waar Franse meesterwerken met signatuur tegenwoordig voor weggaan? Om nog niet te spreken van de iconen — die brengen alleen al een enorm bedrag op.'

'Dus je gaat álles verkopen — alles waar ik van houd, alles waar ik mee ben opgegroeid,' zei ze met een snik en een blik van ontzetting. Ze wilde Ram wel door elkaar rammelen, maar ze wist dat hij met zijn eigen bezittingen kon doen wat hij wilde. Hij nam haar in zijn armen en drukte haar lichaam met kracht tegen zich aan.

'Dan zijn we bij elkaar, wij tweeën samen, zonder oude bedienden die overal hun neus in steken en je als een kind behandelen — dat wil je toch, is het niet?' Ze gaf geen antwoord, naar adem snakkend van verontwaardiging. Hij vatte haar zwijgen als toestemming op en stak zijn hand onder haar blouse, omvatte stevig haar ene borst en trok met zijn duim kringen om haar tepel. Woedend als ze was, werd haar tepel hard en hij trok haar blouse nog meer omhoog, perste zijn mond op de tepel en zoog met een wanhopige, haastige drang. Zijn andere hand stak hij in haar broekje, op zoek naar het donzige haar, en met zijn vingertoppen tastte hij naar haar speciale warme plekje. Daisy verstijfde toen ze een lichte voetstap de trap naar het balkon op hoorde komen, maar doof voor alles zoog Ram nog harder aan haar tepel, alsof hij haar in één mondvol naar binnen wilde zuigen. Daisy trok zich dodelijk verschrikt terug met een kracht die ze niet van zichzelf kende, en liet zich zover mogelijk van hem vandaan op de canapé vallen. Ze wees heftig in de richting van de voetstappen, terwijl ze haar blouse naar beneden trok. Verdoofd begreep Ram het eindelijk, en toen Anabel met een vaas bloemen verscheen, trof ze het tweetal dat een paar meter van elkaar af zat aan, Daisy kennelijk in Balzac verdiept.

'Kinderen! Jullie laten me schrikken! Ik dacht dat ik hierboven de enige was. Kijk eens — zijn die Queen Elizabethrozen niet beeldig? Ze zijn voor jouw kamer, Daisy. De familie Kavanaugh komt morgenvroeg en ik ben het hele huis vol met bloemen voor ze aan het zetten.'

'Jezus! Toch niet nóg meer mensen. Het wordt hier een pension,' zei Ram vol walging.

'Je zult ze best aardig vinden,' zei Anabel luchtig, die het op dat moment niet echt iets kon schelen of hij ze nu aardig vond of niet. Ze veronderstelde, naar hun gezichten te oordelen, dat ze zeker weer ruzie hadden gehad. Nou, dat moesten ze samen zelf maar uitzoeken, wat het ook was.

Die avond ging Daisy na het diner zo vlug mogelijk naar boven en sloot zich in haar kamer op. Later klopte Ram verschillende malen, iedere keer een beetje harder, en fluisterde haar naam. Ze keek boos en opstandig naar de deur zonder open te doen of antwoord te geven. Pas toen ze hem met grote stappen weg hoorde gaan durfde ze zachtjes bang te huilen.

Daisy ontvluchtte de volgende ochtend tegen zonsopgang La Marée, nadat ze een flinke homp brood en een sinaasappel in haar zak had gestoken. Ze zwierf met Theseus over de landelijke paden van Honfleur, hem stevig aan de lijn houdend, zodat hij er niet naar een van de keukens of boerderijen in de buurt vandoor kon gaan.

Ze had het gevoel dat ze, alleen in gezelschap van haar hond, zich kon terugtrekken in een tijd toen het leven eenvoudig was, toen er regels voor haar waren vastgesteld, toen ze de richtsnoeren kende en daarbinnen gelukkig leefde. Maar toen de uren verstreken en de zon hoog boven haar hoofd stond, drong het tot haar door dat Anabel haar met de lunch terug zou verwachten. Dit was de dag van de aankomst van de nieuwe gasten, Eleanor Kavanaugh en haar dochter met een of andere gekke naam, van wie Anabel dacht dat ze haar wel aardig zou vinden. De gedachte nieuwe mensen te ontmoeten was nu een bijna ondraaglijke complicatie, maar het meisje zou bij haar op de kamer slapen. Dat was voor Daisy een enorme opluchting, een uitstel dat ze zelf niet had kunnen organiseren.

De aankomst van moeder en dochter Kavanaugh werd

vanaf de oprijlaan aangekondigd door een grote, donkerbruine Daimler die voor de deur stond, en waaruit een chauffeur in uniform bezig was een dozijn koffers naar binnen te dragen. 'O, gatverdamme!' zei Daisy bij zichzelf, het schouwspel overziend. Het was de sterkste uiting van afkeer die ze kende. Anabel had niet gezegd, dat zij een officiële rondreis door de binnenlanden maakten. Dachten ze dat ze vorstelijke personen waren? Ze keek naar haar vuile tennisschoenen, haar oude tennisbroekje en haar versleten truitje. Ze verbeeldde zich dat haar haar er wel uit moest zien als van een gier. Met een beetje geluk, schatte ze, zouden ze allemaal buiten sherry zitten drinken en had ze tijd om zich op te knappen voor ze hen onder ogen kwam.

Zonder iemand te zien sloop Daisy de trap op en kwam zachtjes bij haar kamer. Ze hoorde niets binnen, geen geluid van het uitpakken van koffers, dus stapte ze vastberaden naar binnen en bleef toen, bijna over haar voeten struikelend staan, toen ze een meisje met opgetrokken benen op haar vensterbank zag, dat naar de zee zat te kijken. Te laat. Het meisje draaide zich om en keek met een verbaasd gezicht naar Daisy.

'Jij bent toch niet Daisy?'

'Hoezo?'

'Daisy is toch een klein meisje — vijftien of zo.'

'Hoe oud ben jij?'

'Ik ben bijna zeventien.'

'Hm — daar zie je niet naar uit.'

Kiki Kavanaugh richtte zich indrukwekkend op in haar volle lengte van één meter zevenenvijftig brutale vrouw. Ze had geestige wenkbrauwen, het gezicht van een katje dat weet dat ze het neusje van de zalm is, en een korte bruine ragebol van haar, waar ze juist groene strepen door had geverfd. Haar grote ogen waren diep donkerbruin met gele lichtjes erin — de ogen van een boefje — en haar fraai gevormde hoofdje werd gesierd door een paar kleine, volmaakte, bijna puntige oortjes. Ze droeg iets wat het midden hield tussen een Oekraïense bruidstooi en iets, verzonnen door een pas rijk geworden Afghaanse prinses, van rood geplisseerd linnen, overvloedig geborduurd, en met goudkleurig kant, en franje en bonte kralen versierd. Het enige wat ontbrak waren bellen om haar enkels.

'Je bent werkelijk fantastisch, wie je ook bent,' zei deze verschijning tegen Daisy. 'Ik heb geprobeerd moeder ervan te overtuigen dat het tijd was om naar de klassieke stijl terug te keren, maar ze luistert nooit naar me — wat weet ík er tenslotte van, vergeleken bij de koningin van Grosse Pointe? Wacht maar tot ze je ziet — wat zal ze dan spijt hebben mij met zulk haar te laten rondlopen.'

'Kun je het niet, eh . . . achterover dragen?' opperde Daisy.

'Als ik dat doe valt het uit — er zit niets anders op dan te wachten tot het er is uitgegroeid. O, jasses! Zó kan ik toch niet uitgaan en al die mensen ontmoeten? Wil jij me niet iets lenen om aan te trekken — een korte broek en een overhemd? En wat van je haar?' Kiki draaide in sprakeloze bewondering om Daisy heen. Zelfs Daisy's oude schoenen waren in haar ogen het einde van achteloze chic.

'Maar die zijn je veel te groot . . . ik vind het best, maar je zwemt erin,' antwoordde Daisy, gefascineerd door deze zigeunerin die in haar slaapkamer haar tenten had opgeslagen. 'Doe niets, blijf zo staan, wanhoop niet,' zei Daisy, plotseling teruggevallen in haar rol als leidster van haar klas bij lady Alden. 'Ik ben zo terug.'

Vijf minuten later kwam ze terug, met haar haar op haar hoofd bij elkaar gebonden, opgestoken met pennen, waar ze een paar takjes bougainvillea tussen had gestoken die op de muren van het huis groeide. Ze droeg een mini-jurkje van glimmend zilverpapier, dat ze voor vijfentwintig gulden bij Biba had gekocht. Het kon maar éénmaal worden gedragen, en ze had het vandaag pas uit haar klerenkast durven halen.

'Heb jij soms Paco Rabane sieraden?' vroeg ze aan Kiki.

'Die heeft iedereen toch? Wacht even.' Kiki haalde een van haar zeven koffers overhoop, en haalde er een ruimtevaartachtig metalen halssieraad uit dat er uitzag als een grote spiegel in een bewerkte lijst, een kuisheidsgordel voor het bovenlichaam. Ze maakte hem om Daisy's hals vast. 'Oorbellen?'

'Nee — dat lijkt me iets te veel van het goede. Ik ga gewoon op blote voeten — hetzelfde effect, maar met minder moeite.'

'Jij bent toch geen vijftien,' zei Kiki botweg, vol bewondering.

'Ik ben mijn leeftijd vooruit. Ga je mee — we zullen die oudelui de schrik van hun leven bezorgen.'

In die week dat de Kavanaughs er waren, voelde Ram voor het eerst van zijn leven, dat de haat die hij in het algemeen tegen de wereld koesterde nu veranderde in echte fantasieën over moord — de moord op Kiki. Haar moeder had hem kunnen vertellen, dat dit zonder een zilveren kogel niet mogelijk was. Kiki was er altijd op uit om pret te maken en dolle streken uit te halen. Dit was er ondanks haar intelligentie de oorzaak van geweest, dat vier van de beste Amerikaanse meisjeskostscholen er van hadden afgezien, haar 'uit te nodigen' voor het volgende cursusjaar in te schrijven. Ze was zonder kleerscheuren door haar eerste kinderjaren heengekomen. Daarin had onnoemelijke schade kunnen worden aangericht doordat ze al vrijwel vanaf de box wist, dat ze lid was van de enige aristocratie in Grosse Pointe die telde, namelijk die van de auto-industrie; evenals de schade als gevolg van het feit dat ze de lang verwachte dochter in een gezin met drie oudere broers was — dit alles dank zij een strenge, aangeboren, onkreukbare eerlijkheid. Kiki sprak de waarheid, tegen zichzelf en tegen anderen, een eigenschap die zo zeldzaam was dat ze zonderling leek. Haar eerlijkheid ging hand in hand met haar impulsieve aard, en zij en Daisy die slechts anderhalf jaar in leeftijd scheelden, werden ogenblikkelijk gezworen kameraden. Ze wedijverden met elkaar in overmoedigheid en het bedenken van de krankzinnigste plannen. Kiki was veel wereldwijzer en geraffineerder, Daisy de meest roekeloze van de twee. Waar Kiki verwend was — of, zoals ze het graag uitdrukte 'volslagen verpest' — was Daisy alleen maar hardnekkig. Het grootste verschil tussen de beide meisjes lag in hun emotionele bindingen. Kiki had er veel en ze bezorgden haar geen enkel probleem. Ze nam haar vader, haar broers en vooral haar moeder zoals ze waren en vond ze allemaal vermakelijk — een houding die Daisy verbaasde en verrukte.

Maar tijdens de week waarin Kiki en haar moeder op La Marée logeerden, verspilden de twee meisjes weinig tijd aan ernstige gesprekken. Als in een wei losgelaten veulens waren ze druk bezig hun nieuwe kameraadschap te verkennen. Daisy voelde zich na een lange nacht van ononderbroken slaap weer vol van haar oude lachende levenslust, alsof ze haar jeugd weer terug had gekregen. Een jeugd zonder twijfels en kwellingen, die het tweetal naar Honfleur voerde om gekheid te maken met de vissers, om zich vol te gieten met de coca-cola die Anabel niet in huis wilde hebben, om grove knoflookworstjes te kopen die ze op straat met grote happen opaten, pratend met de mond vol. Zij huurden een taxi en gingen met theetijd naar Deauville, waar ze langzaam door de zalen van de grote hotels paradeerden als slenterende spelers in hun rijke hippiekledij. Ze genoten van de verontwaardigde blikken van de vrouwen van middelbare leeftijd in hun veilige, belachelijk dure Chanel-pakjes. Zij ruilden gretig hun kleren en ontdekten dat de korte broekjes en blouses van Daisy Kiki ook pasten, als ze ze met een riem omhoog sjorde en over de tailleband sloeg. Eender gekleed renden ze over het strand van Trouville heen en weer, en slingerden rustige gezinnetjes lelijke dingen naar het hoofd. Vanuit een gehuurde cabana zwommen ze in het koude Noordzeewater. Ze kwamen dikwijls te laat voor de maaltijden op La Marée terug, met nauwelijks een excuus, behalve voor Anabel die er niet om verlegen zat, omdat ze dolblij was dat haar hoop op een vriendin voor Daisy zo goed was uitgepakt.

Kiki had maar één klacht. 'Die broer van jou moet wel een gruwelijke hekel aan me hebben,' zei ze tegen Daisy. 'Ik heb hem als een gek proberen te versieren. Ik heb hem uitgenodigd om met ons mee te gaan, en ik krijg geen poot bij hem aan de grond — en dat gebeurt me echt niet zo vaak, dat verzeker ik je. Als het al gebeurt! Heeft hij iets tegen Amerikanen? Of komt het door mijn groene haar? Is hij homo? Ik snap het gewoon niet.'

'O, Ram is hopeloos — let maar niet op hem, het is die Eton-verwaandheid van hem. Het is niet zijn bedoeling onbeleefd te zijn... zo is hij nu eenmaal,' antwoordde Daisy ontwijkend. Kon Kiki dan niet zien hoe jaloers hij was, vroeg ze zich af? Natuurlijk niet — hoe zou het bij Kiki op kunnen komen dat zij, Daisy, zich aan haar gezelschap vastklemde in een poging nooit met Ram alleen te zijn. Ze zag hoe hij aan de eettafel naar haar staarde, met neergeslagen oogleden als van een beeld van een ridder die lang geleden op een kruistocht is gedood. Alleen de smalle spleetjes van pupillen gluurden uit zijn gesloten gezicht, maar ze voelde Ram over de tafel heen aan haar trekken.

Hij had haar verschillende keren alleen op de trap opgewacht, en had op het punt gestaan haar met kussen te overvallen, maar het geluid van Kiki die haar trouw volgde, had hem gedwongen haar te laten gaan. Ram was tegelijk boosaardig en vermetel in zijn machteloosheid, maar Daisy zag kans nooit ver uit de buurt van Kiki te blijven. Ze wist heel goed dat dit schild niet van lange duur was, maar maakte er zolang het er was ten volle gebruik van. Ze had er behoefte aan een tijdlang van Ram af te zijn, en die behoefte was zo groot, dat ze bereid was de straf te riskeren die ze wist dat haar wachtte als het voorbij was. Iedere avond, lang nadat Kiki in slaap was gevallen, lag Daisy nog na te denken, trachtend enige orde in haar gevoelens aan te brengen, maar zonder succes. Steeds opnieuw ging ze de feiten na van haar liefde voor Ram, haar verlangen naar Ram en haar overtuiging, die met de dag sterker werd, dat wat Ram met haar deed door en door slecht en verkeerd was, hoe hij er ook over dacht. Ze speelde een keer met de gedachte Kiki raad te vragen, maar alleen al de gedachte aan de woorden die ze zou moeten gebruiken overtuigde haar ervan, dat het onmogelijk was. Het was een last die ze alleen zou moeten dragen, in schaamte. Een afschuwelijke schaamte, een onontkoombare schaamte, waaraan geen eind kwam.

Tenslotte kwam de dag waarop moeder en dochter Kavanaugh naar de Côte d'Azur moesten vertrekken, waar zij Kiki's vader zouden treffen, die via Parijs uit Detroit daarheen vloog. Zij waren van plan de tocht in Limoges te onderbreken en de afstand in twee lange dagreizen over de weg af te leggen. Over enkele weken zou Kiki als eerstejaarsstudent naar de universiteit van Californië in Santa Cruz gaan. Hoewel ze van geen van al haar verschillende scholen een einddiploma had, waren haar resultaten goed genoeg geweest voor Santa Cruz, en was ze door die zeer liberale universiteit waar een vrije geest heerste, met open armen ontvangen. Haar ouders hadden de reis van deze zomer zorgvuldig georganiseerd, zodat zij een tijd met hun dochter konden doorbrengen, voordat, zoals Eleanor Kavanaugh het bijna in tranen uitdrukte, 'wij haar aan de academie verliezen'. Er was geen sprake van dat ze haar vader kon teleurstellen en nog een poosje op La Marée blijven, zoals Daisy en Anabel haar hadden gevraagd.

'Daisy, ik beloof je dat je met Kerstmis bij Kiki in Amerika mag gaan logeren,' zei Anabel tegen de ontroostbare meisjes.

'Het duurt nog duizend jaar voor het Kerstmis is. Waarom mag Daisy niet mee naar Santa Cruz?' vroeg Kiki opstandig.

'Ze moet eerst nog een jaar naar de school van lady Alden voor ze haar examen voor de universiteit kan doen,' zei Anabel geduldig.

'O, klote, wat lullig nou! Neem me niet kwalijk, Anabel. Ik voel me net een gedwarsboomde geliefde of zoiets,' zei Kiki.

'Zo klinkt het anders niet,' lachte Anabel vriendelijk. Ze was bijzonder op dit gekke meisje gesteld geraakt, die vreemde dochter voor haar oude vriendin Eleanor die voor haar grote automobiel-huwelijk een behoudende, keurig opgevoede Amerikaanse jongedame was geweest.

Toen Ram die avond op haar deur klopte, maakte Daisy hem onmiddellijk open. Door het vertrek van Kiki was ze tot het inzicht gekomen dat er in de loop van hun dolle meidenweek een besluit over haar toekomst in haar was gerijpt, waarvan ze zich niet bewust was geweest. Maar nu voelde ze een drang, zo sterk als dorst na een hele dag in een lege boot, naar haar verloren meisjestijd terug te keren en weer net zo kuis te worden als ze op de 14e juli was geweest. Ze was kalm, vastbesloten en doordrongen van de zekerheid dat alles aan dat doel moest worden opgeofferd. Al haar verwarring was weggevallen. Ze kon het zonder Ram stellen. Zijn bescherming was veel en veel erger dan alleen in de wereld te staan. Voor het eerst sinds haar vader was gestorven kon ze helder en gericht denken.

Ram kwam binnen en deed de deur achter zich op slot. Haastig wilde hij Daisy in zijn armen nemen, maar ze trok zich in de vensterbank terug. Ze had de gele katoenen jurk die ze voor het diner had aangetrokken nog aan, en alle lampen in haar kamer waren aan.

'Ga zitten, Ram. Ik heb je iets te zeggen.'

'Dat kan wel wachten.'

'Nee, geen seconde meer. Ram, wat wij hebben gedaan is afgelopen — voorbij. Ik ben je zuster. Jij bent mijn broer. Ik zal dat nooit meer doen, omdat het verkeerd is en ik het niet wil.'

'Dat komt door dat kreng van een Kiki — je hebt het haar zeker verteld,' zei hij met een gloeiende wraakzucht in zijn stem.

'Geen woord. Niemand weet het en niemand zal het ooit

weten. Dat beloof ik je. Maar het is afgelopen.'

'Daisy, je lijkt precies een burgertrutje — "het is afgelopen" — hoe kan het nu zijn afgelopen? Wij houden van elkaar. Jij hoort bij mij, kleine idioot, dat weet je best.'

'Ik hoor bij niemand anders dan bij mezelf. Je kunt doen wat je wilt, je kunt alles verkopen wat vader dierbaar is geweest, je kunt wonen waar je maar wilt, maar ik ben van plan om bij Anabel op Eaton Square te blijven — ik weet zeker dat ze dat goed vindt — en daarmee afgelopen. Ik heb je niet meer nodig!'

Ram ging dicht bij haar staan en legde een grote hand om haar bovenarm, vlak onder haar schouder, en kneep. Ze bleef zwijgend zitten als een marmeren beeld. Het was licht genoeg voor hem om in de fluwelen pupillen van haar ogen te kijken en wat hij daar zag, een vaste, onwrikbare overtuiging, hard en duidelijk, maakte hem razend.

'Ram, laat mijn arm los,' zei ze gebiedend.

Deze woorden, uitgesproken met de kalme zelfbeheersing die ze met alle macht trachtte te bewaren, werkten slechts als prikkels. Hij klemde zijn beide benige handen om haar armen en trok haar met een ruk overeind, alsof ze een weerspannig paard was, dat een lesje in gehoorzaamheid moest hebben. Ze bleef onbevreesd in zijn greep staan, hem recht in de ogen kijkend. Met meedogenloze kracht trok hij Daisy dicht tegen zich aan en kuste haar lippen. Haar mond maakte geen enkele beweging. Ze haalde nauwelijks adem. Hij eigende zich haar mond toe, zich verlustigend met berekenende vaardigheid, en hield zijn woede in. Hij gaf haar de lange, heerlijke kussen zonder dreiging, waar ze nog maar een week geleden naar had gesmacht. Maar ze bleef passief en afgetrokken, met koele gesloten lippen onder zijn bedreven mond. Hij streelde met een harde, bezitterige, veeleisende hand over haar haar en fluisterde in haar oor: 'Daisy, Daisy, als je niets anders wilt dan dit, zal ik verder niets doen . . . Alleen maar kussen en dicht bij elkaar zijn — dat beloof ik je . . . ik zweer het.' Maar terwijl hij haar tegen zich aandrukte en haar wangen met gloeiende kussen overdekte, voelde ze zijn penis omhooggaan en gevaarlijk tegen haar buik drukken. Met al haar verwoed bij elkaar geraapte energie duwde Daisy hem van zich af.

'Niet doen, Ram. Ik vertrouw je niet. Ik móet je niet! Ik hoef niets van je — geen kussen, geen omhelzingen, geen leugens. Ga nu mijn kamer maar uit.' Haar stem klonk zacht, vanwege de anderen in het huis, maar gespannen van een kwetsende afkeer.

Ze was achteruit gegaan tot ze tegen de muur van haar kamer stond, en nu kwam hij op haar af; zijn gezicht was vertrokken en opgezet van geilheid, zijn ogen zwommen van de intense drang haar te bezitten. Ram verloor zijn hoofd. Hij drukte Daisy met zijn volle gewicht tegen de muur, trok met een ruwe hand haar rok omhoog en wreef het harde uiteinde van zijn penis tegen haar onderbroekje. Met zijn andere hand rukte hij in razernij aan haar borsten en bezeerde de jonge tepels gemeen.

'Dat zou je niet wagen als vader nog leefde, vuile lafaard die je bent!' zei Daisy met verstikte stem.

Ram gaf haar met zijn vlakke hand een klap in het gezicht. Ze voelde haar tanden in de binnenkant van haar wang snijden. Ze voelde het bloed op haar tong vloeien. Hij gaf haar weer een klap en nog een, en terwijl ze in paniek op adem trachtte te komen om te gillen, legde hij een hand op haar mond en sleurde haar naar het bed. Met alle kracht die ze bezat was Daisy niet in staat tijdens de korte, afschuwelijke minuten die volgden zijn hand van haar mond af te trekken. Terwijl ze haar eigen bloed inslikte om niet te stikken, voelde Daisy dat hij haar onderbroekje van haar afscheurde. Hij moest haar tweemaal slaan voor hij haar benen met zijn knieën van elkaar kon wringen. En toen kwam de schroeiende, schurende eeuwigheid van een nachtmerrie toen hij zijn penis in haar stompte, steeds weer opnieuw, met de onmenselijkheid van een krankzinnige, droog en gesloten als ze was. Toen was hij klaar en verdwenen. Daisy bleef willoos liggen en het bloed sijpelde uit haar mond. Ze was zo uitgeblust en verdoofd, dat het minuten lang duurde voor de tranen waar ze naar verlangde eindelijk kwamen. Nadat ze was uitgehuild, stond Daisy pijnlijk maar vastbesloten uit het bed op en ging naar Anabel om haar wakker te maken.

Anabel gaf Daisy warm water en zachte handdoeken, stelpte het bloeden en luisterde, haar dicht tegen zich aanhoudend, naar Daisy. Die vertelde het hele verhaal, steeds weer opnieuw, tot ze eindelijk voldoende gekalmeerd was om in het bed van Anabel in slaap te vallen. Toen pas liet Anabel haar tranen de vrije loop, die veel jammerlijker, gekwelder en veel woedender waren dan die Daisy had vergoten. Ze was tekort geschoten tegenover Stash, tegenover Daisy. De misdaad van Ram moest geheim blijven, zodat ze geen wraak op hem kon nemen. Ze zou nooit meer tegen hem spreken — voor haar bestond hij niet meer — maar hij kon niet ter verantwoording worden geroepen. Wat gebeurd was, was gebeurd — ze vervloekte zichzelf, omdat ze zo blind en goed van vertrouwen was geweest.

Zodra het daglicht verscheen, belde Anabel het hotel in Limoges op waar de Kavanaughs op hun reis naar het zuiden de nacht doorbrachten.

'Eleanor, met Anabel. Je moet me niets vragen, maar denk je dat het mogelijk zou zijn om Daisy in Santa Cruz te krijgen?'

'Dit jaar? Is ze niet te jong?' antwoordde Eleanor Kavanaugh met haar gebruikelijke recht toe, rechtaan manier om de zaken aan te pakken.

'Haar leeftijd is nu niet van belang — het gaat er om of ze voor het examen slaagt. Het is heel erg belangrijk, Eleanor, anders zou ik haar niet zo gauw laten gaan.'

'Ik ben ervan overtuigd, dat ze voor het toelatingsexamen slaagt, Anabel. Ze heeft, dank zij ons afgrijselijke middelbare schoolsysteem, al een veel betere opleiding dan een Amerikaans meisje van zeventien. Luister eens, ik zal informeren of er nog plaats is en waar ze examen kan doen — is dat goed?'

'Zou je het morgen kunnen doen — vandaag, bedoel ik. Wacht niet tot je thuis bent,' smeekte Anabel.

'Reken maar op mij.' Eleanor was nooit iemand geweest die onnodig vragen stelde. 'Zodra het inschrijvingskantoor in Californië open is zal ik ze opbellen — dan bel ik jou en kun jij ze Daisy's cijferlijst sturen.'

'Je bent een engel, Eleanor.'

'Anabel, we zijn oude vriendinnen, weet je nog? Ik ben het niet vergeten ... en maak je geen zorgen. Daisy gaat naar Santa Cruz, ik garandeer het je. Ik heb er tenslotte ook voor gezorgd dat ze Kiki namen, of niet soms? Je moet wel begrijpen dat het geen Harvard is.'

Maar het is wel tienduizend kilometer van Ram af, dacht Anabel, toen ze de hoorn ophing.

Kiki en Daisy waren kamergenoten op Cowell, de eerste van de grotendeels onafhankelijke academische internaten die in Santa Cruz waren geopend, dat zelf de mooiste baby van een groot universiteitssysteem was. Het was in 1965 opgericht, twee jaar voordat Daisy en Kiki hun intrede deden op deze experimentele school, gebouwd op duizend sprookjesachtig mooie hectaren uitziend op Monterey Baai, honderd kilometer ten zuiden van San Francisco.

Een bezoeker die van het Victoriaanse badplaatsje Santa Cruz naar de universiteit rijdt, wordt duizelig van de vruchtbare, lome, maagdelijke uitgestrektheid van wijde velden en dichte bossen. Van een vroegere boerderij, nog beschermd door oude afrasteringen, met hier en daar kalkovens en nog een paar oude boerenwoningen. De universiteit bestaat uit afzonderlijke internaten die een gemeenschap vormen naar het voorbeeld van Oxford of Cambridge, maar ontworpen door enkele van de grootste architecten van de Verenigde Staten. De gebouwen staan zo knap tussen de bomen verborgen dat men ze vrijwel geheel over het hoofd zou zien, ware het niet dat de studenten die figuranten in een houthakkersfilm zouden kunnen zijn, er wel degelijk in slagen zichtbaar te blijven, als ze haastig van de ene klas naar de andere lopen, vriendelijke baardige jongens en slordig opgedirkte meisjes.

Daisy en Kiki dartelden door Santa Cruz, namen vakken die altijd gemakkelijker leken dan ze bleken te zijn, en werkten veel harder dan ze van plan waren geweest. Ze werden intussen echter hoe langer hoe meer naar de wereld van beeldende kunst en toneel toegetrokken, die zich voor hen opende.

Daisy ontdekte dat haar tekentalent dat ze voor de schetsjes die ze voor Dani maakte en haar ogenblikken van afzondering had bewaard, een niet te onderschatten talent was en dat ze veel meer aanleg had dan ze had gedacht. Ze legde zich toe op tekenen en schilderen, in aquarel, pastel en olieverf. Ze liet zich niet verleiden door de abstracte-expressionistische mode, maar hield zich aan wat haar het beste lag: realistische en gevoelige portretten, natuurstudies en natuurlijk het tekenen van paarden. Kiki vond voor haar levenslustige, nieuwsgierige, openhartige aard een uitlaatklep in het theater, waar niets dat ze kon doen of zeggen haar mede-studenten verbaasde. Zij konden zich allemaal volkomen uitleven, iets wat Kiki uitstekend uitkwam. Dit was nu eindelijk de 'lol' waar ze altijd overal naar had gezocht en in Santa Cruz oogstte ze er nog academische lof voor ook!

Kiki was niet zuinig op haar kleine, frèle lichaam. Ze had een heleboel liefdesavonturen, zonder zich iets van kuisheid, haar goede naam of de openbare mening aan te trekken. Voor haar gold alleen haar eigen mening en aan haar strenge code werd voldaan door persoonlijke vrijgevigheid en volstrekte oprechtheid. Ze had een speciaal talent om op de verkeerde mannen te vallen, maar ze zwolg in haar vergissingen en stapte er uit, voor ze iemand anders dan zichzelf bezeerde. Ze sloeg vol zondige geamuseerdheid de pogingen van anderen gade om haar een schuldgevoel op te dringen. De lol kwam op de eerste plaats — waarom konden de mensen dat niet gewoon toegeven — en hun lol hebben, hun wonden likken en verder gaan naar het volgende avontuur? Waarom moest je van je fouten leren? De volgende keer maakte je trouwens wel weer een andere fout.

Daisy en Kiki bewoonden al die jaren dat ze in Santa Cruz waren hetzelfde appartement, en zaten vaak tot diep in de nacht te praten en elkaar te vertellen wat ze hadden beleefd. Maar Kiki, met al haar antennes die als een netwerk uit haar grillige hoofd leken te spruiten, wist dat er in haar vriendin grote gebieden waren die ze niet begreep. Daisy had zelfs in hun láátste jaar nog steeds iets raadselachtigs, en Kiki had niet veel geduld voor raadsels.

'Daisy,' opperde ze op een dag in 1971, de winter van hun laatste jaar, 'neem nu eens de clitoris.'

'Vóór de lunch?'

'Waarom, vraag ik je, zit die nu uitgerekend daar, helemaal verstopt, praktisch onzichtbaar, onmogelijk te vinden zonder aanwijzingen waarvan ik baal ze te moeten verschaffen?'

'Ik dacht, dat je gewoon tegen ze zei wat je wilde dat ze deden, en dat ze dat dan deden,' zei Daisy ongeïnteresseerd. Ze had die klacht van haar vriendin vaker gehoord.

'Waarom moet ik ze verdomme een wegenkaart geven? Een man hoeft een vrouw toch ook niet te wijzen waar zijn lul zit! Het is niet eerlijk!'

'Waar zou die volgens jou dan moeten zitten?' informeerde Daisy praktisch. 'Op de punt van je neus?'

'Niet dat ik de seks wil opgeven,' antwoordde Kiki snel, 'maar er moet nodig iets veranderen.'

'Hmmm.' Daisy wachtte geduldig waar Kiki nu eigenlijk heen wilde. Iedere keer als ze over de clitoris begon, had ze daar iets mee voor.

'Nu we het er toch over hebben, Daisy, er is één ding dat ik niet van je begrijp,' ging Kiki verder.

'Eén maar?'

'Ja — hoe komt het dat je nog maagd bent? Iedereen praat over je — besef je dat wel? Ze noemen je een Zoen-op-de-wang-Valensky.'

'Dat weet ik wel. Het is on-Amerikaans . . . Je zit er nog al over in, hè?' lachte Daisy.

'Ik maak me ongerust. Dringt het wel tot je door dat je over een paar maanden negentien wordt? En nog steeds maagd? Het is niet on-Amerikaans — het is ongezond en abnormaal. Echt waar, Daisy, ik meen het.'

'Ik wacht op de ware Jacob,' antwoordde Daisy pesterig.

'Flauwekul. Je gaat volksdansen met Mark Horowitz die iets moois heeft met Janet, alleen houdt ze niet van volksdansen. Je gaat paardrijden met Gene, de homo caballero; je gaat naar de bioscoop met niemand behalve met een groep. Je laat je door Tim Ross op pizza tracteren, en hij is zó verliefd op je, dat hij het een eer vindt om je pepperoni voor je te betalen. Je gaat, godbeter 't, in San Francisco chinezen met drie méisjes, en toch heb je alle aantrekkelijke jongens stuk voor stuk achter je aan gehad! En dan tel ik nog niet eens de mannen mee die je hebt ontmoet als je in de vakanties met me mee naar huis ging. De populairste vrijgezellen in Grosse Pointe zijn allemaal door jou afgewezen, meisje, mijn arme broers inbegrepen, die goeie zakken. En hoe zit het met die mannen die je tegenkomt als je 's zomers bij Anabel gaat logeren? Ik heb de brieven gezien die ze schrijven en die je je niet eens verwaardigt te beantwoorden. Wat is er met jou?' besloot Kiki, met haar handen onder haar gescheurde poncho in haar zij en haar puntige oren roze van verontwaardiging.

Daisy keek haar aan, plotseling ernstig. Kiki zong dat liedje nu al meer dan twee jaar en het zat haar blijkbaar ernstig genoeg dwars om er een kwestie van te maken. En als Kiki ergens een kwestie van maakte was ze in staat Napoleon uit Elba terug te halen.

'Goed, je hebt gelijk. Ik wil emotioneel niet bij een man betrokken raken, absoluut niet. Ik wil niet dat iemand macht over me heeft. Ik wil niet dat iemand denkt dat hij recht op iets van mij heeft. Ik wil niet dat iemand zo dicht bij me komt. Ik kan het niet uitstaan als ze denken dat ze het recht hebben me te zoenen omdat we een avond samen zijn uitgeweest. Wie heeft ze daar verdomme om gevraagd — wie heeft ze toestemming gegeven, hoe halen ze het in hun hoofd te doen alsof ik ze iets schuldig ben?'

'Nou, nou, kalm maar — wij hebben het over verschillende dingen. Je zou het juist leuk moeten vinden om heel dicht bij iemand te zijn — of hebben ze je dat nooit verteld toen je een meisje was? Dringt het eigenlijk wel tot je door wat ik bedoel?'

'Maar dat vind ík niet leuk — ik wil het niet proberen — zo is dat nu eenmaal. Je zou dat nu eindelijk eens van me moeten accepteren,' zei Daisy resoluut.

'Je hebt gelijk, dat moet ik ook. Maar dat doe ik niet.'

'Nou, probeer het dan toch maar,' ried Daisy haar aan.

Sinds Daisy in Santa Cruz was gekomen, werd ze achtervolgd door de romantische hartstochten die ze in allerlei jongelui opwekte. Wat haar betrof, riepen hun romantische hartstochten minder medeleven in haar op dan wanneer ze in de wasserij een overhemd waren kwijtgeraakt. Ze stond niemand, maar dan ook níemand toe ook maar de flauwste hoop te koesteren haar ooit te bezitten — ze roeide die gevoelens zonder enige wroeging uit. Ze was niet voor hen verantwoordelijk en als zij ongelukkig wilden zijn om haar, moesten ze dat zelf weten. Het moment, waarop iemand met wie ze uitging van de neutrale zoen op haar wang een langere omhelzing probeerde te maken, was het moment waarop haar verhouding met hem was afgelopen. Er waren genoeg anderen.

Nu, bijna negentien, had Daisy haar vroege schoonheid bevestigd. Haar gesponnen zilvergouden haar, dat ze bijna nooit liet knippen, behalve om het af en toe een centimeter te laten bijpunten, kwam bijna tot aan haar middel. Hoe ze het ook probeerde te vlechten of netjes bij elkaar te binden of vast te spelden, toch vielen er altijd krulletjes of haarlokjes over haar slapen en voorhoofd, en vormden een lichtkring om haar gezicht. Haar huid had de warmte van een rijpe perzik die ze van Francesca en die generaties mooie vrouwen van San

Gimignano had geërfd, en de mannen kleefden vast aan haar ogen... Ogen die zo groot waren en zulke zwarte pupillen hadden als die van Daisy waren bijna niet te doordringen... maar de mannen van Santa Cruz bleven het altijd weer opnieuw proberen. Het vreemde aan haar, wat haar schoonheid het nodige tegenwicht verleende, waren haar wenkbrauwen die zo recht en vastberaden boven het geheim van haar ogen stonden. Naarmate ze ouder werd, sprong haar volle, Slavische mond, de enige trek die ze behalve de kleur van haar haar heel duidelijk van Stash had geërfd, sterker naar voren. In Santa Cruz was ze gegroeid tot ze haar volle lengte van een meter achtenzestig had bereikt, maar haar lichaam was niet voor het internaatseten bezweken. Ze was even slank en lenig als altijd. Ze reed iedere dag paard, weer of geen weer en ze had de stevige, sierlijke armen, dijen, kuiten en schouders van een amazone. Haar borsten waren voller dan vier jaar geleden, maar staken nog in een punt naar voren.

Daisy en Kiki droegen allebei het uniform waar ze in hun eerste jaar toe hadden besloten — spijkerbroeken en handgeweven jakjes, de spijkerbroeken zo haveloos, de jakjes zo folkloristisch mogelijk. Het tweetal, dat bekend stond als Valensky en de Kav, was een legende op een campus waar bijna iedereen zonderling was. Vanwege het contrast in hun persoonlijkheid en hun uiterlijk, om niet te spreken over Theseus die in hun kamer sliep en Daisy naar al haar colleges vergezelde. De enige plaats waar hij werd geweerd was de eetzaal, op aandrang van de andere studenten.

Ondanks de intieme vriendschap die tussen hen bestond, had Daisy Kiki nooit iets verteld over Dani, aan wie ze tweemaal per week een uitgebreide tekening stuurde. Soms een scène uit haar eigen leven voorstellende, soms een scène uit Dani's leven, tekeningen waarop ook de leraren en vrienden van Dani voorkwamen die ze zo goed had leren kennen. Soms vroeg Daisy zich af of er misschien niet een tijdstip was geweest, waarop ze Kiki van het bestaan van haar tweelingzuster had moeten vertellen, maar van het ene jaar op het andere had dat tijdstip zich nooit voorgedaan. Ze voelde nog steeds de macht van dat absolute verbod dat door haar vader was opgelegd, dat ze als een totaal verbod opvatte, zonder dat ze wist of zich afvroeg waarom het bestond. Hoe langer het duurde, des te bindender het werd, en het was des te sterker omdat het nooit was besproken of verklaard. Het was een angstaanjagend taboe dat in acht moest worden genomen, vanwege de gevolgen die ondenkbaar, redeloos, maar volstrekt reëel waren.

De enige persoon ter wereld die nog leefde en van Dani afwist, was Anabel, maar Daisy sprak zelfs met haar nooit over Dani. Na de plotselinge dood van Stash had Anabel Daisy verzekerd, dat er voor Daniëlle was gezorgd. Toch wist Daisy in het diepst van haar ziel, dat Dani een geheim was, dat ze gedwongen was alleen te dragen. *Ze was het eerst geboren* — aan dat feit was niets veranderd, en haar diepste gevoelens van trouw en verantwoordelijkheid gingen nog steeds naar Dani.

Het was voor Daisy natuurlijk niet mogelijk geweest Dani vanuit Santa Cruz te bezoeken, maar tijdens de lange vakanties met Kerstmis en Pasen vloog ze altijd naar Engeland om haar op te zoeken en iedere zomer logeerde ze bij Anabel op La Marée, zodat ze binnen een paar uur per vliegtuig bij Dani kon zijn. Het personeel van de Queen Anne-school nam als Daisy op bezoek kwam altijd foto's van de twee zusjes samen. Deze foto's over een periode van dertien jaar, werden op een speciaal kurkbord in Dani's kamer vastgeprikt, dat ze vaak vol trots aan haar vrienden en de leerkrachten liet zien. 'Zie je Day? Zie je Dani? Mooi, hè?' vroeg ze, altijd maar weer, en ze wist dat hun antwoord altijd zou zijn: 'Ja, ja, mooie Dani, mooie Day!'

Gedurende haar jaren op de academie had Daisy van Ram brieven ontvangen, omdat alle rekeningen van haar school, haar reizen en haar kleding naar hem ter betaling werden gestuurd en de cheques voor haar toelage ook van hem moesten komen. Daisy kon die brieven niet verscheuren en ongelezen weggooien. Geldkwesties gaven Ram helaas nog steeds macht over haar en ze popelde om af te studeren en een baan te zoeken, om helemaal voor zich zelf te kunnen zorgen.

In de jaren 1967 en 1968 waren Rams brieven volstrekt onpersoonlijk geweest en vermeldden alleen, dat hij de verschillende rekeningen die ze hem had gestuurd uit haar inkomen van haar aandelen had betaald. Toen was hij begonnen verontrustende intieme zinnetjes tussen zijn mededelingen door te laten vallen. De eerste keer dat dit gebeurde had hij geschreven, nadat het zakelijke deel was afgehandeld: 'Ik hoop, dat wat ik in het verleden heb gedaan mij niet mijn hele verdere leven zal worden verweten. Ik ben mijzelf altijd blijven veroordelen voor wat slechts een geval van tijdelijke krankzinnigheid kan zijn geweest.' De tweede driemaandelijkse brief joeg haar nog meer schrik aan. 'Daisy, ik heb mezelf nooit vergeven wat ik je heb aangedaan. Ik moet er altijd aan denken hoeveel ik van je hield en hoeveel ik nog steeds van je houd. Als je mij alleen maar zou willen schrijven dat je mij vergeeft — en dat je nu kunt begrijpen, dat je mij *letterlijk* gek hebt gemaakt, zou je een grote last van me afnemen.' Deze brief had in Daisy een snaar van doodsschrik aangeslagen. Het was alsof Ram zijn hand had uitgestoken en had getracht haar aan te raken. Ze keek de kamer rond die ze met Kiki deelde, rillend bij de gedachte dat haar enige veilige toevlucht hier was, maar zelfs hier kon hij binnenkomen, al was het maar per brief.

Toen ze de eerste brief die Ram haar in 1969 stuurde openmaakte, hoopte ze dat hij na het uitblijven van antwoord op zijn laatste twee brieven zich weer uitsluitend tot zakelijke kwesties had beperkt. Maar in plaats daarvan schreef hij: 'Ik begrijp wel, dat je je nog niet in staat voelt mij te antwoorden, Daisy, maar dat verandert niets aan mijn gevoel voor jou of het feit, dat ik vind dat je mij eens de kans moet geven persoonlijk je vergeving te vragen. Hoe je er ook over denkt, ik ben nog steeds je broer en zal dat altijd blijven en daar valt niets aan te veranderen — zoals ook niets mijn herinneringen kan veranderen. Kun je werkelijk het eucalyptusbosje vergeten? Heb je werkelijk geen enkel gevoel voor iemand die zoveel van je houdt?'

De volgende keer dat er een brief van Ram kwam, en iedere keer daarna, wierp Daisy ze ongeopend in de grote afvalbak in de koffieshop, omdat ze ze niet in de prullenmand bij haar bureau wilde stoppen. Als er een in haar postvakje lag was het, alsof ze een opgerolde slang zag liggen. Haar vrees en walging van Ram waren ieder jaar sterker geworden, en zijn smekende woorden bezorgden haar braakneigingen en hadden in hun nederigheid iets dreigends.

In het vroege najaar van haar laatste academie-jaar, was Daisy verdiept in het maken van kostuumschetsen voor een futuristische bewerking van *The Tempest*, toen Kiki die in de gang al riep 'Zeg, Daisy, waar zit je?', plotseling de kamer binnenstormde. 'O, mooi — je bent hier. Moet je luisteren, ik heb net een brief van Zip Simon, het hoofd van de reclame-afdeling van vaders firma gekregen, en hij komt volgende week hier en wij zijn uitgenodigd!'

'Wat moet een directeur van United Motors nu met onze bescheiden, maar — ik geef toe — allerliefste persoontjes? Je stoort me trouwens. Wat zou Prospero in een ruimteschip dragen, denk je?'

'Een ruimtepak — laat dat nu maar even met rust — ik heb je toch lang geleden verteld, dat Zip mij heeft beloofd, dat wij de eerstvolgende keer als ze hier ergens in de buurt een reclamefilm voor de televisie gingen maken, mochten komen kijken — en volgende week gaan ze in Monterey opnamen maken. Het is voor de introductie van het nieuwe model van de Skyhawk, je weet wel, die auto die zo geheim was.'

'Een reclamefilm voor de televisie! O, wat ontzettend ordinair! Schei uit met die grapjes, Kiki,' zei Daisy, haar neus optrekkend.

De studenten in Santa Cruz gingen er prat op dat ze geen

televisie keken, behalve die paar zonderlingen die naar 'Als de wereld draait' keken en die zich op hun verslaafdheid lieten voorstaan. Wat reclamefilmpjes betrof kende hun minachting geen grenzen. Kiki had als erfgename van een Detroit parvenu-kapitaal vaak moeite haar gedachten voor zich te houden als ze de hooghartige, buitengewoon onpraktische ideeën van haar mede-studenten over de Amerikaanse industrie in het algemeen en televisie-reclame in het bijzonder hoorde.

'Daisy Valensky!' zei ze verontwaardigd, 'weet je niet dat Marshall McLuhan heeft gezegd, dat historici en archeologen later zullen ontdekken, dat de advertenties van onze tijd de meest waardevolle en waarheidsgetrouwe afspiegeling is van het hele scala van activiteiten van een maatschappij, die ooit is vertoond?'

'Dat verzin je nu maar!'

'Nietwaar! Ik heb dat juist onthouden, omdat ik zo doodziek ben van al dat geklets hier van iedereen — over ivoren torens gesproken — wacht maar tot ze een baan gaan zoeken, dan komen ze er wel achter. Ach, doe gewoon, Daisy, misschien leer je er nog iets van als je ziet hoe ze reclamefilms maken.'

'Ik denk, dat je er altijd wel iets van leert — al is het maar hoe het niet moet.'

'O, je bent zo walglijk neerbuigend. Je zit al zo lang in Santa Cruz dat je hersens zijn verweekt.'

'De woorden van een ware dochter van edel Detroit.'

'Elitair zwijn!'

'Kapitalistisch varken!'

'Ik heb het eerst zwijn gezegd, dus ik heb gewonnen,' zei Kiki, opgetogen over haar overwinning in hun geliefkoosde spelletje van scheldwoorden.

Op het historische Cannery Row in Monterey, een uurtje rijden van Santa Cruz af, naderden de beide meisjes een week later een afgezet deel van de straat waar zich reeds een kleine menigte toeschouwers had verzameld. Een heel grote vrachtwagen, met de naam **CINEMOBILE** er op, stond er vlak bij geparkeerd. Er stonden ook een grote autobus en nog een vrachtwagen met de nieuwe Skyhawk erop met een zwaar canvasdoek er omheen. Een ouderwets model Skyhawk, in uitstekende conditie, stond op straat.

Kiki en Daisy schuifelden behoedzaam door het gedrang heen naar de touwen en namen het toneel van de opname op.

'Er gebeurt niets,' merkte Daisy op.

'Raar,' fluisterde Kiki die naar de verzameling mensen achter de touwen keek, die als bevroren in verspreide groepjes stonden. Twee groepjes bestonden uit keurig geklede heren in donkere pakken en dassen die zachtjes met elkaar stonden te praten. Ze wees ze met kennis van zaken aan. 'Die ene groep is van het film-agentschap en die andere van de cliënt — de lui van mijn ouweheer.'

'Dan zijn dat zeker de acteurs,' zei Daisy, op het rommelige stelletje mannen en vrouwen in spijkerbroek duidend, zó haveloos, dat ze op een campus niet uit de toon zouden vallen. Ze stonden allemaal koffie uit plastic bekertjes te drinken, en op hun dooie gemak koeken te kauwen alsof ze met vakantie waren. De twee meisjes keken met iets meer belangstelling naar twee mensen, van iedereen afgezonderd, die tenminste tekenen van levendigheid vertoonden. De een was een lange, roodharige man en de ander een jonge, gezette vrouw in een streng mantelpakje.

'Volgens mij klopt hier iets niet,' zei Kiki eigenwijs. 'Ik heb ze wel eens meer reclamefilms zien maken en het is niet de bedoeling, dat ze hier alleen maar blijven staan.'

'Zeg, jij hebt hier niet de leiding,' hielp Daisy haar herinneren.

'Nee, maar Zip Simon wel. Hallo, Zip! Hier zijn we!' riep Kiki brutaal, met de zelfverzekerdheid van de dochter van de cliënt, die na de zelfverzekerdheid van de vrouw van de cliënt komt.

Een kleine, kale man maakte zich van een van de groepjes in zakenkostuum los, en kwam naar hen toe om ze door de touwen heen te loodsen, die door politieagenten werden bewaakt.

'Kiki, hoe gaat het, kind?' Hij omhelsde haar. 'Wie is je vriendin?'

'Daisy Valensky.'

Zip Simon zuchtte somber. 'Nou, meisjes, het ziet er naar uit dat jullie helemaal niet te zien krijgen hoe een reclamefilm wordt gemaakt. We hebben hele grote moeilijkheden en ik kan het nog steeds niet geloven. North is verdomme de beste regisseur op reclamegebied en nu kan hij niet filmen. Het is een ramp.'

'Wat is een ramp? Is er iemand ziek?' vroeg Kiki.

'Helaas niet — daar zouden we wel overheen komen. Wij hebben deze verrekte reclamefilm al maanden op het programma staan, en nu is de locatie verpest.'

'Wat mankeert er aan?' vroeg Kiki.

'Hij is gerenoveerd, verdomme — dat mankeert er aan. North heeft van een locatie-verkenningsdienst gebruik gemaakt, en die zakken hebben ons perfecte foto's laten zien — Cannery Row op zijn best. Toen we hier kwamen ontdekten we dat het is verbouwd tot een ontwerponderzoekbureau en dat er in deze hele rotstad geen enkel gebouw meer staat dat er oud uitziet. O, gadverdamme! Neem me niet kwalijk, Kiki. Excuseer mijn taal, vriendin van Kiki.'

'Waarom moet het er oud uitzien?' waagde Daisy te vragen.

'Omdat het op het storybord staat,' zei hij, alsof hij ze daarmee alles duidelijk had gemaakt.

'Wat is een storybord?' vroeg Daisy. Hij keek haar ongelovig aan. Zoveel onwetendheid was niet mogelijk. Aan de andere kant was ze ook weer iemand tegen wie hij kon klagen.

'Het storybord, vriendin van Kiki, is een groot vel papier met stripfiguren erop getekend en ballonnen met woorden erin geschreven, die uit de mond van de mensen komen. Snap je wel? Het is de bijbel voor ons, gewone mensen uit het reclamevak. En op dit storybord zie je dus een oude Skyhawk-cabriolet die vijftig jaar geleden voor een restaurant op Cannery Row staat, zie je. Dan komt er een echtpaar in historisch kostuum buiten en rijdt weg en dan krijg je weer een grappig plaatje en dat lost op in het nieuwe model Skyhawk, voor hetzelfde oude restaurant. Er komt een modern gekleed echtpaar uitwandelen dat wegrijdt, en dan hoor je een stem die zegt — luister goed: "De United Motors Skyhawk — nog steeds de beste auto om in te rijden!" '

'Enig,' kweelde Kiki.

'Het is een juweel — eenvoudig maar veelzeggend . . . en wij gaan diezelfde scène in het hele land op historische, schilderachtige locaties opnemen — dat zouden we tenminste gaan doen . . . Maar nu, wie zal het zeggen?'

'Maar waarom kunt u die renovatie niet ongedaan maken — een namaakgebouw neerzetten?'

'Daar hebben we geen tijd voor. Morgen moet die nieuwe auto op een vliegtuig zijn op weg terug naar de fabriek in Detroit om op een feest van aandeelhouders te worden onthuld — een enorme toestand — je moet me niet vragen hoeveel mensen er zijn uitgenodigd. En als we die opname vandaag niet voor elkaar krijgen, gaat onze eerste uitzending de mist in. Doet het pijn om hara-kiri te plegen?'

'O, Zip, wees niet zo hard voor jezelf — jij hebt die locatie toch niet verpest,' zei Kiki hartelijk.

'Ik was van plan op North hara-kiri te plegen, niet op mezelf.'

'Wie is North?' vroeg Daisy nieuwsgierig. Zip Simon wees naar de roodharige man. 'Dat is de ellendeling en dat meisje dat bij hem staat is zijn produktieleidster, Bootsie Jacobs.'

Twaalf meter bij Simon vandaan stond North zo zachtjes te praten dat niemand hem kon afluisteren.

'Bootsie, dit is net zo belachelijk als een neus-, keel- en

oorarts die met een zaklantaarn in je reet kijkt en je vertelt waarom je pijn in je keel hebt.'

'Die locatie-verkenningsdienst is volgende week op de fles,' zei ze, en deed moeite om haar gewone, strakke zelfbeheersing te bewaren. 'Om ons foto's in handen te stoppen die twee jaar oud waren — twee jaar! Goed, goed, North, het was mijn schuld dat ik het niet heb gecontroleerd. Je kunt niemand vertrouwen — dat weet ik wel, dat gaat altijd op — vooral als de cliënt met zijn hele troep en het agentschap met hun stomkoppen allemaal naar deze vertoning staan te kijken. Geweldig! Ze zijn met tweemaal zoveel mensen als wij, de modellen, kappers en make-up mensen meegerekend — ik heb die lui nog zó gezegd geen voet buiten de bus te zetten. Het is zo al erg genoeg.' Er sijpelde paniek door haar opgewekte toon. 'Als ze ons die nieuwe Skyhawk nu een paar dagen lieten houden, dan konden we naar EUE's grote Burbank-studio gaan en daar filmen — maar dat is volstrekt uitgesloten.'

'Je kunt beter iets bedenken om dit op te lossen, Bootsie,' zei North nijdig. 'Dat is jouw werk, niet het mijne.'

Frederick Gordon North was de beste regisseur van reclamespots voor de televisie van de Verenigde Staten. Dat wist hij ook. Iedereen in het vak wist wie hij was. Sterker nog, hij berekende duizend dollar per dag meer dan een van de andere topregisseurs en kreeg het ook, net zoveel dagen per jaar als hij wilde werken.

Waarom waren ze bereid hem zoveel te betalen? Waarom zouden directies van reclamebureaus North duizend dollar per dag meer betalen dan regisseurs die bijna net zo goed waren? Daar had iedereen een ander antwoord op. Sommigen zeiden dat het zijn 'blik' was — de manier waarop hij de dingen zag als ze op de film verschenen, met net een tikje meer oorspronkelijkheid, iets meer visuele belangstelling dan iemand anders ze zag. Anderen hadden het over de manier waarop hij met acteurs werkte en meer uit hen haalde dan ze zelf wisten dat ze hadden. Er waren mensen die beweerden dat het kwam door de ongeëvenaarde nieuwe manier waarop hij gebruik maakte van de belichting. Weer anderen waren vol lof over de manier waarop hij in telegramstijl in dertig seconden meer van een boodschap kon overbrengen dan andere regisseurs in een avondvullende film.

Nadat Daisy North en zijn produktieleidster goed had opgenomen, wendde ze zich tot Zip Simon.

'Neem me niet kwalijk, maar hebt u behalve het decor nog andere problemen?'

'Nee, alleen die ene kleinigheid,' zei Simon wrang. 'Maar wij kunnen niet voor morgen een decor laten bouwen, al zouden we de hele nacht kunnen doorwerken, en de auto gaat morgenochtend vroeg weg.'

'Ik kan het wel voor elkaar krijgen,' zei Daisy.

'Natuurlijk kun je dat. Twee minuten geleden wist je nog niet eens wat een storybord was, vriendin van Kiki.'

'Ik heet Daisy Valensky en ik ben het hoofd van Decorontwerp op de universiteit van Californië in Santa Cruz,' zei Daisy waardig. 'Ik heb een groep van veertig topwerkers en ik hoef maar even op te bellen en ze zijn over een uur hier. Ze werken de hele nacht.'

'Meent ze dat nou?' vroeg Simon aan Kiki.

'Natuurlijk! In godsnaam, het zijn vakmensen, Zip,' zei Kiki, met het onmiskenbare overwicht van de dochter van haar oude heer, een onbekende vermomming voor Daisy, maar een die Kiki altijd op het juiste moment wist aan te nemen.

'Nou, verdraaid nog toe, ga mee dan maar om even met North praten, Daisy. Het is waard om te proberen — op dit punt is alles waard om te proberen.' Zip Simon vond het allemaal zo walglijk, dat het hem niet eens meer kon schelen Frederick Gordon North met dit belachelijke idee onder ogen te komen. Er viel aan de hele zaak toch niets meer te bederven.

North en Bootsie zagen hem met diepe argwaan op hen

afkomen. Zip Simon, vice-president van de publiciteitsafdeling van United Motors onderhield zich niet ongedwongen met de regisseur van zijn reclamespotjes. En op een tijdstip als dit, vergezeld door twee hippie-meisjes, was hij bijzonder weinig welkom.

'North, dit is Kiki Kavanaugh, de dochter van mijn baas en jouw cliënt en haar vriendin, Daisy — eh — Valensky.'

North fronste zijn wenkbrauwen. Als er íets erger was dan een cliënt op de set te hebben, was het wel de dochter van de cliënt, en daarna kwam de vriendin van de dochter van de cliënt.

'Dag. Wij hebben vandaag helaas geen tijd om te kletsen. Tot genoegen.' Hij draaide zich om en liet hen met de indruk van volstrekte onverschilligheid en verbolgen blauwe ogen staan.

Daisy tikte op zijn arm. 'Meneer North, ik kan zorgen dat deze straat er morgen of eerder precies zo uitziet als u het wilt hebben.'

Hij draaide zich om en keek haar aan met een blik van ijzige ironie. 'Wie heeft je op de set toegelaten?'

'Luister,' zei Simon, 'dit meisje is hoofd van toneeldecors of zoiets op de academie van Kiki. Ze heeft duizend idioten die een decor voor je willen bouwen.'

'Kinderen?' vroeg North aan Daisy.

'Mensen. Prima mensen. Ze willen graag werken.'

'Het kan me niet schelen wie het zijn. Geloof je nu echt dat je ervoor kunt zorgen dat dit gebouw er voor morgenochtend acht uur precies zo uitziet als de buitenkant van Cannery Row vijftig jaar geleden?' Hij gebaarde vol weerzin naar de splinternieuwe baksteen, de glimmende verf en de grote, moderne ramen.

'We kunnen het in ieder geval proberen,' zei Daisy resoluut. Ze keek North zonder blikken of blozen aan. Hij had afschuwelijk rood haar, een vos van een man met een lange, spitse neus, een heleboel sproeten en blauwe ogen die haar zeiden, dat hoe vreselijk dit moment ook was, het onmogelijk in een fiasco kon eindigen. Er was niets onduidelijks of geruststellends in zijn schrandere trekken. Het was een ongecompliceerde man. Hij wendde zich tot Bootsie Jacobs en vroeg kalm: 'Wat vind jij?'

'Wij zouden ongeveer zestien vakbondsregels overtreden, die ik onmiddellijk kan bedenken, en nog eens zestien die nog niet bij me zijn opgekomen. Het gebruik maken van niet-aangesloten werkkrachten is nog het minste en daar krijg je al grote moeilijkheden mee. Hoe zou dat dan trouwens moeten? Het zou strikt op amateurs-basis moeten gaan. Ik geloof dat ik zelfmoord ga plegen,' zei Bootsie somber.

'Waarom kunnen we niet gewoon aan het werk gaan,' zei Daisy gretig.

'North,' zei Zip Simon boos, 'je komt hier met lege handen. Nu heb je de kans om, voor ik de nieuwe Skyhawk morgen op het vliegtuig zet, iets op film te krijgen. Het kan me niet schelen of je dat rotding nu ondersteboven, op zijn kant of hangend aan een boom opneemt — het is aan jou om iets te doen! Daar hebben we je voor gehuurd. Ik heb geen zin om naar Detroit terug te gaan en tegen mijn baas te moeten zeggen, dat de locatie "toevallig" net wordt gerenoveerd en wij daar helemaal niets aan konden doen. Juffrouw Kavanaugh zegt, dat deze jongedame kan helpen — laat haar dan haar gang gaan! Tenzij je natuurlijk een beter idee hebt.' Zijn kale hoofd was bijna paars geworden van ergernis.

Bootsie wierp even een blik naar North. 'Ga je mensen maar halen,' zei ze tegen Daisy. Als Zip Simon moeilijkheden verwachtte als zij die film niet kregen, wat dacht hij dan wat er met háár gebeurde, als zij niet zorgde dat die opnamen doorgingen? Ze had die lui van het agentschap eindeloos aan het hoofd gezeurd haar op de automobielfabriek een Cannery Row te laten bouwen om moeilijkheden te voorkomen. Maar nee, het moest met alle geweld echt zijn en het model werd het hele land doorgevlogen om in historische straten te worden gefilmd. Wat een doodbanaal idee — maar hoeveel cliënten lieten tegenwoordig nog spots van zestig seconden maken? En nu kwam die bazige dochter van de cliënt hier met haar praktische voorstellen. Nou, als dit experiment mislukte, was het dan niet gedeeltelijk de schuld van de dochter van de cliënt in plaats van alleen de hare? En wie weet, met de juiste belichting en de juiste filters en een stevige bries . . . wie weet?

Daisy was al onderweg naar de telefoon.

Santa Cruz had geen voetbalelftal, maar het had een fantastische drama-afdeling. En, zoals Daisy heel goed wist, hadden ze achterschermen en rekwisieten en allerlei andere benodigdheden in voorraad van vroegere voorstellingen van *Camino Real* en *Tramlijn Begeerte* en *Het versteende woud.* Ze droeg haar mensen op alles mee te brengen, of ze het nu dachten nodig te hebben of niet, en met spoed. Ze liet de hele ploeg komen, niet alleen de decorschilders, timmerlieden en rekwisiteurs, maar ook de toneelknechten, de belichtingsmensen en zelfs de kostuum- en make-upploegen. Zij konden allemaal meehelpen, Kiki inbegrepen.

Zij zwermden beladen met alle spullen die in de opslagruimte lagen opgeborgen, inclusief verf en gereedschap over de locatie uit, om vol geestdrift de hand te slaan aan een levensechte reclameboodschap voor de televisie, alsof ze nog nooit minachtend op het hele medium hadden neergekeken.

Anderhalf uur na Daisy's telefoontje meldden zij zich bij hun chef, gereed om de hele nacht te werken. De artistiekdirecteur van het reclame-agentschap overhandigde Daisy de foto's van de afgebroken locatie, en zij snauwde haar bevelen en ontplooide al haar krachten gedurende de lange uren voor zonsopgang. Zip Simon, de art-director en Bootsie bleven de hele nacht op om te kijken, terwijl de overige medewerkers in slaap sukkelden. North ging ijskoud naar zijn hotel om te eten en van zijn nachtrust te genieten. De dienst voor de voedselvoorziening was de hele nacht in touw, en tegen het ochtendkrieken was het decor gereed. Een Monterey, dat al lang geleden was verdwenen, was opnieuw tevoorschijn gekomen, zij het niet tot in alle details waarheidsgetrouw, en riep het tijdperk en de sfeer van de oude foto's op. Het was niet al te solide gebouwd en een sterke windvlaag had het omver kunnen blazen — maar op de een of andere manier was het er. Het was bruikbaar.

Uitgeput, maar té verheugd over haar succes en intussen te geïnteresseerd geraakt in wat er gebeurde om weg te gaan, bleef Daisy er tijdens de hele opname bij, zonder veel te begrijpen van wat er gebeurde. Het verschilde net zoveel van een toneelproduktie als een toneelproduktie van een basketballspel. Ze zag hoe het koffie drinkende stelletje ongeregeld van gisteren een eenheid werd, zoals ze nog nooit had gezien. Innig met elkaar verbonden als leden van een primitieve stam, die samenwerkten met de precisie die alleen enorme discipline kan bewerkstelligen, met een nog grotere vakbekwaamheid dan ze zich van technici had kunnen voorstellen. Het waren allemaal satellieten van North die de set beheerste door de dwang van hypnotische kracht, en zijn genoegen en ongenoegen liet blijken terwijl hij met de acteurs repeteerde, steeds vergezeld van opmerkingen tegen een meisje dat, schijnbaar geketend aan een grote stopwatch die om haar hals hing, op een kist zat.

'Wij hebben hier vier seconden,' zei hij tegen haar. 'Hoeveel heb ik er gebruikt?'

'Drieëneenhalf.'

'Geef een gil als ik er vier heb.'

Hij wees naar het modern geklede paar dat op het punt stond in de nieuwe Skyhawk te stappen en zei tegen hen: 'Nu is de bedoeling, dat je haar naar huis brengt en haar een beurt geeft — ik ben zelf sinds 1965 niet meer uit geweest, maar vergis ik me in de bedoeling hier?' Het was misschien een ongewone aanwijzing, maar de acteurs veranderden op slag in een verliefd paar, hoewel het daarnet nog alleen maar een paar was geweest.

Daisy had verwacht dat de ploeg het na de lunch wat kalmer aan zou doen, omdat ze zo lang als het nodig was over het oude model Skyhawk konden beschikken, maar het tijdschema bleef even strak als tevoren. Tijd is altijd de vijand bij het filmen van reclamespots — er is altijd tijd tekort, en North en Bootsie moesten 's middags weer in New York terug zijn voor een vergadering met een andere cliënt.

Tenslotte zei North rustig: 'Mooi, inpakken maar,' en de technici begonnen hun instrumenten af te breken, de modellen verdwenen met hun helpers in de autobus en de grote lampen, camera's, geluidsinstallatie en andere benodigdheden van het vak werden snel in de vrachtwagen opgeborgen. Het leek op het afbreken van een circus, en Daisy voelde zich treurig worden toen alles weer zijn gewone gangetje ging, na de koortsachtige opwinding van daarvoor.

'Hé, ze gaan weg zonder goeiendag te zeggen,' zei Kiki verbaasd.

'Nee, ze komen hierheen,' zei Daisy. 'Ze kunnen toch niet weggaan zonder te bedanken!'

North en Bootsie kwamen bijna op een holletje naar de twee meisjes toe.

'Zorg ervoor dat het decor wordt afgebroken en alles er weer net zo uitziet als het was,' commandeerde North.

'Ja — eh — natuurlijk,' zei Daisy.

'Sorry, hoor, maar we moeten een vliegtuig halen,' zei Bootsie snel. 'Jullie waren geweldig. Je zou een fantastische produktie-assistent zijn, Daisy, als je ooit een baan nodig hebt.'

'Bedankt — maar, nee, dank je,' antwoordde Daisy.'

'Vooruit, Boot, we hebben geen tijd om te kletsen,' snauwde North ongeduldig. 'Tot ziens, dames.' Hij nam Bootsie bij de arm en draaide haar om naar de wachtende auto. Onder het wegrijden zei Bootsie: 'Je had wel een beetje aardiger tegen ze kunnen zijn — ze hebben enorm geholpen, verdomd nog toe!'

'Als jij je werk gedaan had, waren ze niet nodig geweest,' antwoordde North afwezig.

Niemand, maar dan ook niemand maakt indruk op hem, tenzij ze hem bij zijn verrekte parade in de weg staan, dacht Bootsie verbolgen, en . . . kijk dan maar uit!

Vier maanden later, in februari 1971, nog maar vier maanden voor ze afgestudeerd was, ontving Daisy een brief van Anabel.

Lieve Daisy,
Is het niet ontzettend! Ik ben zo diep geschokt door het nieuws. Eerlijk, ik kan me heel goed voorstellen hoe de minister van luchtvaart zich voelde toen hij de vorige week in het parlement zei: 'in mijn afschuwelijkste dromen of nachtmerries had ik niet kunnen dromen, dat het zó erg was.' Ik kan me ook voorstellen hoe jij je voelt — Rolls-Royce failliet! Het lijkt eenvoudigweg onmogelijk — nog maar drie maanden geleden heeft de regering gezegd, dat zij grote bedragen in de onderneming zouden stoppen — maar toen zij inzage in de boeken kregen!! Ik ben natuurlijk alles kwijt — zo'n financiële idioot als ik ben — maar ik neem aan, dat Ram jouw geld al lang veilig heeft gesteld. Ik vind het vervelend om te zeggen, maar toen hij me zei dat ik moest verkopen, vond ik dat hij te jong was om de beleggingen van Stash te veranderen, maar het heeft geen zin om daar aan te denken. Weet je waar hij je geld in heeft belegd? Ik vind het afschuwelijk zulke dingen te vragen, maar lieve Daisy, daar is een reden voor. Hoewel je vader en ik nooit zijn getrouwd, achtte ik mij voor Daniëlle's onderhoud verantwoordelijk, en sinds zijn dood heb ik uit het inkomen van de aandelen die hij me heeft nagelaten haar rekeningen betaald. Toen de aandelen waardeloos werden, ben ik naar Ram gegaan. Ik weet wat je denkt, Daisy, maar het was het enige wat ik doen kon. Ik moest het hem zeggen . . . ze is tenslotte ook zijn halfzuster. Het was bijna onmogelijk hem ervan te overtuigen dat ze bestond. En toen weigerde hij iets te doen! Hij zei, dat

als Stash het nooit nodig had gevonden hem met Dani lastig te vallen, hij blijkbäar niet wilde dat hij iets van haar wist . . . Hij zei zelfs dat voor zover hem betrof, zij eenvoudig geen werkelijkheid was. Hij was niet verantwoordelijk voor haar. En hij zwemt in het geld . . . hij zwemt er eenvoudig in! Hij weigerde beslist ook maar een kwartje aan haar schoolrekeningen bij te dragen. Vergeef me, dat ik het hem heb verteld, Daisy, maar ik was ervan overtuigd dat hij zou helpen, sufferd die ik was. Ik had kunnen weten hoe hij zou reageren, maar ik moest het toch proberen.

In ieder geval zal ik zwaar moeten besnoeien. Ik verkoop Eaton Square en ga permanent op La Marée wonen. Met de paar beleggingen die ik nog over heb en de verkoop van mijn schilderijen en de Fabergé-dierfiguurtjes is er nog wel een appeltje voor de dorst over, zodat ik in iets veiligs kan beleggen om de rest van mijn leven van rond te komen. Een bescheiden inkomen zou al genoeg zijn, vooral als een paar van mijn vrienden die hier altijd kwamen logeren hier als betalende gasten zouden willen komen. Enfin, lieverd, de volgende zomer zal het leren.

Het probleem is niet wat er van mij terecht komt — ik speel het op de een of andere manier natuurlijk wel klaar — maar wat gebeurt er met Daniëlle?

Ik heb van de school hun driemaandelijkse rekening ontvangen voor een bedrag van bijna vijfduizend dollar en ik merk, dat ik dat geld eenvoudig niet bij elkaar kan krijgen. Ik kan het gewoon niet geloven! Het is niet meer dan ik zonder er over na te denken aan ondergoed uitgaf. Zo worden we voor onze ijdelheid gestraft. Maar, o, het was fantástisch zo lang als het duurde. Laten we dat nooit vergeten.

Maar nu terzake. Kun jij de rekening van de Queen Anne-school gedeeltelijk — of liever helemaal — overnemen? Ik hoop maar, dat Ram verstandig voor je heeft belegd! Maar genoeg hierover. Ik heb nog nooit van mijn leven zo lang over geld gedacht of erover geschreven. Het begint me bijna te duizelen — ik begrijp niet dat mensen bankier kunnen worden. En dan te bedenken, dat ik nog een hele middag met een makelaar over Eaton Square moet praten! Ik merk dat ik het niet zo erg vind dit huis te verkopen als ik had gedacht — het idee om het hele jaar op La Marée te wonen trekt mij wel aan. Je komt met de paasvakantie zeker weer logeren, hè, lieverd? Misschien staan alle appelbomen weer in bloei, net als verleden jaar . . . maar toen was het wel erg vroeg voorjaar.

Heel veel liefs, als altijd. Je t'embrasse très fort!

Anabel

Daisy las de brief driemaal over voor zij hem helemaal begreep. Ze had weken lang niet de moeite genomen een krant in te kijken, en dit was voor het eerst dat ze over het faillissement van Rolls-Royce hoorde. Ram had in de brieven die ze had gelezen voor ze was begonnen ze weg te gooien nooit meer voorgesteld dat ze haar aandelen verkocht. Maar ze had altijd aangenomen dat ze min of meer bezat wat de aandelen vlak na de dood van haar vader waard waren geweest, toen het ruw geschat tien miljoen dollar had bedragen.

Daisy besefte tot haar verwondering dat ze geen flauw idee had waar haar geld was. Al had ze het contact met Ram verbroken, ze was financieel in zijn macht gebleven. Wat had hij in de brieven die zij te weerzinwekkend had gevonden om open te maken, geschreven?

Daisy ging naar haar bureau en schreef Ram een kort briefje met het verzoek om een volledig overzicht van haar financiële toestand. Ze schreef daarna een veel langere brief aan Anabel; hoe ongelukkig ze was over de veranderingen die Anabel in haar leven moest aanbrengen, maar met de verzekering dat ze zich geen zorgen over de toekomstige uitgaven van Daniëlle hoefde te maken. Van nu af aan, schreef Daisy, zou zij voor haar zuster verantwoordelijk zijn. Er was geen sprake van dat Anabel om Dani krom zou liggen — ze was al zo ontzettend edelmoedig geweest. Ze had geen idee, waar het geld voor Dani's rekeningen vandaan kwam, anders had ze die al lang geleden overgenomen. En ze begreep natuurlijk wel waarom Anabel het aan Ram had verteld. Wat La Marée met Pasen betrof, ze wilde zich dat niet laten ontgaan.

Daisy voelde een knagende onrust terwijl ze op Rams antwoord wachtte, maar ze zette het van zich af en begroef zich in haar werk. Vijf dagen later ontving ze een fataal telegram.

HEB VORIG JAAR DRIEMAAL GESCHREVEN OM TOESTEMMING JE AANDELEN TE VERKOPEN; KREEG GEEN ANTWOORD DUS NAM AAN DAT JE WILDE VASTHOUDEN; FIRMA IS NU HELAAS GENATIONALISEERD; AANDELEN WAARDELOOS TENZIJ REGERING VERGOEDT MAAR TWIJFELACHTIG OMDAT JE GEWONE EN GEEN PREFERENTE AANDELEN HAD. HEB DE LAATSTE VEERTIEN MAANDEN UIT PERSOONLIJKE INKOMEN GELD VOORGESCHOTEN VOOR AL JE ONKOSTEN SINDS ROLLS-ROYCE INKOMEN ONVOLDOENDE. HEB VOORNEMEN JE TE BLIJVEN ONDERHOUDEN. ACHT DIT BEHOORLIJK MET OOG OP ONZE VERHOUDING. RAM.

Daisy liet het telegram op de grond vallen en vloog naar de gemeenschappelijke badkamer. Ze had het gevoel alsof iemand haar in haar slaap had overvallen en haar keihard op het hoofd had geslagen. Ze kon net op tijd een wc bereiken voor ze begon over te geven. Ze omarmde de koude pot alsof het haar laatste toevlucht op aarde was. Na nog een paar maal te hebben gekokhalsd bleef ze geknield in het toilet liggen, waar gelukkig geen studenten waren, zich aan het vriendelijke porselein vastklemmend. Ze voelde, dat er nog een onuitgespuwde prop achter in haar keel zat, een stevige bal van walging en paniek, als een monsterlijk embryo dat in haar ademhalingskanaal bleef steken zoals in een baarmoeder. Haar pijnlijke maagspieren trokken zich weer samen maar konden de prop niet kwijtraken. Het gevoel dat haar leven goed en veilig was, was in het dodelijke gas van Rams boodschap vervlogen. Ze had het gevoel, alsof ze heel diep in een of andere donkere put was gevallen, ondraaglijk treurig, vol gevaar en dreiging en vrees voor het onbekende. De put waar ze zo lang in had geleefd toen haar moeder was verdwenen, nadat Dani van haar was afgepakt, toen haar vader was gestorven — al die grote, plotselinge verliezen in haar leven leken in het nieuws dat ze zojuist had ontvangen weer te zijn geconcentreerd. Alle overwinningen die ze had behaald, al haar koppige weigeringen om overheerst te worden, kwamen haar hol en goedkoop voor nu ze wist dat Ram haar alles had gegeven, waarvan zij dacht dat ze het met haar eigen geld had betaald. Ze stond nu bij hem in de schuld, God helpe haar, en haar aandelen waren waardeloos. Waarom had hij ze niet gewoon zonder haar toestemming verkocht? Als haar beheerder had hij dat kunnen doen en hij moest hebben geweten wat er met Rolls-Royce aan de hand was. Was het mogelijk, dat hij dit expres had laten gebeuren, om haar in de positie te brengen waar ze nu in zat? Ze zou het nooit weten, begreep Daisy, en het deed er ook eigenlijk niet toe. Ze moest zich op de een of andere manier redden. Met deze gedachte begon haar strijdlust weer terug te keren. Ze stond op, haar vlees en botten deden zo zeer alsof ze ruzie met elkaar hadden, en ging naar een wasbak om haar tanden te poetsen en koud water over haar gezicht te plenzen. Ze keek in de spiegel in haar ogen en dwong ze onverslaanbaar te zijn en dat waren ze ook. Ze liep het toilet uit en ging naar haar kamer om na te denken.

Het duurde nog vier maanden voor ze was afgestudeerd en de kans had om een baan te krijgen. Dat betekende, zei Daisy tegen zichzelf, dat ze dus niet zou afstuderen — ze beschikte niet over de weelde van genoeg tijd. Ze had maar één enkele bezitting en dat was het lazuurstenen ei dat nog in het kistje onder in haar ladenkast zat, het ei dat Masja haar gegeven had toen ze zes jaar geleden op sterven lag. Het ei waarvan Masja had gezegd dat haar vader het aan haar moeder had gegeven, toen ze had ontdekt dat ze zwanger was. De tijd om het ei te verkopen was nu gekomen — ze kon er minstens een jaar onderhoud voor Daniëlle voor kopen.

Een baan. Ze wist genoeg van het theater af om te weten, dat ze zo goed als geen kans had om werk te vinden, behalve in een experimentele schouwburg die vrijwel niets zou betalen. De enige keer dat iemand de laatste vier jaar een andere vorm van werk had genoemd was toen die produktieleidster van reclamefilms, Bootsie dinges, tegen haar had gezegd dat ze een goede produktie-assistente zou zijn. Wat dat dan ook precies was, het moest vast beter betalen dan het theater. Ze zou de naam van die onderneming aan Kiki of aan die aardige dikke man, Zip Simon, vragen, die voor meneer Kavanaugh werkte, hoe-heet-ze opbellen en om een baan vragen. Wat heb ik te verliezen? dacht Daisy. Ze kan op zijn hoogst nee zeggen. En misschien zegt ze wel ja. Al zeiden ze dan nooit dank je wel.

Frederick Gordon North stond eenvoudig als North bekend, omdat hij zich niet bij een van zijn twee voornamen wilde laten noemen, hem opgedrongen door zijn ouders die trots waren op hun oude, welgestelde Connecticut families, en Fred, Freddy, Rick, Ricky en Gordy waren ook afgekeurd. Een bedeesde poging op Yale om hem Flash te dopen — dat het best bij hem had gepast — had maar één dag geduurd. Zijn ouders waren hem Frederick blijven noemen, maar zelfs voor zijn broers en zusters, die trouwens alleen maar de kans hadden die naam met Kerstmis en Thanksgiving te gebruiken, want zij waren een weinig familieziek gezin waarvan hij het minst familiezieke lid was, was hij North.

Hij was vrijwel vanaf zijn geboorte een eenzelvige figuur geweest, en was in al zijn jaren op Andover en Yale slechts minimaal te bewegen geweest aan de verplichte activiteiten buiten het gewone studieprogramma deel te nemen. Het enige waar hij zijn eenzame hart op had gezet om aan mee te doen was de Yale Academie voor Dramatische kunst. Zijn doel stond hem duidelijk voor ogen — hij wilde regisseren: Shakespeare, O'Neill, Ibsen en misschien zelfs iets van Tennessee Williams. Maar hij had zijn koers uitgezet zonder begrip voor zijn eigen innerlijke tempo. De voorbereiding van een theaterproduktie duurt maanden en de fel geconcentreerde aandachtsduur van North eiste snellere resultaten.

Kort na zijn studie kwam hij een doorgewinterde derderangs cameraman tegen die bereid was hem op proef te nemen als regisseur van een reclamespot met een budget dat zo laag was, dat de enige winst die er uitgewrongen kon worden, moest komen van het werken met niet bij de vakbond aangesloten acteurs tegen schertstarieven.

Van dit eerste filmpje, een dertig-seconden spot voor een reeks goedkope kledingzaken, kreeg North het net zo zwaar te pakken alsof hij de kans had gekregen om met lord Olivier in de Old Vic te werken. Hij had zijn métier gevonden, een kloppend medium dat met zijn eigen hartslag en zijn innerlijke visie overeenkwam. Nu hij wist wat hij werkelijk wilde, wierp de meedogenloze North zijn bagage van de grootste toneelschrijvers ter wereld overboord en zette rechtdoor koers naar Madison Avenue. Daar leerde hij vier jaar lang alle technische kneepjes aan de knie van Steve Elliott, de paus van de reclame-regisseurs, een vioolspelende slavendrijver en kunstzinnig mens, die samen met zijn broer Mike Elliott, Unger en Elliott had opgericht, een firma die later EUE/Filmjuwelen werd, tot op heden de reus van de reclamefilm-industrie.

Op zijn vijfentwintigste begon North voor zichzelf. Hij leefde het eerste halfjaar van geld dat hij had gespaard en zat ieder contact dat hij bij EUE had gemaakt net zo lang achter de broek tot hij een paar kleine opdrachten kreeg. Hij was pas dertig toen hij de top had bereikt. Toen Daisy voor hem kwam werken was ze net negentien en hij tweeëndertig; een irritante, chagrijnige, ongeduldige perfectionist met een uitzonderlijk talent en tegelijk een onverwachte charme, die hij voor de zeldzame gelegenheden bewaarde, waarop hij zich of hij wilde of niet met zijn belangrijkste cliënten moest onderhouden en de veelvuldige gelegenheden, waarop hij vrijwillig vleselijke gemeenschap had met een lange stoet mooie vrouwen. Hij was zo onverstandig geweest met twee van hen te trouwen, maar hij was in het huwelijk al net zo min een gezelligheidsmens gebleken als toen zijn vader had geprobeerd hem bij de padvinderij te krijgen. Tot zijn geluk waren er geen kinderen gekomen, zoals Arnie Greene hem iedere keer voorhield, als het weer tijd was om de alimentatie-cheques te tekenen. 'Je mag van geluk spreken, dat er tenminste geen kinderen zijn, die je moet onderhouden.'

Nadat Daisy zich ervan had overtuigd, dat ze met meneer Jones, de opzichter van het dak van het Empire State Building geen problemen meer zou krijgen, ging ze op weg naar de flat in Soho die ze samen met Kiki bewoonde.

Iets in de komst van de lente bracht haar in een stemming om aan het verleden terug te denken, die zelfs de rit in de ondergrondse niet kon verdrijven. Ze kon bijna niet geloven dat er al weer vier jaar verstreken waren sinds ze uit Santa Cruz was weggegaan.

Bootsie Jacobs had haar brief onmiddellijk beantwoord. Zij hadden niet alleen nog een produktie-assistent nodig, zij zaten er dringend om verlegen. Toen Daisy er achter kwam, wat er bij die baan kwam kijken, begreep ze dat hun personeelsgebrek blijvend en verdiend was ook, omdat maar weinig mensen het langer dan twee maanden in die ongelofelijk veeleisende, onderbetaalde baan uithielden. Maar ze had geen keus. Ze kreeg honderdvijfenzeventig dollar per week voor de baan buiten de vakbond om, waarin ze minstens twaalf uur per dag werkte, maar het was genoeg om van te leven en nog geld over te houden om Daniëlle's rekeningen te betalen, mits ze van praktisch niets leefde, een levensstijl waarin ze zo bedreven was geraakt, dat het bijna een kunstvorm was geworden. Natuurlijk had ze zonder de dertigduizend dollar die ze voor het lazuurstenen Fabergé-ei had ontvangen nooit al die rekeningen kunnen betalen tot ze naast haar baan een nieuwe bron van inkomsten aanboorde. Goddank dat er kinderen op pony's zijn, dacht Daisy.

Ze dacht er aan terug hoe het was begonnen. Jock Middleton die met haar vader polo had gespeeld, had een brief van Anabel ontvangen, waarin zij hem vroeg een oogje op Daisy in New York te houden. Hij nodigde haar uit voor een weekend bij zijn gezin in Far Hills, een deel van New Jersey van paardenliefhebbers, dat tot het blauwgrasland behoort. Daisy pakte haar rijkleding in, voor het geval zij een paard voor haar hadden, en ging de hele zaterdag gezellig met een stel kleinkinderen van Middleton rijden. Aan een uitgebreid diner had mevrouw Middleton haar 's avonds aan iedereen als prinses Daisy Valensky voorgesteld. Toen Daisy 's zondags een tekening had gemaakt van de oudste kleinzoon op zijn pony, bij wijze van bedankje, signeerde ze het zoals ze altijd haar werk gesigneerd had met een eenvoudig 'Daisy'.

Een paar weken later had ze een brief van mevrouw Middleton gekregen. De tekening had zoveel bewondering geoogst, dat ze zich afvroeg of prinses Daisy er iets voor voelde er een van Penny Davis, het tienjarige dochtertje van een buurvrouw van haar te maken. Mevrouw Davis was bereid vijfhonderd dollar voor een tekening te betalen of zeshonderdvijftig voor een aquarel. Mevrouw Middleton maakte duidelijk, dat ze het erg vervelend vond met de dochter van prins Stash Valensky over geld te spreken, maar mevrouw Davis had er op gestaan. Mevrouw Middleton vond het gênant een dergelijk zakelijk voorstel te doen, maar haar buurvrouw liet haar geen seconde met rust. Daisy hoefde alleen maar nee te zeggen en ze zou haar nooit meer lastig vallen.

Daisy vloog meteen naar de telefoon om het te accepteren, en wilde dat ze kon voorstellen het in olieverf te doen en honderd dollar meer te rekenen. Maar dat kon ze beter niet doen — ze had geen geld om olieverf en linnen te kopen.

Iedere behoorlijk opgeleide schilder die zijn vak verstaat moet een paard kunnen tekenen, maar er zijn een speciale vaardigheid en begrip voor nodig om de bewegingen, de houding, de anatomische verschillen en de kleurnuances zodanig weer te geven, dat het ene paard er heel anders uitziet dan het andere. Daisy had het grootste deel van haar leven getekend en paard gereden, en ook kinderen had ze getekend, bij duizenden, in al die jaren dat ze tekeningen voor Dani had gemaakt, en in Santa Cruz had ze zich speciaal toegelegd op het maken van portretten. Uit haar schets van de kleinzoon van Middleton sprak duidelijk een aangeboren flair die haar portretten van kinderen te paard de indruk van inleving en directheid gaven.

Toen ze bij de familie Davis aankwam, werd Daisy voorgesteld aan Penny Davis, die haar mooiste rijkleding al aan had. Daisy hoefde maar één blik op het strak vertrokken gezichtje met de angstige blik te werpen.

'Ik had gedacht om eerst gezamenlijk de lunch te gebruiken, prinses Valensky,' zei mevrouw Davis. 'En u moet wel rekenen op een cocktail als u terugkomt van de rit.'

'Dat is ontzettend attent van u, maar wat ik eigenlijk eerst zou willen doen is met Penny uit rijden gaan,' antwoordde Daisy. Ze was niet van plan te gaan werken met een model, dat niet alleen hopeloos verlegen was, maar haar portret voor geen prijs wilde laten schilderen.

'Maar de lunch dan?'

'Dat komt wel in orde. Penny, heb je geen zin om je spijkerbroek aan te trekken en mij de stal te laten zien?'

Toen het meisje terugkwam, zag ze er al wat minder ongelukkig uit en Daisy fluisterde tegen haar: 'Is er een MacDonald's in de buurt?' Penny keek even schichtig rond of haar moeder het niet hoorde en zei zacht, uit haar mondhoek: 'Het is maar acht kilometer hier vandaan als je dwars het land doorsteekt. Maar ik mag daar niet komen.'

'Maar ik wel, en ik nodig je uit. Kom, we gaan!' Het kleine meisje keek met grote ogen opgetogen naar Daisy.

'Ben jij echt een prinses?'

'Jazeker. Maar voor jou ben ik Daisy.'

'Gaan prinsessen graag naar MacDonald's?'

'Kóningen zelfs. Vooruit, Penny, ik snak naar een hamburger.'

Penny reed voorop over velden en hekken. Onder het verorberen van dubbele hamburgers ontdekte Daisy na tien minuten, dat Penny portretten stom vond. Erger nog, wie wilde er nu haar hele verdere leven een portret van zichzelf met een beugel aan om zich heen?

'Penny, ik beloof je dat ik je beugel niet zal schilderen, op mijn erewoord. Als je dat wilt, zal ik je zelfs schilderen zoals je eruit ziet als je hem niet meer draagt — met een fantastische glimlach. Maar je moet het zo bekijken: een ruiterportret is evengoed een portret van het paard als van degene die er op zit. Over een paar jaar zul je Pinto toch moeten verkopen als je zo doorgroeit en dan heb je altijd een portret van haar ter herinnering. Zeg, eet je niet nog een hamburger? Ik neem er nog een. Mooi zo — ik zal vragen of ze ons er nog wat saus bij willen geven.'

'Thuis eten ze nu forel in gelei voor de lunch.'

'Zo, zo! Wat zou er dan wel voor het diner zijn?'

'Gegrilde eend — het wordt een ontzettend uitgebreide toestand — ze heeft praktisch iedereen die we kennen uitgenodigd.'

'Nu, ja,' zei Daisy filosofisch, 'eend is beter dan forel.'

Die middag, terwijl het jonge meisje ontspannen en bereidwillig poseerde, maakte Daisy tientallen schetsen om de natuurlijke, spontane bewegingen en karakteristieke uitdrukkingen van Penny Davis vast te leggen. Ze nam ook een aantal foto's met de Polaroid die ze uit de studio had geleend, om dienst te doen als geheugensteun voor de aquarel die ze thuis wilde voltooien. Ze was blij met de anatomielessen die ze had genomen, toen ze zorgvuldig de handen van Penny tekende die de teugels vasthielden; en ze was ook blij met de natuurlijke beperkingen van een ruiterportret, omdat het een al te grote verscheidenheid in pose of houding uitschakelde. Ze schetste luchtig, zonder enige strakheid of stijfheid, niet strevend naar perfectie, maar naar een gevoel van het kind in relatie met haar pony.

Toen Daisy de volgende zondag van het landgoed van de familie Davis door hun chauffeur naar huis terug werd gebracht, zat ze te dubben over het feit dat mevrouw Davis, net als mevrouw Middleton, haar de vorige avond aan het grote, officiële diner plechtig en gewichtig had voorgesteld als prinses Daisy Valensky. Na haar vier jaar in Santa Cruz als Valensky was Daisy bijna vergeten dat ze een titel had. Het was blijkbaar een zakelijk voordeel — in paardenland tenminste. Omdat het schilderen van kinderen op pony's waarschijnlijk de zakelijkste manier was om haar talenten uit te buiten, besloot Daisy knarsetandend uit die prinsesserol elk dubbeltje te wringen dat ze er maar uit kon halen. Toen ze klaar was met de aquarel van Penny Davis, zette ze er in zorgvuldige, duidelijke letters onder: 'Prinses Daisy Valensky'. Dat betekende zeshonderdvijftig dollar voor Daniëlle.

Na de tekening voor Middleton en de opdracht van Davis, ontving Daisy langzamerhand door mond-tot-mond reclame opdrachten om andere kinderen op pony's te schilderen. Haar prijzen gingen gestadig omhoog. Nu, nog geen vier jaar later, kon Daisy vijfentwintighonderd dollar voor een aquarel vragen en die kreeg ze ook. Deze opdrachten die net waren beginnen te komen voor het geld van het Fabergé-ei opraakte, betekenden het verschil tussen Daniëlle kunnen onderhouden, of gedwongen te zijn op een of andere manier te trachten Ram ertoe te krijgen te betalen. Daisy had nooit aan Anabel verteld waar haar geld vandaan kwam, omdat ze niet wilde dat zij wist, dat ze na het faillissement van Rolls-Royce zonder geld was achtergebleven. Daisy vertelde ook niemand in de studio, waarom ze in het weekend zo vaak naar Upperville, Virginia; Unionville, Pensylvania; en landgoederen bij Keeneland, Kentucky, vloog. Ze wist dat zij haar als een volwaardig lid van die kringen van paardenliefhebbers beschouwden, maar zolang ze haar werk deed, vond ze niet dat het ze iets aanging wat ze in haar eigen tijd deed. Kiki zag haar natuurlijk wel avond in, avond uit bezig haar aquarellen af te maken en wist van haar werk af. In bepaalde kringen was een portret van zijn kind op een pony door prinses Daisy Valensky snel bezig een statussymbool te worden.

Toen Daisy uit Santa Cruz weg moest om een baan te zoeken, had ze Kiki eindelijk over Daniëlle verteld. Er was geen enkele andere manier om te verklaren dat ze slechts vier maanden voor het eind van haar studie de academie verliet, behalve door de waarheid te vertellen — of een gedeelte ervan.

Ze dacht weer terug aan die keer toen ze het vreemde, treurige verhaal had verteld, en aan al die verschillende uitdrukkingen die over het geestige, ondeugende gezichtje van Kiki waren gevlogen; ongeloof, verbazing, medeleven, verontwaardiging en verwondering volgden elkaar in snel tempo op.

'Maar waaróm wil Ram Daniëlle dan niet onderhouden?'

'Om mij op die manier te pakken. Wij hebben een ernstig, blijvend meningsverschil over een familie-aangelegenheid gehad en dat is nooit meer goed te maken. Geloof me, het is afgelopen. Hij beschouwt Dani overigens toch niet als zijn zuster — hij heeft haar zelfs nog nooit ontmoet. Het is uitgesloten.'

'Waarom wil je dan niet dat ik je help?' vroeg Kiki, gewaarschuwd door de toon van Daisy's stem, haar neus niet in de familieruzie te steken.

'Ik wist wel dat je daarover zou beginnen. In de eerste plaats moet ik het alléén doen, omdat het iets van blijvende aard is. Zelfs jij, al ben je nog zo edelmoedig, kunt niet voor onbepaalde tijd de zorg voor Dani op je schouders nemen. Maar ik ben niet te trots om een paar honderd dollar te lenen tot ik mijn volgende salaris krijg.'

Kiki's laatste reactie had ze niet verwacht. 'Dan ga ik ook van de academie af — wij gaan samen,' verklaarde ze, toen

Daisy haar er eindelijk van had weten te overtuigen dat ze niet wilde hebben dat Kiki Dani permanent onderhield.

'Helemaal niet. Geen sprake van. Daar komt niets van in! Ik ben niet van plan er de oorzaak van te zijn dat jij nergens een diploma van krijgt. Dat zou je moeder me nooit vergeven. Maar ik zal ergens een appartement huren dat groot genoeg is voor ons beiden, en zodra je afstudeert zal ik met open armen en de helft van de rekening voor de huur — met terugwerkende kracht — op je wachten. Afgesproken?'

'Godsamme, wat ben jij eigenwijs,' klaagde Kiki. 'Mag ik dan soms voor de meubels betalen?'

'De helft.'

'Ze komen zeker van het Leger des Heils.'

'Tenzij je je moeder zo gek krijgt ons wat spullen te sturen die ze kan missen — iemand die ieder jaar haar huis opnieuw inricht moet dingen over hebben. Het gaat er om, dat we wel giften van díngen accepteren, net als iedere andere verdienstelijke organisatie, maar we nemen geen geld aan — want dat geeft mensen het recht ons te vertellen wat we moeten doen. Snap je wel?'

'Mogen we met Kerstmis en voor verjaardagen wel geld aannemen?' vroeg Kiki weemoedig.

'Ja zeker wel. En wij gaan nooit met iemand uit die ons eten niet betaalt. Niks voor eigen rekening. Wij halen samen de jaren vijftig weer terug.'

Daisy klom de trap op naar hun appartement op de derde verdieping van een haveloos gebouw op de hoek van Prince en Greene Street, en snoof de doordringende lucht van vers gebakken brood op. Kaneelbroodjes vandaag, stelde ze vast. Soho was vijftien jaar geleden nog tot de commerciële afbraakbuurt nummer een van de stad verklaard, maar was nu de bruisende, zelfbewuste, belangrijke voorpost van de kunstenaarswereld. Een omhooggeschoten stad voor artiesten, waar de laatste mode overalls met verfvlekken voorschreef, al had je nog nooit een verfkwast in je handen gehad, zoals Kiki minachtend opmerkte.

Maar Kiki was er dan ook eindelijk achter gekomen, hoe ze haar probleem om zich voor iedere gelegenheid op de juiste manier te kleden moest oplossen. Dankzij de tijdige dood van haar grootmoeder, was ze rijk genoeg van zichzelf om de eigenares, produktieleidster en permanente hoofdrolspeelster van haar eigen experimentele avantgardetheater, het Hash House te worden. Kiki had zichzelf in het laatste stuk dat ze op het toneel had gebracht en dat volle zalen trok, de rol van de vertrouwelinge van de hoofdrolspeler toebedeeld en wandelde de laatste weken rond in een combinatie van lavendelkleurig, nauwsluitend tricot, een roze maillot, paarse suède laarsjes en een lila veren boa, wat haar alles bij elkaar prachtig stond.

Daisy deed de deur open en keek rond. Er was niemand thuis. Dat betekende dat Kiki blijkbaar nog in het theater was, en dat Theseus bij haar was. Hij vond het niet erg de hele dag aan Kiki's voeten op een kussen te liggen of achter haar aan door het theater te lopen. Hij was helemaal gelukkig als Daisy thuiskwam, maar ze kon onmogelijk een stropershond meenemen naar de set. De tafel van de cantinehouder zou al leeggeroofd zijn voor de eerste slaperige figurant om een kaasbroodje vroeg.

Daisy liet zich met een zucht van verlichting op de laatste bruin satijnen en behaaglijk zwaar opgevulde bank vallen, die kort geleden van Kiki's moeder was gekomen. Iedere keer als ze hen een nieuwe zending stuurde, verkochten zij hun oude meubilair. Eleanor Kavanaugh vond het eigenaardig, dat zij zulke enorme hoeveelheden voorwerpen konden gebruiken, maar ze zei, afkeurend snuivend, dat Kiki ze wel voor dát theater nodig zou hebben... Goddank dat grootmoeder Lewis niet lang genoeg had geleefd om te weten wat er met haar geld was gebeurd. Hoewel er als ze wel lang genoeg had geleefd, natuurlijk niet al die — enfin, bespaar haar al die afschuwelijke bijzonderheden.

'In werkelijkheid vindt ze het prachtig,' verklaarde Kiki. 'Ik weet dat ze op de sociëteit over me opschept — ze zegt dat ik een beschermvrouw van de kunst ben.'

Daisy richtte zich even uit haar gemakkelijke houding op de bank op om haar baseballjack uit te trekken, dat ze meteen nadat ze als produktie-assistente voor North was gaan werken had gekocht. Ze was die eerste ochtend verschenen in haar nieuwste, keurig gestreken spijkerbroek, haar beste beige coltrui en een geruit rijjasje, dat jaren geleden in Londen voor haar op maat was gemaakt.

'Nee!' siste Bootsie, toen ze Daisy binnen zag komen.

'Wat is er?' vroeg Daisy verschrikt.

'Allemachtig — moet je er echt zo duur uitzien?'

'Maar het is mijn oudste jasje.'

'Dat is het nu juist, suffie. Het ruikt naar dat lekkere, groene spul. En naast je werk moet je zoveel mogelijk aanpappen met de troep, zodat ze je alles vertellen wat je weten moet, iets waar ik absoluut geen tijd voor heb. Je moet ze van de ochtend tot de avond van alles en nog wat vragen en je bent afhankelijk van hun goede wil. Ze eten uit je hand als ze denken dat je hulp nodig hebt, maar je ziet er helemaal niet uit als een werkend meisje dat een baantje moet hebben. Dat jasje zegt, dat je paard rijdt, dat je al jaren paard rijdt, dat je ergens betere rijkleding hebt en dat je die waarschijnlijk nog draagt. En dat zien ze. Dus weg ermee!'

'Maar jij ziet er ook heel chic en verzorgd uit,' wierp Daisy tegen.

'Ik ben de produktieleidster, kindje. Ik kan aantrekken wat ik wil.'

Nu Daisy de baan van Bootsie had, die vierhonderd dollar per week betaalde, droeg ze nog steeds af en toe het baseballjack. Het deed haar aan die eerste krankzinnige, paniekerige maanden denken, waarin ze, precies zoals Bootsie had voorspeld, van jong naar oud stuntelde. Van de geluidsman naar de assistent-cameraman, van de kapper naar de decorontwerper, van de rekwisiteur naar de scenario-opzichter, om hen, wat ze nu besefte, ongelofelijk domme vragen te stellen en alle antwoorden in een klein opschrijfboekje te noteren. Alleen al dat jack had haar vrienden bezorgd, gesprekken uitgelokt en talloze malen de gelegenheid geboden tot wederzijds zwelgen in heimwee naar het verloren team. Het had gemaakt dat zij er bij hoorde in een tijd dat ze daar een wanhopige behoefte aan had.

Ze keek op haar horloge. Over een uur zou ze worden afgehaald om in La Grenouille te dineren, gevolgd door de première van de nieuwe musical in het Hal Prince-theater. Haar gastvrouw, mevrouw Hamilton Short, woonde op een groot landgoed in Middleburg en ze had drie kinderen; ze had Daisy niet gevraagd een van de drie te schilderen . . . nog niet. Tijd voor Assepoester, dacht ze en stond met tegenzin op om naar haar kamer te gaan en te beginnen aan de gedaanteverwisseling van iemand die zich afbeult tot prinses, of liever gezegd, van iemand die zich afbeult tot iemand die zich afbeult, als de waarheid aan het licht kwam.

Ram was dertig. Zijn naam verscheen veelvuldig in de suikerzoete kolommen over de betere kringen die Jennifer voor het tijdschrift Harper's and Queen schreef, waarin zij hem altijd aanduidde als 'de opvallend knappe en buitengewoon charmante prins George Edward Woodhill Valensky'. Hij kwam ook vaak voor in de opzettelijk hatelijke kolom van Nigel Dempster in de Daily Mail, waar hij soms 'naar wij hopen de laatste uit het geslacht der Wit-Russen' werd genoemd, hoewel Ram zich expres nooit bij de Monarchistische Liga onder leiding van de markies van Bristol had aangesloten. Hij had geen belang bij een groep die hij in wezen onbeduidend vond, en hij had er ook geen behoefte aan met aartshertogen in ballingschap om te gaan, die zelfs als ze nog familie van hem waren, vrijwel zeker armlastig zouden blijken te zijn. Door zijn zakeninstinct had hij zijn vermogen vele malen weten te vermenigvuldigen. Ram was volledig vennoot in een beleggingsmaatschappij, Lion Management Ltd., dat met indrukwekkend succes toezicht hield op de belegging van grote geldsommen uit de pensioenfondsen van vakbonden en handelsondernemingen in zeer fantasierijke en winstgevende internationale investeringen.

Als hij zin had om een weekend op een van de landgoederen door te brengen, die in Engeland ondanks de belastingen nog steeds bestaan, hoefde Ram de telefoon maar op te nemen om een van de tientallen jonge lords op te bellen die hij op Eton had leren kennen. Een even groot aantal van de vurigste, begeerlijkste jonge mooie vrouwen van 1975 zouden hem maar al te graag in hun bed hebben uitgenodigd, want Ram behoorde tot die kleine groep rijke jonge mannen van goede afkomst, wier namen op alle lijsten van de meest gezochte vrijgezellen in Engeland prijken.

Zijn status in de Engelse maatschappij had echter niets met zijn geld of zijn titel uit te staan. Deze berustte op dat ene onontbeerlijke goed, waar hij zich in zijn jeugd nooit om had bekommerd — land. En dat land kwam via de familie van zijn moeder, de familie waar hij toen hij jong was nooit rekening mee had gehouden. Zijn moeder was het enige kind van een niet-adellijke familie, de Woodhills van Woodhill Manor in Devon. Rustige landheren die vanaf de tijd van voor de Normandische verovering altijd op één plek hadden gewoond en met landelijke zekerheid neerkeken op alle parvenu's, of het nu edellieden waren die pas in de achttiende eeuw tot graaf waren uitgeroepen, of gewone handelsmagnaten die door hun ondernemingen Engeland in het Victoriaanse tijdperk groot hadden gemaakt. In de ogen van de Woodhills waren het allemaal 'vreselijk nieuwbakken mensen'.

Ram ging iedere dag naar zijn kantoor in de City en werkte hard. Hij ging voor zijn noodzakelijke lichaamsbeweging te voet naar huis terug, verkleedde zich voor het diner, begaf zich naar het feestje dat die avond op het programma stond, dronk weinig, kwam niet al te laat thuis en ging naar bed. Hij nam niet vaak de telefoon op om een afspraak voor een weekend op het land te maken, en hij verzocht ook niet dikwijls om tot het bed van een jonge vrouw te worden toegelaten. Als hij dat al deed, vroeg hij het nooit een tweede keer, omdat hij niet wilde dat er lastige gevoelens groeiden, en hij geen valse verwachtingen wilde wekken. Als hij een kat had gehad, had hij hem getrapt.

Toen zijn dertigste verjaardag naderde, besloot Ram dat hij de gedachte in overweging moest nemen om met iemand te trouwen die geschikt voor hem was. Niet direct, maar na verloop van tijd. Op een avond, toen hij White's Club rondkeek, waar hij een zakenrelatie mee naartoe had genomen om te dineren, viel het hem op hoe de sfeer in de club verschilde van de gezellige drukte tijdens lunchtijd. Er waren maar een paar tafeltjes bezet, voornamelijk door oudere mannen alleen, die zich veel meer in hun wijn en hun eten verdiepten dan hem helemaal fatsoenlijk voorkwam. Dat vooruitzicht trok Ram niet zo aan. Hij begon de beschikbare oogst aan mogelijke echtgenotes in ogenschouw te nemen op die grondige, humorloze, praktische manier, die bij zijn uiterlijk voorkomen paste.

Ram wist heel goed, dat hij weliswaar een veel begeerde partij, maar niet geliefd was. Hij wist niet waarom en hij brak zich er ook het hoofd niet over. Sommige mensen besteedden hun tijd met zich geliefd te maken, anderen hadden wel iets beters te doen. Hij was echter wel een alom hooggeacht man en dat was het waar het naar zijn mening op aankwam.

Als er in Vogue of een van de andere Engelse, Franse en Amerikaanse bladen die af en toe een oogje op Daisy's weekendfeestjes in de paardenwereld hielden, een foto van haar verscheen, bekeek Ram ze met diepe afkeuring. Hij vond het walglijk dat ze een baan had bij North en op een terrein werkte, dat hij als smakeloos en ordinair beschouwde; en in haar sociale leven gaf ze geen enkel blijk van onderscheidingsvermogen. Als mensen die hij kende hem iets over haar vroeg, bracht hij ze duidelijk aan het verstand dat ze maar een half-zuster van hem was, zonder Engels bloed, en dat hij van haar privéleven niets afwist en dat het hem niets kon schelen ook. Als hij niet zijn dromen over Daisy had gehad, dromen van liefde; hopeloze, eindeloze, verterende, vernietigende, nooit afnemende liefde, die hem week in, week uit, jaar in, jaar uit, zonder ophouden kwelde, zou hij bijna zelf hebben geloofd wat hij zijn kennissen vertelde. Hij zou het liefst willen dat ze dood was!

Het komt zelden voor dat creatieve mensen die televisiespots maken de kans hebben de regels aan hun laars te lappen. Gewoonlijk zijn zij er vrijwel uitsluitend toe beperkt in een wereld te werken waarin beschimmeld drab het leven van een vrouw kan verpesten, terwijl tegelijkertijd smetteloos witte tanden haar liefde en geluk kunnen waarborgen; een wereld waarin de ochtend van haar man wordt vergald door een kopje slappe koffie, maar zijn mannelijkheid wordt versterkt door het merk bier dat hij drinkt. Zij wonen in een heelal, waarin dik, krullend haar 's levens grootste schat is en plakkerige oksels een voortdurend loerende dreiging zijn. Een gebied, waar vrienden er alleen zijn om kritische opmerkingen tegen te maken en de keuze tussen de ene tampon en de andere het verschil uitmaakt tussen een zorgeloos, sportief bestaan of voortdurend in angst zitten. Het is een onheilspellende wereld, waarin de enige ware hoop de juiste levensverzekering of een nieuw stel met staal versterkte radiaalbanden is. Een wereld van nooit eindigende lichamelijke inspanning, waarin alleraardigste vrouwen levenslang krijgen opgelegd, waarin ze vlekkeloze vloeren, kraakheldere toiletpotten en zelfs smetteloos wasgoed moeten produceren. Een wereld waarin mensen die ijzertabletten nodig hebben om hun levenslust terug te krijgen nog te jong lijken om te stemmen, en waarin het best voorziene medicijnkastje op zijn minst dat ene preparaat mist, dat hoofdpijn niet alleen draaglijk maar bijna tot een zege maakt. Als dit geen schrikwekkende wereld is, lopen er onrustbarend veel blakend gezonde mensen rond, die onwaarschijnlijk veel pret hebben in hele verre oorden; allemaal dank zij een after-shave lotion of de juiste mascara. In reclameland is het ook volkomen geoorloofd van dubbelzinnigheden gebruik te maken om aanstekers te verkopen — met 'Pik mijn Bic' zouden ze toch onmogelijk iets smerigs kunnen bedoelen? Maar in advertenties voor bustehouders mogen geen vrouwen voorkomen die bh's dragen, navels bestaan niet, en een zwangere vrouw mag niet de schijn wekken dat ze naar lichamelijk contact met een man verlangt, zelfs niet haar eigen man. Er bestaat zelfs een regel dat een vrouw voor de camera niet op haar eigen vinger mag sabbelen. Miauwende katten verkopen meer kattevoer dan enig andere reclamespot in de geschiedenis, en creatieve reclamemensen schrijven hun teksten in het koude zweet van angst en beven, niet wetend of een nieuw idee een held van ze zal maken of hun ontslag betekent. Nu tien-seconden spots hoe langer hoe meer in zwang kwamen, en onderzoek uitwees dat kijkers geen reclamefilmpjes onthouden die meer dan één boodschap bevatten en iedere seconde op de televisie honderdduizenden dollars kostte, werd de kans om kostbare fouten te maken steeds groter en nam de druk om geen risico te nemen steeds meer toe.

Luke Hammerstein had zijn bazen ertoe overgehaald met zijn intuïtie wat betreft de Coca-Cola kerstreclamespot in te stemmen en intuïtie kon rampzalig zijn. Als iemand ooit tegen Luke Hammerstein, toen hij nog een wilde, briljante student van de wilde, briljante School van Beeldende Kunsten in New York was, had gezegd dat hij later altijd zijn oorspronkelijkste ideeën naar Audience Survey, Inc. zou sturen om daar voor een zorgvuldig uitgezocht publiek te worden getest, voordat hij ze had uitgekozen om wel of niet te gebruiken, zou hij hem verontwaardigd hebben uitgelachen. Maar dat was in het begin van de jaren '60, toen veelbelovende jongens in Edwardiaanse kleding door de grote agentschappen werden aangetrokken en kersvers van school als assistent-kunstredakteur werden aangesteld. Veel andere veelbelovende jongeren hadden de jaren '70, waarin de portemonnaie strakker werd aangehaald en er minder vlot werd verkocht niet overleefd. Maar zoals Luke reeds lang van tevoren de verandering in de geest van reclamefilms had aan zien komen, had hij ook de dichterlijke overdrijving van zijn tooi ingeruild voor strenge maatkostuums met bijpassende vesten. Hij was degelijke blauwe overhemden met gesteven witte boorden en manchetten gaan dragen, en een dasspeld in zijn donkere effen das gaan steken en had het keurig geknipte Van Dyke baardje laten groeien, dat zijn esthetische trekken juist dat kleine beetje overwicht gaf. De voorname uitstraling van een jeugdige Oxfordprofessor was in de plaats gekomen van de manieren die hij in zijn jonge jaren had aangekweekt, naarmate hij in een verbazingwekkend tempo binnen tien jaar tot creatiefdirecteur was gepromoveerd, vijftig mensen onder zich had werken voor jaarlijks tachtig miljoen dollar opdrachten onder zijn leiding uitvoerden. Luke Hammerstein, de enige zoon van een conservatief Duits-joods bankiersgezin, was op Madison Avenue een zeer geslaagd man — al zou zijn moeder — die alle reclame overbodig en smakeloos vond — het nooit geloven.

Luke zat in het middelpunt van de creatieve revolutie toen de macht in de reclamebureaus overging van de mensen die de woorden schiepen naar de mensen die de beelden schiepen. Hij was naar een positie van enorme macht omhooggestegen, maar geen macht op Madison Avenue kan blijven bestaan zonder het produkt te verkopen. De kans om een reclamespot voor Coca-Cola te maken zonder het produkt te hoeven verkopen maakte Luke licht in het hoofd van pure vrijheid.

Toen Daisy, nadat alles voorbij was, nog eens terugkeek, kon ze niet zeggen wat voor haar het hoogtepunt van de hele onderneming was geweest. Was het haar handigheid om kinderen die er 'echt' uitzagen maar in werkelijkheid beroepsmodellen waren rollen te geven? Ze was met haar medewerkster Alix vier dagen bezig geweest díe ongelukkige kinderen uit te zoeken, die met hun werk als model op moesten houden. Dat kon zijn vanwege gebroken benen of het voortijdig uitbreken van jeugdpuistjes. Deze afgekeurde jongelui veroorzaakten op de set genoeg moeilijkheden om North ervan te overtuigen dat ze normaal waren. Maar zonder hun speciale beroepsopleiding had die scène van de opvoering van een kerstspel op een lagere school nooit gefilmd kunnen worden. Niet alleen niet in de zenuwslopende anderhalve dag die het uiteindelijk in beslag nam, maar zelfs niet in een week of misschien niet eens in een maand.

Of was het beste gedeelte, vroeg ze zich af, de voldoening dat ze Theseus de rol van de hond in de scène met de auto had gegeven? Omdat North een lastige hond wilde, vond Daisy dat er geen reden was, waarom ze het geld niet zelf zou verdienen dat anders naar een officieel hondemodel zou zijn gegaan. Dat kwam bij haar aandeel in twee maanden huur, en zoals altijd had ze na betaling van Dani's onkosten geen cent meer. Ze vroeg Kiki een dag als hondenoppasser te willen fungeren, met strenge instructies.

'Je moet hem steeds aan de lijn houden tot North een teken geeft, namelijk als de hele familie tenslotte in die auto zit gepropt — dan begint een van die kinderen te jengelen: "We hebben mijn hond vergeten." Dan laat je hem los.'

North monsterde Theseus uit de hoogte. 'Waar heb je dat beest vandaan gehaald, Daisy? Ik heb nog nooit zo'n hond als deze gezien.'

'Maak je geen zorgen, dit is precies de goede hond.'

'Maar ik wil een hond die lastig is, iets veel ruigers, meer een straathond,' klaagde hij.

'Deze hond is gegarandeerd lastig,' verzekerde Daisy hem, want ze had zorgvuldig stukjes vlees in alle zakken van de kleren van alle acteurs in de scène verstopt, kleren die ze had uitgezocht speciaal met het oog op het feit dat er zakken in zaten die konden worden dichtgeknoopt, zodat ze een volledig vertrouwen had in het optreden van Theseus.

Theseus liet haar niet in de steek. Iedere keer weer sprong hij in de volgepropte auto en wrong zich tussen de acht 'familie'leden door. Hij snuffelde met zijn neus in hun geheimste plekjes, kwispelde met zijn staart in hun verontwaardigde gezichten en aaide met zijn poten zonder plichtplegingen en buiten zichzelf van verwarring verliefd over hun gezichten. Overal rook hij vlees — maar waar was het nu? Na iedere opname kwam Kiki met een riem aanstuiven om hem weg te leiden en voerde hem een hondebrokje uit een grote zak die Daisy haar had gegeven, zodat Theseus niet al te erg werd geplaagd — net niet genoeg om zijn honger te stillen maar precies genoeg om hem naar meer te doen verlangen.

Toen de dag half om was zei North vol bewondering: 'Dat is het meest onhandelbare mormel dat ik ooit van mijn leven heb gezien. Hij drijft ze tegen de muur — prima, Alix, prima!' Natuurlijk, dacht Daisy, zal hij mij geen complimentje geven dat ik mijn eigen hond laat meedoen, de schoft! North was helemaal niet meer te houden, toen het model dat de moeder van het gezin speelde een sterke allergie tegen Theseus bleek te krijgen en achter elkaar moest niezen.

'Schrijf het er bij,' zei hij tegen de copywriter die er met zijn neus bijstond. En gedurende de volgende negenentwintig opnamen moest de vrouw zeggen: 'Je weet dat ik van die hond moet niezen!' en dan moest dat onmogelijke joch minachtend antwoorden: 'Ach, ma! Het is gewoon psychosomatisch!' Er was geen twijfel aan dat Theseus de ster was van de dertig seconden die iedereen 'Over de heuvel naar grootmoeders huisje' noemde.

Tegen de laatste dag van de opnamen, toen ze bij de scène van het optuigen van de kerstboom waren gekomen, was iedereen, ook de hongerige tobbers, door een vrolijke stemming aangestoken. Zij begonnen teksten en situaties te opperen die niet op het storybord stonden.

'Het begint hier op de Jiddische Schouwburg te lijken,' zei North. 'Wij hebben al genoeg problemen, jongens — alles gaat verkeerd, dat voorspel ik je, dus als ik om een beetje kalmte mag vragen?' Hij had een vooruitziende blik. Alles ging verkeerd. Er waren vijfenveertig opnamen nodig voor de lichttechnici kans zagen ervoor te zorgen dat, zodra de lichtjes van de kerstboom gingen branden, de rest van het licht op de set uitging, zonder dat daarbuiten ook alle zekeringen doorsloegen en de studio iedere keer in volslagen duisternis werd gehuld.

Lang nadat de Coca-Colaspot een Clio, de Oscar van de commerciële filmwereld had gewonnen, lang nadat hij de fel begeerde jaarlijkse onderscheiding van de New York Club van Artistiek-directeuren had gewonnen; lang nadat hij op reclamefilmfestivals over de hele wereld was vertoond en beladen met onderscheidingen uit Venetië, Cork, Tokio en Parijs was teruggekomen, had Kiki geen enkele twijfel over wat het hoogtepunt van die vier dagen was geweest. Wat betekenden onderscheidingen vergeleken met het moment waarop ze Luke Hammerstein had ontmoet!

Kiki had zo'n medelijden met de arme Theseus gehad, nadat hij de hele dag bezig was geweest naar verstopt vlees te snuffelen, dat zij zodra de scène als voltooid werd verklaard hem van de riem losliet.

'Neem me niet kwalijk, hondenoppasser,' zei Luke tegen haar, 'weet je dat dat beest van jou boven op de kantinetafel zit en daar verwarring en hongersnood aanricht?'

'Maak je maar geen zorgen over dat eten,' zei Kiki. 'Als je honger hebt, ga ik wel ergens met je eten. Als je geen honger hebt, kunnen we naar mijn flat gaan om zomaar wat te praten.' Luke Hammerstein was middelmatig lang en gespierd. Hij had groene ogen die onbeschaamd en dromerig, brutaal en vriendelijk tegelijk waren. Hij had melancholieke oogleden en zijn houding was gereserveerd.

'Jezus,' zei Luke. 'Probeer je me te versieren?'

'Zo zou ik het wel opvatten, als ik jou was. Ik verkoop geen smoesjes,' zei Kiki, met openlijke bewondering in haar amberkleurige ogen.

'Maar die hond dan?'

'O, laat die maar — ik moest alleen even op hem passen voor een vriendin. Ga je mee?' Kiki was nog steeds dat duivelse boefje, die zigeunerin vol streken, die ze was geweest toen zij en Daisy elkaar acht jaar geleden voor het eerst hadden ontmoet, maar ze was nu veel zelfverzekerder en agressiever. Haar uitspattingen waren onschuldig, haar lichtzinnigheid en genotzucht in wezen goedaardig, maar ze vermeed ernstige ogenblikken, alsof iemand haar dan in een zoutpilaar zou veranderen. Ze kon zich niet herinneren in al haar onbeschermde jaren iemand als Luke te hebben ontmoet. Ze stak haar hand op en streelde zijn zijdeachtige puntbaardje. Wat een geile mogelijkheden en voorstellingen hield dit allemaal wel niet in!

'Nou . . .' aarzelde Luke. De hele dag had hij Kiki op de set gezien als een onderdeel van de omgeving en plotseling was ze veranderd in een gebiedende vrouw die ten aanzien van hem speciale bedoelingen scheen te koesteren en dat duidelijk liet blijken ook. In de zwarte broek die ze in de zwarte laarzen had gestopt, en het strenge zwarte overhemd, dat Kiki voor haar achtergrondrol die dag passend had geoordeeld, maakte ze op hem de indruk van een struikrover, of liever gezegd, een struikroofster.

In iedere opiniepeiling die hij de laatste tijd had gelezen stond, dat het een zeer gewenst erotische uitwerking op mannen had, als vrouwen de eerste stap deden.

'Heb ik keus?' vroeg hij zich af.

'Eigenlijk niet,' zei Kiki op een toon van despotische bekoring.

'Dat denk ik ook niet, nee... wat heb ik overigens te verliezen?'

'Niets dat je wilt houden,' verzekerde Kiki hem met haar lage lachje, dat zo verfrissend en prikkelend was als een zuchtje lentelucht. Daisy overlegde op een afstand bij zichzelf wie de meeste schade aanrichtte, Theseus of Kiki. Naar de blik op Luke Hammersteins gezicht te oordelen maakte ze op, dat het te laat was om hem te redden... en dan, hij was een volwassen man en hij kon best op zichzelf passen... Misschien kon ze nog net zóveel van de tafel van de kantinehouder redden om de ploeg te eten te geven, die tot ver na hun normale werktijd had overgewerkt. Ze maakte Theseus met een routinegebaar aan de riem vast en trok hem van zijn zitplaats op de schalen rosbief, cornedbeef en ham af.

'Jezus, Daisy, ik begrijp niet dat je zo stom bent om niet van dat beroerde beest af te blijven,' zei North die langs kwam.

'Theseus, schattebout van me,' zei Daisy, met een handgebaar dat ze hem tien jaar geleden geleerd had, 'geef je oom North een lekkere pakkerd.'

Daisy was voor het weekend na de opnamen voor de Coca-Colafilm bij Hamilton en Topsy Short in Middleburg uitgenodigd. Toen ze er over nadacht wat ze in moest pakken, besefte ze hoe belangrijk het voor haar kon zijn — móest zijn. Daisy had dringend geld nodig. De paardenmensen hadden zich de afgelopen zomer over de hele wereld verspreid en ze had in maanden geen opdracht voor een tekening of schilderij gehad. Mevrouw Short had laten doorschemeren, op die bedekte manier waarop sommige rijke toekomstige begunstigers kunstenaars kwellen, dat als het schetsje, dat ze Daisy had gevraagd van haar oudste dochtertje te maken, naar haar tevredenheid uitviel, zij erover dacht een olieverfportret van al haar drie kinderen te laten maken als verjaarsgeschenk voor haar man. Dat zou minstens een klusje van zesduizend dollar zijn, rekende Daisy uit, al zou het wel een aantal maanden duren voor ze het af had, in de weinige vrije tijd die ze had.

Maar de absolute noodzaak om wat geld te verdienen stond in ieder geval buiten kijf. Over een maand moest ze de kwartaalrekening voor Daniëlle betalen. De tarieven van de Queen Anne School waren door de jaren heen geleidelijk aan gestegen. Sneller dan de bedragen die Daisy met haar schilderijen verdiende en wat er van haar salaris overbleef. De voortdurende zorg voor Daniëlle kostte Daisy nu bijna drieëntwintigduizend dollar per jaar, en ze had het zich de laatste acht maanden niet kunnen permitteren naar Engeland te vliegen om haar tweelingzusje te zien.

En vandaag, juist nu ze raad nodig had, had ze niet bepaald veel aan Kiki. Vanaf het moment dat ze gisteren Luke Hammerstein had ontmoet, gedroeg ze zich als een maanzieke vrouwelijke sater.

'Kiki,' had ze vermanend gezegd, 'ik heb je gisteren op Luke Hammerstein af zien stuiven — je kunt je zo echt niet gedragen, hoor . . . dat doet een dame niet.'

'Beste Daisy,' antwoordde Kiki hooghartig, 'het had succes en daar gaat het om. En uit de taal die je bezigt blijkt in ieder geval het treurige effect van je omgang met die figuur, die jij Nick-de-Griek noemt, als ik het zo zeggen mag.'

'Wat bedoel je daarmee, "had succes"?' vroeg Daisy argwanend. 'Waar zijn jullie gisteravond samen naartoe gegaan?'

'Ergens gaan eten.' Kiki's gezicht was een en al vrolijkheid en binnenpretjes.

'En?'

'Prinses Valensky, het feit, dat je op de gevorderde leeftijd van bijna vierentwintig jaar maar twee onbelangrijke liefdes met verlegen, bescheiden, handelbare en in wezen passieve mannen hebt gehad, maakt je nauwelijks iemand om in hartsaangelegenheden te raadplegen. Als er meer te berichten is zal ik je vraag beantwoorden.'

Tijdens haar jaren in New York had Daisy, door zichzelf ervan te overtuigen dat ze haar gevoelens over seksuele betrokkenheid moest overwinnen, enkele van haar hardnekkigste bewonderaars toegestaan met haar te vrijen. Ze merkte dat ze wel lichamelijk maar niet emotioneel op hen kon reageren en de relaties waren niet belangrijk of duurzaam geweest.

'Ik heb drie liefdes gehad,' zei Daisy boos. 'En één daarvan was je neef.'

'Maar heb ik de heren juist beschreven of niet?' wilde Kiki weten.

'Je hebt niet gezegd, dat ze allemaal erg aantrekkelijk waren.'

'Ik erken dat je gelijk hebt; dat waren ze ook, maar niet mijn type. Luke Hammerstein daarentegen . . .'

'Spaar me, Kiki, toe. Help me nu even. Ik heb maar een uur om te pakken. Om zes uur komt de auto om me naar het vliegveld te brengen — het straalvliegtuig van de Shorts vertrekt precies om zeven uur. Wat zal ik nu zaterdagavond aantrekken? Het zijn die gewone smoesjes van "Je hoeft je niet te kleden voor het diner, hoor, er komen maar zestig mensen eten." In Middleburg vinden ze het aanstellerig om je voor het diner te kleden, dus hebben ze een compromis bedacht — je kent dat wel, zijden blouses, lange tweedrokken, grootmoeders parels, allemaal stinkend duur en zonder kraak of smaak. Je weet dat ik zulke sleepjurken niet heb — en ik zou ze niet willen hebben ook, al kon ik het betalen,' zei ze, een beetje terneergeslagen.

Haar kleren kwamen allemaal van rommelmarkten in Londen, waar ze altijd even tijd vond om naartoe te gaan als ze Dani bezocht. Ze maakte er een sport van om daar originele Engelse en Franse couturemodellen uit op te diepen, liefst meer dan veertig jaar oud, kleding die in het grote couturetijdperk van de jaren twintig en dertig was vervaardigd en die ze triomfantelijk mee terugbracht, want niets wat ze bezat had meer dan vijfendertig dollar gekost.

Daisy ging met Kiki naar de derde, lege, slaapkamer van hun flat waarin haar goede kleren aan een buis hingen, die dwars over het ene eind van de kamer liep.

Beide meisjes bekeken nadenkend de kledingstukken die daar hingen. 'Als je normale kleren had, net als andere mensen, was het niet zo moeilijk,' zuchtte Kiki. Ze schoof een voor een de hangers opzij, met een weemoedige zucht om die schatten van Daisy — ze waren allemaal te lang voor haar, maar haar vingers jeukten.

'Ah, ha!' Daisy schoot toe. 'Hoe had ik dat nu kunnen vergeten? Schiaparelli komt me zoals altijd weer te hulp.' Triomfantelijk hield ze een pakje omhoog uit het eind van de dertiger jaren, toen de gewaagde Schiaparelli kleren maakte die hun tijd veertig jaar vooruit waren. Het was een slagroen tweedjasje met lovertjes op de revers, dat werd gedragen op een ribfluwelen broek van iets donkerder groen. 'Dat is precies goed, vind je niet?'

'Het is fantastisch — het is een echt "barst maar" model, als in "barst maar, mevrouw Short, ik weet wel dat het tweed is en ik weet wel dat het lovertjes zijn en ik weet wel, dat u niet gedacht had dat het samen ging, maar nu weet u het wel." '

'Zoiets. Ik heb die opdracht hard nodig, dus moet ik er vooral zo uitzien alsof het niet zo is.'

'Dan kun je beter mijn namaak-smaragden maar weer nemen.'

'Smaragden bij groene lovertjes?'

'Juist bij groene lovertjes!'

Van alle verschillen die er tussen mensen kunnen bestaan op het gebied van smaak, gewoonte, belangstelling en voorkeur, is een van de grootste het verschil tussen mensen die wel en mensen die niet om paarden geven. Mensen kunnen van katten of van honden houden zonder het gevoel te hebben alsof ze op een heel ander plan leven dan zij, die deze dieren koud laten. Maar paardenmensen doen niet alleen geen moeite om mensen te begrijpen, die geen barst om paarden geven, maar alleen het idee dat er zulke mensen bestaan — en verreweg de meerderheid uitmaken — doet hen aan de toekomst van het menselijk geslacht twijfelen. Paardenmensen kunnen in hun dagelijks leven staatshoofden zijn of werklozen, maar hun hartstocht is paarden, zoals in een kruistocht in de middeleeuwen Jeruzalem de hartstocht van een soldaat was. De verering van het paard als idool staat in hun leven centraal, zoals dat voor sommige mensen met cocaïne en voor anderen met applaus het geval is. Misschien weten ze niet allemaal, dat het vroegste kunstwerk dat in de archeologie bekend is, een zeven centimeter hoog beeldje van een paard is, gemaakt van de slagtand van een harige mammoet. Een meesterwerkje van soepele gratie dat tweeëndertigduizend jaar oud is — maar dit feit zou een paardenmens alleen maar logisch en juist voorkomen. Het is niets anders dan normaal, dat de Cro-Magnon mensen uit de IJstijd vijfentwintigduizend jaar voordat onze beschaving begon te gloren het paard reeds wisten te waarderen — normaal en te verwachten, omdat zij geloven, dat het paard het schoonste voortbrengsel van de natuur is, de mens niet uitgezonderd.

'Stom, idioot, achterlijk beest!' zei Patrick Shannon zachtjes tegen zijn paard, want hij wilde niet dat iemand het hoorde. Hij was bezig met een rijles in een buitenmanege van een stal in Peapack, New Jersey, slechts een uur en een kwartier van Manhattan af. Gedurende de afgelopen maand had zijn chauffeur hem iedere avond naar de rijschool gebracht, direct nadat hij klaar was met zijn zware werkprogramma als president en hoofd-bedrijfsleider van Supracorp, een onderneming met een omzet van twee miljard dollar. Dit betekende, dat hij zijn hele sociale leven alsmede de spelletjes squash na werktijd op de Universiteitsclub had op moeten geven, een van de weinige mogelijkheden die hij had om zijn spanningen kwijt te raken. Een geliefkoosde afleiding die hij nu had opgegeven ten gunste van dit ergerlijke, belachelijke, vernederende nastreven van iets dat hij nooit echt goed zou leren. Patrick Shannon was achtendertig jaar oud en een geboren sportman, die met een bal overweg kon, wat voor bal dan ook... maar door zijn opvoeding in een weeshuis had hij alleen een grote handigheid met ballen gekregen en geen enkele, maar dan ook hoegenaamd géén handigheid in de omgang met paarden. Hij haatte die beesten! Ze kwijlden en snoven en briesten, ze draaiden hun kop om en probeerden met hun lelijke grote tanden in zijn been te bijten. Ze steigerden als malle meisjes als ze iets zagen wat hen niet beviel, ze liepen zijwaarts als ze vooruit moesten, ze bleven staan om gras te eten als je niet aan de teugels had getrokken en wilden niet lopen als je ze een trap in de zij gaf.

Ze roken lekker — dat was het enige wat hij aan ze kon waarderen. Paardevijgen was de lekkerste stront die hij ooit had geroken, dat gaf hij grif toe.

De reeks van gebeurtenissen die ervoor hadden gezorgd dat Patrick Shannon nu op de rug van een paard zat, was duidelijk. Hij had zijn zinnen er op gezet om voor Supracorp nog een firma in onroerend goed te verwerven, waarvan Hamilton Short de enige eigenaar was. Ham Short had voorgesteld dat Shannon de volgende maand een weekeind bij hem in Middleburg, Virginia, kwam, terwijl hij hem trachtte over te halen. Short had, in de veronderstelling dat Shannon paard reed, iets gezegd van 'een beetje rondstappen'. Shannon, nadat hij reeds had toegezegd dat weekend te zullen komen, besefte te laat dat hij niet had gezegd dat hij geen paard reed. Hij wist niet precies hoe gek paardenmensen waren, maar hij wist er wel genoeg van af om te vermoeden, dat het enige excuus dat ze voor een gezonde man die geen paard besteeg begrijpelijk vonden, een gebroken been was. Hij nam aan, dat er een heleboel zelfs met een gebroken been reden en daar had hij volkomen gelijk in. Vanaf het moment dat hij de uitnodiging van Short had aangenomen, werd het een uitdaging voor hem de rijkunst machtig te worden en een uitdaging was, na een risico, iets waar hij dol op was.

Pat Shannon was een geboren waaghals, die begreep dat de kunst om af en toe een mislukking op te vangen een onmisbaar onderdeel van met succes risico nemen was. Maar zijn mislukkingen, hoe weinig ook, waren zakelijke mislukkingen, die nooit aan gebrek aan inspanning of voorbereiding te wijten waren geweest. En omdat het klaarblijkelijk mogelijk was te leren rijden, zou hij het leren ook.

Short had gezegd dat hij 'een paar heel aardige rijpaden' bij zijn huis had. Shannon had dat terrein door een secretaresse van hem laten nagaan en had ontdekt, dat het Fairfax Plantage heette, ruim zevenhonderd hectare besloeg, op een privé startbaan kon bogen, twintig bedienden onderdak verschafte en, voorzichtig geschat, vier miljoen dollar waard was.

Shannon had er niet al te veel hersens voor nodig om te begrijpen dat, als hij op zevenhonderd hectare ging rondstappen, hij op tamelijk veel uren in het zadel moest rekenen. En Shannon had hersens, uitzonderlijke goede hersens zelfs. En een Ier met een knappe kop kan tot de knapste mensen worden gerekend die het menselijk ras voortbrengt. Had de Ier van Shannons voorkeur, George Bernard Shaw niet gezegd: 'Een leven lang geluk! Geen levend mens zou het kunnen verdragen; het zou de hel op aarde zijn.' Pat dacht grimmig aan die woorden terug terwijl hij zijn paard voor de vijftigste keer die avond het teken gaf om in korte galop over te gaan.

'U gaat vooruit,' zei Chuck Byers droog, op een toon die de opmerking iedere goedkeuring ontnam. Hij had nog nooit zo'n leerling gehad. Hij hoopte er ook nooit meer zo een te krijgen. Shannon had gezegd dat hij wilde leren paardrijden. Best — dat wilden zoveel mensen. Maar iemand had nog nooit verlangd dat hij aan het eind van de eerste les kon draven, aan het eind van de tweede les in korte galop rijden en aan het eind van de derde galopperen.

Byers had gezegd dat het onmogelijk was. Byers had gezegd, dat hij op zijn minst iets zou breken en hij had Shannon een papier laten tekenen, dat de stal niet aansprakelijk was voor verwondingen van de man en dat Shannon aansprakelijk was voor alle verwondingen van het paard. Maar de ellendeling had na drie lessen gegaloppeerd, hoewel Byers aan de manier waarop hij naar zijn auto liep kon zien, dat iedere spier van zijn lichaam hem pijn deed.

Die man was een duivel, dacht Byers. Na een derde les had Shannon een ploeg elektriciens laten komen om in de manege lampen aan te brengen, zodat hij tot 's avonds laat kon rijden. Hij had met alle geweld iedere avond een les van drie uur willen hebben, waarvoor hij zoveel betaalde dat Byers hem ondanks de tegenwerpingen van zijn gezin zijn zin had moeten geven. Hij had geen tijd voor zijn vrouw en kinderen meer gehad sinds Shannon met die flauwekul was begonnen.

Er was iets in de doelgerichte manier waarop Shannon de

taak om te leren paardrijden aanpakte, dat Byers een wraakzuchtig gevoel tegen de man gaf. Paardrijden was voor Byers het laatste bolwerk van ridderlijkheid in de wereld; een rijk van betovering dat als niets anders, het verleden met het heden verbond, een sport die voor hem religie en romantiek tegelijk was. Hij zag Shannon met stijgende ontevredenheid ongelofelijke vorderingen maken van een werktuiglijke soort, maar zonder ook maar op enige wijze in de ban van paarden te raken. De ellendeling gedroeg zich alsof leren paardrijden eenvoudig een manier van voortbewegen was. En hij bleef ook niet na afloop van de les het rituele half uurtje gezellig napraten. Nee, de man zei alleen maar kortaf goedenavond en verdween in die grote zwarte Cadillac, waarin zijn verveelde chauffeur al die tijd had zitten lezen, en reed met grote snelheid terug naar de stad. Byers was een trots en gevoelig man, en hij wist dat hij alleen maar als een gebruiksartikel werd behandeld. Als een robot rijles kon geven, was hij ervan overtuigd, dat Shannon daar de voorkeur aan had gegeven. Het kwam niet bij hem op, en Byers had het hem ook niet gezegd, dat Pat Shannon het leren paardrijden niet opvatte als een bezigheid die menselijk contact met zijn instructeur noodzakelijk maakte. Het was voor hem niets anders dan een uitdaging, waarmee hij had verkozen zich te meten, een hindernis die hij moest overwinnen, een vervelend karwei dat hij zo gauw mogelijk achter de rug moest hebben. Hij legde zich er met grote concentratie op toe, alsof hij als een dwangarbeider stenen kapot moest slaan, met een opzichter achter zich. Hij had er net zo'n hekel aan deze uren in de manege door te brengen als Byers er een hekel aan had hem les te geven.

Zij hadden in de afgelopen maand maar eenmaal een kort onderhoud gehad dat niets met de les te maken had. Shannon hinkte erg, zag Byers, in zijn nieuwe laarzen van M.J. Knoud, Inc., de eerbiedwaardige firma die ook zijn fraaie rijkleding had gemaakt.

'Last met de laarzen, meneer Shannon?' informeerde Byers

niet zonder leedvermaak. Hier genoot hij van.

'Mijn enkels bloeden,' zei Shannon nuchter. 'Dat is zeker altijd het geval als je nieuwe laarzen inloopt.'

'Dat hoeft niet altijd — niet iedereen gaat er zo hard tegen aan als u.'

'Welke maat hebt u, Byers?'

'Twaalf-C.'

'Dezelfde maat als ik heb. Wilt u mij uw laarzen verkopen?'

'Wat? Nee, meneer Shannon, u wilt deze laarzen niet hebben.'

'Toevallig wel — dat is precies wat ik hebben moet. Mooi leer en goed uitgelopen. We hebben dezelfde maat en u zult toch wel meer laarzen hebben.'

'Inderdaad, ja.'

'Ik ben bereid ervoor te betalen wat u vraagt, maar ik wil uw laarzen hebben, Byers. Ik geef er het dubbele voor wat ze u hebben gekost, verdomme, maak er het driedubbele van.'

'Weet u dat heel zeker, meneer Shannon?' Byers liet niet blijken dat hij was beledigd.

'Mijn god, het zijn toch geen heilige voorwerpen, man; het zijn maar laarzen. Waarom zo'n drukte erover?' vroeg Patrick, scherper dan hij in de gaten had. Hij had drie uur behoorlijk veel pijn gehad al zou hij het nooit hebben toegegeven.

'U mag ze hebben,' zei Byers kortaf. 'Voor niks.' Hij had in zijn leven een hele hoop dingen gedaan, maar hij had nog nooit over tweedehandslaarzen onderhandeld.

'Bedankt, Byers,' zei Patrick. 'Daar doet u me een groot genoegen mee.' Wat hem betrof was dat het minste wat de man kon doen, al had hij het best gevonden als hij er iets op had willen verdienen. Zaken waren zaken. Hij had geen enkele voorstelling van alles wat er bij de verzorging en het onderhoud van zadels, leerwerk en tuig komt kijken.

Terwijl Byers hem het veel gedragen paar laarzen overhandigde, dacht hij bij zichzelf, barst jij maar, Pat Shannon. Wie verbeeld jij je eigenlijk wel dat je bent?

Er waren maar weinig mensen in de ondernemingswereld, die Patrick Shannon als zijn gelijken beschouwde. Geen man die zijn zaak had geërfd, werd door hem voor vol aangezien, al was hij nog zo machtig. Zij moesten het op eigen kracht gemaakt hebben. God wist, dat hij dat ook had gedaan.

Van het weeshuis, waar hij was opgevoed, had hij een beurs gekregen voor de St. Anthony-school, een katholieke middelbare jongensschool. Die beurs was door een oud-student, nu een oudere, kinderloze miljonair, ingesteld voor een weesjongen die zowel in leerprestaties als op sportgebied uitblonk.

Op de St. Anthony-school zag Patrick al dadelijk dat hij hier zijn eerste wereld had gevonden om te overwinnen. Er was niets aan de Oostkustjongens uit de betere middenstand waartussen hij zich bevond, dat hem bekend was; hun referentiekader en de dingen die zij vanzelfsprekend vonden, waren allemaal onbekend terrein voor hem.

De eerste twee jaar keek hij rond, luisterde en leerde, en voelde zich altijd meer op zijn gemak bij de volwassenen in de schoolgemeenschap dan bij jongens van zijn eigen leeftijd. Zijn spraakgebruik was altijd correct geweest, omdat hij zijn hele leven door nonnen was onderwezen, en gelukkig was er op de school een uniform vereist, zodat alle jongens hetzelfde waren gekleed. Hij kwam er achter, dat zijn zwarte haar altijd te kort geknipt was geweest, en dat zijn agressiviteit op het voetbalveld en het honkbalveld werden geaccepteerd. En ook al genoot hij ervan zijn geest te scherpen, het verdiende de voorkeur om demonstraties van zijn intelligentie te bewaren voor proefwerken en examens, in plaats van er in de klas blijk van te geven.

Tegen het derde schooljaar was hij gereed om uit de onopvallende plaats die hij overal behalve in de sport had ingenomen, tevoorschijn te komen. Pat Shannon had zorgvuldig vastgesteld met welke jongens hij bevriend wilde worden, en had uit de groep van zijn klasgenoten de zes jongens uitgezocht die zich, niet alleen door hun prestaties maar ook door hun karakter onderscheidden. Tegen het eind van zijn vier jaar op de St. Anthony-school had hij zes vrienden gemaakt, die hij nooit zou verliezen. Trouw was zijn religie. Als een van zijn vrienden Pat had gevraagd, hem overmorgen om twaalf uur in Singapore te ontmoeten, zonder verdere uitleg, dan zou hij er zijn geweest. En zij zouden er voor hém zijn geweest. Bij gebrek aan eigen familie, had hij een familie van vreemden geschapen. In de grond van zijn ziel was hij altijd overwegend hard maar liefdevol geweest, maar zijn kracht verborg die liefde voor iedereen op een enkele uitzondering na.

In de hoogste klas was hij klasse-president, aanvoerder van het voetbalelftal en de eerste in al zijn vakken. Hij won een volledige beurs voor de Tulane-universiteit, waar hij in drie jaar afstudeerde door een extra vakkenpakket te nemen, iedere zomer naar zomerschool te gaan en zijn sportactiviteit te beperken tot voetbal. Op zijn drieëntwintigste jaar was Patrick Shannon afgestudeerd aan de Harvard handelseconomische hogeschool en gereed de wereld te veroveren.

Een week voor zijn doctoraal was hij in dienst genomen door Nat Temple, de man die vele tientallen jaren geleden Supracorp had opgericht. Shannon gaf zichzelf tien jaar om zich een plaats in het bedrijf dicht bij de top te veroveren. Hij wijdde de eerste drie jaar aan ononderbroken keihard werken. Het was Pat Shannon uit bezoeken aan zijn vrienden volkomen duidelijk, dat aangenaam leven tijd en geld kostte, en dat hij volgens zijn berekeningen voor hij zesentwintig was over geen van beide zou beschikken. Hoewel hij popelde om van de goede dingen des levens te genieten, waren zijn zelfdiscipline en diepgewortelde motivatie sterk genoeg om zich aan zijn voornemen te houden. Hij had er nooit over gedacht een vrouw met geld te trouwen — hij had veel zusters van klasgenoten ontmoet die hem dat hadden willen verschaffen —

maar alles in dat idee stond hem tegen. Hij moest het nu eenmaal op eigen houtje doen — die behoefte om zich te bewijzen was sterker dan alles wat hij had ervaren, en iedere overwinning voerde weer naar andere uitdagingen, die hij het hoofd moest bieden. In het leven van Shannon waren geen plateaus, geen rustplaatsen, vanwaar hij achterom kon kijken om tevreden van de bereikte overwinning, het gewonnen spel, de bereikte prestatie te genieten.

Nu, achtendertig jaar oud, was hij verzadigd met succes. Nat Temple, de man die zijn mogelijkheden het eerst had gezien, had zich drie jaar tevoren als president-directeur van Supracorp teruggetrokken en had alleen de titel van voorzitter van de raad van commissarissen behouden. Hij liet aan Shannon de leiding over van een concern, dat vanaf het tijdstip dat hij werd aangesteld, begonnen was zich zó uit te breiden, dat de opbrengst per aandeel onlangs was verdubbeld. Zijn eigen inkomen bedroeg meer dan driekwart miljoen per jaar.

Een niet onaanzienlijk aantal machtige, conservatieve mannen onder de grote aandeelhouders van Supracorp was helemaal niet zo met hem ingenomen. Hij had vijanden die hem in de gaten hielden, die met lede ogen hadden aangezien, hoe Nat Temple Shannon door dik en dun steunde en zijn post aan hem had overgedragen. Die hem zijn jeugd en zijn successen benijdden, die niet hielden van mensen die welk risico dan ook namen. Deze vijanden hielden zich voorlopig koest, maar zij wachtten hun kans af, klaar om Shannon er uit te werken, als hij ze ook maar even de gelegenheid gaf.

Shannon had alle materiële zaken verworven die met zijn soort succes samengaan: een flat ergens hoog op de United Nations Plaza, ingericht door John Saladino in wat hij een stijl van 'smaakvolle vervreemding' noemde, een stijl die Shannon, zoals hij te laat ontdekte, niet beviel, al vond hij hem op zichzelf wel mooi; lidmaatschappen van de Century, River en Universiteit clubs. Verder het huis in Easthampton waarvoor hij bijna nooit tijd had om naar toe te gaan; en de onvermijdelijke scheiding van een vrouw waar hij tegen beter weten in mee was getrouwd. Ze was een mondaine schoonheid met zo'n lage, sensuele, suikerzoete, geraffineerde stem, die andere vrouwen ogenblikkelijk haten en wantrouwen, en terecht.

Er waren geen kinderen. Als die er wel waren geweest, had er misschien geen scheiding plaatsgevonden, want Shannon, die weliswaar geen religieus man was, vergat nooit de eenzaamheid van zonder ouders op te groeien. Nadat zijn korte huwelijk was afgelopen, veroorloofde hij zich alleen nog maar een reeks tweederangs meisjes die hij met zo'n verwoede, puur lichamelijke grondigheid nam, dat het was alsof hij werd verteerd door een razend vuur dat door een achteloos weggeworpen lucifer in de herfst is aangestoken. De onherroepelijkheid van echt verliefd worden, met de eventuele pijn daaraan verbonden, was iets waaraan hij zich gemakkelijk onttrok. Liefde, begreep hij, was een groter risico dan zelfs híj op zich durfde nemen.

Supracorp, met zijn netwerk van maatschappijen — cosmetica, parfumerie, voedingswaren, tijdschriften, alcoholische dranken, televisiestations en onroerende goederen — was zijn baby. Zijn kinderen waren de jongens van de Politie Sportvereniging, met wie hij, zonder dat iemand uit zijn wereld het wist, zoveel mogelijk ieder weekend doorbracht. Een waarnemer zou zien dat hij alles voor deze jongens overhad. In zijn gezelschap hadden zijn jongens het gevoel alsof er frisse zeewind op een onbewolkte dag woei. Hij maakte ze bewust van de mogelijkheden van het leven, en hij trachtte ze zoveel mogelijk van de kennis bij te brengen die hij bezat; of het nu was hoe ze een bal moesten raken, een vlieger oplaten of een deelsom maken. Zijn glimlach was in al die jaren niet veranderd; die was nog steeds open en innemend, en zijn ogen waren nog steeds van dat blauw dat een overwinning voorspelt. Maar nu had hij aan weerszijden van zijn mond diepe verticale rimpels, en op zijn voorhoofd diepe horizontale rimpels, waarover zijn donkere haar altijd heenviel, hoe vaak hij het ook met een gewoontegebaar achterover streek.

Patrick Shannon had zichzelf dwars door zijn jeugd heen gestuwd en hij zou nooit — zelfs niet in zijn herinnering — een tijd kunnen heroveren die eenvoudig nooit voor hem had bestaan. Hij was nooit echt jong geweest. Hij had nooit gespeeld. Hij had nooit tijd voor onverantwoordelijkheid of zorgeloze vrijheid gehad. Het was al mooi genoeg, hield hij zichzelf voor, dat hij succes, macht, geld, informatie en een klein groepje vrienden bij elkaar had verzameld.

En bovendien kon hij nu — min of meer — op een godvergeten rotpaard rijden.

Toen Hamilton Short, een uitgekookte, keiharde speculant in onroerende goederen zijn eerste, tweede en derde miljoen verdiende, belegde hij ze in staatsleningen en vergat ze verder. Op zijn tweeënveertigste, reeds kaal en met een buikje, en met zijn tiende miljoen veilig achter zich, kostte het hem weinig moeite Topsy Mullins, een bedeesd en zinnelijk meisje van achttien uit een oude maar verarmde familie in Virginia over te halen met hem te trouwen. In de daarop volgende acht jaar, toen de familie Short vanwege de zaken achtereenvolgens in Houston, Atlanta en Minneapolis woonde, bracht Topsy drie kinderen, allemaal meisjes, ter wereld en produceerde Ham nog meer miljoenen. Volgens zijn schatting was hij goed voor vijfentwintig miljoen, en de handel in onroerende goederen was nog nooit zo goed geweest.

Topsy was van het laatste geld van haar ouders naar een beroemde school voor jongedames geweest, en had daar veel meisjes uit rijke, vooraanstaande families in New York en Long Island leren kennen. Ze had met schrijnende afgunst hun carrière in de modebladen en de kolommen over de uitgaande wereld gevolgd. Ze was om het geld getrouwd, en het enige wat het haar had opgeleverd waren drie zwangerschappen en vluchtige kennissen in drie, in haar oog, provinciale steden. De enige manier om tot de toonaangevende wereld te behoren was, dat ze je in New York City als toonaangevend beschouwden — andere plaatsen bestonden er aan de smalle horizon van Topsy niet.

Het stond haar echter wel duidelijk voor ogen, dat het voor buitenstaanders niet meeviel in het Newyorkse leven te worden opgenomen. Vooral niet voor iemand die zich alleen maar op een paar schoolmeisjesvriendschappen van lang geleden kon beroepen, en met een echtgenoot die aan een diner nauwelijks een aanwinst kon worden genoemd. Ze besloot haar aanval op New York te openen vanuit haar thuisgebied, Virginia, waar haar familie als respectabel bekend stond. Ze kwam tot de conclusie dat een bezitting in het hart van Noord-Virginia de oplossing was; dat zou de vloek op nieuw geld opheffen. Toen Ham van Topsy kreeg te horen, dat het tijd werd om een huis in Middleburg te kopen, een stadje van 833 mensen, dat onevenwichtig maar wel gemakkelijk, in twee groepen was verdeeld, miljonairs en dienstpersoneel, klonk er in haar woorden meer dan rusteloosheid. Hij hoorde er een onmiskenbare aanwijzing in dat alleen een aanzienlijke, maar dan ook zéér aanzienlijke, nederzetting in Middleburg een waarborg zou zijn dat het huwelijk van Ham Short op de prettige, geordende, gemakkelijke wijze zou worden voortgezet, zoals hij dat als vanzelfsprekend was gaan beschouwen.

Vijfentwintig jaar oud, was Topsy tot een overtuigende schoonheid gerijpt. In zeven jaar huwelijk, met alleen de geboorte van haar kinderen om haar aandacht voor zichzelf te onderbreken, was haar knappe verschijning met het kastanjebruine haar en de lichtbruine ogen opgepoetst tot hij glom. De grote borsten, brede heupen en het smalle middel, waar de blik van Ham Short het eerst op was gevallen, waren nog even aantrekkelijk als altijd en ook al bekommerde hij zich er nu nog maar zelden om, hij had bepaald geen behoefte aan huiselijke moeilijkheden. Hij gaf niet veel om seks, om de paar weken een vlug nummertje was het enige wat hij vroeg, maar hij stond er op dat er thuis rust en vrede heersten, terwijl hij aan nog meer miljoenen werkte. Middleburg of Fort Worth, het bleef hem hetzelfde, zo lang Topsy maar ophield met zeuren over hun gebrek aan omgang met mensen.

Fairfax, een laat-koloniaal herenhuis, was rond 1750 gebouwd door ambachtslieden, uit Engeland gehaald door de eerste Oliver Fairfax die evenals andere rijke Virginiërs uit die tijd een grote waardering voor architectuur had en er genoeg van afwist om te begrijpen, dat hij alleen in Engeland het vakmanschap kon vinden dat hij verlangde. Helaas had de laatste Oliver Fairfax zijn familiefortuin lang overleefd, en toen de familie Short Fairfax Plantage kocht, was het bijna een ruïne. Maar behalve brand had niets het schitterende houtsnijwerk, door het hele huis heen, kunnen verbloemen. De legendarische William Buckland had dat van zuiver blank grenen en volmaakt gedroogd note- en populierehout dat allemaal uit de eigen bossen van de plantage kwam, gemodelleerd, evenals de stenen die waren gebakken van uit het uitgestrekte terrein gegraven klei. Het houtsnijwerk van Buckland, dat niet voor dat van de grote huizen in Engeland onderdeed, werd opgeluisterd door een collectie van Chinees Chippendale, Hepplewhite en Sheraton meubilair, bekleed met reprodukties van de rijkste materialen uit het laat-koloniale tijdperk. De wonderen van de inrichting werden helemaal overschaduwd door het park dat, al was het nog zo verwaarloosd, onaangetast bleef, omdat het gebaseerd was op een streng klassieke aanleg van langzaam groeiende bukshouten hagen, die er een volle tweehonderdentwintig jaar over hadden gedaan om hun huidige eerbiedwaardige omvang te bereiken. Topsy moest er genoegen mee nemen haar paarden in de grote weiden achter het huis te laten grazen, al had ze ze liever uit de voorkamers van het huis gezien — net als bij veel van haar buren.

'Gossie,' zei ze dan afgunstig. 'De paarden van die oude Liz Whitney Tippett kunnen hun neus bijna in haar zitkamer steken.'

'Nou, graaf die buksbomen dan uit,' opperde Ham

verstrooid. 'Dan heb je er geen last meer van.'

'Wat? Mijn landschapsarchitect zou me vermoorden. Ze zijn historisch. Zoiets zie je nergens, zelfs niet in Upperville of Warrenton of Leesburg. Hij heeft gezegd, dat Bunny Mellon niet eens oudere buksbomen heeft,' zei ze, met beroep op de naam van de grotendeels onzichtbare koningin van de jachtvelden.

'Graaf die stomme buksbomen dan niet uit.'

Ham Short, heer en meester van alles wat hij kon overzien, had wel iets anders aan zijn hoofd dan hagen. Het aanbod van Supracorp was interessant, bijzonder interessant. Als hij toestemde in het huwelijk van zijn gezonde firma in onroerend goed met de nog gezondere onderneming van Supracorp, met een omzet van twee miljard, zouden de aandelen die hij ontving stijgen tot een punt waarop hij, in plaats van aan zijn dertigste miljoen te werken, kon gaan denken aan zijn zestigste miljoen. En dát niet alleen, maar het bevrijdde hem van de dagelijkse uitvoering van wat in wezen een eenmansvoorstelling was. Zijn kinderen waren allemaal meisjes, hij had niemand om in zijn familiezaak te halen, en hij zou de tijd krijgen om het leven van een landheer te leiden, die hij, zoals Topsy graag wilde voorgeven, was. Maar wilde hij aan de andere kant de leiding wel uit handen geven? Was het niet bevredigender zijn eigen firma te hebben en de vrijheid te hebben die te drijven zoals hij zelf wilde? Waarom zou hij een nieuwe aanwinst van Supracorp, waarom weer divisiehoofd onder Patrick Shannon worden? Wilde hij eigenlijk wel het leven leiden van een landheer en belangstelling tonen voor de jacht en echt iets om paarden geven? Misschien zou het aanstaande weekend, met de kans om Shannon als zijn gast te zien, de antwoorden verschaffen op enkele van de vragen die hij zich stelde, weifelend tussen wel of niet verkopen. Hij had Topsy juist om die reden gevraagd de gastenlijst klein te houden.

'Wie komen er dit weekend?' vroeg Ham onverwacht.

'Het echtpaar Hemming en Stanton uit Charlottesville, het echtpaar Dempsey uit Keeneland en prinses Daisy Valensky, om een tekening van Cindy te maken. Die Shannon van jou, natuurlijk, enne... een paar mensen uit New York.' Ham Short kende de eerste drie echtparen, allemaal paardenmensen. 'Wat voor mensen uit New York?' vroeg hij afwezig.

Met grote ogen van een mengeling van verwachting en opwinding, antwoordde Topsy: 'Robin en Vanessa Valarian.'

'Die modeontwerper? Wat moet je daar nu in vredesnaam mee?' Ham stelde die vraag langs zijn neus weg, zonder de nerveuze houding van zijn vrouw op te merken.

'O, Ham, ik weet niet hoe ik het volhoud,' zei Topsy op klaaglijke toon. 'Je maakt me te schande. De Valarians zijn — o, hoe kan ik jóu dat nu uitleggen? Het zijn de chicste mensen van New York! Ze komen werkelijk óveral en ze kennen werkelijk íedereen. Ik kende Vanessa Valarian een beetje op school — ze zat drie klassen hoger dan ik — ik kwam haar toen ik laatst in New York was om te winkelen tegen en we zijn samen iets gaan drinken, maar ik wist niet zeker of ze zouden komen als ik ze vroeg.'

'Waarom niet, zijn we soms niet goed genoeg voor een modeontwerper en zijn vrouw?' wilde Ham weten.

'We zijn niet chic, Ham, we zijn alleen rijk en nog niet eens zo rijk als écht rijke mensen!' zei ze met een beschuldigende klank in haar stem. 'Je hoeft niet zo te snuiven... om echt rijk te zijn moet je meer dan tweehonderd miljoen hebben — ik lees al die lijstjes — en je weet net zo goed als ik, dat wij maar hele kleintjes zijn vergeleken bij — o, nu ja!' Ze plofte weer in de stoel waarin ze had gezeten en begon met haar vinger over een Chinese exportvaas te strijken, die ze van haar binnenhuisarchitect had moeten kopen — een koopje voor achtentwintig dollar.

'Niet chic? Wie heeft er voor den donder gezegd dat we chic moesten zijn? Wie kan dat voor den donder een bal schelen? Wat betekent dat voor den donder eigenlijk — wie heeft de Valarians gekozen om dat te bepalen?' Ham was nu in zijn wiek geschoten. Hij was trots op zijn geld en hij wilde niet graag worden herinnerd aan het feit dat hij, zo rijk als hij was, toch niet met de grote jongens mocht meespelen.

'O, echt waar, Ham! Het wil alleen zeggen dat ze ín zijn — ín, hoor je, zoals wij nooit zullen zijn! Ze worden op ieder belangrijk feest uitgenodigd en ze krijgen ellenlange pagina's in *Vogue* en *House and Garden* en *Architectural Digest* over hun flat en hun tafeldecoratie. O, en ze vliegen de hele wereld door om met mensen zoals Cristina Brandolini, Helene Rochas, André Oliver, Fleur Cowles Meyer en Jacqueline Machado-Macedo om te gaan — mensen die jij nóoit zou leren kennen! Een feestje waar de Valarians niet zijn heeft geen cachet!'

'Cachet? Jezus, Topsy, je hebt je weer eens iets in je hoofd gehaald, dat is het. Eerst moesten we zo nodig dit museum hebben en genoeg paarden voor de charge van de lichte brigade. Nu kun je eindelijk een beetje goed met onze buren opschieten en nu moet je toch nog een stempel van goedkeuring van een modeontwerper hebben? Ik begrijp je niet.'

Als Ham Short niet zo op zijn teentjes was getrapt zou het hem misschien zijn opgevallen, dat er iets overdrevens was in de manier waarop Topsy de nadruk legde op de chic van het echtpaar Valarian . . . iets overdrevens in haar gepikeerde houding.

'Robin Valarian is een van de beroemdste modeontwerpers van het hele land,' antwoordde Topsy hooghartig, 'en Vanessa wordt toevallig als een van de meest elegante vrouwen van New York beschouwd.'

'Ik heb vaak genoeg zijn foto gezien om te weten wat hij doet — als je het mij vraagt ziet hij er uit als een nicht, die er niet om liegt.'

'Doe niet zo walglijk, Ham! Ze zijn net zo lang getrouwd als wij. Mannen als jij denken altijd dat andere mannen, die toevallig niet alleen maar zijn geïnteresseerd in geld verdienen, homofiel moeten zijn.'

'O, dat heet dus "homofiel", dat is zeker het enige woord ervoor?'

'Inderdaad, ja,' gaf Topsy terug, op een toon die ze verzoenend wilde laten klinken. Deze woordenwisseling maakte haar doodzenuwachtig.

Terwijl de ergernis van Ham Short wat bekoelde, herhaalde Topsy in gedachten voor de duizendste keer de scène die zich een paar weken geleden in de bibliotheek van de Valarians in New York had afgespeeld. Vanessa had een glas Dubonnet ingeschonken en Topsy van alles gevraagd.

'Vertel me eens iets over je leven,' had ze met onmiskenbare belangstelling gevraagd. 'Hoe is het om het grootste deel van het jaar in Middleburg te wonen? Heerlijk of saai?'

'Als ik om de paar weken niet even naar New York kon, zou ik het geloof ik niet uithouden,' had Topsy toegegeven. 'Ik ben in Virginia geboren, maar ik geloof dat ik een New Yorkse ziel heb. Het is gewoon te stil . . . maar Ham vindt het fijn.'

'En wat Ham fijn vindt, krijgt Ham?'

'Min of meer wel.'

Vanessa stond op en sloot de deur van de bibliotheek. 'Ik vind het misdadig, dat iemand die er zo verrukkelijk uitziet als jij, zijn leven in paardenland verknoeit,' zei ze tegen Topsy, terwijl ze naast haar op de divan kwam zitten. Topsy bloosde van verwarring en verbazing. Op school was Vanessa hét voorbeeld geweest, waar de helft van de meisjes uit Topsy's klas op viel — Vanessa was toen al veel te wereldwijs geweest voor hun meisjesdromen.

'Dank je,' zei ze, een slokje van haar Dubonnet nemend.

'Het is gewoon de waarheid. Weet je, dat je mij toen op school al opviel? Ik zal nooit vergeten hoe je er uitzag met al dat prachtige roodbruine haar — het is nu alleen iets donkerder — en zelfs die verschrikkelijke uniformen die we moesten dragen konden het feit niet verbergen, dat je een volmaakt figuur zou krijgen. Ik benijd je — ik ben zo mager als een lat — ik zou wat geven voor een paar rondingen. Heb je wel eens gezien dat ik naar je keek, kleine Topsy?'

Topsy kon slechts ontkennend haar hoofd schudden.

'Nou, je zult wel iets anders aan je hoofd hebben gehad — onder de maaltijden gluurde ik altijd even naar je.' Vanessa lachte en nam terloops Topsy's hand in de hare, en keek er zo kalm naar of ze een waarzegster was. Plotseling bukte ze zich en kuste Topsy's handpalm met een warme, open mond, lachte en liet de hand los alsof er niets was gebeurd. Dat was alles geweest, maar iedere keer weer, vanaf die middag tot nu, waren Topsy's gedachten naar die scène teruggegaan en had ze zich afgevraagd wat erop zou zijn gevolgd en daarna tegen zichzelf gezegd dat er onmogelijk iets op had kunnen volgen — dat was maar onzin van haar.

'Ham,' zei ze, weer naar het heden terugkerend, 'laten we asjeblieft geen ruzie maken. Ik maak me over het weekend al zenuwachtig genoeg zonder ruzie te maken.'

'Goed, schatje — ik begrijp toch niet waar het allemaal precies om gaat, maar zolang het jou gelukkig maakt, vind ik het best. En als je wilt weten hoe ik erover denk, die mevrouw en meneer Valarian zullen al meer dan genoeg onder de indruk zijn van het echtpaar Hemming en Stanton en Dempsey en Patrick Shannon — en hoe heet ze, die prinses, dus wil je in 's hemelsnaam uitscheiden met net zo lang te frutselen tot die vaas breekt? Ja, hij ís ook verzekerd, maar ik heb geen zin in al die rompslomp!'

Zaterdagmorgen verzamelden alle gasten van Topsy Short zich in de stallen. Topsy hield een oogje op het uitzoeken van het juiste paard voor iedere ruiter, en alleen omdat ze haar hele leven reed, kon ze die taak met een uiterlijke kalmte verrichten. Ze was in de greep van een emotie, waar ze zich geen rekenschap van wilde geven, maar ze voelde zich rustelozer, door een spannend voorgevoel, dan ze zich in jaren had gevoeld. Ze bleef achter om Vanessa Valarian gezelschap te houden, omdat Vanessa aan het ontbijt met een zelfingenomen lachje verkondigd had, dat ze altijd doodsbang voor paarden was geweest, op school al. Die biecht klonk uit haar mond als een deugd.

Patrick Shannon zat stevig in het zadel van een grote zwarte ruin, maar hij had het te druk om veel van de gezellige bedrijvigheid om zich heen in zich op te nemen. Dit was de eerste keer dat hij in gezelschap van andere ruiters dan zijn instructeur op een paard zat. Hij concentreerde zich in gedachten op ieder detail van alle lessen die hij had genomen, zonder zich door de overige, stampende, snuivende paarden en de irritante manier waarop ze elkaar voortdurend voor de voeten liepen te laten afleiden. Hij trachtte zijn pittige rijdier aan de buitenkant van de door elkaar krioelende paarden en ruiters te houden, in de hoop dat het beest niet zo nerveus was als hijzelf, en vroeg zich af of het waar was, dat het paard aan de manier waarop hij de teugels hield wist hoe hij zich voelde.

De jonge Cindy Short zat op een mooie pony, en Daisy had een fraaie roodbruine merrie toegewezen gekregen, die op de wereldberoemde juli-veiling van eenjarigen in Keeneland twee jaar geleden een slordige veertigduizend dollar had gekost. Nadat ze samen met Cindy had ontbeten en in de vroege ochtenduren met haar in de stallen had doorgebracht, waren zij en Cindy dikke vriendjes. Daisy kleedde zich als ze ging rijden uiterst correct. Ze vlocht haar haar stevig bij elkaar en stopte het onder de voorgeschreven zwart fluwelen veiligheids-cap. Daaronder droeg ze een netje, waar ze de uiteinden van haar vlechten instopte, zodat ze niet aan de takken bleven hangen.

Ham Short wilde aan zijn gasten de rij-prestaties van zijn dochter demonstreren.

'Cindy,' riep hij, 'ga jij maar voorop, dan komen wij achter je aan.'

Cindy, geduldig in haar vertrouwde rol als model-kind,

zette haar pony met haar hiel aan tot een draf en daarna tot galop. Daisy die haar onder het rijden wilde bestuderen, wachtte tot Cindy ruimschoots de tijd had gekregen om zich te laten bewonderen, en galoppeerde toen achter het dikkerdje aan. Daisy zat in zo'n mooie, rustige houding op haar volbloed, dat ze in de frisse ochtend een nobele, fiere indruk maakte... Dit ondanks het feit dat Theseus met zijn halfdronken slingerende gang vlak achter de hielen van haar paard aanrende.

Toen Patrick Shannon Daisy over een lage heuvel zag verdwijnen, drong het plotseling tot hem door wat paardrijden kon zijn. Wie dat ook mag zijn, dacht hij, dit is je ware. Doordat hij zijn hele leven niets anders had gedaan dan nieuwe werelden veroveren, had hij een scherpe blik gekregen voor mensen die moeiteloos deden wat buitengewoon moeilijk is. Hij wist weinig van ballet af, maar hij kon altijd een grote danser herkennen aan de manier, waarop zijn haar in zijn nek overeind ging staan bij het zien van bepaalde, schijnbaar moeiteloze bewegingen. Daisy's slanke, rechte rug, haar volkomen ontspannen schouders en armen, de onverschillig zelfverzekerde stand van haar hoofd onder het wegrijden vervulden hem met bewondering... en bitterheid.

Het was niet de gewoonte van Patrick Shannon zijn trieste, eenzame jeugd te vergelijken met het leven van de mensen die in de wereld leefden waarin hij nu een niet uit te vlakken gewicht had. Maar een enkele keer, onverhoeds, in een situatie die hij nog niet meester was, werd hij zich heel even schrijnend bewust van een vroeger gemis; beleefde hij weer in een flits de late, moeilijke overgang van de onhandige jongen die met een beurs op de middelbare school kwam tot de man die hij nu was. De anderen — zijn vrienden van de St. Anthony-school, van Tulane, van Harvard — de meesten hadden het goed gehad, maar al te goed — en dat was te zien — misschien niet voor hen maar wel voor hem, omdat hij niet een van hen was en dat ook nooit zou worden.

Dat gemak, zei hij bij zichzelf, toen het moment van bitterheid verdween, dat is het geheim ervan. Toen hij tegen zichzelf zei, dat hij zich moest ontspannen, stuurde Ham Short zijn paard naar dat van Patrick toe.

'Vindt u het erg als we de anderen niet proberen bij te houden?' vroeg Ham. 'Ik rijd in wildwest-stijl — het lijkt wel wat op een schommelstoel — ik heb nooit tijd gehad om Engelse stijl te rijden — allemaal flauwekul, als je het mij vraagt.' Patrick keek naar zijn gastheer die onwaarschijnlijk uitgedost in cowboylaarzen en -broek, in een westers zadel op een goeiig uitziende pony zat gezakt.

'Zoals u wilt,' antwoordde hij. Ham Short vroeg zich af, waarom Shannon zo verbaasd keek. Had iemand soms niet het recht net zo te rijden als hij zelf wou, wat drommel?

Vanessa Valarian en Topsy wandelden zwijgend naar het huis terug, alleen onderbroken door Vanessa's vage opmerkingen over het weer, de ligging van het huis en het landschap; opmerkingen die Topsy nauwelijks hoorde. Toen zij op de oprijlaan liepen, pakte Vanessa Topsy bij de pols beet.

'Laat me het huis zien,' gebood ze met die lage, hartstochtelijke stem die haar voornaamste schoonheid was. Ze was zo soepel als een lap zijde, zo dun en slank dat de kleren van haar man op een beroepsmodel nooit zo goed stonden als op haar. Ze had het beste gemaakt van haar uiterlijk, dat berustte op een zeer blanke huid in contrast met het zwarte haar, dat ze als een pagekopje met een rechte pony tot aan haar wenkbrauwen droeg. Dit ouderwetse koene ridderkapsel, haar 'signatuur' zoals een modetijdschrift het noemde, was slechts een van de kenmerken van de persoonlijke stijl, waardoor ze zich onderscheidde. De andere waren de brede, hoekige kaak, de zwaar aangezette, bijna oosterse ogen, de felrode lippenstift op haar brede mond, de grote, onbeschaamde lach die ze toonde op iedere foto die van haar werd gepubliceerd. Ze had merkwaardig mooie handen, lang en slank, zo lenig en sterk alsof ze een beeldhouwster of pianiste was, maar ze had altijd kortgeknipte nagels en ze droeg geen ringen aan haar elegante vingers. Vanessa veranderde nooit van uiterlijk en deed geen concessies. Ze droeg haar lange neus of het een teken van koninklijke afkomst was. Voor deze zachte ochtend had ze een allesbehalve eenvoudige, dunne wollen japon uitgezocht, grote gouden oorhangers en acht David Webb-armbanden, een kostuum dat ze opzettelijk had uitgezocht omdat het zo bij haar omgeving uit de toon viel, een effect dat ze prachtig vond.

Topsy ging haar nerveus voor door allerlei buitengewoon fraaie vertrekken, waarin de Hepplewhite-borden, de Sheraton-kuipstoelen en de Sully-portretten speciaal voor zo'n demonstratie bij elkaar waren gezocht. Ze vergat voortdurend tot welk tijdperk de verschillende meubels behoorden, struikelde over de gewoonste namen en trilde letterlijk bij de ingang naar iedere kamer. Niet omdat ze aan de juistheid ervan twijfelde, maar omdat ze zich zo sterk van de elegante, donkere verschijning van Vanessa naast zich bewust was; zonder haar aan te raken, maar nooit op zo'n afstand als de meeste mensen tot elkaar bewaren. Ze voelde zich net zo zenuwachtig als ze op haar eerste bal was geweest.

'Beeldschoon,' verklaarde Vanessa, 'het past echt bij je... New York steekt er ontzettend primitief bij af. Maar vind je het geen tijd worden om mij de bovenverdieping te laten zien? Ik ben erg nieuwsgierig naar je slaapkamer — de ontvangstkamers van een huis zeggen nooit zoveel over iemand als de privé-kamers, vind je ook niet? Of ben ik te bemoeizuchtig? Maar ik heb al zo veel fantastische dingen gezien, dat ik groen zie van jaloezie. Als je de volgende keer in de City bij ons komt — en ik hoop dat het gauw zal zijn — zul je het begrijpen.'

Topsy hielde van wilde vreugde de adem in. Betoverende woorden — een belofte, een bezoek!

In Topsy's slaapkamer ging Vanessa op de rand van het brede hemelbed zitten, dat Topsy door haar tegenstribbelende binnenhuisarchitect na veel aandringen met driehonderd meter perzikkleurige zijde had laten bekleden.

'En is dit de *letto matrimoniale*?' vroeg Vanessa, loom naar het hemelbed wuivend.

'*Letto* . . . o . . . ik begrijp het. Nee, Ham slaapt in zijn eigen kamer. Hij werkt graag nog laat en begint al vroeg te telefoneren.'

'En gaat hij dan naar het bed van zijn vrouw, of gaat zij naar hem toe?' ging Vanessa onverstoorbaar verder.

'Waarom . . . eh . . .'

'O, Topsy, wat ben je toch een schat . . . je bloost weer, net als toen in New York. O, ik weet wel dat je nog erger gaat blozen, als ze dat tegen je zeggen — maar ik kon het niet laten. Kom hier zitten . . . ik kan niet met je praten als je een kilometer van me af zit.' Vanessa klopte op de sprei tot Topsy, bijna met tegenzin, naast haar ging zitten. Vanessa pakte haar hand en trok met een van haar begaafde, smal uitlopende vingers een kringetje op Topsy's handpalm. 'Ik heb me afgevraagd of je ons zou uitnodigen . . . na wat er in New York is gebeurd, maakte ik me ongerust dat je bang voor me zou zijn . . . nee? Daar ben ik erg blij om. Ik heb iedere dag aan je gedacht, . . . dat we heel erg goede vriendinnen zouden kunnen worden . . . zou jij dat prettig vinden, kleine Topsy?' Onbewust likte ze aan de top van haar wijsvinger en drukte de natte vinger met een snelle beweging zachtjes in het midden van Topsy's uitgestrekte open hand. Toen Topsy op dat onmiskenbare veelzeggende teken de adem inhield maar zich niet terugtrok, hief ze de hand naar haar lippen en stak een van Topsy's vingers in haar mond, waarna ze de onderkant van de vinger tot het topje van de nagel liefkozend likte. Topsy kreunde. 'Dat vind je wel prettig, hè? Weet je nog die eerste keer toen ik je hand kuste — weet je nog hoe verbaasd je was? En weet je ook nog wat ik toen heb gezegd — dat ik je al jaren geleden in het oog hield?'

Topsy knikte stom.

Zo krachtig en snel als een man sloeg Vanessa een arm om

Topsy's middel terwijl ze zich over haar heen boog en een vluchtige kus op haar hals gaf, vlak boven haar sleutelbeen. 'Lieverd, ik zal niets doen wat je niet prettig vindt . . . je hoeft niet bang te zijn . . . dat ben je toch niet? Mooi.' Vlug deed Vanessa op kousevoeten de deur op slot en ging terug naar het bed, waar Topsy met grote, felle ogen van schoorvoetende verleiding half zat, half lag. 'Je bent aanbiddelijk — je hebt je schoenen nog aan.' Vanessa lachte haar lage lachje. 'Laten we eerst je schoenen tenminste even uittrekken . . .' Ze bukte zich en trok Topsy's schoenen uit. 'Sluit je ogen,' fluisterde Vanessa, 'en laat me lief voor je zijn — je hebt iemand nodig die lief voor je is, is het niet zo, kleintje? Iemand die je al die dingen laat voelen waar je altijd van hebt gedroomd maar nooit echt hebt gevoeld . . . o, ja, dat dacht ik al . . . ik wist al toen ik naar je keek dat je gereed was voor me.' Intussen knoopte ze handig Topsy's blouse open en maakte het haakje los dat haar beha aan de voorkant vasthield. Topsy had schitterende, zachte ronde borsten, met uitstekende bruine tepels, verrassend donker op haar witte, overdadige vlees. 'O, maar je bent mooi! Prachtig gewoon . . . dat wist ik wel,' fluisterde Vanessa, die luchtig met een donkerrode vingertop langs de omtrek van Topsy's half open mond streek. Ze hield haar prooi behoedzaam in het oog, want ze wilde niet overhaast iets doen. Met haar lange, lenige vingers trok ze een lijn van de hals van het meisje naar beneden om iedere zware borst heen en veroorzaakte een kring van verrukkelijke bliksemflitsen, maar ze bleef af van de tepels, die ze hard en stijf zag worden. Als geraffineerde wellusteling wilde ze eindeloos op haar genoegens wachten en niets wond haar zo op als de inwijding van een vrouw, waarvan ze wist dat zij nooit het ondraaglijke genot had ervaren dat zij haar kon schenken.

'Topsy, dit is allemaal voor jou . . . ik wil niets . . . je hoeft je geen centimeter te verroeren . . . je blijft rustig liggen en laat mij naar je kijken . . .' Terwijl ze de tailleband van Topsy's rok losmaakte en hem met een snelle beweging uittrok, zoog ze weer op Topsy's vingers, stak er twee in haar wijde mond en liet haar geoefende tong er met snelle bewegingen tegenaan tikken. Topsy huiverde en kon niet geloven, dat ze zo opgewonden werd door niets anders dan de aanraking van haar borsten en vingers. Ze ontspande toen Vanessa zei, dat er niets van haar werd verwacht . . . ze had niet geweten wat ze moest doen. Nu omringde Vanessa allebei de tepels met vijf vaardige, liefkozende, zachte vingers die ze met gevoelige toppen tot twee harde punten prikkelde. Pas toen Topsy zich niet meer in kon houden en begon te zuchten, sloot Vanessa eindelijk met een weelderige loomheid haar mond over één tepel, eerst met het puntje van haar tong over het eerste hete, harde knopje en toen over het andere likkend. Minutenlang was ze bezig zonder die grote bruine tepels los te laten, trok er aan, overspoelde ze met snelle slagen van haar hele tong net zo lang tot ze zó waren geprikkeld dat het bijna pijn deed. Toen pas strekte ze haar armen uit om de rest van Topsy's kleren uit te trekken.

Het meisje had de ogen nog steeds gesloten, zag Vanessa terwijl ze zich zelf snel uitkleedde. Goed, zo was het gemakkelijker . . . de eerste keer. Ze omvatte Topsy's hand met haar ene, slanke arm en ging met de andere naar beneden en streek met haar vingers heel luchtig, zodat ze de aanraking bijna niet voelde, maar toch wild prikkelend, over de tere heuvel, vlak boven het dikke, warrige roodbruine schaamhaar. Toen Topsy geen teken van afweer gaf, ging Vanessa met de soepele bewegingen waar ze beroemd om was, schrijlings over het lichaam van de vrouw heenzitten, met een knie aan weerszijden van Topsy's gevulde heupen. Ze leunde achterover op haar hielen en gleed met haar vingertoppen over Topsy's fraaie witte dijen en kuiten, helemaal tot het puntje van haar roze tenen en weer terug, waarbij ze opzettelijk het gekrulde schaamhaar vermeed. Ze zag Topsy's handen tot leven komen; ze stak de ene naar beneden en pakte de hare die ze naar de venusheuvel trok die het meisje naar haar ophief. Vanessa maakte haar hand los en fluisterde: 'Nee, nee, nog niet . . . je bent nog niet zo ver . . .' en ze begon de zachte binnenkant van Topsy's dijen te strelen, steeds hoger met haar vingers tot net aan de buitenkant van het schaamhaar. Topsy kreunde smekend en opende haar benen. Vanessa zag de vochtige glans op de aangeboden schaamlippen. Haar eigen schaamspleet was zo zwaar en vol dat ze zich er bijna niet van kon weerhouden hem in het meisje te boren. Maar ze hield zich in, en bukte zich diep om zachtjes op Topsy's dikke haren te blazen en de krulletjes met haar adem uit elkaar te waaieren, zodat ze de gezwollen clitoris van het meisje kon zien. Toen stak ze haar tong weer uit en liet het topje voortdurend over het orgaantje heen en weer schieten. Soms zoog ze er op met haar hele mond, dan weer likte ze het met een lichte, flitsende aanraking.

'Neuk me dan, in godsnaam — neuk me!' mompelde Topsy die het niet meer uit kon houden.

Vanessa strengelde de drie middelvingers van haar rechterhand in elkaar en bracht ze een eindje tussen de gretige lippen. Topsy duwde zich uit alle macht omhoog en Vanessa die geknield zat, bukte zich weer en nam de hele schaamspleet van het meisje in haar hete, begerige, grote mond en sabbelde ritmisch op de clitoris, terwijl ze tegelijkertijd haar drie vingers krachtig in en uit Topsy's vagina bewoog, soms maar enkele centimeters, soms zover als ze erin kon. Topsy was zich alleen maar van het meest intense genot bewust; de vingers in haar vagina brachten een harde, knobbelige prikkeling teweeg zoals een gladde penis nooit zou kunnen en dat zuigen, o, dat prikkelende gevoel van het zuigen was iets dat ze nooit voor mogelijk had gehouden. Ze voelde zich op de rand van een orgasme inhouden, heel lang, net zo lang tot ze met een plotselinge uitbarsting en een steeds groter wordende vijver van samentrekkingen klaarkwam in Vanessa's mond, zodat ze het in ongelofelijke overgave uitschreeuwde.

Terwijl ze nog schudde en haar heupen schokten, wierp

Vanessa zich op de andere vrouw, kuste haar voor het eerst op haar droge, open mond en drukte haar eigen met dun donker haar bedekte schaamspleet in Topsy's begroeide heuvel, terwijl ze Topsy's volle ronde billen met haar beide handen omvatte en ze woest heen en weer wreef tot ze snel klaarkwam in het dwingende orgasme dat ze zo lang had ingehouden.

Er verstreek enige tijd voordat Topsy duizelig, maar zonder het voorbijgaan van de tijd uit het oog te verliezen, rechtop ging zitten. 'Over tien minuten komen ze terug voor de lunch . . . en dan komt Ham me roepen. Wat zie ik er uit!'

'Je ziet er fantastisch uit,' zei Vanessa, haastig haar kleren aanschietend. 'Heb je soms ergens een jarretelgordeltje en kousen?'

'Die heb ik wel eens gekocht . . . voor Ham . . . maar het haalt niet veel uit. Hoezo?'

'Zou je ze niet voor mij willen dragen? Zonder broekje? De hele dag, de hele avond en morgen ook de hele dag? Zodat ik naar je kan kijken en je dan in gedachten onder je kleren kan aanraken . . . zodat jij naar mij kan kijken en mij zien denken?'

'O!'

'Wil je dat?'

'Ja, God, ja.'

Toen de gasten van het feestje ten huize van de familie Short bij elkaar kwamen om iets te drinken voor de lunch, ging Robin Valarian naar zijn vrouw en sloeg zijn arm om haar heen.

'Heb je prettig gereden, engel?' vroeg ze, en ze hief haar trotse neus naar hem op en opende wijd haar oosterse ogen.

'Geweldig — het is erg jammer dat je bang bent geworden voor paarden, mijn arme schat. Je kon zo goed rijden. En jij — een prettige jacht gehad?'

'Buiten alle verwachtingen.'

'Daar ben ik blij om. Ik benijd je bijna.'

Daisy gebruikte de lunch met Cindy en haar zusjes in hun speelkamer en tekende 's middags het meisje op haar pony. De jongere meisjes, van zeven en vijf, die allebei pony's hadden, bleven een poosje eerbiedig toekijken tot het ze begon te vervelen en ze wegslenterden. Nadat ze had gewerkt tot Cindy vermoeid begon te worden, gaf Daisy zich over aan het grote voorrecht dat de weekends bij de paardenmensen haar konden schenken: een rit te paard op haar eentje, alleen vergezeld door Theseus. Deze uren, waarin ze alleen en volkomen vrij kon galopperen waar ze wilde, gedachteloos gelukkig, als in een wind van voorjaarsvreugde, waren een luxe die ze zich op geen andere wijze had kunnen veroorloven. Ze had er een bepaalde handigheid in verkregen, om als ze maar enigszins kon van die gelegenheid gebruik te maken, zonder dat het ten koste van de tijd ging die ze nodig had om te werken. Met tegenzin draafde ze in het late namiddaglicht naar de stallen terug en ging naar haar kamer om een bad te nemen en zich voor het diner te kleden.

Dit was het wat haar het meest tegenstond van die weekends, dacht ze onder het zorgvuldig opbergen van haar rijkleding. Het obligate diner met de voltallige gasten, de verplichte gesprekken, de verplichte rol van prinses die haar gastvrouw van haar verwachtte, of eigenlijk van haar eiste. Kiki vroeg zich vaak af waarom dat haar zo tegenstond, waarom ze het alleen maar volhield om haar werk te verkopen. 'Ik zou het heerlijk vinden om een prinses te zijn,' zei ze, heftig haar hoofd schuddend tegen Daisy. Ze had nooit kunnen verklaren, zelfs niet aan Kiki, waarom ze zich diep in haar hart in de persoon van prinses Daisy Valensky een bedriegster voelde, alsof ze geen recht op die titel had. Verleende titels waren in de moderne wereld uit de tijd, behalve in die paar landen die nog door vorsten werden geregeerd, maar veel mensen in veel andere landen gebruikten ze nog zonder het onbehaaglijke gevoel dat zij had.

Toen Daisy zich in het warme bad liet zakken, besefte ze door die plotselinge schok van behaaglijkheid die ze van het haar omhullende water ondervond, dat ze treurig was. Een vertrouwde treurigheid die haar af en toe overviel, een treurigheid waar ze tegen vocht zonder te begrijpen waar het vandaan kwam. Ze had perioden van neerslachtigheid die ze kon zien aankomen als het eerste teken van een zeemist die het licht verduisterde. In zo'n stemming kroop ze thuis onder alle dekens die ze kon vinden, haar voeten in dikke wollen sokken gestoken. Ze lag dan urenlang te rillen, terwijl ze zich afvroeg, waarom de toekomst geen lichtpuntje bood en ze zich een situatie, een plek, een gebeurtenis trachtte voor te stellen die haar naar de werkelijkheid terug kon lokken. Daarbij hield ze Theseus dicht tegen zich aan, voortdurend zijn vacht strelend en hem stevig liefkozend.

Iedere keer als ze wilde weten waar die wanhopige treurigheid vandaan kwam, het bloot wilde leggen en onderzoeken, raakte Daisy onmiddellijk verstrikt in een web van onaangename vragen, die geen levende ziel voor haar kon beantwoorden.

Als ze nu eens bijvoorbeeld net als de meeste mensen twee ouders had gehad? Als haar moeder nu eens net als andere vrouwen die van hun man gescheiden leven, Daisy toen zij nog een kind was had kunnen uitleggen, waarom zij achteraf in Big Sur woonden, zonder vreemden te zien, zonder contact met de buitenwereld? Ook al zou ze die verklaring niet helemaal hebben begrepen, het zou haar misschien voorlopig toch hebben gerustgesteld, tot ze oud genoeg was om het wel te begrijpen. Als haar vader haar nu eens had verteld, waarom hij maar zo kort bij haar kon blijven en haar jaar in, jaar uit, weer zo plotseling moest achterlaten, zodat ze altijd in angst leefde dat hij nooit zou terugkomen, ondanks de brieven die hij haar stuurde? Als haar moeder — die al te vage herinnering aan absolute veiligheid en liefde — niet zonder afscheid was weggegaan, op een zonnige middag verdwenen in zee? Als haar vader Dani bij haar had laten blijven, in plaats van haar streng te verbieden met ook maar één woord over haar bestaan te reppen? En als Stash nu eens niet was doodgegaan toen ze vijftien was; stel dat hij nog leefde en haar beschermde alleen door er te zijn? Stel dat Ram een echte oudere broer was geweest, aardig en zorgzaam, iemand naar wie ze met haar problemen toe kon gaan, in plaats van de krankzinnige engerd, zoals alleen zij en Anabel hem kenden?

Daisy stapte uit het bad en begon zich aan te kleden. Onder het borstelen van haar haar keek ze naar Kiki's namaak-smaragden op de toilettafel. De halsketting en armbanden zouden uitstekend bij het groene tweedjasje met de versierde revers staan, maar van de oorhangers zou onder het haar niets zijn te zien. Ze pakte een paar haarspelden en stak ze door de grote ovale met glinsterende steentjes bezette hangers. Ze liet haar haar vanavond los hangen, nadat ze het de hele dag gevlochten had gedragen, en de prachtige zware zilvergouden massa waarin ze handig de oorhangers vastmaakte, viel in kleine golfjes naar beneden. In haar broekpak van Schiaparelli zag ze er uit als een jonge Robin Hood. Een Robin Hood die helemaal naar Parijs was geweest om de rijken te beroven en toen ze klaar was, keek ze zo vastberaden naar zichzelf in de spiegel alsof ze met een weerspannig paard had te doen en zei hardop: 'Daisy Valensky, het heeft geen zin je af te vragen "als nu eens?" Het ís — zoals het is!'

Patrick Shannon herkende Daisy toen ze de salon binnenkwam alleen aan de stand van haar hoofd als het meisje dat hij 's morgens had zien rijden, anders zou hij hebben gedacht omdat hij haar niet aan het ontbijt en de lunch had gezien, dat ze pas was aangekomen. Toen ze het vertrek binnenkwam waar de andere gasten zich al hadden verzameld, leek de tijd een fractie van een seconde stil te staan, waarin het geroezemoes even verstomde, waarna het gesprek weer werd voortgezet.

Daisy kende niemand, en Topsy leidde haar rond en stelde haar aan iedereen voor. Toen ze bij Patrick kwam, dacht hij, o, dus dat is ze, dat had ik kunnen vermoeden. Hoewel hij het nieuws van beroemdheden niet bijhield, wist hij net als iedereen wel van Daisy's bestaan af.

Zij gaven elkaar met een vluchtig glimlachje een hand, Daisy in beslag genomen door het onthouden van alle nieuwe namen — deze mensen waren mogelijke toekomstige cliënten — en Shannon die trachtte haar in een vakje te stoppen. Hij was iemand die nieuwe mensen altijd meteen een plaats wilde geven, ze vast wilde leggen, zodat hij wist in welke verhouding hij tot hen stond. Hij had de paardenmensen al afgedaan als mensen die totaal niet in zijn schema pasten, Vanessa en Robin Valarian bestempeld als mensen waar hij nooit zaken mee zou doen en had de overtuiging gekregen, dat Ham Short iemand was met wie hij goed en tot zijn profijt kon samenwerken — zijn stijl beviel hem wel. Toen Daisy zich omdraaide om aan het echtpaar Dempsey te worden voorgesteld, dacht hij: verwend, gekoesterd, gevleid en ijdel. Die les had hij door zijn ex-vrouw wel geleerd . . . hij kende dat slag.

Onder het diner werd zijn oordeel bevestigd toen hij naar het gesprek luisterde tussen Daisy, die rechts van hem zat, en Dave Hemming en Charlie Dempsey die haar vader hadden gekend uit de tijd dat hij polo speelde. Zij was de laatste jaren aan die gesprekken over polowedstrijden gewend geraakt. Bijna alle paardenmensen boven de vijftig hadden hun eigen herinneringen aan haar vader, en ze vond het prettig hen over hem te horen praten . . . Dat bracht hem weer even terug, ook al spraken ze over herinneringen van lang geleden.

Terwijl de vertrouwde discussie doorging, wendde Daisy zich tot Shannon.

'Bent u een liefhebber van polo, meneer Shannon?' vroeg ze op vriendelijke toon, uiterst beleefd.

'Ik weet er niets van,' antwoordde hij.

'Wat een verademing.'

Hij dacht dat zij hem bespotte. 'En wat doet u, prinses Valensky, als u niet scheidsrechtert in geheimzinnige meningsverschillen over een spel, dat vijfenveertig jaar geleden gespeeld werd?'

'O — van alles en nog wat. Ik maak dit weekend een tekening van Cindy op haar pony.'

'Voor uw plezier?'

'Min of meer.' Daisy achtte het onder alle omstandigheden noodzakelijk de ware commerciële aard van haar aanwezigheid op deze huisfeestjes te verdoezelen. Het feit dat ze hier was om geld te verdienen dat ze dringend nodig had, het feit dat ze 's avonds voorzichtig en achteloos trachtte uit te vissen wie van de andere gasten kinderen had, die in de toekomst een onderwerp voor haar konden zijn, het feit dat ze niets meer of minder deed dan opdrachten werven, kon het beste worden verborgen. Haar vak werd beter gediend door mond tot mond reclame dan door zich zelf te adverteren.

'Jaagt u hier in de buurt, meneer Shannon?'

'Jagen? Hier? Nee.' Mijn God, dacht Patrick. Hoe zou iemand na een maand rijschool van hem kunnen verwachten dat hij over hekken sprong.

'Waar jaagt u dan?' ging Daisy vol vertrouwen verder.

'Ik jaag helemaal niet,' zei Patrick kortaf.

'Natuurlijk wel — of niet — nee? O, waarom bent u ermee opgehouden?'

Shannon zocht boosaardigheid in haar ogen en vond niets anders dan de glans van kaarslicht op zwart fluweel. De vlammen, de chrysanten op de tafel, de spiegeling van het zware zilver en Iers kristal — dit alles droeg ertoe bij haar schoonheid te verlichten, die al het licht in het vertrek overtrof. Maar hij meende een smalend toontje in haar geamuseerde ondervraging te horen.

'Ik verzeker u dat ik niet jaag, nooit gejaagd heb en niet van plan ben om ooit te gaan jagen,' antwoordde hij met koele, ingehouden beleefdheid.

'Maar . . . eh . . . uw laarzen dan . . .' mompelde Daisy, in de war.

'Wat is daarmee?' snauwde hij.

'Niets,' zei ze haastig.

'Nee — ik wil het weten. Wat is er met mijn laarzen?' Nu was hij ervan overtuigd, dat ze hem voor de gek hield.

'O, alleen maar . . . maar het is echt niet belangrijk, het is alleen gek dat het mij opviel . . .' babbelde Daisy die zijn blik trachtte te ontwijken.

'Die laarzen?' vroeg Patrick onverzoenlijk.

Nu werd Daisy nijdig. Als die vent van plan was haar te behandelen als een getuige in een moordzaak, zou ze haar mond opendoen ook.

'Meneer Shannon, uw laarzen zijn zwart met bruine rand en alleen een officiële jagermeester heeft het recht om zulke laarzen te dragen. Als u niet jaagt behoren uw laarzen helemaal effen te zijn.'

'Wel allemachtig!'

'Dat had iemand u moeten zeggen,' voegde ze er haastig aan toe.

'U zegt nu dat dit een van die dingen is die iedereen behoort te weten, is het niet?'

'Het is echt niet belangrijk,' antwoordde Daisy zo koel mogelijk.

'U bedoelt dat het iets is wat niet hoort?' vroeg hij bijtend, zijn woede luchtend op Chuck Byers die hem zonder uitleg die laarzen had gegeven.

'Het is ongehoord,' zei ze, geërgerd nu.

'Waarom heeft niemand er dan iets over gezegd — ik heb de hele dag gereden,' beschuldigde hij haar met boze stem.

'Zij hebben net als ik aangenomen dat u jaagde. Zo eenvoudig is dat.'

'Zo goed rijd ik niet dat iemand die zijn verstand gebruikt zou kunnen denken dat ik jaag,' antwoordde hij woedend.

'Misschien waren ze alleen maar tactvol, misschien

vermoedden ze dat u het zich zou aantrekken en wilden zij niet uw verschrikkelijke wraak riskeren? Waarom bent u boos op mij, meneer Shannon? Ik heb u die laarzen niet verkocht.' Daisy wendde zich tot Charlie Dempsey en begon met hem over polo te praten.

Patrick Shannon was inwendig ziedend bij het vermoeden, dat al die mensen waar hij overdag mee had gereden, nieuwsgierig naar zijn laarzen waren geweest en te beleefd om hem er iets over te vragen — en ze hadden hem ongetwijfeld achter zijn rug uitgelachen.

Shannon vond het niet prettig zich zo dom te voelen als het achterend van een varken.

Er was maar één privé-vertrek in de flat van het echtpaar Valarian, slechts één kamer die in de loop van Robins nooit eindigende her-inrichting, die hun dubbele woning op Park Avenue een totaal nieuw aanzien gaf *nooit was gefotografeerd*. Dat was de kamer, waarin zij hun schaarse tijd samen doorbrachten, waarin zij zich overgaven aan een geliefkoosd ritueel, voordat zij zich gingen kleden om uit te gaan of thuis te ontvangen, zoals zij praktisch alle avonden van de week deden. Iedere avond om zes uur ontmoetten Robin en Vanessa elkaar in hun privé-vertrek, waarvan de muren en vloeren met dikke tapijten waren bedekt. Uit het gewelfde koperen plafond verspreidde zich een warm licht uit de ingebouwde lichtpunten over de vele orchideeën die in hangende mandjes groeiden. In het midden van de overigens lege kamer was een met tapijten beklede verhoging, waarop een reusachtige ovale badkuip stond — die zo groot was als een doorsnee badkamer — van zwart glasvezel. Vijftien centimeter dieper dan badkuipen over het algemeen zijn, zaten er vier glimmend verchroomde regelbare waterkranen in, die draaikolken van een temperatuur van wel tachtig graden konden veroorzaken. Zij lagen naakt met hun fantastische strakke, in voortreffelijke conditie gehouden glinsterende lichamen in het kalmerende water, dronken koude, droge witte wijn en babbelden over wat zij die dag hadden beleefd en gedaan. Daar versterkten zij de diepe banden die hen bij elkaar hielden.

Zoals veel getrouwde homoseksuele paren vormden zij een sterkere, duurzamer relatie dan bijna alle heteroseksuele paren die zij kenden. Er is geen echtpaar dat zo met hun gezamenlijke en individuele successen is verbonden als een homoseksuele man, gelukkig getrouwd met een lesbische vrouw; geen liefdesverbintenis is zo stevig, beschut en hecht. Samen ontvingen zij de ontzaglijke voordelen die zij buiten het huwelijk nooit zouden hebben gekregen, waarvan de belangrijkste was de bescherming tegen het alleen zijn. Samen vormden zij die eenheid, 'het getrouwde stel', dat overal veel gemakkelijker in het sociale leven wordt opgenomen dan een homoseksueel alleen of een homoseksueel paar van dezelfde sekse: zij voorzagen hun gastvrouw van díe bijdrage die op een feestje bijzonder op prijs werd gesteld: een volmaakt echtpaar.

Samen bouwden zij een traditioneel, oneindig veilig thuis voor elkaar, waarin Robin zijn talent om een schitterende barokke omgeving en steeds weelderiger bloemstukken te scheppen kon uitleven. Hij was het die ideale bedienden zocht en opleidde, en Vanessa degene die met geraffineerd overleg de feestjes organiseerde om de carrière van Robin vooruit te helpen. En omdat zij geen wederzijdse jaloezie kenden, zoals geliefden vaak hebben, konden zij allebei hun seksuele voorkeur volkomen uitleven, met daarbij de prettige wetenschap, dat de ander ongeduldig wachtte er alles over te horen, raad te geven en te helpen om het pad te effenen. Hun huwelijk bracht hen in de hoogste kringen, wat als zij alleen waren gebleven niet mogelijk was geweest. Als de heer en mevrouw Valarian dineerden zij op het Witte Huis, zeilden zij op de grootste jachten, en logeerden zij in de oudste Engelse en Ierse landhuizen; een onberispelijk echtpaar, verheven boven ieder schandaal, zij het niet geheel boven geruchten — maar wie besteedde er tegenwoordig aandacht aan geruchten?

Als het echtpaar Valarian konden zij niet homoseksueel

zijn; als getrouwd stel bewogen zij zich ongestoord in de kringen van beroemdheden, terwijl zij binnen hun eigen intieme kring niet alleen als buitengewoon knappe, geslaagde bedriegers werden erkend, maar tevens werden toegejuicht om de handigheid waarmee zij elkaar hadden gevonden en zo goed gebruikten. Zij hadden heel goed begrepen dat er onder hen die in de wereld zijn geslaagd geen mannelijk of vrouwelijk bestaat, maar alleen succes of gebrek aan succes. De enige vraag waar het op aankomt is: hoor je wel of niet bij ons?

Robin Valarian hield echt van Vanessa en zij hield echt van hem, allebei met zorgzame tederheid. Als hij kou had gevat, bracht zij hem ieder uur vitamine C en zag er op toe dat hij het slikte. Als zij een vermoeiende dag had gehad, masseerde hij een uur lang haar rug tot zij spon van welbehagen en dan ging hij naar de keuken. Daar zei hij de kokkin precies wat ze op een blad moest zetten en ging het haar dan zelf brengen, installeerde haar vervolgens tussen de kussens op het bed en drong er op aan dat ze at. Het leven dat ze samen hadden opgebouwd was een levend, groeiend, diepgeworteld iets, dat volkomen op hun gezamenlijke bijdragen berustte. Vanessa citeerde vaak Rilke: 'De liefde bestaat hieruit, dat twee eenzaamheden elkaar beschermen, begrenzen en begroeten.'

Afgezien van alles waren zij elkaars beste vrienden. Robin bewonderde haar geestkracht, de felheid waarmee ze zorgde dat ze kreeg wat ze wilde hebben, en hij was in het bijzonder dankbaar voor haar rol in zijn carrière. Ze bezat zoveel stijl die rechtstreeks uit haar persoonlijkheid voortkwam, dat zij hem inspireerde bij het ontwerpen van zijn modieuze kleding. Zijn bekwaamheid als ontwerper was beperkt: hij kon vrouwen er mooi en vrouwelijk uit laten zien — zijn specialiteit was avond- en uitgaanskleding, kwistig gebruik makend van allerlei versiersels en ruisende tafzijde, maar hij had nog nooit van zijn leven een oorspronkelijk ontwerp bedacht. Toch kochten rijke vrouwen in het hele land de dure couturemodellen van Robin Valarian. Dit was slechts gedeeltelijk te danken aan de buitengewoon vriendelijke manier waarop hij werd behandeld door de mode-pers, waarvan de leden maar al te graag op de feestjes van dit meest exclusieve echtpaar werden uitgenodigd. In wezen verkochten zijn kleren voornamelijk, omdat Vanessa zo dikwijls in zijn modellen met haar flair van zwierige onverschilligheid, omringd door mensen van goede smaak en status werd gefotografeerd. Daardoor had 'een Valarian' de naam gekregen van een beslist mooie japon waarin een beter gesitueerde vrouw zich bijna kon voelen alsof ze Vanessa Valarian zelf was, opgewassen tegen de uitdaging van allure en gedurfde chic.

Hun dubbele woning weerspiegelde hun verknochtheid aan elkaar. Het was geen hebzucht, waardoor ze alle tafeltjes volzetten met kostbare snuisterijen, maar dolgedraaid nestelinstinct, kastelen bouwen op huiselijke schaal. Ieder voorwerp dat zij samen uitzochten en kochten versterkte hun band; een stel Pyrex-mengschalen net zo goed als een dure zilveren zeemeermin gemaakt door Tony Duquette. Voor hen had hun tafellinnen, zilver en porselein iets heiligs, zoals alleen pasgetrouwde paren dat kennen. Lang voordat het mode werd dat een man zich voor huishoudelijke zaken interesseerde, liet Robin Valarian zich op zijn bekwaamheid om het huis in te richten voorstaan. In tegenstelling tot de godin van binnenhuisarchitectuur, Sister Parish, die de twee woorden luxe en discipline tot devies had, geloofde het echtpaar Valarian in luxe én luxe. Al hun donzen hoofdkussens waren van biesjes of kwastjes voorzien, iedere lampekap met roze zijde gevoerd, alle gordijnen waren tweezijdig en dubbel gevoerd en rijk versierd, op alle muren zaten minstens twaalf kostbare laklagen, als ze niet met een zeldzaam materiaal waren behangen. Alle banken waren zeer groot met dikke kussens, waar hun gasten lekker diep in wegzakten en zich behaaglijk voelden als een baby in de wieg, en die illusie maakte dat ze veel meer vrijuit praatten dan in een minder overdadig gestoffeerde omgeving. Het echtpaar Valarian gaf nooit een feestje, waarop niet minstens één goede naam werd gemaakt en een andere kapot gemaakt.

Dit echtpaar dat de vesting van hun huwelijk verdedigde met de onwankelbare trouw van bloedbroeders, werd gespaard voor de wisselende stemmingen van minnaars, ontsnapte de voorspelbare grenzen opgelegd door de monogamie, en genoot alle voorrechten van de huwelijkse staat.

Vanessa Valarian was iemand, die vol overgave en raffinement de kunst van het diensten bewijzen beoefende. Ze koesterde al heel lang een eigen theorie, dat een dienst, aan de juiste persoon op het juiste tijdstip bewezen, zonder een vooropgezet motief of de onmiddellijke verwachting van wederkerigheid, uiteindelijk een nuttig, zelfs een onmisbaar stukje van het schitterende mozaïek van haar leven zou blijken te zijn . . . in zee geworpen kaviaar. Het juiste tijdstip was volgens haar ervaring, wanneer de persoon aan wie ze de gunst verleende, geen reden had iets van haar te verwachten en als die gunst tevens rechtstreeks uit gulle hartelijkheid en waardering van de bijzondere kwaliteiten van die persoon leek voort te komen. Ze bewees bijna nooit een dienst aan iemand die haar er om vroeg; haar gunsten moesten onverhoopt en onvergetelijk zijn. De persoon aan wie ze een gunst verleende had geen andere aanbeveling nodig dan Vanessa's scherpe intuïtie die haar zei wie succes zou hebben, wie mogelijkheden had die niet waren ontdekt en wie niet waard was om aandacht aan te besteden. Als een handige surfer kon ze de grote golven onderscheiden voor zij op hun hoogtepunt waren om er op te springen, voordat de andere vrouwen in haar wereld de zwelling en de kracht in het oog hadden gekregen.

Toen Topsy Short had gezegd, dat Daisy Valensky bij wijze van proef bezig was Cindy te schetsen, voordat zij besloot opdracht te geven voor een olieverfschilderij van al haar drie dochtertjes op hun pony, voelde Vanessa dat hier haar kans lag. Ze had Daisy de vorige avond aan het diner goed opgenomen. Ze had, als niemand anders, onmiddellijk geweten dat dit groene Chiaparelli-pak bijna veertig jaar oud was, dat de smaragden vals waren en dat het meisje op de een of andere manier kwetsbaar was. Hoe het mogelijk was, dat ze kwetsbaar kon zijn gezien haar titel, haar aandeel in het waarschijnlijk fabelachtige vermogen van haar vader en haar schoonheid was onverklaarbaar, maar Vanessa wist het zeker.

'Zullen we even naar haar schetsen kijken, voor ze naar New York teruggaat,' stelde ze voor.

'O, ik denk dat ze dat niet prettig vindt,' antwoordde Topsy. 'Ze zei, toen ik haar vroeg om te komen, dat het maar ruwe studies zouden zijn, zoiets als aantekeningen in steno. Over een paar weken zal ze mij de definitieve tekening sturen.'

'Wat maakt het nu uit wat ze prettig vindt, kleine Topsy? Ga mee een kijkje nemen — het is misschien heel leuk.'

Met tegenzin liet Daisy de twee vrouwen haar schetsblok zien. Er stonden tientallen snelle, gedurfde lijntekeningen in, maar een leek kon er niet uit opmaken hoe het eindresultaat er uit zou zien.

Topsy zweeg — haar teleurstelling stond op haar gezicht te lezen, maar Vanessa begreep direct hoe talentvol Daisy was.

'Je bent erg goed — maar dat weet je natuurlijk wel,' zei ze tegen Daisy. 'Je maakt de vergissing van het jaar, als je prinses Daisy niet alle drie je dochtertjes laat schilderen, Topsy. Over een paar jaar moet je het dubbele betalen voor wat ze maakt — als ze dan tenminste tijd voor je heeft.'

'Tja, eh . . . ik weet het niet — als Ham het nu niet wil?' Topsy keek Vanessa vol vertedering aan. Hoe kon ze zich nu het hoofd breken over schilderijen, terwijl ze onder haar rok haar dijen over elkaar voelde wrijven, hunkerend en vol verlangen naar de aanraking van Vanessa's verrukkelijke handen?

'Ik kan me niets voorstellen dat hij liever zou willen, en als je het nu niet doet — denk er om, Topsy! — dan heb je geen portret van de meisjes voor ze volwassen beginnen te worden — ze zijn nu precies op de goede leeftijd. Als ik jou was, zou ik geen seconde aarzelen, dan liet ik een heel groot olieverfschilderij maken, een erfstuk... tenminste,' zei ze, naar Daisy kijkend, 'als je tijd hebt om zo'n opdracht aan te nemen.'

'Ik kan wel tijd maken,' zei Daisy, en dacht dat ze zo nodig een maand lang iedere nacht zou schilderen om het af te krijgen voor de volgende rekening uit Engeland kwam.

'Nou, dat is dan geregeld. Ik heb je een grote dienst bewezen, Topsy, dat mag je vooral niet vergeten. Je zult me nog wel dankbaar zijn.'

'Dank u, mevrouw Valarian,' zei Daisy snel.

Vanessa zag de verstolen opluchting op het gezicht van Daisy. Ze had dus toch geld nodig. Merkwaardig.

'Jij moet me niet bedanken — Topsy zou mij moeten bedanken — ze mag wel blij met je zijn,' antwoordde Vanessa met de brede, open, onschuldige glimlach die de uitvoering vergezelde van een veelbelovende gunst, die al haar antennes haar zeiden te verlenen. Daisy Valensky stond nu bij haar in de schuld. 'De volgende keer als we in Engeland zijn, zal ik tegen Ram zeggen hoe begaafd ik je vind. Hij is een heel goede vriend van ons — wij zijn dol op je broer.'

'Dank u, mevrouw Valarian,' zei Daisy weer werktuiglijk. Ze voelde een kilte die zich als een vlek over haar hart verspreidde.

Toen Daisy de vrijdagavond na het weekend in Middleburg 's avonds uit de studio thuiskwam, trof ze Kiki aan die een exemplaar van het weekblad Soho Nieuws zat door te bladeren. 'Daisy, heb je morgenavond iets te doen?'

'Dat weet je toch — je neef komt in de stad om met mij te gaan eten.'

'O, ja, dat was ik vergeten... dus hij heeft het nog niet opgegeven, hè?'

'Henry? Hij verstaat geloof ik geen Engels. Ik heb al zo vaak nee gezegd, dat het vervelend wordt, maar mijn God, wat is die hardnekkig. Hij is zo lief, dat ik hem niet wil kwetsen. Ik zeg iedere keer maar weer, dat hij maar niet moet komen, want het is net alsof je de staart van een hond in kleine stukjes snijdt. Het is minder hard om hem er met één snelle klap af te hakken — neem me niet kwalijk, lieve Theseus — maar hij luistert niet. Waarom vraag je dat?'

'O, ik dacht, dat we misschien iets konden gaan doen — er is een tapdans-epos in de Toneelgarage en Poëzie Hardop in de Sint Marcuskerk en La Mama speelt voor de verandering Brecht, en microgolf-muziek in Three Mercer — er is van alles,' zei Kiki somber.

'Goeie God! Wat mankeert jou? Heb je je temperatuur opgenomen? Waar doet het pijn?' zei Daisy die ongerust naar haar vriendin keek. Kiki zat in een oude kaftan met opgetrokken knieën op de bank, met allemaal manuscripten, brieven en tijdschriften om zich heen.

'Doe niet zo idioot — mij mankeert niets — ik vind alleen, dat het geen kwaad kan als wij eens iets aan onze culturele vorming doen. Ik heb nog mijn theater, al is het nu even rustig, maar jíj, wat doe jíj de hele dag behalve over dingen denken die er op gericht zijn miljoenen vrouwen een aanval van benauwdheid te bezorgen?' vroeg Kiki hatelijk. 'Dit, samen met de paardenmensen, maakt een culturele analfabeet van je, als je niet oppast.'

'Laten we ons liever bij de feiten houden,' zei Daisy, zonder op haar woorden in te gaan. 'Je hebt je sinds ze je in Santa Cruz in hun verblinding een diploma hebben gegeven, nooit om je culturele vorming bekommerd. Dat betekent, dat je voor het eerst in zo'n jaar of acht geen afspraak voor vrijdagavond hebt en daarom ben je in paniek. Dat is belachelijk, dat weet je best. Er zijn wel tien mannen die als je ze opbelt dolblij . . .'

'Die moet ik niet!' zei Kiki, op een toon die meer verward dan beslist klonk.

'Wie wil je dan?'

Kiki bleef koppig zwijgen.
'Zal ik eens een raadseltje opgeven? Wie wil mijn Kiki dan hebben? Voor wie heeft ze vorige week zaterdag de koelkast volgestopt, zodat wij de hele week paté en kaas bij het ontbijt moesten eten om het op te krijgen, wie was er zo onaardig...'

'O, schei uit, Daisy! Je wordt ontzettend vervelend,' snauwde Kiki.

'Luke heeft nog niet opgebeld,' zei Daisy botweg.

'Nee. Ik kan hem wel vermoorden. Hoe durft hij mij dat aan te doen? Ik begrijp het eenvoudig niet! Niemand behandelt me zo, niemand!' Kiki's hele kleine lichaam was in elkaar gedoken en rilde onder de kaftan, alsof ze zichzelf ervan wilde weerhouden voorover te springen en als een driftig kind met haar vuisten op de vloer te bonken.

'Niemand behalve Luke Hammerstein.'

'Inderdaad, zeg het nog maar eens,' zei Kiki wrang.

'Kom nou, Kiki, ik leef met je mee! Maar je moet de dingen onder ogen zien als je ze niet wilt veranderen.'

'O, spaar me — Lieve Lita in de bocht.'

'Ken je iemand anders met wie je erover kunt praten?'

'Daisy Valensky, ergens schuilt er een uitgekookt kreng onder dat prachtige uiterlijk van je. Je weet best dat ik niemand ken,' zei Kiki, en sloeg wanhopig haar armen om Theseus heen.

'Ik geloof, dat je gelijk hebt,' zei Daisy met een verheugde glimlach. 'Dit is mijn dag om te zeggen waar het op staat, of zo'n soort kreet die is overgebleven uit — was het de jaren vijftig of zestig? — enfin... maar jij bent niet de eerste die vandaag niet zo blij met me is. En zal ik je iets zeggen — het kan me geen barst schelen.'

'O, hou je mond en luister. Die schoft heeft niet éénmaal, maar twéémaal mijn pogingen tot toenadering afgewezen. Wat kan daar in vredesnaam voor reden voor zijn? Denk je dat hij impotent is? Denk je, dat hij misschien een ongeneeslijke vorm van een of andere geslachtsziekte heeft en mij dat niet wil vertellen? Denk je . . . o, God, . . . denk je dat hij op iemand verliefd is? O, Jezus . . . dát is het natuurlijk — dat is het enige wat het zou kunnen zijn!' Kiki sloeg haar handen voor haar mond, terwijl ze over deze ergste van alle mogelijkheden nadacht.

'Als dat zo was, zou ik het weten. Hij en North zijn goed bevriend — dan had ik ergens wel iets opgevangen — die studio is net een commune, zulke praatjes hadden dan al lang de ronde gedaan. Kiki, het is heel simpel en je hebt het zelf allemaal aangehaald.'

De telefoon rinkelde en Daisy nam hem op. 'Hallo. O, dag, Luke, met Daisy.' Kiki deed een uitval naar de hoorn, maar Daisy week achteruit en hield hem stevig vast. 'Nee, ze is er helaas niet. Geen idee . . . er zijn zoveel plaatsen waar ze kan zijn . . . ik heb haar om je de waarheid te zeggen de hele week eigenlijk niet gezien, behalve als ze even binnen komt rennen en weer weg rent . . . maar ik zal een boodschap overbrengen.' Kiki gebaarde heftig, maar Daisy trok afschuwelijke gezichten en zette woeste ogen tegen haar op terwijl ze met haar vrije hand dreigend heen en weer zwaaide. 'Goed — ik zal haar vragen of ze je op wil bellen als ze de gelegenheid heeft. Ik zal het boven op de andere boodschappen leggen . . . ik lijk zo langzamerhand wel een telefooncentrale. Ik begrijp niet waarom Kiki geen boodschappendienst neemt of zoiets. Nee, hoor, dat geeft niet . . . ik vind het helemaal niet erg . . . jij bent tenminste een cliënt, dat kan ik van al die anderen niet zeggen. Dag, Luke.'

'Daisy! Hoe kon je dat doen?' schreeuwde Kiki zodra ze had opgehangen.

'Zó doe je dat!'

'Je maakt zeker een grapje. Dat is het oudste spelletje uit het boekje. Dat doet niemand meer.'

'Dat doet iederéén die goed bij haar verstand is. Jammer, dat je Anabel niet beter hebt gekend.'

'Maar ik heb nog nooit van mijn leven de ongenaakbare gespeeld,' sputterde Kiki tegen, 'en ik heb meer mannen gehad dan iedereen die ik ken.'

'Het was je niet echt om die mannen te doen. Het is een koud kunstje om een vent te krijgen als je niet echt om hem geeft. Ik heb jarenlang gezien hoe je dat aanpakt; het wordt die stakker allemaal heel gemakkelijk gemaakt en hij loopt recht in je grote, mooie spinneweb. Hij denkt dat hij een verovering heeft gemaakt en voor hij weet wat er gebeurt, is hij er geweest, omdat precies in het hart van je hele wezen het feit staat dat het je zo koud laat als ijs. Je doet het alleen maar voor de lol en de sensatie, en dat voelt hij, onbewust in ieder geval, en dáár wordt hij gek van. Niet dat je bent te krijgen, maar dat je in wezen níet bent te krijgen. Ik tart je om één man te noemen die je hebt gehad, die je niet op zou geven als er iemand langs kwam die je aantrekkelijker vond . . . ik tart je de naam te noemen van één vent, die je heeft laten lijden . . . tot nu toe.'

'Waarom moet een man mij laten lijden? Wat is daar zo goed aan?' snoof Kiki opstandig.

'Niets. Lijden is niet edel. Maar ik heb het over het feit, dat je voortdurend hebt geweigerd je in een positie te plaatsen, waarin je zou kunnen lijden. Je hebt altijd in wezen oppervlakkige verhoudingen gezocht; fijne seks en veel pret, maar niet echt "zinvol", als je dat cliché over het hoofd kunt zien. Het spijt me, maar het is zo, dat weet je best. En nu komt er een man die belangrijk voor je kan zijn, en je hebt geen idee hoe je hem moet benaderen. Je speelt je oude rol in een nieuwe bezetting en dat werkt dus niet. Probeer dan een nieuwe tekst. Luke is slimmer dan jij, al valt het je moeilijk om te geloven. Hij heeft je al lang door, hij weet dat je gewend bent mannen om je vingers te winden, en hij is niet van plan daaraan mee te doen. Wat doet hij anders dan de ongenaakbare spelen? Heeft hij vijf dagen gewacht met opbellen? Nou, dan bel je hem een week niet terug . . . misschien langer. En als je hem wel terug ziet, ben je een hele nieuwe Kiki.'

'Het is te laat, ik heb het al verpest,' zei Kiki treurig. 'Ik bedoel, ik heb hem al het idee gegeven dat ik ben te krijgen . . . en al dat eten! Ik kan mezelf wel wurgen! En, Daisy, ik ben zo dol op hem . . .'

'Eerste indrukken kunnen worden veranderd. Je speelt toch toneel? Het is doodeenvoudig — je hebt je op hem geworpen, omdat je juist díe week niets beters te doen had. Maar sindsdien zijn de dingen veranderd. Je moet nooit precies zeggen wat er is veranderd — dat kan hij zich wel voorstellen. Nu heb je geen zin om iets te beginnen. Je bent koel, beheerst en doet net of je gek bent. De eerste twee keer dat hij je vraagt met hem uit te gaan, moet je afslaan, maar je laat de deur op een kier — je bent aardig — alsof die eerste twee ontmoetingen eigenlijk helemaal niet hebben plaatsgevonden. Maar je moet het niet overdrijven. Wees jezelf, maar geef niet toe. Ik ben benieuwd hoe hij dat oplost! Dat noemen ze geloof ik "beethebben en wegtrekken".'

'Ik geloof dat het heet iemand in de val laten lopen,' mompelde Kiki, vol enthousiaste bewondering. 'Daisy — dat kan ik — ik weet dat ik het kan. Maar als het nu geen effect heeft?'

'Dan zul je je er bij moeten neerleggen. Je kunt het beter meteen weten, dan nadat je je maandenlang over die vent binnenste buiten hebt gekeerd. "Van tijd tot tijd zijn er mensen gestorven, en wormen hebben ze opgegeten, maar niet uit liefde." '

'Betty Friedan?'

'Shakespeare — *Naar het u lijkt*.'

'O, wat wist die er nu van? "Denkt gij, omdat gij braaf zijt, dat er geen koek en bier meer zal zijn?" '

'Ik wist wel dat er aan jouw culturele vorming niets mankeert.'

'Ik heb verleden jaar *Driekoningenavond* opgevoerd — weet je nog wel — op skateboards?'

'Zou iemand die het geluk had daarbij te zijn die onsterfelijke avond kunnen vergeten? Hoor eens, ik kan die lekkere hapjes die van zaterdag zijn overgebleven niet meer zien. Ga je mee een pizza eten, zodra ik me een beetje heb opgeknapt?'

'Een goed idee.' Kiki liep al door de kamer heen en weer als een groot formaat elfje, lang en recht, met een vage, flauw geamuseerde, wat verstrooide uitdrukking op haar gezicht en haar lichaam zei duidelijk 'raak-me-niet-aan'. Daisy wierp haar een vertederde blik toe en ging zachtjes de zitkamer uit. Als Kiki zich in een rol verplaatste wilde ze het liefst alleen zijn. Daisy nam uitgebreid de tijd om haar handen te wassen, en plotseling voelde ze zich als een schietlood van de hoogtepunten van de dag in een van die vreemde zakken van neerslachtigheid vallen die ze een week tevoren, in Middleburg bij de familie Short, ook nog pas had ervaren. Ze was vandaag de hele dag goed op dreef geweest; eerst had ze Wingo en Nick-de-Griek gezegd hoe ze over hun gluiperige plannetje dacht en nu had ze Kiki moed ingesproken.

Maar plotseling, geconfronteerd met zichzelf, leek het alsof haar leven op een beangstigende manier bestond uit een lappendeken van allerlei verschillende stukjes, die nog niet eens een degelijke deken vormden. Haar werk in de studio was wel zwaar, maar het miste continuïteit; met ieder nieuw reclamefilmpje werden de prestaties, het triomfantelijke gevecht van de week ervoor, onmiddellijk vervangen door de crisis van vandaag. Het feit dat North niet kwaad werd was niet echt een substituut voor echte waardering. Ze had het gevoel dat ze in haar baan altijd op haar tenen moest staan en zich iedere keer weer opnieuw moest bewijzen. De moeite die ze moest doen om opdrachten voor portretten te krijgen was afhankelijk van de grillen van begunstigers die haar tekeningen en aquarellen vaak maar net een trapje hoger waardeerden dan een studioportret van een beroepsfotograaf. En haar halfslachtige excuus voor het gemis van een liefdesleven was nog onbevredigender dan ze tegenover Kiki had willen toegeven.

Dat ze zulke verstandige dingen kon zeggen over de weigering van Kiki om zich kwetsbaar op te stellen, kwam doordat dit een trekje was dat ze maar al te goed kende. Het was iets dat veel dieper in haar eigen gevoeligheid lag verankerd dan in de speelse emoties van Kiki. Het was een vervelend vooruitzicht weer een hele avond de arme, goeie, melancholieke Henry Kavanaugh te moeten afwimpelen. Ze had hem nooit met haar moeten laten vrijen. Ze was nooit verliefd geweest — dat was doodeenvoudig alles en een bron van voortdurende onrust en depressie, als een akelige koorts die niet weg wilde gaan. Ze dacht aan Kiki die in de andere kamer de ongenaakbare repeteerde — dat was het enige vaste punt in haar leven, haar vriendschap met die lieve, grote gek. Alles wat ze ooit voor Kiki kon doen zou nooit opwegen tegen alle emotionele steun en onwankelbare genegenheid die ze in de jaren sinds haar vader was gestorven aan Daisy had geschonken.

Theseus stapte de kamer binnen en voelde haar stemming aan. Hij legde zijn voorpoten op haar schouders, net als toen ze nog klein was en likte haar neus. 'Lieve hond van me,' zei Daisy en merkte dat ze huilde. Hij likte haar tranen af. Hoor eens, Daisy, zei ze tegen zichzelf, je stapt rond alsof je overal antwoord op weet, dus je moet geen medelijden met jezelf hebben. Zo is het genoeg! Het gaat prima . . . ga zo door.

'Het bevalt me helemaal niet, Kiki, begrijp je dat dan niet?' Daisy liep naar het raam en keek uit op Prince Street, waar al een heleboel toeristen op deze vroege najaarsdag van 1976 door Soho liepen te slenteren. De lucht was nog zacht en de gaten in de straten, veroorzaakt door de vorige winter, waren tweemaal zo groot als ze waren geweest en half zo groot als ze het volgend voorjaar zouden zijn, maar niets wees er op dat de stad van plan was ze te repareren. Misschien werden ze reeds als historische herkenningstekens beschouwd, dacht ze.

'Je moet het zo zien, Daisy,' overreedde Kiki haar. 'Je bewijst ze een dienst als je zijn japon op hun feestje draagt — er zullen waarschijnlijk foto's van je worden gemaakt en dat is een goede reclame voor Robin Valarian.'

'Ik vertrouw dat hele zaakje niet,' herhaalde Daisy koppig.

'Die japon? Maar hij is zo mooi,' protesteerde Kiki.

'Nee, die japon is ook wel mooi, al is het mijn stijl niet. Ik bedoel, je denkt toch niet dat zo'n dingetje van chiffon met veren als dit, dat praktisch tot in alle bijzonderheden van de laatste collectie van St. Laurent is afgekeken, er over vijfendertig jaar nog goed uit zal zien? Maar daar heb ik het niet over. Ik krijg het gevoel van spinnewebben, van zuiver goud geweven — maar het blijven spinnewebben. Je denkt zeker, dat ik aan vervolgingswaan lijd,' zei ze verwijtend tegen Kiki.

'Een beetje wel. Het afgelopen jaar heb je twee belangrijke opdrachten aan Vanessa te danken, dat grote olieverfschilderij van die drie meisjes Short en dat andere olieverfschilderij dat je met Kerstmis van de twee jongens Hemmingway hebt gemaakt. Ze heeft je overgehaald je prijs voor aquarellen met vijfhonderd dollar te verhogen, ze wilde je met alle geweld een paar japonnen geven, ze heeft je op een heleboel feestjes uitgenodigd — dat moet ik toegeven. Maar kijk eens naar wat ze er voor terug heeft gehad.'

'Wat hééft ze er dan voor teruggehad? Dat is nu juist waarom ik haar niet vertrouw. Ze is doodeenvoudig niet het type vrouw dat aardige dingen doet alleen omdat ze dat leuk vindt. Ik ken haar beter dan jij, Kiki, liefje — nou, wat krijgt ze dan van mij?'

'Och . . . ' Kiki wist zo gauw niets te zeggen.

'Een gast op haar feestjes? Je gelooft toch niet echt dat dat genoeg is, wel?'

'O, jawel — als je mensen verzamelt en dat doet ze.'

'Ach kom, Kiki, zó buitengewoon belangrijk of verblindend mooi ben ik nu ook weer niet.'

'Je onderschat jezelf — schei daar nu eens mee uit! Kijk, je neemt niet deel aan het sociale leven van New York, want door de week heb je het te druk en in de weekends ben je meestal ergens met je portretten bezig, dus je hebt een bepaalde zeldzaamheidswaarde. Dat betekent iets voor Vanessa!' Kiki trok haar wenkbrauwen als een duiveltje omhoog. Ze vond het heel normaal en terecht, dat het echtpaar Valarian royaal was tegenover Daisy. Ze maakte zich er kwaad over, dat Daisy nooit van haar afkomst had geprofiteerd, dat ze haar schoonheid en haar titel niet zoveel mogelijk had uitgebuit, dat ze niet aan boord van de trein van grote Amerikaanse beroemdheden was gesprongen, die gewoon op haar stond te wachten. 'Daisy, je bent Assepoester toch niet, je bent echt.'

'En jij bent romantisch — je gelooft nog in sprookjes — nee, dat is niet waar, je bent ontzettend cynisch en wilt dat ik munt sla uit mijn toevallige geboorte. Zelfs Serge Obolensky gebruikt zijn titel niet meer.'

'Nee, maar hij hoeft geen portretten aan paardenmensen te verkopen — en er zijn een heleboel andere Obolensky's die zich nog wèl prins en prinses laten noemen.'

'Kiki, zouden we niet liever ophouden met vorstelijke haarkloverijen en ons bezig houden met de vraag wat ik mee zal nemen naar Venetië? Hoe zou het weer in september in Venetië zijn?'

'Veranderlijk,' antwoordde Kiki met gezag.

'Luke moet jou er eens met de stok van langs geven.'

'Hij doet niet aan buitenissige seks,' zei Kiki met een uitgestreken gezicht.

'O, nee? Waar doet hij dan wel aan?'

'Omhelzen, kussen en strelen . . . prettige dingen doen en liefkozen en . . .'

'Neuken?'

'Foei, Daisy, wat ben jij grof! Maar om je de waarheid te zeggen . . . hij vindt het erg leuk om . . . te vrijen,' zei Kiki, zo zedig als een Victoriaanse domineesdochter.

'Goeie genade! Vind je het niet ontzettend fijn nu je hem hebt . . . je hébt hem toch wel?' vroeg Daisy een tikje bezorgd.

'Ik weet het eigenlijk niet.' Kiki's spitse snuitje leek plotseling op dat van een verwonderd poesje. 'Ik heb alles gedaan wat je gezegd hebt. Ik maak alleen af en toe als hij me uitnodigt een afspraak met hem — niet eens altijd — ik heb een hele fantasiewereld van andere mannen verzonnen die zo echt is dat ik het zelf geloof, en ik ben iedere dag verliefder op die ellendeling. Maar hij is ongrijpbaar!' Ze beukte met haar vuistjes op Theseus, die haar hand likte. Hij vond het prettig. 'Geloof je dat ik niet met hem naar bed had moeten gaan . . . was dat fout van mij?'

'Natuurlijk niet. De tijd is voorbij dat een meisje een man kan krijgen door hem seks te onthouden. Dat bedoelde ik helemaal niet toen ik zei, dat je in wezen niet beschikbaar moest zijn. "In wezen" wil niet zeggen seksueel, suffie — maar ergens diep in je ziel.'

'Ik geloof dat mijn ziel wél beschikbaar is,' zei Kiki mistroostig, 'en dat weet hij. Kun je je ziel verharden, net zoals je hart?'

'Heb je een geestelijke raadsman?'

'Hoe kom je erbij.'

'Misschien moet je daar eens naar uitkijken. Nou, vooruit! Wat kan ik nu eens van je lenen?'

Arnie Greene, de zakelijk-directeur van North, was ongelukkig. Hij had North afgeraden die Pan Am klus te doen. Het was een vette opdracht, maar een locatie in Venetië betekende, dat North, Daisy en Wingo bijna een week uit de studio weg waren en al die tijd niet op de produktie-vergaderingen met andere cliënten konden zijn, wat een paar dagen in hun werkschema kon schelen als ze terug waren.

'Neemt het niet meer tijd in beslag dan het misschien waard is?' vroeg hij aan North, toen Nick-de-Griek met het plan aankwam en hem vroeg om een bod te doen.

'Best mogelijk,' had North geantwoord, 'maar om de een of andere reden ben ik nog nooit in Venetië geweest en ik wil er naar toe voor het zinkt.'

Arnie zuchtte. Als het aan hem lag, zou North nooit op een locatie filmen die verder van het kantoor af lag dan Central Park. Hij had moeite om te accepteren, dat als een storybord een zwerm duiven, de Piazza San Marco en gondels vereiste, je het niet in Central Park Lane kon doen . . . de duiven zouden misschien nog wel lukken, maar de piazza niet. Hij vroeg zich weemoedig af of gondels net zo onvoorspelbaar waren om mee te werken als kinderen of dieren. Nou, hij zou er in ieder geval wel voor zorgen dat er genoeg speling in het budget zat om het overwerk van de onhandigste gondolier in op te nemen. Ja, hij had zelfs een verzekering afgesloten voor het geval een gondelier verdronk. Arnie had ook met alles rekening gehouden, waar hij bij *La Dolce Vita* altijd duistere voorgevoelens over had gehad. Hij had aangenomen, dat Italiaanse technici, kleding- en make-up-mensen, allemaal overgekomen uit Rome, een lunch van twee uur verlangden, hij rekende op problemen met afzettingen en duivenpoep, berekende wat het kostte om North, Daisy, Wingo en zes modellen eersteklas heen en terug naar Venetië te vervoeren, telde daarbij op de kosten per dag van iedereen in het Gritti Palace, waarvan hij een jaar de huur van zijn flat kon betalen, overtuigde zich ervan dat alle posten op de vijf pagina's lange lijst die iedere produktieleider aan het agentschap moet voorleggen, stuk voor stuk klopten met wat hij en Daisy konden schatten. Zij hadden hun werk gedaan. Ook als er iets mis ging en North moeilijkheden kreeg, konden ze de extra kosten bestrijden uit de speling in het budget — de gebruikelijke werkwijze. Zij waren gelukkig niet financieel verantwoordelijk voor de vertragingen tengevolge van het weer. Als hij zijn hoofd ook nog moest breken over het weer, had hij nog meer maagzweren gehad dan hij nu al had.

'Alles goed en wel, North, maar val in godsnaam niet in een kanaal. Je krijgt van dat water minstens een leverontsteking.'

'Arnie, ben ik wel eens in een kanaal gevallen?'

'Je hebt net gezegd, dat je nog nooit in Venetië bent geweest. En eet ook geen rauwe schaaldieren . . . daar krijg je ook een leverontsteking van.'

'Mag ik wel naar de zonsondergang kijken, of krijg ik dan last van mijn ogen?'

'Niemand waardeert me.'

'Dat is niet waar.' North wierp Arnie een vriendelijke blik toe. 'Maar je maakt je te veel zorgen.'

'Nou, er gaat altijd wel iets mis, niet?'

'Natuurlijk — als dat niet zo was konden we net zo goed knoopsgaten maken. Maar je weet, dat je alles best aan Daisy kunt overlaten. Daar betalen we haar toch voor?'

Nadat ze op het vliegveld Marco Polo hun bagage terug hadden gekregen en zij door de douane heen waren en alles in een *vaporetto*, een Venetiaanse bus hadden gestapeld, was het zowel voor Daisy als voor North te donker en te laat om nog iets van Venetië te zien. Wingo zou met de zes modellen, drie mannen en drie vrouwen, de volgende dag aankomen, maar North had besloten een dag eerder te vertrekken om ongestoord Venetië te kunnen bezichtigen. Daisy kon die extra dag benutten om de locaties nog even te bekijken, bij de plaatselijke politie de afzettingen te controleren en zich ervan te overtuigen dat voor de technici, de kleding- en make-up-mensen en de kappers die de volgende middag uit Rome zouden komen, de accommodatie in orde was.

Venetië kwam met een klap aan, dacht Daisy die uit het raam van haar kamer direct op het Canal Grande uitkeek en nog steeds het geklots van de golfjes tegen de zijkant van de *vaporetto* hoorde. Ongeacht hoeveel je over Venetië had gelezen en daardoor wist dat het al lang geleden op water was gebouwd, de werkelijkheid kwam toch als een volslagen verrassing. Het was onmogelijk, begreep ze, je Venetië voor te stellen. Ondanks de duizenden schilderijen, die het had geïnspireerd, moest het worden ondergaan om werkelijkheid te worden en zelfs als een werkelijkheid leek het onwaarschijnlijk. Het was alsof ze net als Alice door de spiegel heen een land van wonderen was binnengegaan, een fantasiewereld, onwezenlijk, zo romantisch dat het bijna belachelijk was. Een stad die één grote compositie van grote kunst was, die vermoedelijk al honderden jaren bezig was in elkaar te storten, maar toch vol leven. Het onuitputtelijke onderwerp van zoveel proza, dat er niets meer over te zeggen viel, en toch hadden miljoenen woorden er geen druppel van de betovering aan kunnen onttrekken. Mensen stonden voor niets — dat ze het zelfs maar in hun hoofd hadden gehaald om zo'n stad te bouwen!

Aan de overkant van het kanaal, midden in het heldere maanlicht, kon ze duidelijk de koepel van Santa Maria della Salute zien, dat schitterende meesterwerk van Venetiaanse barok. Het feit dat het werkelijk precies stond waar het hoorde, was op zichzelf al wonderbaarlijk en onverwacht... Het zou Daisy niet verbaasd hebben, als het 's morgens was verdwenen en ook niet als het er nog lang nadat New York en Londen in puin lagen, zou blijven staan.

Morgenochtend om zeven uur moest ze op om aan het werk te gaan, besefte Daisy ineens met schrik, toen ze zich naar haar kamer met vrolijk blauw met wit gestreepte satijnen muren en roze brokaten gordijnen en de hoge plafonds omkeerde. Dat betekende op zijn hoogst vijf uur slaap. Gelukkig had ze onderweg een dutje kunnen doen. North had vooraan langs het gangpad in de eersteklas-afdeling gezeten, waar hij ruimte had om zijn benen uit te strekken en Daisy had een lege stoel een paar rijen erachter genomen, om hem niet te storen. Ze wist, dat hij zich voor een film die zo ingewikkeld was als deze beloofde te worden, nog meer dan anders in zichzelf terug wilde trekken, ter voorbereiding voor de energie, die hij de volgende dagen zou uitstralen. Terwijl Daisy zich klaarmaakte om naar bed te gaan vroeg ze zich af of ze, zoals ze had bedacht, via Londen naar New York terug zou kunnen gaan, zodat ze Dani kon zien. Ze had afgelopen Kerstmis niet de kans gehad om naar Europa te gaan. De twee grote olieverfschilderijen en zes aquarellen die ze had gemaakt, waren net genoeg geweest om Daniëlle's kosten te dekken, zodat Daisy gedwongen was geweest geld te verdienen in plaats van de reis te maken. Het was te lang, ja, werkelijk veel te lang geleden, dacht ze, sinds ze Daniëlle of Anabel had gezien. Ze had besloten North pas de paar extra dagen vrij te vragen als de opnamen bijna klaar waren. Dan, met Londen zo dichtbij, zou hij het moeilijk kunnen weigeren en kon haar ticket tegen een geringe vergoeding worden veranderd.

Vermoeid trok Daisy de stokoude spijkerbroek, het T-shirt en het Engelse legercommandojasje — vijf jaar geleden voor een prikje op een rommelmarkt van een kerk in Londen gekocht — uit, dat ze in het vliegtuig had aangehad en sinds ze uit New York was vertrokken niet uit had gehad. Ze nam een douche, waar ze lang genietend over deed, heel anders dan de korte 'werk'-douche waaraan ze thuis was gewend en die, door het gebrekkige sanitair, net zo leuk was om onder te staan als een tuinslang, zoals ze tegen Kiki zei. Haar nachtkleding kwam van een postorderbedrijf, een ouderwets roze katoenen jakje met een om de hals gerimpeld koordje en met lint versierd. In plaats van de bijbehorende pofbroek, droeg Daisy een paars satijnen baseballbroekje en haar heren-kamerjas was van Sulka, van donkerrode gebloemde zijde met sjaalkraag, die na vijfentwintig jaar nog in uitstekende toestand verkeerde, al sleepte hij over de vloer op een manier die nooit de bedoeling was geweest. In haar gedachten vlogen praktische overwegingen en de opgewonden verwachtingen van Venetië door elkaar en Daisy viel in een lichte, onrustige slaap, vol flarden van dromen.

Toen haar reiswekkertje afliep, sprong ze verheugd het bed uit en liep snel naar het raam en de dromen losten zich op in het nevelige ochtendlicht vol beloften. Verblind, bijna verlamd van verbazing, staarde ze naar het uitzicht tot ze met een schok uit haar mijmering opschrok. Het was werkelijk waanzin om te verwachten dat je hier ging werken, dacht ze. Ze hadden een week eerder moeten komen om aan de schoonheid gewend te raken, maar misschien zou een maand nog niet genoeg zijn geweest. Ze benijdde North bitter zijn vrije dag en nam zich voor, terwijl ze zich snel aankleedde, om alles zó snel en efficiënt te regelen, dat ze tenminste nog een paar uurtjes had om alleen rond te wandelen voordat de anderen aankwamen.

Toen North laat in de middag eindelijk naar het hotel terugslenterde, trof hij Daisy aan, die met opgetrokken benen in een stoel vlak bij de ingang op hem zat te wachten.

'Alles klaar?' vroeg hij.

'Niet helemaal.'

'Hoe bedoel je? Als alles niet voor elkaar is, waarom hang je dan hier in de hal rond? Heb je dan niets te doen?'

Daisy ging met haar handen op de heupen, wijdbeens, weer blakend van energie voor hem staan.

'Wacht even, North.' Ze stak haar hand op als een verkeersagent. 'Het schijnt dat we een probleempje hebben.'

'Jij met je problemen,' zei hij onverschillig. 'Mijn voeten doen pijn.' Hij ging op weg naar de balie om de sleutel van zijn kamer te halen. Ze volgde hem en klopte op zijn schouder.

'North?'

'O, wat is er nu in godsnaam? Kom nou, Daisy, het is toch jouw werk om je om al die kleinigheden te bekommeren? Nou, goed, vertel het maar . . . er ontbreekt een vergunning, de gondel is in de verkeerde kleur geschilderd, een van de modellen heeft een puistje? Improviseren — hoe vaak heb ik je dat al gezegd? Improviseren, Daisy. Dat heb ik niet eenmaal, maar duizendmaal gezegd — jij zorgt voor de kleine dingen en ik zorg dat alles terecht komt als ik eenmaal begin.'

'Denk je, dat je Alitalia weer aan het werk kunt krijgen?'

'Wat hebben we met Alitalia te maken — wij werken voor Pan Am. Godallemachtig, Daisy, je hebt geen gevoel voor verhoudingen,' zei hij, zich geërgerd omdraaiend.

Achter hem zei ze zachtjes: 'Geen van de andere luchtvaartmaatschappijen landt in Italië, North. Sympathiestaking.' Hij draaide zich met een ruk om. 'Wingo en de modellen kunnen niet hier komen.'

'Nou, en?' zei hij, opnieuw geïrriteerd. 'Er zijn erger dingen gebeurd. Heb je geen contact gezocht met modellen uit Rome? Als ik de meisjes die ik heb uitgezocht niet kan gebruiken, dan neem ik andere en ik red me ook wel zonder Wingo. Rome wemelt van de cameramensen — en ook van de mooie vrouwen.'

'De treinen staken ook,' zei Daisy zacht.

'Zeg dan dat ze met een auto komen, verdomme! Als ze nu vertrekken zijn ze hier morgen. Als ze vertrokken waren toen jij ontdekte dat er een staking was, wed ik dat ze nu hier hadden kunnen zijn,' zei hij er beschuldigend achteraan.

'De technici staken ook. Geen ploeg, North. Er is niemand in Italië die de apparatuur kan bedienen, die tussen haakjes ergens tussen Rome en hier vastzit. Geen camera, geen lampen, geen klapbord, geen rijdende wagens, niet eens een stopwatch — *nada*! Daarom heb ik geen modellen uit Rome geboekt.'

'Ja, ja, heel leuk, heel verstandig. Is het dan niet in je opgekomen, dat we naar Frankrijk of Zwitserland kunnen rijden om daar te filmen? Maak je klaar om te vertrekken,' snauwde North.

'De Piazza San Marco en de duiven en gondels in Frankrijk of Zwitserland filmen?' vroeg Daisy liefjes.

'Maar verdomme nog toe, bel New York op! Je weet toch dat het bureau het storybord in een uur kan herschrijven als het moet — '

'De staking,' zei Daisy langzaam, vol genot op ieder woord kauwend, 'is helaas ook uitgebreid tot het telefoon- en telegraafnet. Als er onder die vogels daar soms postduiven zijn . . . Anders zitten we hier vast.'

'Dat is waanzin! Daisy, je doet je best niet! Bel op en huur een auto. We nemen een motorboot naar het vaste land en dan rijden we naar de dichtstbijzijnde grens om van daaruit New York op te bellen. Dan moeten zij maar een andere locatie uitzoeken — Pan Am komt overal. Waarom heb je in godsnaam op mij gewacht om zoiets eenvoudigs te bedenken? Waarom heb je niet ingepakt? Wat is er met je aan de hand — je laat het er lelijk bij zitten!'

'De lui van de autoverhuurbedrijven staken, en de gondolierscoöperatie en de *vaporettos* ook,' zei Daisy en haar zwarte ogen waren zó donker, dat de pretvonkjes diep in haar pupillen bijna verscholen bleven.

'Verrek! Dit kunnen ze mij niet aandoen, Daisy!'

'Als ze weer aan het werk gaan, zal ik het tegen ze zeggen,' zei Daisy.

'Het is... het is... onbeschaafd!' schreeuwde North, en zwaaide met zijn armen om zich heen naar de vorstelijke hal van het hotel dat in de zestiende eeuw het paleis van een doge was geweest.

'Kunnen we het niet het beste filosofisch opvatten, North? Er is toch niets aan te doen,' opperde Daisy bedaard.

Daisy was door de gebeurtenissen van die dag dolverheugd geweest. Toen de een na de andere ontsnappingsweg werd afgesneden en zij, na de ontdekking dat haar telefoon niet werkte, naar de hal beneden ging om van het nieuws over de zich uitbreidende stakingen op de hoogte te blijven die de receptie via de radio uitzond, werd ieder ogenblik aangenamer. Ze werd door een gevoel overvallen, dat ze aanvankelijk niet goed herkende tot ze er eindelijk achter kwam dat het een gevoel van vrije tijd was... ze herinnerde zich dat gevoel van de vakanties van de academie. De beminnelijke, gedienstige hotelbedienden, waarvan er twee op ieder van de honderden gasten van het hotel waren, droegen tot haar vakantiestemming bij — want wie weet, staakten zij zelf morgen ook wel. Het was heel goed weer voor een staking, had een van hen tegen Daisy gezegd, en ze was het volkomen met hem eens. Als er één ding was dat ze in Venetië had kunnen wensen, was het wel een paar vrije dagen, en de portier verzekerde haar dat er in Gritti Palace nog nooit gasten van honger waren omgekomen. Al zouden ze voor de maaltijden zelfbediening moeten instellen, dan was de leiding daar op voorbereid. In het ergste geval zou de *principessa* haar eigen bed moeten opmaken.

'Filosofisch?' North was verontwaardigd. De omstandigheden zetten hem niet naar hun hand, maar hij zette de omstandigheden naar zijn hand. 'Wij zitten hier opgesloten alsof we in de middeleeuwen zijn en jij vindt dat we het filosofisch moeten opvatten?'

'Er is nog één uitweg,' zei Daisy zwakjes.

'Wát dan in jezusnaam!' bulderde hij.

'We zouden . . . kunnen gaan zwemmen.'

North keerde zich verbolgen om, en keek naar zijn geestelijk gestoorde produktieleidster. Bij zijn blik piepte Daisy van het ingehouden lachen tot het net klonk als een fluitketel die begint te koken.

'Arnie . . .' sputterde ze voor ze luid begon te gieren van het lachen, 'dat gezícht van Arnie!'

Het beeld van Arnie Greene's tragische gezicht dat zijn onvermijdelijke leveraandoening voorspelde, verscheen voor de ogen van North en zijn gezicht begon langzaam, met tegenzin, maar zonder dat hij het kon helpen, te kreukelen van het lachen.

De liftbediende en de portier keken naar de twee Amerikanen, die stonden te schudden van de pret en haalden glimlachend de schouders tegen elkaar op. De jonge *principessa*, vond de conciërge, kleedde zich wel een beetje vreemd voor de dochter van prins Stash Valensky, die voor zijn dood een trouwe gast was geweest en in september, na afloop van het poloseizoen in Deauville, altijd een dag of veertien in Venetië kwam. Vanmorgen was ze weer beneden gekomen in een witte herenpantalon en een paars met wit gestreept voetbaltruitje, maar dat was zeker de nieuwe mode.

'Jij hebt die hele zaak natuurlijk zelf op touw gezet,' hijgde North die wat bij begon te komen.

'Het viel niet mee,' gaf Daisy bescheiden toe.

'Een heel land afgesloten zodat jij maar een vrije dag kon krijgen — alsof het niets is.'

'Ik ben wel efficiënt, daar heb je gelijk in, maar in New York had ik het niet voor elkaar gekregen — er zijn te veel wilde taxi's, daar, die houden zich nergens aan.'

'Heb je geïnformeerd of er wilde gondels waren?'

'Ik heb alleen maar een jongen in een roeiboot kunnen vinden.'

'Waar naartoe? Ik moet iets drinken voordat de barkeepers gaan staken.' North voelde zich licht in het hoofd. De combinatie van een dag in Venetië met de totale ineenstorting van het ondersteuningssysteem dat hij als vanzelfsprekend aannam, gaf hem het gevoel van een kind dat voor een examen van school is gestuurd.

'Harry's Bar?' stelde Daisy voor.

'Als toeristen bedoel je?'

'Natuurlijk . . . maar ik moet eerst iets anders aantrekken. En jij moet een bad nemen. Dan zie ik je hier over een uur. Ik geloof, dat we er eigenlijk wel naartoe kunnen lopen — ik heb een plattegrond.'

'Ik heb de hele dag al gelopen. Zeg maar tegen die jongen van de roeiboot dat hij moet wachten.'

'Ja, baas.' North glimlachte zelfs tegen Daisy. Hij nam aan, dat hij haar eigenlijk niet specifiek ergens van kon beschuldigen . . . tenminste niet, voor hij zelf iets meer over die staking te weten was gekomen.

Terug in haar kamer, weifelde Daisy tussen de kleren die ze had ingepakt, voor het geval zich iets voordeed dat ze niet in haar werkplunje afkon. Ze voelde zich helemaal futloos, gewichtloos als een astronaut. Ze zocht de fraaiste japon uit die ze bezat, een Vionnet-model uit het midden van de twintiger jaren. Kiki had er op aangedrongen dat ze het mouwloze hemdje, dunner dan een onderjurk, van schuin gesneden zwart fluweel, meenam. Het had een zeer laag uitgesneden hals en werd slechts opgehouden door schouderbandjes van kristallen kralen. Dezelfde kralen waren in wijde, fantastische cirkels, in een naar beneden uitlopend ovaal op het fluweel geborduurd, zodat het op een lang halssnoer leek, en de onderkant hing aan weerszijden van Daisy's lichaam in twee gerimpelde punten naar beneden en lieten de knieën aan de voorkant vrij. Het was een japon die vroeger een enorm schandaal moest hebben verwekt. Zwart fluweel in september? Waarom niet? dacht Daisy, haar vlechten losmakend. Bij de stijl van die japon hoorde een geraffineerd kapsel, maar ze had geen geraffineerd haar, besefte Daisy, toen het Venetiaanse licht met de blonde slierten speelde. Ze tilde het in beide handen op, stak haar armen in volle lengte uit en hield het haar vast en wervelde ermee in het rond. Wat zou ze nu doen? Ze was niet in de stemming voor een wrong en ook niet voor een vlecht — ze was in een stemming voor kristal. Tenslotte maakte ze een scheiding in het midden, nam een paar meter zilver lint dat ze van een Hallmark-filmpje had bewaard, en strengelde het er omheen, zodat de meest springerige lokken uit haar gezicht bleven, en liet de rest los hangen. Ze hing de cape van groen met zilver lamé om, in dezelfde periode als de japon gemaakt door een onbekende firma die Cheruit heette, en ging de trap af naar de hal, romantischer dan ooit.

North stond te wachten, klaar om te vertrekken. Hoewel geen groot drinker, snakte hij er nu naar om iets te drinken. Alcohol zou toch kalmerend werken? Een kalmerend middel zou het gevaarlijke zweverige gevoel dat vanavond in de lucht hing misschien kunnen opheffen. Hij moest weer met de benen op de grond terugkomen en er was verdomme geen grond hier — alleen de spiegelende golfjes op het kanaal, waardoor je alleen al alles aangeschoten zag. Waar hing Daisy nu in vredesnaam uit? Waarom liet ze hem wachten? Hij kon zich niet herinneren dat hij ooit op Daisy had moeten wachten, sinds zij bij hem was komen werken.

'*Dio! Che bellissima! Bellissima!*' zei de conciërge achter hem.

'*Bellissima!*' echoden de portier en de kelner die voorbij kwam, alsmede twee mannen die in de hal rondhingen.

'Tjonge,' zei North, naar Daisy kijkend. Nu moest hij echt nodig iets drinken.

'Een Mimosa, signorina, of een Bellini misschien?' stelde de kelner voor. North keek in de lange, smalle, beroemde ruimte om zich heen.

'Hebt u ook een martini? Een dróge martini, bedoel ik,' vroeg hij twijfelachtig.

'Vijftien op een, meneer. Met ijs?'

'Een dubbele. Daisy?'

'Wat is een Mimosa?' vroeg ze aan de kelner.

'Champagne met vers sinaasappelsap, signorina.'

'O, graag, ja.' De kelner maakte geen aanstalten om weg te gaan. Hij bleef daar eenvoudig naar Daisy staan kijken met op iedere centimeter van zijn gerimpelde gezicht een uitdrukking van pure bewondering.

'Nu gaan we iets drinken,' zei North botweg, zodat de kelner tot bezinning kwam en zich wegspoedde.

'Aha,' zei North, op een toon die dat woord een klank van ontdekking, argwaan, verbazing en strijdlust gaf.

'Aha?' vroeg Daisy, met een quasi onschuldig gezicht. 'Wat betekent dat? Denk je soms dat omdat niemand in Venetië zich ongerust maakt, er ook geen staking aan de gang is?'

'Zó zie je er dus uit als je niet werkt, je speelt dus de hele dag toneel in de studio, en ik weet dus eigenlijk geen barst van je en dit is dus wat je uitvoert zodra je de kans krijgt.'

'Nou, en?' Daisy haalde luchtig haar schouders op. 'Wat is daar verkeerd aan?'

'Daar probeer ik nu juist achter te komen. Er moet toch íets zijn.'

'North, North, laat je met de stroom meedrijven.'

'Wat bedoel je daar nu in vredesnaam mee?'

'Ik weet het niet, maar het klinkt goed voor deze plek en dit tijdstip. Hoe is je martini?'

'Gaat wel,' zei hij met tegenzin. Het was de beste martini die hij van zijn leven had gedronken. 'Hoe is je sinaasappelsap?'

'Zalig, verrukkelijk, een droom, een visioen, een openbaring...'

'Je wilt er zeker nog een?'

'Hoe weet je dat?'

'Er was iets . . . een tikje . . . bijna maar niet helemaal een toespeling . . . een suggestie.'

'Uitstekend, North,' zei Daisy goedkeurend. 'Als je begint met suggesties ben je op de goede weg.'

'Op de goede weg, waarheen?'

'In de stroom.'

'Ik begrijp het.'

'Dat dacht ik wel. Ik heb altijd wel gedacht dat je tamelijk vlug van begrip was,' zei Daisy luchtig, haar champagneglas tussen haar vingers ronddraaiend.

'Iemand langs je neus weg beledigen — dat is je spelletje na werktijd. Iemand met complimentjes de grond instampen.'

'Ik heb een hekel aan slijmen.'

'Het valt me mee, dat je niet zei dat je me zou verdedigen als andere mensen zeggen dat ik een sufferd ben.'

'Mis. Als andere mensen zeggen dat je een klootzak bent, verdedig ik je.' Daisy glimlachte engelachtig.

'Jezus! Wacht maar tot we weer op het vasteland zijn! Kelner, mag ik een vlindernetje voor de dame en hetzelfde, graag.'

'Ik amuseer me,' verklaarde Daisy.

'Ik ook,' zei North, verschrikt en een beetje achterdochtig.

'Een gek gevoel, hè?'

'Erg gek. Maar ik geloof niet dat het blijvende schade aanricht, tenzij we er natuurlijk aan gewend raken,' zei North bedachtzaam.

'Je bedoelt, dat het leuk is om je te amuseren, maar in het werkelijke leven mag je geen plezier hebben, tenminste niet zoveel?'

'Inderdaad. Het ontbreekt je niet helemaal aan een waardeoordeel. Dat zeg ik ook altijd tegen mensen als ik je verdedig. Ze zeggen dat Daisy Valensky alleen maar een saaie, harde werkster is die zich nooit eens amuseert, en ik verdedig je. Ik zeg, dat je je, wat ze ook denken, misschien best wel eens amuseert — ze moeten niet op de uiterlijke schijn afgaan.'

'Je bent echt een klootzak, North,' zei Daisy met een zangerige stem.

'Ik wist wel dat je me zou ophemelen.'

'Waarom ontsla je me niet?' opperde Daisy.

'Daar ben ik te lui voor. En ik ben trouwens ook wel een klootzak. Ik bedoel, ik ben niet je gewone goedgehumeurde sul.'

'Je bent niet eens een gewone slechtgehumeurde sul.'

'Je kunt me toch niet uit mijn tent lokken... je hebt gezegd, dat ik het filosofisch moest opvatten, dus dat doe ik ook.'

'Hoe lang kan dat duren?'

'Laat je met de stroom meedrijven, Daisy.'

'Dat is mijn tekst,' zei Daisy bezitterig.

'Ik ben een creatieve plagiator,' verklaarde North hooghartig.

'Hou je aan je eigen tekst,' hield Daisy vol.

'Dat is krenterig van je. Je zult wel honger hebben. Wij moeten iets eten.'

'Ik heb niet geluncht,' zei Daisy klaaglijk.

'Waarom niet?'

'Ik heb het veel te druk gehad met te kijken hoe het met die staking zat.' Ze keek hem met een deugdzame blik aan.

'Welke staking?' vroeg North zich af.

'Wij moeten iets eten.'

'Dat is mijn tekst,' zei North. 'Maar je mag hem hebben. Ik heb een royale bui. Waar zullen we naartoe gaan?'

'Wij kunnen hier blijven eten,' stelde Daisy voor.

'Goddank. Ik kan niet opstaan. Kelner, breng ons alles.'

'Alles, signor?'

'Alles,' zei North met een breed gebaar.

'Zeker, signor.' De kelner had begrip voor het dilemma van de signor. Hoe kon hij in de tegenwoordigheid van zo'n fantastische, frisse, jonge schoonheid nu iets zinnigs bestellen?

Hoe kon hij nog een hap door de keel krijgen? Maar ze moesten toch behoorlijk worden gevoed. Om mee te beginnen natuurlijk de beroemde *filetto Carpaccio*, en daarna de groene *tagliarini gratinati*, de heerlijk met room en kaas gemengde noedels en daarna misschien de kalfslever in dunne reepjes *alla veneziana*, met polenta natuurlijk en voor dessert — hij zou even wachten met te beslissen wat hij ze als dessert zou voorzetten tot na de kalfslever. Soms sloegen toeristen het dessert over.

'Dank je wel voor de heerlijke avond,' zei Daisy met een afgemeten stemmetje, voor de deur van haar kamer in het Gritti Palace.

'O . . . ik vond het ook erg gezellig,' antwoordde North. 'Dat is toch het geijkte antwoord, niet?' Hij wilde dat zij hem recht aankeek, zijn blik ontmoette, maar ze hield haar ogen zedig neergeslagen.

'Nee, je had moeten zeggen dat je hoopte mij nog eens te zien en moeten vragen of je me mocht opbellen als we weer in de stad terug zijn.'

'Kan dat?'

'Mág dat,' verbeterde Daisy hem.

'Mag ik binnenkomen?' vroeg North.

'Nee, je mag me opbellen.'

'Maar ik zei: "Mag ik binnenkomen?" ' herhaalde North.

'O, nu ja, bel in dat geval maar op.'

Ongeduldig legde hij een vinger onder haar kin en hief haar hoofd naar hem op, maar ze sloeg haar oogleden neer en bleef zijn blik ontwijken. 'Er is een telefoonstaking — hoe kan ik je dan opbellen?' vroeg North.

'Dat is zo. Maar je kunt toch op mijn deur kloppen,' zei Daisy, om maar tijd te winnen.

'Ik zei: "Mag ik binnenkomen?" ' herhaalde hij dringend.

'Waarom?'

'Gewoon daarom . . .' Zijn gezicht had in het flauwe licht

van de gang zijn scherpe trekken verloren. Hij had nog steeds zijn zwierige houding, de stand van zijn schouders verried nog steeds zijn onverzettelijkheid, maar het bekende North-trekje van starre eigenzinnigheid, van strijdlustigheid was verzacht, alsof het maanlicht was begonnen het af te spoelen.

'O, nu ja . . . in dat geval . . . vooruit dan maar,' zei Daisy die de deur met haar sleutel openmaakte.

'Het is alleen maar redelijk,' verzekerde hij haar.

'Redelijk?'

'Hou op met alles wat ik zeg in twijfel te trekken.'

'Hou op met mij te zeggen wat ik doen moet,' gaf Daisy terug.

'Goed.' North nam haar in zijn armen en boog zich naar haar lippen. 'Van nu af aan zal ik je orders geven.'

'Hoe moet ik het verschil weten?' vroeg Daisy in paniek en wendde zich van hem af.

'Daar kom je vanzelf achter.'

'Wacht even!'

'Waarom?'

'Ik geloof dat dit niet zo'n goed idee is.'

'Ik ben degene die de ideeën heeft . . . en dit is heel natuurlijk.' Hij nam haar op en droeg haar naar het bed dat zo breed was als een schuit. 'Jij, Daisy, bent voor de details — ik houd me bezig met de grotere creatieve inspanning.' Hij kuste haar, met haar hoofd tussen zijn beide handen.

'North?' zei ze, en wurmde zich uit de kussens omhoog.

'Hè?' antwoordde hij, druk bezig voorzichtig de kristallen schouderbandjes van haar schouders af te trekken.

'Is dit een vergissing?'

'Ik geloof het niet, maar wij moeten hem eerst maken voor we er achter komen . . . o, o, je hebt me nooit verteld dat je zo lekker smaakte.'

'Je hebt het nooit gevraagd.'

'Mijn fout.'

Er klonk ontzag in zijn stem toen hij mompelde: 'Waar heb

je je al die jaren verborgen gehouden?', een toon die Daisy nooit van deze man had gehoord, wiens korte, snelle commando's de zweep waren geweest die haar voortdreef. Hij, die altijd knetterde van strijdlustige aanwijzingen, raakte de tepels van haar borsten zo voorzichtig en eerbiedig aan als een archeoloog, verbaasd en ontroerd door de ontdekking van een lang begraven beeld van Venus. Zijn scherpe trekken waren vervaagd door het licht dat werd weerspiegeld door het Canal Grande en door haar halfgesloten ogen speurde ze naar het felle, ingehouden vuur van de man die ze kende. Maar het leek alsof al zijn harde hoeken waren gesmolten en hij was veranderd in een tedere, lachende, onbekende minnaar die haar overlaadde met lange, lieve, bijna bedachtzame kussen, terwijl hij zijn hand naar haar leest liet glijden en bezit nam van de warme, soepele ronding waar haar heupen begonnen. Hij trok haar dichter naar zich toe, zodat ze met de gezichten tegenover elkaar lagen.

'Mag ik?' fluisterde hij en wachtte tot ze knikte, voor hij haar uitkleedde. Daarna trok hij zijn eigen kleren uit en keek op haar neer met een glimlach van verwondering op zijn gezicht, zijn naakte lichaam fraaier dan ze het zich zou hebben voorgesteld... en nu wist ze, dat ze het zich echt had voorgesteld, misschien wel sinds ze hem voor het eerst had gezien. Door de verwarring van die plotselinge ontdekking trok ze hem naar beneden en eindelijk durfde ze zijn scherpe neus, zijn ogen, zijn oren en zijn wangen te kussen. Al die delen van zijn gezicht waar ze jarenlang zo bezorgd naar had gekeken, in een poging bij voorbaat zijn bevelen af te lezen, altijd vol spanning door de noodzaak zijn bezeten tempo bij te houden en klaar te staan om hem alles te bezorgen wat hij nodig had. Plotseling, in hun naaktheid, waren zij gelijken, en onder haar lippen was alleen een warmte en deze nieuwe, dierbare nabijheid. In een vlaag van overweldigende blijdschap dacht Daisy, maar hij vindt mij aardig, hij vindt mij een goed mens, hij moet echt om me geven. Ze opende haar armen wijd van verrassing en sloeg ze om zijn hals, drukte zich heel dicht, zo dicht mogelijk tegen hem aan en probeerde hem daar binnen het bereik van haar armen te houden, zodat hij niet weer in de North veranderde die ze had gekend. Geleidelijk aan raakte zij ervan overtuigd dat deze onbekende minnaar niet zou verdwijnen. Naarmate hij voelde dat Daisy langzamerhand haar vrees en haar aarzeling liet varen, werden North's liefkozingen hartstochtelijker. Hij exploreerde haar lichaam stukje bij beetje en toen alle tegenstand en terughouding al lang voorbij waren, deed hij haar willige dijen uit elkaar, maar voor hij binnendrong, fluisterde hij weer: 'Mag ik?'

'Ja, ja, ja.'

'Nog geen verandering?' vroeg North aan de conciërge.

'Nee, signor, het spijt me, er gebeurt niets, maar wij hebben geleerd dat deze stakingen niet zo gauw afgelopen zijn als ze beginnen. Maar ze komen niet vaak voor, algemene stakingen als deze, zeer beslist niet, dat kan ik u verzekeren.'

'Tja, dat is theater,' glimlachte North, zijn magere lichaam ontspannen. 'Hebt u ook gezien waar juffrouw Valensky heen is? Ze is niet in haar kamer.'

'Ah, de *principessa*, ja, ze is net weggegaan, signor. Ze zei, dat ze een jongen moest betalen, die met een zigeunerroeiboot wachtte. Ik geloof tenminste dat ze dat heeft gezegd. Het kan ook een zigeunerjongen zijn geweest. In ieder geval, ik heb aangeboden het voor haar te doen, maar ze wilde met alle geweld zelf gaan.

'Goeie God!' zei North, zijn mond trillend van het lachen. 'Ze heeft er echt een laten komen... dat had ik kunnen weten.'

'Signor?'

'Nee, niets. Ik zal haar wel zoeken.' Hij ging snel naar de ingang van het hotel en liep tegen Daisy op, die zich naar binnen repte.

'Je hebt toch niet geprobeerd te ontsnappen?' vroeg hij.

'Ik heb alleen de laatste weg naar de beschaving afgesneden.'

'Ik heb me verslapen,' zei hij.

'Dat heb ik gemerkt. Je bent heel interessant om naar te kijken als je slaapt. Dan zie je er heel anders uit dan wanneer je wakker bent.'

'Hoe zie ik er dan uit?' vroeg hij, op zijn hoede.

'Het gaat er om hoe je er níet uitziet — geen onstuimigheid, geen vechtlust, niet opvliegend, geen geraas en gebral, geen onkwetsbaarheid, geen . . .'

'Je maakt misbruik van me,' zei hij, om haar de mond te snoeren.

'O, dat hoop ik! Dat heb ik altijd zo graag gewild — het is een van mijn hartewensen. In dit soort zaken heb ik gemerkt dat het altijd het beste is om het eerst wakker te zijn.'

'Hoeveel weet je van dit soort zaken af?' blafte hij.

'Daarvoor ken ik je nog niet goed genoeg,' zei ze luchtig en glimlachte tegelijkertijd met een onbeschaamd vonkje in haar ogen tegen hem. Hij greep haar, tot de heimelijke vreugde van het hele personeel in de hal, bij haar nekvel, en sleurde haar naar het raam toe.

'Laat ik je verdomme eens goed aankijken. Hoe kan ik in je ogen kijken als ze zo zwart zijn?'

'Dat kun je ook niet,' zei ze triomfantelijk en haar donker goudblonde wenkbrauwen vormden een rechte lijn. 'Maar jij daarentegen, arme, doorzichtige, roodharige, blauwogige man, ik kan dwars door je hersens heen kijken!'

'Flauwekul. Niemand kijkt in mijn hersens.'

'Wedden?'

'Niet voor het ontbijt,' zei hij haastig. 'Heb je trouwens niets beters om over te denken? Weet je wel, dat je behalve Harry's Bar helemaal nog geen bezienswaardigheden hebt bekeken?'

'En het plafond van kamer vijftien in het Gritti Palace . . . vaag,' voegde ze er aan toe met een ondeugende grijns van herinnering, zodat hij haar weer door elkaar schudde.

'Laten we vlug gaan ontbijten en gaan wandelen.'

'Ik heb al ontbeten, maar ik zal naar je kijken als je eet,' verklaarde Daisy vriendelijk.

'Waarom heb ik toch dat vreemde gevoel, dat jij denkt dat je slimmer bent dan ik?' mopperde North.

'Om die vraag te beantwoorden moet je in je ziel duiken,' lachte Daisy.

'Zie je wel, nu doe je het weer!'

Daisy en North hadden een gevoel alsof het gordijn van de wereld opzij was getrokken en een andere, alternatieve wereld in een rijke overvloed van onvoorziene geneugten tevoorschijn kwam, alsof Venetië in de loop der eeuwen vol vertrouwen juist op hen had gewacht. Ze waren als door een wonder ontdaan van hun afweerhouding die voor karakter doorging en in nieuwsgierige kinderen veranderd. Iedereen, vanaf de winkeliers tot aan de katten in de smalle *calles*, was een medeplichtige; vrijwillig samen opgesloten in deze meest sensuele stad ter wereld aan zee. Hun sterke, bloedwarme, onstuimige levensgevoel was nog nooit zo op ieder afzonderlijk moment gericht geweest als in deze edelmoedig aangeboden wereld, waarin de vertrouwde begrippen van tijd, ruimte en licht door de geduldige tovenarij van eeuwen allemaal waren schoongewassen tot iets dat alles overtrof wat ze een van beiden ooit hadden gekend.

Het regelmatige gebeier van de klokken in de Campanile tegen de schemering; een hamburger of Florentijnse biefstuk; de Weense walsen die bij Quadri werden gespeeld of een doorkijkje op een binnenplaats in de Campo San Barnaba, waar nog rozen bloeiden, dit alles vermengde zich in een gelukzalige droom, als zij wandelden, aten, praatten en vrijden en iedere morgen wakker werden in de vrees dat de staking voorbij was. Een vrees die onmiddellijk verdween bij het zien van het Canal Grande, waarop alleen particuliere bootjes en marktschuiten waren te zien.

Het vrijen met North had Daisy eindelijk geleerd wat het betekende echt een man te begeren en door hem lichamelijk te worden bevredigd. Maar naarmate de nachten van bedwelmend genot verstreken, drong het tot Daisy door dat ze zich op de een of andere manier onbewust terughield. Dat gekooide ding in haar hart dat smeekte om te worden bevrijd, dat ding dat ernaar snakte en hunkerde om zich op te lossen, een ontspanning te bereiken die meer was dan alleen lichamelijk, hield zich als zij heel dicht bij elkaar waren nog even stijf en onbuigzaam. Ze hunkerde ernaar dat het — wat het ook was — binnenin haar in vlammen uitbarstte en toch bleef het stevig achter tralies van reserve opgesloten. North, dacht ze, had zijn norse, moeilijke, bruuske uiterlijk aan haar uitgeleverd en gaf momenten van hete straling af, maar wat Daisy ook probeerde, ze kende hem toch, zoals ze hem altijd had gekend, als een tegenstander, nu geliefd, maar toch een tegenstander, zelfs gedurende deze uit de tijd gehouwen dagen.

Kwam het door de wezenlijke aard van North, zijn wezenlijke gevoel van op zich zelf te staan, dat haar verhinderde helemaal met iemand samen te smelten? Ze vroeg zich af wat het in hem of in haar was, waardoor ze zich niet volledig aan hem kon toevertrouwen. Net zoals Daisy zich een beetje een bedriegster voelde, als ze als een prinses werd behandeld, vroeg ze zich af of zij en North niet op de een of andere manier bedriegers waren, als ze elkaar als minnaars behandelden. Misschien was het nog wat te snel, hield ze zichzelf voor, misschien was de sprong te vlug geweest, de overgang van een jarenlange samenwerking tot geliefden, te abrupt na slechts een paar uurtjes onverwacht flirten.

Maar toch voelde Daisy zich iedere dag opnieuw als een bloemenweide op een zomermiddag, gonzend en zoemend van het bezige geluid van geluk. Ze vroeg zich af wat zij en North samen aan het scheppen waren. Waren het alleen maar een paar dagen in een ander tijdsbestek? Ze had hem zo goed gekend in zijn manier van leiding geven en van waakzaamheid, zijn geliefkoosde uitdrukkingen, zijn gebaren en zijn gezicht. Nu kende ze hem als de eerste man die haar lichaam ware hartstocht had bijgebracht. Maar wat wisten zij van elkaar af op een dieper vlak, een vlak van een innige, blijvende band? Wilde hij dat wel weten? En zij?

In hun gesprekken klonk iets door van verwachting, van rusteloos wachten, zoals tijdens het geroezemoes dat aan het ophalen van het doek in het theater voorafgaat. Maar het was haar wel duidelijk, dat de tijd om over een van haar zorgvuldig bewaarde geheimen te spreken nog niet was gekomen... Misschien zou die morgen komen, of de dag daarop... OF NOOIT. Misschien moest ze daar niet naar verlangen, misschien waren deze geheimen bedoeld om verborgen te blijven — ze wist het niet. Ze kon het niet beoordelen en de huidige vreugden weerhielden haar ervan om voor het slapen gaan nog lang over dit onderwerp te blijven piekeren.

In hun eigen privé-klimaat leek het altijd, alsof het de eerste mooie voorjaarsdag was; die dag waarop de mensen eindelijk beseffen, dat de lente in de lucht zit, of anders die dag vlak voor zij met een teleurgestelde zucht zeggen: 'O, het is al weer zomer.' Zij beleefden een idylle die trilde op de rand van — Daisy kon die gedachte niet afmaken en ze kon er ook niet met North over praten. De breekbaarheid en de vluchtigheid van de hartstocht waren haar vrijwel meteen zodra zij het voor het eerst beleefde al duidelijk geworden.

De zon die voortdurend door het water werd weerkaatst, zorgde ervoor dat de sproeten van North donkerder en zijn blauwe ogen blauwer werden, en verleende Daisy's warme teint een lichte, koperen glans die zo sterk tegen haar haar afstak dat de mensen op straat haar openlijk nawezen.

Hoewel Daisy en North tijdens hun omzwervingen overdag de lunch onderweg in een of andere trattoria gebruikten, aten zij 's avonds altijd in Harry's Bar die voor iedereen die daar meer dan tweemaal komt meteen een club wordt. Er waren natuurlijk nog meer toeristen, maar zij waren verre in de minderheid bij de echte Venetianen die sinds 1931 minstens eenmaal per dag bij Harry binnenwippen om te kijken wat voor nieuws er is in de wereld; in de bar die voor hen eenvoudig helemaal Venetië is, Venetianen die een koele, gepolijste elegance bezitten, eigen aan een oud volk dat heeft geleerd dat alles als iets onbelangrijks moet worden behandeld.

Op een avond, een week nadat ze waren aangekomen, morste Daisy met het zout op het roze tafelkleed. Zij en North staken allebei hun hand uit en wierpen tegelijkertijd een snuifje over hun schouder.

'Je weet toch dat het bijgeloof is?' vroeg North.

'Natuurlijk. Het is heus niet zo dat er iets ergs gebeurt als we het niet zouden doen.' Zij klopten allebei vlug automatisch op het hout van hun stoel.

'Louter atavisme,' verzekerde North haar.

'Een primitief ritueel,' gaf Daisy toe.

'Als er geen hout in de buurt is, mag je ook op je hoofd kloppen — dat telt ook,' bood hij aan. 'Of op mijn hoofd.'

'Ja, dat weet ik. Maar je mag niet langer dan drie tellen wachten.'

'Ik loop onder ladders door,' zei North met het gezicht van iemand, die meer weet dan hij kwijt wil.

'Ik dénk niet eens aan kapotte spiegels,' gaf Daisy terug. 'Of hoeden op het bed of fluiten in kleedkamers of zwarte katten.'

'Alleen maar zout en hout?' vroeg hij sceptisch.

'En een wens doen op de eerste ster 's avonds. Je mag ook een wens doen op de nieuwe maan, maar alleen als je hem toevallig over je linkerschouder ziet, zonder dat je het van plan was.'

'Dat wist ik niet.'

'Dat is erg belangrijk,' zei Daisy wijs, aan een lok van zijn rode haar trekkend. 'En je kunt ook een wens doen op een vliegtuig, als je echt denkt dat het een ster is, maar alleen zolang je in een auto zit die in dezelfde richting rijdt als het vliegtuig. Want anders komen ze toch niet uit.'

'Dat zal ik onthouden,' zei North met iets treurigs in zijn stem, de weemoed van vallende bladeren, een droevige, herfstige toon die hij nog nooit had gebezigd.

'Wat is er?' vroeg ze.

'Helemaal niets. Alles is prima.'

'Ja . . . ik begrijp wat je bedoelt,' zei Daisy nadenkend. 'Het is een probleem.'

De volgende ochtend, toen zij nog sliepen, rinkelde de telefoon bij het bed.

'Je hebt toch niet gevraagd je te laten wekken, schat?' mompelde North verward, nadat de telefoon een aantal keren had gerinkeld en ze allebei uit hun dromen had gerukt.

'Nee, hoor,' zuchtte Daisy, die met bittere berusting haar hand naar de hardnekkige telefoon uitstak.

'Niet aannemen!' Hij legde stevig zijn hand over de hare.

'North . . . je weet toch wel wat dat betekent,' zei Daisy dringend.

'Laat maar! Wij mogen nog één dag hebben.' Ze luisterde aandachtig naar zijn stem, verscheurd tussen de eerlijke drang de wereld buiten te sluiten en zijn onmiddellijke onontkoombare reactie op de ononderbroken oproep van de telefoon. Daisy bepaalde de waarde van wat ze hoorde en nam de hoorn op, terwijl ze tegen hem glimlachte met liefde, spijt en begrip, zó met elkaar vermengd, dat zij één wolk van gevoel vormden, zó bitterzoet, dat haar stem trilde.

'Hallo Arnie. Nee, nee, je hebt me niet wakker gemaakt — ik moest toch opstaan om de telefoon op te nemen.'

Sarah Fane voldeed volgens Rams weloverwogen oordeel tegelijkertijd wel en niet aan zijn verwachtingen, toen hij zijn maanden geleden, in het vroege voorjaar van 1976 genomen besluit haar als huwelijkskandidate te onderzoeken, ten uitvoer had gebracht. Zij beviel hem beter dan eigenlijk de bedoeling was, omdat zij niet aan ál zijn eisen voldeed. Ze was weliswaar zeer zorgvuldig opgevoed en gewend, zich in de wereld, zoals zij die als aanstaande debutante gezien had, met zijn landelijke manifestaties van jagen, vissen en schieten, te bewegen. In dit opzicht vond hij haar onberispelijk, niet te wereldwijs en niet te provinciaals. Maar volgens de berekening van Ram, volgens redelijke analyse van wat een vrouw, om maar niet te spreken van een jong meisje, van de attenties van een buitengewoon begeerlijke vrijgezel als hij was kon verwachten, had ze bereid moeten zijn hem te vereren, wat mejuffrouw Fane, de hooggeboren mejuffrouw Fane, niet deed, althans niet zichtbaar.

Ze was een flirt, een keiharde, koele, uitgekookte flirt. En ze was een schoonheid, een keiharde, koele, prachtige blonde schoonheid. Het soort, dat altijd al als de 'Engelse Roos' heeft bekend gestaan, met volmaakt gevormde trekken, een tere roze-en-blanke teint, fraaie lippen en een eerlijke oogopslag. Voor menig man aanleiding geweest de valsheid van het lieftallige uiterlijk, waaronder een temperament en een wil schuilgingen, een koningin Victoria waardig, te vervloeken. Ram vroeg zich af hoe hij er bij was gekomen te menen, dat Sarah Fane van plan zou zijn het Seizoen over te slaan. Ze zou alles bijwonen, niet alleen het verjaarsbal van koningin Charlotte, in haar lange, witte japon met lange witte handschoenen, maar ook Royal Ascot en Henley. Ze was voor alle belangrijke bals die van mei tot juli werden gegeven uitgenodigd, en op haar eigen diner-dansant kwamen er zeshonderd gasten. Als het balseizoen voorbij was, was ze van plan naar Goodwood te gaan voor de Race-Week, naar Cowes voor de Regatta en naar Dublin voor de internationale paardenshow. Toen Ram opmerkte, dat de Cowes-week en de Dublin-show gedeeltelijk met elkaar samenvielen, glimlachte ze slechts oogverblindend en legde uit, hoe ze voornemens was bijna driekwart van allebei de manifestaties bij te wonen, door direct na het bal van de cadetten van het koninklijk jacht van het eiland Wight naar Ierland te vertrekken. 'Het zou zonde zijn om Dublin over te slaan, Ram, nu mijn ouders eindelijk hebben toegegeven dat ik oud genoeg ben om er naar toe te gaan,' zei ze met een verrukkelijke glimlach, waarvan Ram zou willen dat hij te gekunsteld was, maar die zoals hij moest toegeven, echt en onschuldig was. Haar schoonheid was van het soort dat nooit alleen maar decoratief zou worden, maar bij het rijpen der jaren juist boeiender werd — en zelfs dát wist ze ook.

Sarah Fane had de laatste drie jaar doorgebracht op de Villa Brillantmont, de kostschool in Lausanne die een snel verdwijnende minderheid van meisjes uit de hogere kringen nog een beschaafde opvoeding, uitstekend Frans en vrienden uit de rijkste families van de hele wereld biedt. Wat Ram betreft had het voornamelijk als quarantaine gediend die had voorkomen dat Sarah te veel aan Londen werd blootgesteld.

Op Brillantmont was Sarahs mening bevestigd, dat bijna alle meisjes onder twee categorieën vielen: zij, die van school weg wilden om een boeiend, opwindend baantje te zoeken en zij, die zich alleen maar zo gauw mogelijk van hun chaperonnes wilden bevrijden om zich in een duizelingwekkende draaikolk van romantische avonturen te storten. Beide categorieën hielden zich naar haar oordeel even veel voor de gek, maar tot haar vreugde begrepen zij niet zo duidelijk als zij, dat de eerste stap naar een toekomstig leven het juiste huwelijk was. Voor sommigen kon dat slechts een aanvaardbaar huwelijk zijn, voor anderen een goed huwelijk. Voor haarzelf overwoog ze alleen maar het uitzonderlijke huwelijk, zelfs het feit in aanmerking genomen dat er in een gegeven jaar slechts een paar uitzonderlijke huwelijken plaatsvonden. Ze telde al haar voordelen bij elkaar en kwam zonder valse bescheidenheid tot de conclusie, dat ze recht had op het allerbeste.

Sarah Fane keek met verachting neer op de betrekkelijke armoede, waarin ze de Engelse hogere kringen geleidelijk aan zag belanden. Ze voelde zich persoonlijk beledigd door het feit dat ze in een maatschappij was geboren, waarin eigenlijk een vreedzame omwenteling had plaatsgevonden, een socialistische maatschappij onder de naam van een monarchie.

Maar, hield ze zichzelf voor, het had geen zin erover te mokken. De jaren zeventig zouden heus niet weggaan omdat zij ze afschuwelijk vond. Het was de kunst zich eraan te onttrekken en te zorgen dat ze een leven kreeg dat zo dicht mogelijk bij het leven kwam, dat haar rechtens toekwam.

Vanuit Brillantmont had Sarah nauwkeurig de zorgvuldig georganiseerde officiële bals van de Londense Seizoenen gadegeslagen, terwijl ze wachtte tot haar jaar aanbrak. Ze was tot de conclusie gekomen dat de beste huwelijken die waren, welke tijdens het eerste jaar dat een meisje uitkwam werden gesloten, zolang ze nog een nieuwtje was. De uitdrukking 'ouderejaarsdebutante' maakte haar dan ook bijna onpasselijk — iets armoedigers kon ze zich niet voorstellen. Het juiste tijdstip, dat was het geheim, dacht ze, aan haar bureau gezeten, om de gastenlijst voor haar bal na te kijken. Ze legde haar pen neer om de maanden op te tellen. Ze had nog het hele voorjaar en de zomer van 1976 tot en met september, als ze naar het noorden ging voor de grote Schotse bals en dan natuurlijk naar Londen voor het Kleine Seizoen, dat tot Kerstmis doorging. Daarna kwam de uittocht naar de landhuizen. Bij het aanbreken van het voorjaar van 1977, zou het brandpunt van het jaar veranderen en zich gaan richten op de nieuwe oogst van meisjes die uitkwamen, dus bestond het beste deel van haar debutante-jaar in werkelijkheid uit slechts een maand of negen, tien.

Dat steeds schaarser en ongrijpbaar wordende ras van de begeerlijke Engelse vrijgezel, van grote rijkdom en degelijke afkomst, wachtte dikwijls tot ze een eind in de veertig waren voor ze naar het altaar werden gevoerd. Sommigen, al te veel, van hen trouwden nooit. Die waren ook niet gek, dacht ze, en perste haar lippen even in een grimas over haar smetteloze tanden op elkaar. Zij raakten nooit uit de mode: een man kon vijfenzestig, lelijk, slechtgehumeurd en vervelend zijn en was toch een goede partij, als hij een vooraanstaande positie in de wereld had. Wat betreft de vrijgezellen die zich voornamelijk door het feit onderscheidden dat zij iemands erfgenaam waren, die kwamen voor haar niet in aanmerking, omdat zij leefden van schulden en verwachtingen. Ze werd evenmin aangetrokken door mannen die oude namen droegen en een syndicaat vormden om flitsende nieuwe restaurants of discotheken te openen. De jonge lord als barkeeper was voor Sarah Fane een onaanvaardbaar vooruitzicht, even slecht als zij, die om financiële redenen fotograaf of filmproducent werden en voorgaven dat het niets anders dan een gril van ze was. In haar ogen werd hun waarde daardoor sterk verminderd, ook als zij daarmee succes oogstten. En ze zou zich ook niet gelukkig voelen als de gastvrouw van een groot huis, dat tegen betaling publiek moest binnenlaten om rond te kijken, teneinde het dak te kunnen laten repareren. Dat was gekkenwerk. Waarom zou je markiezin zijn als je aan de weg een attractie moest exploiteren?

Wat voelde ze voor Ram Valensky, vroeg Sarah zich af, de lijst opzij schuivend. Vanaf die keer dat hij zich voor een weekend had uitgenodigd, had hij bepaalde tekenen van groeiende sympathie getoond, hoewel nooit zoveel dat zij hem als een duidelijke kandidaat beschouwde. Hij was nu sinds een jaar of zeven, acht, een van de beste partijen van het land, en tot nu toe was hij met gemak de dans ontsprongen. Hij was op zijn stalen, sluwe, aristocratische manier beslist niet onknap, met die intelligente grijze ogen die haar met levendige belangstelling maar koel taxerend aankeken.

Ze vond het eigenlijk best leuk zich in heel haar tot in de puntjes verzorgde schoonheid in de uitdrukking van gematigde goedkeuring op zijn donkere arendsgezicht te zien weerspiegeld. Hij had precies genoeg ernstige, kalme distinctie: hij benaderde het leven op dezelfde manier als zij — hij voelde ook een verlangen om het onderste uit de kan te krijgen van wat er voor mensen van hun slag nog over was gebleven. De wijze, waarop hij zijn geweer vasthield, in een lome, waakzame houding, niet te gespannen en niet te onverschillig. Hij danste behoorlijk voor iemand die niet van dansen hield en hij reed voortreffelijk. En hij was een echte heer. Hij had natuurlijk geen gevoel voor humor, maar met humorloze mensen was op den duur gemakkelijker om te gaan. Sarah had weinig geduld voor of behoefte aan humor.

Uit zuiver objectief oogpunt — en als Sarah Fane iets was, was ze objectief — was er een heleboel voor Ram te zeggen. Zijn leeftijd was ideaal: op zijn tweeëndertigste was hij een man die rijp was voor het gezinsleven. Uit haar vaders gegrom en rondgestrooide opmerkingen maakte ze op dat zijn vermogen, waarvan de omvang zo vaak het onderwerp van bespiegeling en geruchten was, opmerkelijk solide moest zijn. Sarah had een diep respect voor haar vaders neus voor geld, en hij was erg goed op de hoogte van Rams financiële toestand omdat zij samen veel zaken deden. Haar moeder was de genealogische expert van de familie en zij had op haar vage, maar volkomen betrouwbare manier aangetoond dat Valensky weliswaar geen Engelse naam was, maar omdat hij met de Woodhill-kant van de familie was verbonden, ruimschoots voldeed. Hij was misschien een tikje ongebruikelijk, maar er was niets op hem aan te merken en men moest daar niet bekrompen in zijn, vooral omdat zijn vader, Stash Valensky, in de oorlog met haar vader had gevlogen. Als haar moeder over de troonopvolger had gesproken, had ze zich niet lovender kunnen uitlaten. Ze had zelfs wel eens haar neus opgehaald voor het Huis van Windsor, toen ze in hun stamboom allerlei ongeregeldheden ontdekte. En wat een geluk dat zijn vader dood was. Bij Ram wist je precies waar je aan toe was met betrekking tot de successierechten, die eindeloos over andere verkieslijke kandidaten konden hangen.

Ze wist niets af van Rams sensualiteit, bedacht Sarah afwezig. Ze had sensuele gevoelens altijd voor een toekomstig tijdstip bewaard. Ze vreesde en respecteerde de macht van de sensualiteit en beschouwde het als een onschatbaar geldstuk in het spel van het leven, dat nooit mocht worden uitgespeeld, tenzij het het allerlaatste geldstuk was dat je uitgaf om de toekomst te verzekeren. Sensualiteit waarmee niet goed werd omgegaan, was duidelijk de oorzaak van slechte huwelijken. Haar sensualiteit was goddank geen probleem en was het ook nooit geweest. Onbeheerste sensualiteit was volgens haar voor mensen die geen weelde konden dragen.

Ram Valensky was zeer waarschijnlijk haar beste kans, stelde Sarah Fane vast; haar kans en die van ieder meisje dat hoopte een zo goed mogelijk huwelijk te sluiten. Maar hij was niet gemakkelijk te vangen. Hij gedroeg zich meer als een nieuwsgierige, taxerende adelaar. Bij die gedachte nam ze het definitieve besluit hem niet te vragen haar naar het bal van koningin Charlotte te begeleiden. Ze wist dat hij dat verwachtte, zoals hij jaar op jaar door andere hoopvolle meisjes was gevraagd. Een prachtige, onschuldige uitdrukking verspreidde zich over haar zuiver gevormde trekken en verlichtte haar mooie, heldere blauwe ogen toen ze zich Rams reactie voorstelde, doordat hij van deze eerste belangrijke gebeurtenis van het jaar werd uitgesloten. Het was het beste idee dat ze de hele ochtend had gehad, zei ze bij zichzelf en wierp zich met hernieuwde ijver weer op haar gastenlijst.

In weerwil van zijn goed gecamoufleerde woede begon Ram ondanks zichzelf toch eerbied voor Sarah Fane te krijgen. Hij wantrouwde iedere stap die ze deed, maar niets wat ze deed of zei verried de gletsjerharde berekening van haar tactiek.

Haar houding tegenover hem was bewonderenswaardig. In plaats van de lieve, verleidelijke maniertjes die hij het volste recht had te verlangen van een jong, onervaren meisje, aan wie door een begerenswaardig, vooraanstaand man als hij was aandacht werd besteed, bood ze onveranderlijk het beeld van rustige, opgewekte vriendelijkheid. Ze behandelde hem net niet helemaal als gewoon een vriend van haar vader, jonger dan de anderen, maar voor haar toch niet buitengewoon interessant. Ze bedankte hem voor zijn bloemen op een toon van dankbaarheid die precies aangaf, dat het lang niet de enige bloemen waren die zij die dag had gekregen, maar nooit iets plichtsmatigs kreeg. Ze ging met hem naar schouwburgen en restaurants bijna zo vaak als hij het vroeg, maar het kwam altijd zo uit dat er andere paren bij waren, zodat hij nooit alleen met haar was. 'Maar Ram, zo gaat het nu eenmaal altijd tijdens het Seizoen — dat weet je toch, schat,' zei ze met iets van verwijt tegen hem, die enkele keer dat hij tegenwierp, dat hij het vervelend vond als er altijd en eeuwig andere mensen bij waren. Daarna accepteerde hij zonder een teken van ongeduld de troep jongelui waardoor ze werd omringd. Ik doorzie haar spelletje wel, dacht hij, als ze een of andere jongeman met zo'n klassieke glimlach of aanbiddelijke pruillipjes plaagde, maar hij begon zich hoe langer hoe meer af te vragen of dat inderdaad het geval was. Ram besloot dat het raadzaam was dat hij met andere jonge vrouwen werd gezien. Gedurende die maanden van het Seizoen ging hij met velen van hen eten of hij trad op als hun begeleider en hij behandelde ze met precies, maar dan ook precies dezelfde zorgvuldige, beheerste, hooghartige hoffelijkheid als Sarah.

De hooggeboren Sarah Fane had een schitterend Seizoen. Alle kranten en tijdschriften waren het er over eens, dat zij een van de mooiste debutantes van het jaar was en haar naam werd genoemd als mogelijke bruid voor prins Charles, ondanks het feit dat hij haar niet meer — en niet minder — aandacht schonk dan de andere jongedames, maar het zoeken van een bruid voor prins Charles was een permanent nationaal tijdverdrijf. April en mei gingen voorbij en juni kwam, zonder verandering in de opgewekte, serene houding van Sarah, terwijl ze voortzweefde door een reeks van feesten en bals, altijd onberispelijk uitgedost in kleren, uitgekozen om haar roze-en-blanke schoonheid voordelig te doen uitkomen. In plaats van de geijkte pastelkleuren die voor debutantes bijna voorschrift waren, neigde ze meer naar donkerder matblauwe en heldere smaragdgroene kleuren en nooit te geraffineerde japonnen van strenge snit, waarboven haar blanke schouders extra fraai glansden. Ze sprak nooit tegen Ram over de bijna eindeloze feestjes waarop ze was uitgenodigd, behalve wanneer ze hem, zoals ze een enkele keer deed, vroeg om met haar mee te gaan. Haar beminnelijke terughoudendheid was ergerniswekkender dan iedere mededeelzaamheid zou zijn geweest. Hij wachtte op haar grootsprakige verhalen, maar wachtte tevergeefs. Hij wachtte tot zij over de andere meisjes begon waar hij mee uitging en weer wachtte hij tevergeefs. Zij was een tegenstandster van formaat, moest hij bij zichzelf toegeven. Hij had de ideale echtgenote liever in een minder zelfverzekerd iemand belichaamd gezien en hij was toch gevleid, dat nu zijn keus gevallen was, het een uitzonderlijke jonge vrouw betrof. Het begon onvermijdelijk te lijken dat hij, in plaats van een nog niet gevormd meisje, dat automatisch in zijn handen zou zijn gevallen, een meisje had uitgekozen dat wist wat ze waard was en er niet over dacht zich goedkoop te verkopen.

Fane Hall was het toneel van Sarah's eigen dansfeest, verzorgd door de eerbiedwaardige firma Searcy Tansley, een diner-dansant in een reeks uitgebreide tenten die rondom het rode, statige, grote Tudorhuis waren opgezet. Een aantal jongelui was uitgenodigd om de nacht in Fane Hall door te brengen en de andere gasten, voor zover ze niet naar Londen terugreden, zouden in de huizen van verschillende buren worden ondergebracht. De hele organisatie was bijna net zo ingewikkeld en uitgebreid als voor de voorbereiding van een kroning, merkte Sarah met een vrolijk lachje op, alsof het niets met haar te maken had. Haar feest zou het soort feest zijn dat in de rechtzinnige, gierige jaren zeventig nog maar zelden werd gegeven; een feest dat een geruststellende terugkeer naar de goeie ouwe tijd was. De familie Fane kon zich dat veroorloven, dachten de mensen bij zichzelf en voegden een nieuwe laag van respect voor Sarah aan haar reeds glanzende aureool toe.

De datum viel op het eerste weekend in juli 1976, nadat alle universitaire en toelatings-examens waren afgelopen en zou het begin van het hoogtepunt van het Seizoen aangeven, als de hele bloem van Engeland uit de academische gevangenis was bevrijd.

Sarah heerste over haar bal in een strapless japon van witte zijde, met satijnen linten onder haar borsten en om haar middel bij elkaar gebonden, met nog meer linten die tweemaal de enorm wijde rok bij elkaar hielden, zodat hij in drie golvende lagen naar beneden viel. Ze droeg haar grootmoeders tiara op haar keurige, fraaie hoofdje en haar glimlach was even aardig en vriendelijk en oprecht voor een graaf als voor een andere debutante. Ze zag eruit als een levend deel van een grote aristocratische traditie zonder stijfheid of gedwongenheid, en ze droeg haar smetteloze schoonheid alsof ze er zo aan was gewend dat deze door niets zou kunnen verbleken of verminderen. Ze was als iedere debutante de koningin van haar eigen bal, maar er hing iets in de lucht dat haar regering deed doorslaan naar het rijk van legenden, iets dat alle aanwezigen zei, dat het bal van Sarah Fane zich bij de geschiedenis van grootse debuten zou scharen. Ze bereikte die avond een hoogtepunt, toen ze met meer dan tweehonderd mannen danste, alsmaar rondwervelend met een onvermoeide sierlijkheid, zonder de grip op het gebeuren ook maar een ogenblik te verliezen. Ram zag slechts kans haar enkele ogenblikken te pakken te krijgen en danste verder de hele avond met een heleboel andere meisjes, onder het welgevallig oog van zowel moeders als dochters. Hij was die avond bijna in de verleiding haar ten huwelijk te vragen, maar hij hield zich in. Hij schatte, dat op een avond van zo'n zegepraal, waarop ze zó in het middelpunt van de belangstelling stond, zijn aanzoek niet die waarde zou ontvangen als er aan moest worden verleend. Het zou net iets te veel glazuur op de taart voor Sarah Fane zijn . . . hij zou haar haar Seizoen laten voltooien. Het zou goed voor haar zijn om zich nog een paar maanden langer af te vragen waarom hij zijn aandacht aan haar bleef schenken zonder iets te zeggen.

'Geef me eens een voorbeeld,' nodigde Kiki hem uit. Het was zondagmorgen in de flat van Luke, om precies te zijn in het bed van Luke en ze wilde eigenlijk geen voorbeeld, ze wilde dat Luke haar opnieuw kuste. Luke kuste haar opnieuw.

'Bij voorbeeld,' zei hij, 'Jezus, je bent nooit zo verrukkelijk als 's morgens voordat je je tanden hebt gepoetst . . . "ochtendmond", ik ben er gek op! En dan kijk je naar de camera met die grote poezeogen en die sluwe geconcentreerde zinnelijkheid om je neus en lippen en we horen je stem van de camera af, als je zegt: "Welke man wil zodra hij wakker wordt de geur van pepermunt kussen? De avond tevoren een beetje Scope . . . dat is mijn geheim." En dan kus ik je weer, zó, en ik zeg: "Jam, jam . . . als je het waagt uit bed te gaan." '

'Maar dat is geweldig! Waarom kun je dat niet gebruiken?'

vroeg Kiki. 'Ik krijg bijna zelf zin om Scope te kopen, dus het moet wel een goed idee zijn.'

'Het is een geweldig idee, maar het zou nooit op de televisie kunnen. De sponsor wil geen dierlijke seks, het televisiestation vindt het niet goed en het publiek schrikt zich rot. En het is waarschijnlijk niet waar ook en in de reclame moeten wij ons om de waarheid bekommeren.'

'Bedoel je, dat ik mijn tanden moet poetsen?' zei Kiki bezorgd.

'Nee, idiote lieverd, alleen dat niet alle mannen een afwijking voor ochtendmonden hebben zoals ik.' Hij kuste haar weer. 'Je kunt niet beweren dat Scope de hele nacht werkt, en als je twee mensen in bed hebt, moet de een 't zuur of voorhoofdsholteontsteking hebben en de ander moet Florence Nightingale zijn en niet een stelletje gelukkige minnaars die kennelijk net zijn wakker geworden — daar is Amerika nog niet klaar voor.'

'Maar het is de werkelijkheid,' wierp Kiki tegen.

'Voor "De werkelijkheid" maken we geen reclamefilmpjes. Als we "de werkelijkheid" wilden, zouden we documentaires maken,' mompelde hij, en kuste haar onder haar arm. 'Ik vind ochtendoksel geloof ik nog lekkerder dan ochtendmond.'

'Geef me eens een ander voorbeeld,' murmelde Kiki.

'Je hebt een vrouw en ze zegt, recht in de camera: "Ik kan Howard Cosell niet uitstaan!" En dan komt er nog een en nog een tot het scherm in zestienen is verdeeld, allerlei verschillende vrouwen die allemaal steeds meer buiten zichzelf raken en zeggen: "Ik kan Howard Cosell niet uitstaan!" En dan hoor je daar bovenuit een stem — een rustige vrouwenstem die zegt: "Vliegt maandagavondvoetbal u naar de keel? Neem Bufferin. Dat snoert hém de mond wel niet, maar ú voelt zich veel beter." '

'Nou, wat mankeert daaraan? Je zegt niets, dat niet waar is.'

'Nee, maar Howard Cosell kan het een reden vinden om te

procederen en het televisiestation wil het misschien niet vertonen tijdens de wedstrijd, wat de enige tijd is om het grootst mogelijke effect te krijgen, en alle supporters van Howard Cosell kopen nooit meer Bufferin.'

'Zijn er dan supporters van Howard Cosell?'

'Ik ben er nog nooit een tegengekomen, maar volgens de cijfers wel,' zei Luke somber.

'Maar als je Howard Cosell nu eens zou huren om te zeggen: "Neem Bufferin — dat snoert mij wel niet de mond, maar ú voelt zich veel beter"?' vroeg Kiki zich af. 'Dat zou hij vast wel doen — hij wil waarschijnlijk dolgraag.'

'Kiki,' zei Luke die van opwinding bijna rechtop ging zitten, 'ik geloof dat we zojuist de Bufferin-order hebben gegapt!'

'Kom weer hier liggen,' commandeerde Kiki. 'Het is zondag — op zondag kun je geen orders pikken.' Luke kroop weer onder de dekens en ging verder met zijn lijstje van droomfilmpjes.

'Ik heb ook een hele goeie voor Tampax. Je neemt iemand als Katharine Hepburn of Bette Davis, een gezaghebbende figuur met een hoop lef en je filmt haar rechttoe, rechtaan en dan zegt ze zoiets als: "Als vrouwen niet menstrueerden, dan waren er geen mensen. Waarom zouden we daar dus zo schichtig over doen en zien we niet in, hoe fantastisch het is dat vrouwen eileiders hebben, die iedere maand een eitje losla-ten. Het is daarom alleen maar verstandig om Tampax te gebruiken als het eitje niet is bevrucht, omdat Tampax prettig is en je er niets van merkt." '

'Hmmm,' zei Kiki.

'Ja, zie je nu wel, jij vindt het ook een beetje schandelijk. Vrouwen menstrueren niet en hebben geen eileiders of vagi-na's of andere organen op de televisie — behalve in die hoor-spelseries, waar ze in het ziekenhuis altijd alles eruit halen. Het is het grootste stomme taboe — al kun je er in zó'n serie tot in details over praten, in een reclamefilmpje moet je in van die omzichtige termen spreken als "moeilijke dagen". Wij zijn het laatste puriteinse bolwerk.'

'Arme lieveling — wat zul jij gefrustreerd zijn.'

'Soms wel, maar in het algemeen vergeet ik wat ik zou willen doen en doe ik wat ik kán zo goed mogelijk. Het is mijn brood,' bromde hij.

Kiki sloeg haar armen om Luke heen en drukte hem zo stijf mogelijk tegen zich aan. 'Luister eens, het is meer dan je brood, domkop. Komt het dan nooit bij je op, dat er zonder reclame geen kranten of tijdschriften of televisie zouden zijn, behalve wat door de regering wordt betaald? De reclame houdt alle informatie en amusement in stand, dus je hoeft er niet zo minachtend over te doen. Je doet werk dat moet worden gedaan en je doet het beter dan wie ook!'

'Ik was even vergeten dat ik met een geboren kapitalist had te maken,' lachte Luke. 'Ik ben zo gewend aan meisjes, die hun neus ophalen voor reclame, dat het een genoegen is eens een afgevaardigde van Grosse Pointe te horen.'

Kiki die hem al stevig in haar greep had, probeerde hem door elkaar te schudden, maar hij was te groot voor haar om hem behoorlijk in beweging te krijgen. Ze volstond daarom met te sissen: 'Ondankbaar. Stijlloos. Smakeloos. Om bij zó'n gelegenheid over andere meisjes te praten — ik stap uit bed, Luke Hammerstein, ezel die je bent.'

'Och, niet doen — het spijt me, ik maakte maar een grapje, echt.'

'Ik moet plassen,' zei ze hooghartig.

'Hoe vind je deze? Dit beeldschone meisje, chic en naar de laatste mode gekleed, zegt: "Neem me niet kwalijk, ik moet dringend plassen," en dat andere mooie meisje — zij zitten samen bij La Grenouille te lunchen — zegt: "Welk toiletpapier gebruik jij het liefst?" en de eerste zegt: "Lady Scott natuurlijk, want ook de beste mensen moeten naar de wc — dus dan kun je het net zo goed stijlvol doen." '

'Briljant,' zei Kiki schamper, 'ik vind dat je op de universiteit van Harvard Engels moet doceren. Je geest is ziek, Luke Hammerstein, ziek.'

'Alleen omdat ik over Grosse Pointe begon?' vroeg hij vals.

'Jij bent zeker de leukste thuis,' zei Kiki nijdig.

'Niet nu jij er bent.'

'Moet ik dat soms als een compliment opvatten?' viel ze uit.

'Precies. En wil je nu gaan plassen en schiet een beetje op. En denk er om dat je intussen niet meteen je tanden gaat poetsen!' Hij strekte zich lui en behaaglijk in bed uit. Hij had maar één probleem om zich het hoofd over te breken. Eerst broodjes, roomkaas en gerookte zalm en dan neuken, of eerst neuken en daarna broodjes? Zelfs Maimonides zou niet weten hoe hij dat moest oplossen.

'Wat stelt dit allemaal voor, Theseus?' vroeg Daisy aan haar hond, en krabde achter zijn oren op een manier die hij heerlijk vond. 'Vertel me eens wat dit allemaal voorstelt.'

'Als ik er niet was,' zei Kiki, 'zou ik begrijpen dat je het aan hem vraagt, maar nu deze wijze waarzegster er bij zit, ben ik nogal beledigd.'

'Ik dacht, dat je het te druk had met je nagels te lakken, om te praten.'

'Dat heeft niets met elkaar te maken.' Kiki boog zich vlug over haar handen om de donkerrode, bijna bruine nagellak die ze de laatste tijd gebruikte, te verwijderen. 'Hoeveel manicures zitten met de mond vol tanden?'

'Ik ben nooit naar een manicure geweest — hoe weet ik dat? Ik dacht, dat ze misschien in gewijde stilte werkten.'

'Je wast zelf je haar, je doet zelf je nagels — geen wonder dat je een hond om raad moet vragen,' snoof Kiki.

'Hoe kan ik nu met je praten?' zei Daisy verstandig. 'Je bent zo gelukkig en opgewonden dat je onmogelijk je hersens bij elkaar kunt hebben. Je ziet alles door de ogen van de ware liefde, waardoor alles wordt misvormd . . . Je waarnemingsorgaan is verdoofd, je beoordelingsvermogen is verlamd, je vrije wil heeft je verlaten en je handelt vanuit een reeks veronderstellingen die niemand anders dan jijzelf begrijpt — Theseus is tenminste niet verliefd.'

'Sinds je terug bent uit Venetië,' zei Kiki, hardop denkend, '— het is nu november, dat is dus twee maanden geleden — ben je jezelf niet meer. Mijn waarnemingsorgaan is zoals je ziet nog net zo scherp als anders, zolang je maar niets over Luke vraagt. Je bent half ongelukkig, half gekweld, weinig met jezelf ingenomen, niet zonder een sentimenteel verlangen naar North. Waarom heb je het eerst niet aan mij gevraagd, voor je iets begon met de man waar je voor werkt?'

'Er was een telefoonstaking,' hielp Daisy haar herinneren.

'Allemaal uitvluchten. Wat is precies de aard van de verhouding, als ik dat woord voor zoiets heiligs mag gebruiken?'

'Onbestendig,' zei Daisy.

'Een onbestendige verhouding? Je bedoelt dat het niet helemaal kosjer is, dat er iets engs aan is?'

'O, God, Kiki, je snapt er weer niets van. Onbestendig, zoals de wind de ene keer uit het oosten en dan weer uit het westen waait, onbestendig als de mist die komt opzetten en dan weer verdwijnt en daarna weer terugkomt, onbestendig als ik weet niet welke kant boven is, drijfzandachtig.'

Kiki wierp Daisy een onderzoekende blik toe. Ze was afgevallen, dacht Kiki, iets wat ze bepaald niet nodig had en haar humeur leed er onder. Niet dat ze ooit kribbig was, maar ze was de laatste tijd snel geprikkeld en besteedde veel te veel tijd aan het borstelen van Theseus en met hem in de buurt wandelen en te weinig tijd aan North, naar het oordeel van Kiki.

'Kun je dat nader verklaren?' vroeg Kiki die een flesje lichtroze nagellak openmaakte en het begon op te brengen.

'Het is moeilijk een bepaald iets aan te wijzen. Toen we terugkwamen, wist ik dat alles moest veranderen. De omstandigheden in Venetië waren tenslotte volkomen abnormaal — ik geloof niet dat North ooit van zijn leven zoveel vrije tijd heeft gehad. En natuurlijk had ik ook gelijk — alles stapelde zich achteraf op en we moesten tweemaal zo hard werken als anders om de week die we hadden verloren in te halen, maar ik begrijp dat — het is ook mijn zaak. Mijn god, zonder mij was er niets van terecht gekomen. En het samenwerken was heel prettig. Hij behandelde mij net zo als hij altijd deed in bijzijn van de anderen — ik wil bepaald niet dat Nick en Wingo en de rest een beetje naar ons lonken — en als we alleen zijn is hij . . . leuk . . . en hij wil met me vrijen . . . en hij is erg lief . . . ik denk . . .'

'Maar . . .' drong Kiki aan.

'Maar . . . verder gaat het niet.'

'Ik zie niet in wat daar onbestendig aan is.'

'Het is iets in de manier waarop hij van me houdt, iets dat los blijft, iets dat nergens naartoe gaat, iets dat blijft hangen, onaf, iets dat niet versterkt wordt, iets aarzelends . . .'

'Zit dat in jou of zit dat in hem?' vroeg Kiki scherpzinnig. Daisy staakte haar pogingen om het stugge haar van Theseus op te strijken en overwoog die vraag, alsof hij nog niet bij haar was opgekomen.

'Ik denk . . . in ons allebei, nu je het me vraagt,' zei ze langzaam, op verbaasde toon.

'Dan mag je ook eigenlijk niet klagen. Nee, dat neem ik terug, je mag wel klagen! Wat ben ik voor een vriendin als je niet tegen mij mag klagen? Dus ga door, klaag!'

Daisy keek met een vertederde blik naar Kiki die er, nu ze er op lette, heel vreemd uitzag. Haar warrige haardos was netjes om haar gezicht geborsteld en zelfs haar pony was zo gefatsoeneerd dat het glad op haar voorhoofd viel. Haar ogen leken twee maten kleiner zonder de overdreven make-up die ze er altijd opsmeerde. Ze had alleen een beetje mascara op en haar lippestift had dezelfde kleur als haar nagels. Van haar zigeunerachtigheid was nog maar weinig overgebleven en daarvoor in de plaats maakte ze nu een ingetogen, rustige, verzorgde en een beetje stille indruk, zoals ze daar in haar ondergoed zat te wachten tot haar nagels droog waren. Wat ook vreemd was. Sinds wanneer was Kiki trouwens onderjurken en bh's gaan dragen?

'Ga verder. Ik ben niet tevreden als je nu niet klaagt,' drong Kiki weer aan.

'Ik heb inwendig het gevoel . . .'

'Ja? Kom, vooruit Daisy. Ik ben erg goed in gevoelens.'

'Het is — ik vraag me alsmaar af of er iets zou zijn gebeurd als die staking er niet was geweest? Kwam het misschien alleen maar door de omstandigheden? Wij hebben nog nooit met elkaar geflirt en ik werk nu al vier jaar voor North — Als er vóór Venetië iets was geweest, zou ik het toch wel hebben geweten? Misschien is dit een van die dingen die nu eenmaal zo gaan.'

'Dat is geen klacht en het is geen gevoel — het is gewoon een smoesje. Het is wel gebeurd en het gaat nog steeds door. Als hij in Venetië vast had gezeten met iemand waar hij niets om gaf, zou er niets gebeurd zijn — waar of niet?'

'Ik denk het; maar aan de andere kant had hij in die magische sfeer daar bijna iedereen aantrekkelijk gevonden.'

'Daisy! Schei ogenblikkelijk uit!' Kiki was woest op haar vriendin. Na jarenlange ervaring kon ze nog steeds niet geloven dat iemand die zó mooi was zichzelf zó kon afkraken als Daisy Valensky.

'Je hebt gelijk — nu doe ik het weer, verdomme! Maar er is pas nog iets gebeurd dat ik maar niet van me af kan zetten. Wij waren bij North thuis, we hadden net gevrijd en ik lag daar en verlangde ernaar een beetje te worden geknuffeld, in zijn armen te liggen, en hij draaide zich af, rusteloos en hij zei, met zo'n koele, slome stem — niet echt verveeld — nu ja, een beetje misschien — en hij zei: "Daisy, vertel eens iets leuks of zo." '

'Die klootzak!'

'Precies wat ik ook dacht! Ik ben van plan hem niet meer te zien, behalve op het werk.'

De beide meisjes keken elkaar in de ogen en ze begrepen elkaar volkomen.

'Maar wat heb je gezegd?' vroeg Kiki driftig.

'Niets... ik voelde me misselijk. Ik ben opgestaan en heb me aangekleed en ben meteen naar huis gegaan.'

'Waarom heb je me dat niet meteen verteld?'

'Eerst dacht ik dat het overdreven van me was, dat ik overgevoelig was, zonder gevoel voor humor — het was maar een kleinigheid,' zei Daisy tobberig.

'Ja, en het zijn de kleinigheden waar je scherp op moet letten — die kleinigheden, waaruit je kunt opmaken waar jij staat en waar hij staat,' zei Kiki, en maakte van opwinding een vlek met haar nagellak. 'Is wat hij tegen je zegt "overdreven", alsof je een of ander speeltje bent? Een haremmeisje, een poppetje, een stuk speelgoed dat je kunt opwinden en dan een leuk wijsje gaat spelen? Geen wonder, dat hij tweemaal is gescheiden — die schoft weet geen bal van vrouwen af.' Kiki had diep met Daisy te doen.

'Zeg, niet om over iets anders te beginnen, maar komt Luke je niet over vijf minuten halen? Je hebt je nog niet eens helemaal opgemaakt en niet eens kleren aan. Je bent nog te laat.'

Verschrikt dook Kiki in haar klerenkast en kwam met een plastic kledingzak van Saks tevoorschijn. Ze maakte hem open en schoot behendig een eenvoudige, onopvallende, dure crèmewitte flanellen japon met een donkerblauw crèmekleurige leren ceintuur aan. Ze stak haar kousevoeten in stemmige donkerblauwe pumps met gesloten hielen en tenen, en maakte een bescheiden parelsnoer om haar hals vast. Ze draaide zich om en keek uitdagend naar Daisy.

'Wat is dát?' zei Daisy ongelovig.

'Mollie Parnis,' flapte Kiki eruit.

'Zo ga je toch niet uit?' vroeg Daisy. Ze had Kiki in alle mogelijke soorten kleding gezien, maar hier kon ze met haar

verstand toch werkelijk niet bij.
'Jawel.'
'Is er iemand gestorven? Is het een begrafenis?'
'Nee.'
'Is het een meisje dat in het klooster gaat en waarbij je bent uitgenodigd te komen kijken?'
'Nee.'
'Ben je op het Witte Huis gevraagd?'
'Ook dat niet.'
'Een gekostumeerd feest en jij bent een net meisje.'
'Bijna. Ik ga met Luke mee naar Pound Ridge . . . om met zijn moeder kennis te maken,' zei Kiki met een lachje.
'Fantástisch!' schreeuwde Daisy en sprong zó opgetogen op, dat de half slapende Theseus op de grond terecht kwam.
'Nou hè!' gilde Kiki en barstte uit in een triomfantelijk rondedansje.
'Maar zó kun je niet gaan, dat is onmogelijk!'
'Waarom niet? Het is uitstekend — zijn moeder is oerconservatief.'
'Omdat je je in de kaart laat kijken. Op wie wil je meer indruk maken, op Luke of op zijn moeder? Als je er zo uitziet, weet hij dat je naar de goedkeuring van zijn moeder dingt, en dat is fataal bij een vent die zo koel en bij de tijd is als Luke. Je moet er niet uitzien alsof er iets op het spel staat. Vermom je in vredesnaam niet als zijn verloofde nog voor hij je ten huwelijk heeft gevraagd. O, wat oersaai . . . de Grosse Pointe komt nu boven water — Hij lacht zich dood.'
'O, barst — je hebt ook gelijk,' jammerde Kiki. 'Maar wat moet ik dan aantrekken? Ik heb niets wat maar enigszins geschikt is.' Ze was helemaal radeloos, dook in haar klerenkast en smeet in paniek het ene onzinnige kledingstuk na het andere op de vloer.
'Een lange broek? Wat vind je van je nette zwarte linnen Holly Harp-broek?' vroeg Daisy.
'Die zit onder de verf. Ik was vergeten dat ik hem aanhad en

heb er gisteren een décor in geschilderd.'

'En die andere wollen broeken dan?'

'Die zijn allemaal bij de stomerij. O, Daisy, waarom ben ik zo'n warhoofd? Waarom overkomt mij dit altijd? Over een minuut is hij hier,' jammerde Kiki.

'Blijf eens een ogenblik stilstaan.' Daisy nam Kiki aandachtig op. 'Juist. Doe die parels, je beha en je panty uit en trek je jurk weer aan. Goed, doe nu die schoentjes met de glitters en vijfentwintig centimeter dikke kurkzolen aan. Gelukkig dat je benen nog bruin zijn. Knoop nu die jurk los tot je middel. Nee, dat is te ver . . . twee knopen hoger. Mooi zo . . . ik zie nog tieten, een beetje maar. Hier is een ceintuur . . .'

'Daisy, dat is de halsband van Theseus,' protesteerde Kiki.

'Hou je mond en kijk of hij om je middel past,' snauwde Daisy. 'Te kort, verdomme, en het zou net goed zijn geweest. Ceintuur, ceintuur . . .' mompelde ze, in haar laden graaiend en trok er tenslotte een lange, helrode reep chiffon uit, waarop ze een grote vierkante gesp uit 1920, die ze in een sieradenwinkeltje had opgediept, had genaaid. Ze zocht verder en haalde een roodzijden bloem tevoorschijn.

De bel ging. 'Ga je ogen opmaken,' commandeerde Daisy. 'Ik zal wel met Luke babbelen. Haast je niet, blijf kalm, doe het in godsnaam met vaste hand,' zei Daisy zorgelijk, terwijl ze Kiki de badkamer induwde en de deur achter haar sloot.

Luke stormde de zitkamer binnen, begroetingen tegen Daisy en Theseus rondstrooiend. Hij kwam Daisy die aan zijn gebruikelijke afwezige, dromerige gereserveerde houding was gewend, ontegenzeglijk nerveus voor. Zelfs zijn oogleden waren te schrikachtig om melancholiek te zijn en hij trok onophoudelijk aan zijn baard en plukte onzichtbare pluisjes van zijn mouwen.

'Waar is Kiki?'

'Ze is zich aan het klaarmaken,' zei Daisy waardig.

'Ze heeft zeker weer zo'n gifgroene maillot aan met een of andere Maya-poncho er overheen?' vroeg Luke.

'Zoiets, neem ik aan.'

Hij draaide zich om en keek het raam uit, met zijn voet op de vloer tikkend en zijn vingers tegen de muur trommelend. 'Mijn moeder vindt het vervelend als ik te laat kom,' merkte hij op.

'Ze komt zo. Wat gebeurt er vanavond?'

'Het is eigenlijk een soort familiediner. Mijn grootmoeder zou trouwens ook komen,' zei hij somber.

'Een drie-generatiediner, dus?' viste Daisy.

'Er komen ook een paar tantes en ooms die zichzelf hebben uitgenodigd toen ze hoorden, dat ik met een meisje kwam.'

'Heb je dan nog nooit een meisje mee naar huis genomen om te komen eten?' vroeg ze verbaasd.

'Niet sinds de middelbare school.' Luke wierp Daisy een snelle, benauwde, koortsachtig vastberaden blik toe, die haar alles vertelde wat ze weten moest.

'Wil je me even verontschuldigen, Luke. Dan zal ik kijken of ik Kiki kan overhalen een beetje voort te maken,' zei ze. Onderweg naar de badkamer bleef ze even bij Kiki's klerenkast staan, en haalde er de donkerblauwe pumps en de blauw-met-crèmekleurige ceintuur uit die Kiki eerst aan had. Ze keek nadenkend naar de beha en de panty, die in een hoopje op de vloer lagen. Ze nam de panty mee en liet de beha liggen. Ze moest het niet te dol maken. Ze deed zachtjes de deur van de badkamer open. Kiki had haar ogen weer opgemaakt. 'Doe die monsterlijke kurkschoenen uit,' zei Daisy die al bezig was de rode chiffon ceintuur los te gespen en de bloem eraf te halen.

'Wát?'

'Verandering van werkwijze. Vraag me niet om het uit te leggen, daar heb je geen tijd voor. Hier is je ceintuur. Waren dat echte parels?'

'Natuurlijk — van mijn moeder.'

'Mooi, doe die ook weer om. Maak nóg een knoop dicht en laat me naar je kijken. Zo, borstel je haar een beetje, zodat het er niet al te tam uitziet. Zo is het goed — fantastisch. Hier is een vestje dat je kunt lenen — sla het gewoon achteloos om.'

'Een wit kasjmieren vest? Maar Daisy, dat is van voor we naar de academie gingen, van toen je nog klein was in Londen!'

'Iedereen kan een vest kopen, maar oude, vergelende kasjmier — daar hebben ze oog voor.'

'Wie "ze"?'

'Laat maar. Luke staat te trappelen om weg te gaan. Nee, wacht even . . . er moet nog iets bij . . . ' Daisy stak de roodzijden bloem in de ceintuur. Ze deed een stap naar achteren om het effect te bestuderen. 'Beschaafd, elegant, duur, onopvallend sexy en vaderlandslievend . . . wat willen ze nog meer?'

'Dat ik joods ben,' zei Kiki somber.

'Ze kunnen geen wonderen verwachten.'

'Weer die "ze" — je maakt me zenuwachtig,' zei Kiki angstig, terwijl ze zich in de spiegel bewonderde.

'Dat is juist prima, dat vinden ze prettig als je zenuwachtig bent — zo hoort het ook. Vooruit nu maar.' Daisy trok Kiki van de spiegel vandaan en duwde haar in de richting van de zitkamer. Ze hoorde een snelle, gemompelde begroeting en toen sloeg de voordeur achter Luke en Kiki dicht. Langzaam wandelde ze de lege kamer in. Theseus stond daar met zijn kop vragend schuin omhoog, het ene witte oor omhoog, het andere omlaag.

'Vraag jij je maar af wat er aan de hand is,' zei ze tegen hem en haar stem stokte. 'Maar weet jij er antwoord op? Waarom, ach waarom kan ik mijn eigen problemen niet oplossen?'

'Wat bedoel je in godsnaam, de sponsor komt!' schreeuwde North in de telefoon. 'Je weet net zo goed als ik, Luke, dat daar geen sprake van kan zijn. De hele campagne staat vast — waarom zou hij nu komen? Hij hoeft hier helemaal niet te komen!'

'Hoor nu eens, North, maak je op mij maar niet kwaad. De laatste die ik bij een vergadering wil hebben is wel iemand van de kant van de cliënt, dat weet je ook wel,' zei Luke heftig. 'Maar het is ongehoord dat de man zelf met alle geweld wil komen. Van een kleine cliënt kan ik het me nog voorstellen, maar van de president van Supracorp! Hij zou daar verdomme mijlenver boven moeten staan.'

'Of hij er nu boven of onder staat — de kwestie is dat wij onze vrijheid kwijt zijn,' schreeuwde North.

'North, je denkt nu wel dat je vrij bent, omdat je dat graag wilt geloven. In wezen hebben wij geen van alle enige vrijheid — de sponsor bepaalt zelf wat er met zijn geld gebeurt. Hij is degene die vrijheid heeft. De enige vrijheid die ik heb is om handige manieren voor te stellen waarop hij het kan rondstrooien, en de enige vrijheid die jij hebt is de beste reclamefilmpjes te maken die je kunt maken.'

'Hou je diepzinnige kletspraat maar voor je. Mijn bezwaar is, dat hij zijn neus in zaken gaat steken waar hij geen bal verstand van heeft en dat hij denkt, dat hij het beter weet dan wij. En zelfs als hij het wel leuk vindt wat wij doen, gaat hij het toch veranderen — alleen voor de lol om zich ergens mee te bemoeien wat hem niets aangaat. Waarschijnlijk heeft hij iedereen die voor hem werkt al een zenuwinstorting bezorgd, daarom is hij op zoek naar een nieuw slachtoffer — ik ken dat slag.'

'Je kent Patrick Shannon niet.'

'Jij wel?'

'Nee — maar ik heb gehoord, dat hij een uitgekookte, taaie rakker is.'

'Geweldig,' zei North wrang. 'Dat is nu net het soort pottekijkers, waar ik in mijn produktievergaderingen geen behoefte aan heb. Met ons tweeën alleen is het al moeilijk genoeg. Aan nog meer uitgekookte, taaie rakkers heb ik geen behoefte.'

'Ik ben het helemaal met je eens; maar ik kan toch niet tegen hem zeggen, dat hij niet welkom is?'

'Je kunt het proberen.'

'Probeer jij het maar, North. Jij bent toch zo vrij.'

'Tot morgen.' North hing de telefoon op en zat over die nieuwe ontwikkeling na te denken. Dat een echte sponsor, dat legendarische overblijfsel uit de oude tijd van radio en televisie, in levenden lijve van zijn troon op de Olympus neerdaalde om een vergadering van een reclame-produktie bij te wonen was een gruwel! North wist precies waar sponsors thuishoorden: het waren lichaamsloze, onzichtbare wezens, eerder een groep mensen dan één man, die ergens boven in de wolken van reusachtige bedrijven in grote directiekamers met eindeloos uitzicht op de Hudson zaten en ja of nee tegen voorgestelde reclame-campagnes knikten, die door lagere stervelingen werden voorbereid en uitgevoerd.

Zij bemoeiden zich niet met de manier waarop de motor werkte, zij waren niet de monteurs die de Cadillac verzorgden, maar slechts de steenrijke passagiers op een afstand. Zij wisten hun chauffeur nog wel duidelijk te maken welke richting zij heenwilden, maar afgezien daarvan hadden zij met het autorijden zelf niets te maken. Zo hoorde het althans te zijn, om Godswil! Het enige dat de sponsor te doen had was te beslissen of een programma zijn boodschap uitdroeg; door hem werd vertegenwoordigd; door hem mogelijk werd gemaakt of alleen maar zijn goedkeuring ontving.

Het idee, dat de sponsor verkoos zich in de persoon van Patrick Shannon te vertonen, was monsterlijk. Tot wat voor gruwelijkheden kon dit niet leiden? Misschien wilde hij de 'boodschap' wel zelf verkondigen, zoals in al die zelfgemaakte reclamefilmpjes van tweedehands auto's... En al zou die Elstree-campagne miljoenen gaan kosten — die vent, Shannon, zou het fatsoen moeten hebben om het aan zijn duurbetaalde vakmensen over te laten zich daar het hoofd over te breken. Hij was al dwars tegen alle regels ingegaan met zijn voorstel de vergadering bij te wonen, net toen Luke en de reclamejongens van Elstree het eindelijk over een behoorlijke campagne eens waren geworden. Iemand die er op dit tijdstip tussen kwam kon alleen maar moeilijkheden voorspellen. Hele grote moeilijkheden.

'Daisy,' snauwde hij in de huistelefoon. 'Kom onmiddellijk hier.' Als Shannon op de vergadering kwam, wilde North dat iedereen van zijn organisatie er ook bij was. Daar moest Daisy dan maar voor zorgen. Hij had belangrijker dingen te doen.

Daisy liet voor het laatst nog eens een blik over de vergaderzaal gaan. De hoogst ongebruikelijke bijeenkomst die over enkele minuten moest beginnen had reeds zoveel verwarring en irritatie veroorzaakt, dat ze zich had voorgenomen ervoor te zorgen, dat al mocht de rest ook niet soepel verlopen, de mensen die bij elkaar kwamen tenminste genoeg asbakken, potloden en ijskaraffen hadden. Het was een gelukkige inval van haar, kladpapier neer te leggen. Als de mensen in voorbereidende produktievergaderingen geen poppetjes konden tekenen, gingen ze al gauw hun nagels op elkaar scherpen, dacht Daisy, onderweg naar de secretaresse van North om haar op te dragen voor stapels nieuwe witte blocs te zorgen.

Ze had nog een minuut over, en Daisy ging naar haar eigen kantoor om zichzelf voor het laatst nog even te inspecteren. Alles leek in orde. Ze was erin geslaagd zichzelf bijna onzichtbaar te maken. Haar haar was zonder pardon in één dikke vlecht bij elkaar gebonden, die ze had verborgen door hem in de wijde hals van haar witte werkhemd te laten verdwijnen en op haar rug te laten hangen. Over het hemd droeg ze een opzettelijk wijde, witte timmermansoverall, en ze had een witte canvas matrozenmuts diep over haar voorhoofd getrokken, zodat hij haar ogen doeltreffend verborg. Ze was ervan overtuigd, dat ze tegen de witte bakstenen van de vergaderzaal op de achtergrond zou verdwijnen.

Daisy had geen kans gezien zich aan de vergadering te onttrekken, maar ze was er vrijwel zeker van, dat Patrick Shannon haar onmogelijk kon herkennen als de vrouw die hij op het feestje van de familie Short in Middleburg had ontmoet. Een vrouw die hem op een manier die hij boosaardig moest hebben gevonden, heel boos had gemaakt. Zó boos, dat ze zich ongerust maakte dat haar tegenwoordigheid alleen al aanzienlijk tot de opvliegendheid waarmee zoals ze wist, iedereen vandaag naar de studio kwam zou kunnen bijdragen.

Precies op tijd kwam Patrick Shannon binnen, gevolgd door vijf mensen die hij vlug voorstelde: Hilly Bijur, directeur van de afdeling Elstree van Supracorp, Jared Turner, hoofd van de verkoop, Candice Bloom, hoofd van de publiciteitsafdeling van Elstree, Helen Strauss, hoofd van de reclame-afdeling en Patsy Jacobson, hoofd produktie-artikelen.

In de tijd dat ze allemaal een plaatsje zochten, gluurde Daisy even vanuit haar strategische positie om Patrick Shannon op te nemen, die zonder aarzeling tegenover North had plaatsgenomen. Het was voor het eerst dat ze North zag met een man die duidelijk zijn gelijke was. Zelfs zonder op te kijken voelde ze hoe Shannon de zaal beheerste. Iedereen, ongeacht waar ze zaten, scheen naar hem toe te leunen alsof hij een magneet was. Misschien kwam het omdat al hun oren in zijn richting waren gespitst, dat zij die indruk kreeg, dacht ze, een giechel onderdrukkend om de belachelijkheid van deze hele plechtige gebeurtenis. Shannons verschijning in de zaal was zo overbodig, dat ze niet kon geloven, dat Luke en North het allemaal zo serieus hadden opgenomen . . . en met zo'n heftigheid. Als die gewichtigdoenerige man de indruk wilde wekken, dat hij aan de reclamefilms van zijn firma iets 'creatiefs' bijdroeg, waarom hem dan niet zijn zin gegeven, vroeg ze zich af. Hij verschilde niet van alle andere mensen die North opdrachten gaven. Bij een filmopname vroegen ze altijd of ze voor het draaien even door de zoeker van een camera mochten kijken. North liet ze altijd hun gang gaan — één keer — hoewel ze niet wisten wat ze zagen of wat het op de film zou worden en het enige dat ze deden was verstandig knikken en alles goedkeuren wat hij van plan was geweest.

Maar . . . Shannon was de zaal binnengekomen met de vastberaden, zelfverzekerde tred van een scheepskapitein die op zijn eigen dek loopt. Een schip, vermoedde Daisy, dat zodra het eenmaal veilig op zee was, een vlag met een doodskop en twee gekruiste beenderen zou hijsen. Hij was een piraat met verwarde haren en blauwe ogen, een onwaarschijnlijk als industrieprins vermomde zwart-Ierse rover.

De vergadering werd geopend toen Luke opstond. Hij had inwendig zwaar de pest in, dat hij een samenvatting moest geven van de hele geschiedenis, waar al wekenlang eindeloos over was gesproken, en van het werk dat al voltooid was, maar Shannon had hem opgebeld en verzocht om aan het begin van de vergadering iedereen volledig op de hoogte te stellen.

Met een stem die de aandacht van iedereen naar zich toetrok, viel Luke meteen met de deur in huis. Een van de vereisten van alle banen die hij in het verleden had gehad en die tot zijn huidige positie had geleid, was het vermogen een reclamefilm zo dramatisch te vertellen dat je hem zonder plaatjes kon zien.

'Elstree lijdt aan een verouderd beeld, ouderwets en uit de tijd, grootmoeder was er gek op. Wij wisten dat dat de moeilijkheid was. Verleden jaar is een ander bureau er op basis van verlies uitgestapt, met gebruik van de zuiverheid van de ingrediënten als hun voornaamste verkoopargument. Dat had geen succes, daarom is Elstree naar ons bureau toegegaan. Zuiverheid is niet voldoende in een wereld, waarin een groot aantal cosmetische artikelen er met hetzelfde recht evenveel aanspraak op kunnen maken.' Hij zweeg even en monsterde zijn gehoor. Zij luisterden allemaal aandachtig.

'Stoffige deftigheid en zuiverheid zijn uit de mode! Wij gaan de meest winstgevende markt van vandaag veroveren: de werkende vrouw — dynamisch, avontuurlijk en met haar eigen betaalcheque.' Luke pakte een grote, glimmende foto van een meisjesgezicht en toonde hem aan zijn gehoor. 'Dit is Pat Stephens, het nieuwe Elstree-meisje. De reclamefilmpjes laten haar zien in een aantal situaties zoals nog nooit op het terrein van parfumerie en cosmetica is vertoond . . . Ze gaat luchtacrobatiek in een vliegtuigje doen, we zien haar gewichtloos, in een drukcabine, om te trainen voor een ruimtevlucht, en racend in de Indy 500 in een speciale auto die General Motors voor ons zal maken. Pat draagt altijd een soort uniform en een helm. In de laatste dertien seconden van ieder filmpje, als ze over Elstree praat, rukt ze haar helm af en zien we eindelijk haar gezicht, dat een enorme indruk van kracht en levenslust overbrengt. Stuwend, opwindend, zwierig en bovenal jóng — niet alleen de vrouw van vandaag maar ook de vrouw van mórgen.'

Daisy bekeek de vergroting zo objectief mogelijk. Het meisje had zeer fraai gevormde trekken, maar haar gladde kortgeknipte hoofd en schreeuwend Amerikaanse uiterlijk maakte dat ze was verstoken van iedere nuance, dacht Daisy. Tanden en jukbeenderen had ze in overvloed . . . maar aantrekkelijk?

'Wij zijn van plan een contract met Pat te sluiten voor twee jaar, zodat niemand anders haar kan gebruiken,' ging Luke verder. 'Ze wordt het symbool van de bij-de-tijdsheid van Elstree. Over een paar maanden, misschien eerder, is iedereen vergeten, dat Elstree al honderd jaar in de handel is, omdat ze het in verband brengen met Pat Stephens die vol vertrouwen in het heden en de toekomst functioneert.'

Hij ging zitten onder een applausje, voorgegaan door Nick, die voor de vergadering zijn instructies had gekregen. Toen viel er een stilzwijgen.

Patrick Shannon zei, met een knikje in de richting van de mensen van Supracorp: 'Dames, Hilly, Jared — en u allemaal — in de eerste plaats wil ik mijn verontschuldiging aanbieden, dat ik mij hierin meng. Ik weet, dat het niet gebruikelijk is deze grote vergadering te houden waar iedereen bij is, maar ik heb geen tijd om de gewone wegen te bewandelen en geen tijd om de gevoelens van iemand te sparen. Zoals u weet, behalve misschien de heren Hammerstein en North, ben ik met korte onderbrekingen maandenlang op reis geweest en vertrek ik vandaag naar Tokio.' Hij wachtte even, net lang genoeg om de verwachte knikjes van de mannen en vrouwen, wier terrein hij was binnengedrongen, in ontvangst te nemen.

'Toen ik een paar dagen geleden weer op kantoor kwam, vond ik deze campagne op mijn bureau, gereed om gelanceerd te worden. Het was voor het eerst dat ik een foto van het Elstree-meisje zag.'

'Wij hebben gewacht tot Danillo foto's van haar had genomen met haar nieuwe kapsel en dat heeft langer geduurd dan wij verwachtten,' verklaarde Helen Strauss haastig.

Shannon liet met een klap zijn hand op de enorme vergroting neerkomen. 'Het lijkt het achtereind van de Dallas Cowboys wel.' Er werd zenuwachtig om zijn opmerking gelachen.

'Dat is niet grappig, dames en heren. Ik maak geen gekheid. Het is een knappe meid, maar jullie hebben helaas een joker uitgezocht. Deze campagne deugt niet.' Er heerste een verschrikte stilte in de vergaderzaal, niemand haalde adem of verroerde zich. Shannon ging onverstoorbaar verder.

'Ik hoef er niet nog eens op te wijzen, dat Elstree vorig jaar dertig miljoen dollar heeft verloren — de hele parfum-industrie spreekt erover. Mijn concurrenten gaan ervan uit dineren. Ik ga nog veel meer miljoenen uitgeven om het bedrijf te veranderen — een nieuwe geur te introduceren, een nieuwe verpakking, een nieuwe reclamecampagne. Al is Supracorp nog zo groot, Elstree kan zich niet veroorloven nog meer geld te verliezen, omdat mijn aandeelhouders — let wel — het niet zullen begrijpen. Zij hebben heel wat minder geduld dan ik meestal heb.'

Shannon zweeg, maar niemand in de zaal toonde de neiging om het woord te nemen. Hij nam de vergroting van Pat Stephens op en hield hem omhoog. 'Dit meisje en de campagne van de heer Hammerstein zullen het beeld van Elstree ongetwijfeld veranderen, maar, en dat zeg ik met nadruk, ze zullen geen cosmetische artikelen of parfumerie verkopen. Ik geloof doodeenvoudig niet, dat vrouwen zich in dit meisje of de situaties waarin u van plan bent haar te brengen zullen herkennen. Het zal wel origineel en fris hebben geleken, toen u besloot hiermee in zee te gaan, maar vindt u het ook maar enigszins geloofwaardig, dat deze figuur van ijzer onder al die helmen rouge en mascara gebruikt? Ik ben ervan overtuigd, dat ze in die ruimtecapsule of wat het ook mag zijn geen parfum gebruikt.' Shannon liet de foto op de grond vallen voor hij vervolgde: 'Ik geloof, dat de tijd gekomen is om terug te keren naar een romantisch verkoopargument in de parfumerie, een meer chique, vrouwelijke aanpak. De werkende vrouw is niet minder vrouwelijk geworden omdat ze geld verdient. Dit jongensachtige kind dat u voor het Elstree-meisje wilt laten doorgaan is in iemands verbeelding misschien het meisje van heden, maar, het spijt me, heren, niet in die van mij.'

Luke moest tenslotte een protest laten horen. 'Kijkt u nu eens naar de Charlie-campagne, meneer Shannon,' zei hij kalm. 'Het is voor Revlon een fantastisch succes geweest en hun hele verkoop-argument is dat meisje met haar extra lange benen, dat met reusachtige stappen de hele wereld doorkruist — een fris gezichtje, niet speciaal mooi, maar iemand die dat beeld overbrengt van wat-kan-mij-het-allemaal-schelen-jongens-ik-kan-wel-voor-mezelf-zorgen.'

'Dat is nu juist een van mijn bezwaren, meneer Hammerstein,' weerlegde Patrick Shannon hem. 'Charlie is nu drie jaar oud — die campagne is eerstdaags verouderd. En ik ben niet van plan Charlie te imiteren . . . ook niet Charlie in het jaar tweeduizend.' Zijn brede mond verstrakte op een manier die zijn werknemers maar al te goed kenden.

'Pat . . .' begon Helen Strauss. Zij was tenslotte verantwoordelijk voor de reclame, of dat was tenminste de bedoeling.

'Nee, Helen, ik koop die campagne niet. Geen sprake van.'

'Had u misschien iets anders in gedachten, meneer Shannon?' vroeg North beleefd. Zijn gezicht trilde van ongeduld om die hele benauwde gang van zaken, maar hij wist dat hij het zich lang niet zo aantrok als het agentschap en de mensen van Supracorp. Hij hoefde de reclamefilmpjes alleen maar te maken en ze niet te bedenken.

'Ik verwerp geen dingen als ik niet enig idee heb wat er voor in de plaats moet komen, meneer North,' zei Shannon. Hij trok zijn colbertje uit, rolde zorgvuldig zijn mouwen op en strekte zich uit; een grote man, volkomen op zijn gemak in een zaal vol mensen die zojuist maandenlang van zorgvuldig plannen maken hadden zien verloren gaan. Daisy hoorde Nick-de-Griek vol bewondering fluisteren: 'Allemachtig.' Ze hoorde hem bijna denken of hij zou ophouden met de vesten te dragen, waar hij zo dol op was.

'Ik heb sinds ik die foto heb gezien een beetje huiswerk gemaakt,' ging Shannon verder. 'Natuurlijkheid is nog steeds het belangrijkste; de natuurlijk uitziende blondine verkoopt nog altijd meer dan de brunette. Ze moet klasse, warmte en een bepaalde gloed die bereikbaar lijkt hebben. Het moet een echte vrouw zijn, niet alleen maar het Elstree-meisje maar iemand die onder haar eigen naam bekend wordt. Als Candy Bergen nog niet aan Shulton en die nieuwe parfum van hen was gebonden, zou ik zeggen dat zij het meisje voor ons is, maar het is nu te laat om haar te kunnen krijgen.'

'U bedoelt dat u op zoek bent naar de naam van een beroemdheid?' vroeg Luke, zonder zijn stem ongelovig te laten klinken. Dat was waarschijnlijk het oudste idee van de reclame. Dat hadden ze zelfs al in de tijd van koningin Victoria gebruikt, godbetert.

'Waarom niet in vredesnaam? Weet u nog wel "Ze is verloofd, ze is mooi, ze gebruikt Pond's"? Er is sinds die tijd in wezen in de aard van de mens niets veranderd, meneer Hammerstein. Ik heb niet beloofd dat ik origineel zou zijn — alleen anders.' Shannon grinnikte, met een jolige boevenblik in zijn ogen, dat vrijbuiterige vonkje, dat iedereen van Supracorp zei dat zijn besluit was genomen.

Enkele ogenblikken zweeg Luke in stomme verbazing, terwijl hij in gedachten zijn fantastische meisje van de toekomst zag verwateren tot debutante met wit satijn om haar bevoorrechte schouders gedrapeerd, die met een onnozel lachje gezichtscrème uit de drogisterij aan het volk stond te verkopen. Zijn stem bleef redelijk maar het kostte hem moeite. 'Gelooft u niet dat er een gevaar schuilt in een benadering die men als snobistisch — en ouderwets zou kunnen opvatten?'

'Ik heb het niet over debutantes, meneer Hammerstein — Pond's was alleen maar een voorbeeld. Ik heb het over een stér. De mensen zijn nog steeds dol op sterren, nu meer dan ooit. Ik wil dat u een ster maakt of er een zoekt om het Elstree-meisje te worden. En denk er om — dat kan niet zo maar iedereen zijn. Hier hebben we allure voor nodig!'

Tot op dit ogenblik had Hilly Bijur zich ervan onthouden er tussen te komen, hoewel hij directeur van Elstree was. Laat Helen Strauss de schok maar opvangen. Maar nu trachtte hij de leiding, die hij door de tussenkomst van Patrick Shannon was kwijtgeraakt, weer te heroveren.

'Die natuurlijke blondines brengen geld in het laatje,' zei hij snel tegen zijn baas vóór Luke, die op het punt stond iets te zeggen. 'Ik heb kans gezien een blik te slaan in het nieuwe, streng geheime Clairol-verslag, waarin staat dat blondines meer dan ooit gevraagd zijn — niet donkerblond maar door en door blond.'

Luke en North keken elkaar vol walging aan. De vergadering werd overgenomen door burgers die verslagen citeerden en zich blind staarden op beeldvorming, en ze stonden er machteloos tegenover. Nick-de-Griek zat hulpeloos op zijn stoel te draaien. Verdomme, iedereen deed een duit in het zakje en hij had nog geen woord gezegd. Hij had er een hekel aan te worden genegeerd. Nu North er op stond dat hij bij dit stomme geharrewar aanwezig was, zou hij er iets toe bijdragen ook. Ondanks zijn keurig-nette maatkostuums, had Nick nooit afstand gedaan van een gewoonte die hij in zijn jeugd in Spaans Harlem had geleerd. In al zijn opzichtige pakken zat een speciale zak, waarin hij altijd een scherp mes had, dat, had hij het bij de naam willen noemen, een stiletto was. Het kalmeerde zijn zenuwen. Nu stak hij zijn hand uit naar zijn gevaarlijke verdedigingswapen en knipte het stilletjes open. Al dit ergerlijke gezeur over blondines . . . als ze een blondine wilden, kregen ze een blondine — van Nick-de-Griek.

Met een snelle beweging draaide hij zijn machtige lichaam om, rukte Daisy's matrozenmuts af, trok haar vlecht uit zijn schuilplaats en sneed het lint door dat het zo stijf bijeen hield. Voor ze iets kon doen, maakte hij met beide handen snel de vlecht los, totdat hij haar overvloedige haardos stevig te pakken had. Daisy worstelde en haar adem stokte ongelovig, maar hij had het allemaal zo vlug gedaan, dat ze nauwelijks begreep wat er gebeurde. Nick stond op en trok Daisy mee, want hij hield al het haar op haar hoofd vast en zei luid: 'Bedoelt u dit, meneer Shannon?' Hij wuifde triomfantelijk met Daisy's haar, alsof hij op Iwo Jima de vlag aan het hijsen was.

'Verdomme!' sputterde Daisy. 'Nick! Laat los! Schei uit!'

'Wat doe jíj nu in godsnaam?' snauwde North.

'Wat is dat nu?' vroeg Hilly Bijur, terwijl Wingo Sparks dubbel sloeg van het lachen.

'Jullie kunnen geen namaak van een echte blondine onderscheiden,' hield Nick hardop vol, zonder Daisy los te laten. 'Jullie denken zeker dat ze voor het oprapen zijn?'

'Nick, zet haar néér!' zei Luke doortastend door de verwarring heen. Nick keek met gerechtvaardigde verontwaardiging rond, maar liet Daisy los, zodat ze weer kon gaan zitten. Ze gaf hem zo hard als ze kon een trap tegen de schenen en wenste dat ze puntschoenen droeg in plaats van gympies. 'Schoft!' siste ze tegen hem en zocht vergeefs naar haar matrozenmuts.

'Neem me niet kwalijk, maar zou ik de jongedame nog even mogen zien?' vroeg Patrick, toen het tumult wat was bedaard.

'Néé!' zei Daisy.

'Meneer Shannon, de jongedame is mijn produktieleidster, Daisy Valensky. Ze werkt hier, ze werkt voor mij en ze is toevallig blond. Zouden we misschien dit gesprek voort kunnen zetten, zodat er iets kan worden geregeld voordat u naar Japan vertrekt?' zei North ongeduldig.

'Ik wil haar nog een keer zien, North,' verzocht Shannon.

'Daisy?' vroeg North. 'Als je het niet erg vindt?'

'Dat vind ik wél,' zei ze nijdig. 'Neem maar een paar andere blondines om naar te kijken — bel een bureau voor modellen, maar laat mij met rust.'

'Rustig nu maar Daisy. Kalm nu maar, zo ernstig is het niet.

Meneer Shannon wil je nog even zíen — daar ga je niet dood van,' drong North geërgerd aan. Sponsors — en als het er op aan kwam alle cliënten — hadden hun eigen wetten — het waren allemaal idioten — maar er waren ogenblikken dat je ze hun zin moest geven.

'Wat is er verdomme te zien!' mopperde Daisy die probeerde haar haar achter haar oren te strijken, zodat het minder opviel. Ze keek Shannon met een boze blik aan, met een blos van kwaadheid en gêne tegelijk.

'Ik ken je,' zei hij botweg.

'Wat enig,' zei ze en dwong zichzelf op koele, beleefde toon te spreken. Zelfs in haar boosheid was het voorval van hun ontmoeting voldoende geweest om haar te waarschuwen, dat deze eerzuchtige, roekeloze bouwmeester in de grote zakenwereld wat hij als een belediging zou kunnen opvatten niet licht zou opnemen.

'Ze heeft een onvergetelijk gezicht,' zei Shannon tegen de zaal in het algemeen, op effen toon.

'Wacht eens — wacht eens even — ze is óók een prinses.' Shannon sprak nu snel en er verscheen plotseling een opgewonden uitdrukking op zijn brutale gezicht.

'Vergeet het maar, Shannon, ik heb toch net gezegd dat ze voor míj werkt,' barstte North uit, als een droog blok op een knappend vuurtje. Hij was nu een en al roodharige driftigheid geworden, en had zijn houding van boven de partijen te staan helemaal afgelegd.

'Helen,' droeg Shannon haar op, 'laat onmiddellijk foto's van haar maken, zodat we deze keer weten wat we hebben. Ze lijkt me wat ik hebben wil, maar dat weet ik pas zeker als ik de foto's zelf zie.' Hij stond op, gereed om weg te gaan.

'Zeg dat je honderdduizend dollar per jaar wilt hebben,' fluisterde Nick tegen Daisy die nog steeds sprakeloos op haar stoel zat. 'Je kunt niet zeggen, dat ik nooit iets voor je heb gedaan . . . en je hebt ook nog mijn sokken beurs getrapt.'

'Wij moeten een nieuwe verpakking hebben,' zei Jared

Turner zorgelijk, als altijd gekweld door verkoop-overwegingen. 'Prinses Daisy klinkt nu niet bepaald modern.'

'Wij moeten de distributie-datum bijna een jaar uitstellen,' klaagde Patsy Jacobson. 'Wat moet ik intussen tegen de afnemers zeggen?'

'Mag ik een ogenblikje stilte!' brulde North en hield op toen hij Daisy van haar stoel zag opspringen en snel om de tafel heenlopen. Ze stond vlak achter Luke's art-director die reeds met viltstift de woorden 'Prinses Daisy' op een vel papier had geschreven. Ze rukte het papier van de tafel, scheurde het in vieren en propte de snippers in een van haar zakken. 'Meneer Shannon,' zei ze op luide verontwaardigde toon, 'ik ben niet te koop! Ik ben hoegenaamd niet van plan om door u mijn haar of mijn gezicht of mijn naam te laten gebruiken om uw produkten te verkopen. Hoe durft u me te behandelen alsof ik uw eigendom ben? U bent gek en onbeschoft en u hebt totaal geen gevoel — jullie allemaal — en . . . en . . .' Ze griste snel de batterij viltstiften weg die de art-director netjes op een rijtje had gelegd en smeet ze op de marmeren tafel, waar ze luid knetterden als voetzoekers. 'Ik wou dat jullie allemaal de pestpokken kregen!' Ze smeet de deur met een klap achter zich dicht.

'Ik wist niet, dat Daisy die uitdrukking kende,' zei Arnie Greene vol ontzag.

'Meestal zegt ze zulke dingen niet, tenzij er op locatie iets mis gaat,' gaf Nick toe, nog steeds gekrenkt over de diefstal van zijn inval.

'Ze is wel lichtgeraakt,' tobde Candice Bloom. Als ze met dát meisje moest samenwerken, zou het voor de publiciteitsafdeling niet meevallen.

North zat achterovergeleund en glimlachte hatelijk tegen Shannon. Hij genoot van zijn overwinning. 'Ik heb toch gezegd, dat Daisy gewoon een werkend meisje is. Ze schijnt er geen zin in te hebben om model te zijn, wel? U zult haar moeten verontschuldigen.'

'Ik ben helemaal niet van plan om haar te verontschuldigen,' antwoordde Shannon vol vertrouwen. 'Zij wordt het Elstree-meisje.'

'Het is niet de gewoonte van Daisy van besluit te veranderen. Ik zou er maar niet op rekenen als ik u was,' gaf North terug met een uitgestreken gezicht.

'O, jawel, hoor,' zei Shannon. 'Hilly, stel alle beslissingen over Elstree uit tot ik uit Japan terug ben. We gaan dit nu eens helemaal goed doen.'

'Daisy is in mijn studio onmisbaar, Shannon,' zei North heftig. 'Dit kun je niet doen.'

Patrick Shannon wierp North zijn boekaniers-glimlach toe, die brede, roekeloze, Ierse grijns die iedereen in Supracorp geleerd had op haar hoede te zijn.

'Zullen we wedden?'

Vlak voor Kerstmis 1976 besloot Ram dat het tijd werd om de kwestie Sarah Fane te regelen. Ze had nu naar hartelust van het Seizoen genoten en was nog niet verloofd, maar ze zou eerstdaags vertrekken op een rondreis naar allerlei landgoederen. Voor alle zekerheid leek het hem een goed idee om voordat ze wegging met haar tot een overeenkomst te komen.

'Ik wil graag dat je morgen met me gaat eten,' zei hij aan de telefoon. 'Maar alleen, zonder dat een van je vrienden er bij is.'

'Maar Ram, ik ben uitgenodigd voor het cocktailfeestje van Lucinda Curzon.'

'Het een of het ander, Sarah,' zei hij op vlakke toon.

Haar gevoel fluisterde dringend iets in haar oor. 'Als je het zo stelt, waarom niet? Ik kan toch voor die tijd altijd nog even naar Lucinda gaan,' zei ze met een zweempje van lichte tegenzin.

'Inderdaad, waarom niet?' zei hij, en moest bij zichzelf toegeven dat je haar lef wel moest bewonderen.

Zij dineerden de volgende avond bij Mark's Club in Charles

Street in Mayfair. Ram had een tafeltje in de eerste en grootste eetzaal gereserveerd, waaruit ze iedereen die kwam en ging konden zien. Hoewel Sarah rekening met hem had gehouden en ervoor had gezorgd dat geen van haar vrienden bij hen kwam, kenden zij allebei bijna iedereen die die avond bij Mark's was en hun maaltijd werd tientallen malen onderbroken door begroetingen, iets wat Ram had voorzien. Nadat zij hun koffie hadden gedronken, vroeg hij: 'Wat zou je doen als er nu nóg iemand langs komt om tegen je te zeggen dat je de debutante van het jaar bent?'

'Dan ga ik gillen,' verkondigde ze, en speelde het klaar om er tegelijkertijd kwetsbaar en allerliefst bescheiden uit te zien. 'Dan sta ik op en ga net zo lang gillen tot ze de politie moeten roepen om me mee te nemen.'

'Zullen we dan naar mijn huis gaan om een cognacje te drinken?' De hele avond had de melodie van een uitgebalanceerd menuet in hun oren getinkeld, een menuet waarop zij beiden nu al maandenlang dansten. Op verzoek van Ram hield de muziek plotseling op. Er hing iets aarzelends tussen hen in de lucht. Sarah's gedachten gingen naar al die mooie, bewonderde meisjes met wie hij, zoals ze wist, uitging. Altijd als zij hem met hen zag, zag hij er even ernstig oplettend uit als wanneer hij met haar was. Ze keek hem nadenkend aan. Als ze nu met hem mee naar huis ging, had ze geen idee van wat hij zou verwachten.

'Ik heb wel zin in een cognacje, maar . . . eh . . .'

'Betekent dat ja of nee, lieve Sarah?'

'Nou . . . we kunnen hier niet eeuwig blijven . . . dus ik dacht zo . . . ach, waarom niet?'

'Het is echt een schitterend huis, Ram,' zei ze, nadat hij haar de benedenverdieping had laten zien.

'Ik zal je nu de bovenverdieping laten zien.'

'Nee, daar heb ik geloof ik niet zo'n zin in,' zei ze scherp, de onschendbaarheid als een onzichtbare cape om haar schouders trekkend. Het was duidelijk dat ze niet wilde.

Hij glimlachte somber. 'Hang je het preutse meisje uit?'

Dat stak haar. 'Belachelijk! Ik ben alleen moe, Ram. Wil je me asjeblieft naar huis brengen? Die cognac was heerlijk.'

'Nee, Sarah, liefste, ik breng je niet naar huis. Ik houd van je, Sarah.'

Ze stond stil bij de haard naar hem te kijken, zonder op zijn woorden te reageren.

'Ik wil met je trouwen,' ging hij verder. Ze zweeg nog steeds. Hij had iets ongenaakbaars om zijn mond, dacht ze. 'Sarah,' herhaalde hij. Hij ging naar haar toe, maar raakte haar niet aan. 'Wil je met me trouwen?'

Hij had er lang genoeg over gedaan om tot een besluit te komen, zei ze bij zichzelf. Moest ze hem afwimpelen en wachten tot hij het nog eens vroeg? Nee, het was het beste om haar Seizoen met de verloving van het jaar te bekronen. Volgend jaar stond er een andere debutante in het middelpunt van de belangstelling — maar als zij prinses Valensky was, wat kon een gewone debutante haar dan nog maken? Ze trok haar volmaakt gevormde lippen in een volmaakt onbeduidende glimlach en neeg haar volmaakte hoofdje. Ze maakte geen beweging naar hem toe, voor hij zich over haar heenboog.

Toen hij haar kuste zuchtte hij: 'De eerste keer . . . ' Ze wist best, dat het inderdaad de eerste keer was, dat hij haar alleen en op de lippen kuste. Daarvoor had ze hem slechts af en toe de gladde huid van haar wangen aangeboden, om hem onpersoonlijk in het openbaar te bedanken. Ze had een harde, lange, meedogenloze kampioenswedstrijd gespeeld.

Hij kuste haar opnieuw en nog eens, steeds hongeriger en de hooggeboren Sarah Fane kon niet zeggen of wat ze voelde opwinding was, omdat ze had gezegevierd en Ram Valensky had gestrikt, of dat de opwinding de sensualiteit was die ze altijd zo gemakkelijk van zich af had weten te zetten.

'Ga nu met me mee naar boven, liefste, ga met me mee,' zei hij dringend tegen haar mond.

'Nee... Ram, asjeblieft... ik kan niet... ik heb nog nooit...'

'Natuurlijk niet, Sarah, mijn mooie Sarah... maar je wordt mijn vrouw — nu mag het wel.'

'Nee, Ram. Dat kan ik niet... dat kan ik onmogelijk...'

Hij liet haar zo abrupt los, dat ze even wankelde en zich aan de schoorsteenmantel moest vastgrijpen. Hij liep van haar weg en bleef met minachtende blik en gefronst voorhoofd naar haar staan kijken.

'Je hebt nog niet eens gezegd dat je van me houdt, Sarah... besef je dat wel? Misschien houd je niet van me, misschien kun je nog niet besluiten? Ik heb naar je gekeken, kindlief — denk je soms dat ik niet weet wat voor flirt je bent? Vind je het zo leuk je door een man ten huwelijk te laten vragen en hem dan nog niet eens antwoord te geven, behalve een klein gracieus hoofdknikje? Ik heb geamuseerd gezien hoe je het onschuldige kokette meisje uithing, ongenaakbaar en aristocratisch; alles wat je doet is er iedere seconde op berekend tot de meerdere glorie van Sarah Fane bij te dragen!'

Ze begon een beetje bang te worden van zijn beschuldigende, sardonische blik maar tegelijkertijd vond ze het wel een sensatie Ram zijn zelfbeheersing te zien verliezen. O, ja, het was ook opwindend dit een man te kunnen aandoen. Ze kon niet verhinderen dat er een voldaan lachje om haar mond speelde. Ram zag het en deed een snelle, boze stap naar voren en greep haar arm beet.

'Je denkt dus echt, dat je mij voor gek kunt zetten,' zei hij, plotseling woedend op een manier die haar overrompelde. 'Dat is je plannetje, hè, dat gaat er dus in dat berekenende, egoïstische hoofdje van jou om — weer een overwinning voor Sarah, weer een wedstrijd die je hebt gewonnen — daar ga je morgen zeker weer over opsnijden.' Zijn vingers omsloten haar arm nog vaster, en de triomf die ze zoëven nog gevoeld had scheen op het punt te verdwijnen. Ze wist, dat ze haar laatste geldstuk moest uitspelen, maar had ze het dan ook niet precies voor dit ogenblik bewaard?

'Ram, schei uit! Je hebt me nog niet eens de kans gegeven om te zeggen dat ik van je houd. Je bent niet eerlijk, je vergist je in mij . . .'

'O, ja? O, ja?' fluisterde hij vol ingehouden woede, alsof die woorden hem niets zeiden. 'Je bent een doodgewone opgeilster, dat ben je al die tijd geweest . . . een doodgewone opgeilster, regelrecht uit de schoolklas . . .' Hij liet haar arm los en stond verbolgen voor haar. Alles wat ze zou krijgen als ze met Ram Valensky trouwde, vormde in Sarah's geest één grote bal, een grote gouden bal bezaaid met kostbare juwelen. Ze strekte haar handen naar die bal en naar hem uit.

'Naar boven . . .' fluisterde ze, met stokkende stem. Ram pakte haar met zijn sterke handen beet en leidde haar wankelend naar de trap. Hij bezeerde haar armen weer, maar in haar mengeling van gulzigheid, verwarring, angst en opwinding, was het enige waar Sarah aan kon denken iets wat een Amerikaanse vriendin op school altijd zei: 'Giet altijd cement over een akkoord.' Plotseling begreep Sarah precies wat dat betekende.

O, God, waarom deed hij er zo lang over, vroeg Sarah Fane zich gefolterd af. Nog nooit had iemand haar verteld dat het zo langdurig en pijnlijk — afschuwelijk pijnlijk — en inspannend en zo diep beschamend zou zijn. En zo zwijgend, zonder woorden. Waar was de romantiek, die ze had verwacht, waar was het genot? Er was alleen maar schaamte. Ze werd in een weerzinwekkende droom gestort, een die maar stompzinnig doorging, weerloos onder het gewicht van een man die zo helemaal buiten zinnen was, dat ze er onmogelijk iets tegen kon doen. Zijn harde lippen en harde handen lieten haar geen moment met rust, maar het enige wat ze boven zich kon horen was zijn gekwelde ademhaling. In haar vreselijke ellende probeerde ze iedere keer weer te protesteren, maar hij wilde haar niet horen. Zijn ademhaling werd hoe langer hoe luider, tot het haar voorkwam dat hij tenslotte in een schreeuw moest uitbarsten. Maar dan begon het weer helemaal opnieuw, wat zachter nu om weer tot een crescendo op te voeren. Zijn ogen waren in het gedempte licht van de kamer stijf gesloten, maar hij had met zijn handen haar haar vastgegrepen en trok net zo lang aan de gouden lokken tot ze het uitschreeuwde van pijn. O . . . o, nu zou het toch wel zijn afgelopen . . . niemand kon zo lang hijgen en zwoegen zonder te bezwijken. Asjeblieft, asjeblieft, laat het vlug gebeuren, vlug . . .

'*Daisy! Daisy!* gilde Ram in de duisternis. '*Daisy, ik houd van je!*'

Kracht puttend uit haar heftige verontwaardiging rukte Sarah Fane zich van Ram los, en stond in een mengeling van vernedering, groeiende razernij en ongelovige, maar vaste wetenschap, naar het schepsel op het bed te kijken. Een waanzinnig, snikkend, walglijk schepsel, dat zijn schandelijke hoofd in het kussen begroef, een schepsel dat ze zou moeten vernietigen om wat hij haar, Sarah Fane, had aangedaan.

Toen het echtpaar Valarian Daisy had uitgenodigd om begin januari 1977 op hun gecharterde jacht met hen mee te gaan, had ze het afgeslagen. Het idee om vijf dagen opgesloten met Robin en Vanessa en hun vriendjes door de Caribische Eilanden te kruisen was voor haar zoiets als naar een hele dure gevangenis gaan. Ze hoorde in gedachten al de banale, gewichtige kletspraatjes en de stiekeme afgunst. Ze kon de eindeloze spelletjes trik-trak tellen, stelde zich de kisten witte wijn en Perrier voor die zouden worden gedronken, en schatte het aantal keren per dag, dat de vrouwen zich zouden verkleden en andere juwelen dragen. Het waren allemaal dingen waar ze een gloeiende hekel aan had, maar Vanessa had niet van wijken willen weten en Daisy had tenslotte niet geweten hoe ze zich er uit moest redden zonder ronduit beledigend te worden. Vanessa was zo dicht op de rand van boosheid gekomen als Daisy haar nog nooit had gezien.

'Ik neem geen genoegen met een weigering,' had ze tenslotte gezegd. 'Ik heb Topsy en Ham Short uitgenodigd — hij is toevallig een fan van je en er zijn onder de andere gasten nog meer mensen die kinderen hebben, die moeten worden geschilderd. Maar ik zie niet in, waarom ik je in godsnaam met mogelijke opdrachten zou moeten verlokken. Je geeft me echt het gevoel alsof je mij hebt gebruikt, Daisy. Vind je niet dat als Robin en ik er op rekenen dat je ons gezelschap wilt houden, dit reden genoeg is om het aan te nemen?'

Indachtig aan wat ze Vanessa nu inderdaad was verschuldigd, had Daisy toegestemd. De studio kon het wel een paar dagen zonder haar stellen, haar laatste vakantie was trouwens al zo lang geleden, dat ze het was vergeten. Maar het belangrijkste was dat ze niet het risico kon nemen een bron van inkomsten kwijt te raken, waarmee Vanessa duidelijk dreigde.

Maar nu ze samen met Ham en Topsy in hun Aero Commander vloog, onderweg naar Nassau, waar zij allemaal aan boord van het jacht zouden gaan dat het echtpaar Valarian voor de vakantie had gecharterd, om het met hun eigen bezittingen in een drijvende imitatie van hun flat in New York te veranderen, bedacht Daisy dat het tenslotte wel een goed tijdstip was om weg te gaan. Sinds die scène, toen ze tegen het idee om het Elstree-meisje te worden in opstand was gekomen, lag ze met bijna iedereen in de studio overhoop. North scheen te vinden dat het erg overdreven van haar was geweest een belangrijke cliënt te beledigen, en de spanning op het werk was te snijden. Toen het vliegtuig begon te dalen, peinsde Daisy dat het geen boosheid meer was die ze voelde, en ook niet echt ergernis over de wijze waarop de mensen van Supracorp haar hadden behandeld en over de aanmatigende manier waarop zij eenvoudigweg hadden aangenomen dat ze een blond ding was dat ze konden gebruiken om produkten te verkopen. Zonder haar toestemming waren ze tenslotte machteloos en dat wisten ze. Nee, wat haar nog steeds een diepe waarschuwingssteek gaf, een waarschuwing die nog door haar heen trilde, was het denkbeeld om in die afschuwelijke positie aan de publieke belangstelling blootgesteld, prinses Daisy te wórden. Een diepgewortelde vrees om als een bijzondere persoonlijkheid te worden gezien die prinses Daisy heette en die zou worden gefotografeerd en gemanipuleerd om Elstree te verkopen in reclamefilmpjes, in advertenties en uitgestald op toonbanken, totdat haar prinses Daisy-heid voorgoed in het bewustzijn van de consumenten van de westerse wereld zou zijn gegrift. Tot dusver had ze sinds ze volwassen was kans gezien onopgemerkt te blijven.

In Santa Cruz had niemand haar ooit voor iets anders aangezien dan een meisje dat Valensky heette. In de studio van North was iedere vage belangstelling die iemand voor haar titel of achtergrond had kunnen hebben al lang verdwenen en kwam alleen nog af en toe boven bij wijze van grapje. Voor al haar collega's was ze Daisy-de-produktieleidster, die wist waar iedereen behoorde te zijn en wanneer — en waarom — en waar niet mee viel te spotten als zij hun werk niet behoorlijk deden. Alleen in de beschutte enclaves van de paardenmensen was ze prinses Daisy, en daar werd ze beschermd door hun banden met haar vader, wiens naam zij zich nog steeds heel goed herinnerden en die zij in ere hielden. Paardenmensen waren veilig.

Het voorstel van Patrick Shannon om een bekende persoon van haar te maken, om haar als 'prinses Daisy' te exploiteren, raakte een gevoelige zenuw — en riep schrikbeelden op waar ze jaar in, jaar uit tegen had gevochten, zonder dat ze zichzelf kon verklaren waarom ze zo'n macht over haar hadden. Het enige wat ze wist was, dat ze van plan waren haar een etiketje om te hangen met de naam 'prinses Daisy' erop, en als ze dat toeliet, gaf ze iets op dat kostbaarder was dan de betrekkelijke anonimiteit die ze zo lang had bewaard. Samen met die vrijheid gaf ze iets op waar Daisy alleen maar aan kon denken als veiligheid. De openbaarheid was een gevaarlijke plek om haar leven in te leiden — ze hoefde niet naar logische verklaringen te zoeken om ervan overtuigd te zijn dat ze gelijk had.

Een sloep bracht Topsy, Ham en Daisy naar het jacht waar Vanessa hen allemaal opwachtte. Nadat ze het echtpaar Short naar hun verblijf had gebracht, voerde ze Daisy naar een ruime hut die was uitgevoerd in geel met wit gestreept canvas.

Vanessa was in een vrolijke stemming.

'Iedereen is nu goddank aan boord. Ik zal tegen de kapitein zeggen dat hij zodra hij gereed is op weg kan gaan,' zei ze. 'We gaan allemaal op het dek een beetje in de zon zitten — nee? Te slaperig? Nou, dan worden er om zeven uur in de grote kajuit drankjes geserveerd. Fijn, dat je aan boord bent, lieverd.' Vanessa drukte Daisy even op een onpersoonlijke manier tegen zich aan. Als ervaren lesbienne had ze nog nooit van haar leven de fout gemaakt om ook maar de geringste seksuele stap naar een andere vrouw te doen als ze er niet van was overtuigd dat dit welkom zou zijn. Daisy zou door Vanessa niet zijn lastig gevallen al waren ze samen op een onbewoond eiland aangespoeld . . . tenminste niet voordat er een maand was verstreken zonder dat er redding was komen opdagen.

De zachte deinende beweging van het schip, de ontsnapping uit New York, de lucht die onmerkbaar frisser werd naarmate de afstand van het jacht tot de kust groter werd, dit alles bij elkaar maakte Daisy's middagslaapje ontspannend en verkwikkend. Ze ontwaakte bij het roder wordende licht van een tropische zon, een licht zó zuiver van helderheid en intensiteit door de straalbreking op open, blauw water, dat het de nadering van de schemer daadwerkelijk leek te weerstaan. Ze lag op haar bed, een namaakhemelbed, waarvan de poten op de vloer waren bevestigd en de gordijnen stevig aan het plafond waren verankerd, en kwam in een mijmerende stemming tot de conclusie dat ze hier goed af was: weg uit de stad waar ze de hele week alleen zou zijn geweest. Kiki was veertien dagen met Luke, in zijn huisje in het noorden van Connecticut op wintervakantie. Ze leek precies een ongetemde poederkwast, toen ze kleren in haar koffers smeet met het opgeluchte gevoel van iemand die weet, dat er geen aanstaande schoonmoeder in de buurt is om op haar te letten. Theseus die op een jacht onhandelbaar was, was die paar dagen bij Daisy's hospita achtergebleven, die hij met tegenzin was gaan accepteren.

Daisy nam een douche en kleedde zich aan, maar het was

nog te vroeg om zich bij de anderen te voegen. Ze zouden nu goddank allemaal in hun hut zijn, druk bezig hun vakantiefeestkleding aan te trekken, speciaal ontworpen om elkaar de ogen uit te steken.

Ze begaf zich naar de boeg van het jacht en stond daar alleen, zich overgevend aan een bries die met haar danste. De zonnestralen kristalliseerden haar haar en veranderden het in een woud van gesponnen suiker, als een kerstlekkernij voor kinderen. Het grote schip ging door het water ploegend rustgevend op en neer, reeds een flink aantal zeemijlen van de haven in Nassau verwijderd. Even kwam de gedachte aan Patrick Shannon, die arrogante, onmogelijke man, in Daisy's hoofd op, en ze merkte dat het haar nauwelijks ergerde. Ze had hem tenslotte laten voelen dat hij haar leven niet kon commanderen, al keek iedereen hem naar de ogen. En North dan, die haar niet minder dan Shannon had behandeld alsof ze geen mens was maar een schaakstuk in zijn confrontatie met de sponsor — een stuk bezit dat bij de studio hoorde, een pakje waarvan hij geen afstand wilde doen. Daisy haalde glimlachend haar schouders op. Ze ontdekte dat North haar ook niets deed. Ze konden allemaal opvliegen. Met haar ogen vol van de zee en de lucht, had Daisy een vredig gevoel.

Ze bleef aan dek tot ze wist, dat ze onherroepelijk te laat zou zijn voor de cocktails. Toen, met dezelfde tegenzin als ze op de school van lady Alden haar wiskunde had gedaan, maar wetend dat ze er niet aan kon ontkomen, ging ze op zoek naar de grote kajuit. Ze kwam langs een grote hut waarin bemanningsleden tafels voor het diner aan het dekken waren. Daarnaast was een nog grotere hut, waarin Daisy het silhouet van ruim een dozijn mensen kon zien. Aan de overkant van het jacht was een wand met grote ramen opengeschoven en het bloedrode, verblindende vuurwerk van de ondergaande zon zette de gasten in tegenlicht, zodat Daisy hun gezichten niet kon onderscheiden. Toen ze de deur openduwde, kwam Vanessa uit de gloed tevoorschijn en nam haar bij de hand om haar, verblind, de kajuit binnen te leiden. Er kwam een mannengestalte naar hen toe en Vanessa legde Daisy's hand in de zijne en slenterde meteen weg.

'Dag, Daisy.'

De stem van Ram.

Ze wankelde achterwaarts. Ram hield haar snel tegen en pakte haar bij de armen terwijl hij haar boven op haar hoofd een kus wilde geven. Maar op het moment dat Ram zijn lippen naar haar toebracht, was ze al teruggedeinsd. Ze kon geen woord uitbrengen, ze kon niet gillen, ze kon zich niet verroeren behalve zich terugtrekken. Ze deed weer een stap naar achteren en draaide zich om, om weg te rennen, maar tegelijkertijd greep een sterke arm haar om het middel. Vanessa, die haar in een cipiersgreep omklemde, duwde haar stug naar voren. De hartslag van de tijd, als een stroomdraad getroffen door de bliksem, verflauwde, slingerde, flakkerde tot hij bijna uitging om dan, toen Vanessa's stem klonk, weer te slaan, maar langzaam, aarzelend. De andere gasten zagen het aan, zonder het te begrijpen, maar plotseling stonden ze nieuwsgierig te luisteren. Vanessa verhief haar stem, die mooie, vurige stem, om ze allemaal toe te spreken, om Daisy's stilzwijgen te verdoezelen en de aandacht van de redeloze angst in haar ogen af te leiden.

'Zie je wel, Ram, ik heb toch gezegd dat ze zou komen,' zei Vanessa triomfantelijk. 'Ik heb altijd al gezegd, dat familietwisten ontzettend dom zijn, is het niet zo, Robin, lieveling — en toen Ram ons vertelde dat hij zijn zusje in jaren niet had gezien heb ik gewoon tegen mezelf gezegd, nou, dat is belachelijk — volslagen absurd. Ik wist, dat mijn Daisy nooit zo lang een wrok zou koesteren, wat ook de reden van de ruzie was en Ram is beslist niet haatdragend. Daarom hebben we samen deze verrassing op touw gezet, deze familie-reünie, toen Robin en ik met oudejaarsavond in Londen waren. En ben je nu niet blij dat ik dat gedaan heb, lieverd? Hoeveel broers heeft iemand tenslotte in zijn leven? Jij en Ram zijn de enigen die van de Valensky's zijn overgebleven, en ik heb me voorgenomen ervoor te zorgen, dat jullie weer vrienden worden. 'Helemaal'! Laten we drinken op het eind van misverstanden en op alle goede dingen — vooruit, Ham, Topsy, Jim, Sally en verder iedereen — proost!' Daisy loslatend, hief ze haar glas en liep naar de anderen toe. Het hartelijke klinken van hun glazen verbrak de kring, als een boze betovering, waarin Daisy in versteende duistere doodsangst opgesloten was geweest.

'Waarom?' siste ze onder het geluid van het toosten.

'Alleen maar een reünie,' antwoordde Ram, maar zijn strakke, hongerige blik was in tegenspraak met zijn vriendelijke glimlach.

'Hoezo? Wat is dat kreng jou schuldig?'

'Niets,' loog hij vlot. Ram had zijn compagnon ertoe overgehaald het echtpaar Valarian het geld te lenen om een hele nieuwe kledingbranche op stapel te zetten, die voor de doorsnee vrouw betaalbaar was, een grootscheepse en kostbare onderneming.

'Ik geloof je niet!'

'Het doet er ook niet toe wat je gelooft. Je bent hier . . . je kunt moeilijk weglopen.' Zijn ogen verslonden haar gezicht. Hij trilde roofzuchtig als een vrek, alleen in de mijnen van koning Salomo. Hij praatte zonder dat hij wist wat hij zei, en het kon hem niets schelen ook. Hij hoefde haar niet gunstig te stemmen. Ze was zwak, zwakker dan ze nog wist en hij was sterk en dat was het enige dat er op aan kwam.

Daisy draaide zich snel om en wilde weglopen. Hij legde een hand op haar arm om haar tegen te houden. Ze wendde zich buiten zichzelf van walging om. Een diepe verachting overviel haar toen ze recht in zijn hebzuchtige ogen keek.

'Raak me nooit en te nimmer aan, Ram. Ik waarschuw je,' beet ze hem toe. Bittere zwarte haat gloeide in haar blik. Ze verstarde in ondraaglijke weerzin. Langzaam liet hij haar arm los, maar zijn blik wilde haar niet laten gaan. Even stonden zij zo vastgeklonken in de intensiteit van hun emoties.

'Daisy! Ram! Het diner is gereed... hebben jullie de steward niet gehoord?' zei Vanessa met een gebaar naar de stroom in de richting van de volgende kajuit. Automatisch liep Daisy achter de anderen aan.

Vanessa had haar onbeschaamdheid niet zo ver gedreven om Daisy en Ram aan dezelfde tafel te plaatsen. Daisy's tafelheer aan haar linkerhand was Ham Short. Door de schok en toenemende paniek tot onbeweeglijkheid verdoofd, merkte ze, dat ze niet aan het eerste gerecht van met gember gekruide duivenpastei kon beginnen. Ham trachtte haar af te leiden met een verhaal over zijn eigen waardeloze troep familieleden ginds in Arkansas, maar hij had net zo goed tegen een dood meisje dat opgezet naast hem zat kunnen praten. Ze zat met haar ogen op een kom met tijgerlelies gevestigd totdat Ham zich in verwarring naar de vrouw links van hem wendde. Toen de tweede gang werd opgediend, deed Daisy een halfslachtige poging haar eetstokjes op te pakken, maar voor haar hand ze aanraakte besefte ze dat zelfs de smaak van voedsel haar zou doen overgeven. Haar tafelgenoten, door haar zwijgende aanwezigheid tot een algemeen gesprek gedwongen, kwamen stilzwijgend overeen dit boeiende verschijnsel te negeren, al sloegen ze haar heimelijk gade. Ze borgen al hun heerlijke belasterende indrukken op voor de verhalen die zij zouden vertellen als ze eenmaal van het jacht af waren. Terwijl de ene gang na de andere van uitgelezen gerechten, bereid door de kok die het echtpaar Valarian voor de tocht had gehuurd, en die in vijf verschillende cuisines kookte, werd opgediend, raakte Daisy niets aan en sprak met niemand. Ham Short, die haar bewonderde, beheerste het gesprek en zorgde ervoor dat het op gang bleef, zodat niemand zich met vragen tot haar wendde. Op een zeker ogenblik zocht hij haar hand die stil op de tafel lag, en drukte hem even bij wijze van steun. Hoewel ze hem met een lichte beweging beantwoordde, wendde ze haar nietsziende blik niet van de tijgerlelies af.

Na het diner voerde Vanessa het gezelschap weer naar de grote kajuit. Daisy had op dit moment gewacht, en zodra Vanessa opstond, vloog ze van haar stoel op en schoot de deur uit die naar het dek leidde. Hoewel ze snel liep had ze het gevoel alsof haar lichaam verdoofd en onbekwaam was, hulpeloos en beroofd van alle vermogens als in nachtmerries. Ze was de grote kajuit al voorbij en rende in de richting van haar eigen kajuit, toen Ram haar inhaalde.

'Wacht even! Wij moeten praten. Het is belangrijk!' schreeuwde hij, maar hij deed geen poging om haar aan te raken.

Daisy bleef staan. Het was zó onmogelijk dat hij het idee zou kunnen koesteren dat zij elkaar iets hadden te zeggen, dat puur ongeloof haar andere gevoelens verdrong. Ze voelde zich veilig genoeg, met een steward die een blad met cognac en glazen droeg in zicht en de deur naar de grote kajuit op nog geen meter afstand. Ze kon binnen de mensen zien, zoemend als vliegen in een fles, maar op het dek was het rustig en de wind was zoel. Ze hield zich met beide handen aan de railing van het jacht vast en wendde haar hoofd om, om Ram aan te kijken; ze schiep alleen al door de manier waarop ze bleef staan een afstand tussen hen.

'Er is niets van belang tussen ons te bespreken, nooit,' zei ze met droge lippen.

'Anabel,' zei hij rustig, met roofzuchtige waakzaamheid.

'Anabel? Ze heeft niets met jou te maken. Houd je dan nooit op met liegen? Ik heb verleden week nog een brief van haar gekregen.'

'En ze heeft het je natuurlijk niet verteld.' Ram was zeker van zijn zaak. Het was niet eens een vraag.

Daisy werd bleek en klemde de railing vast. Hij wist iets, dat zij niet wist. Ze herkende de onmiskenbare uitdrukking van onderdrukte vreugde op zijn gezicht.

'Wat is er met Anabel?' fluisterde ze, alsof fluisteren zijn antwoord kon verzachten.

'Ze heeft leukemie.'

'Ik geloof je niet!'

'Jawel. Je weet dat ik de waarheid zeg.'

'Waarom heeft ze mij dat niet verteld? Waarom zou zij dat jou vertellen?' vroeg Daisy automatisch, terwijl de schrik over zijn woorden naar binnen sloeg en haar hart omklemde als een uitbarsting van scherpe glassplinters.

'Omdat ze vond dat je zelf al genoeg problemen hebt met het onderhoud van je zuster. Ze had geld nodig voor de behandeling en ze wilde eenvoudig niet dat jij wist dat ze in nood zat. Ze weet dat je financieel al tot het uiterste gaat, daarom is ze bij mij gekomen.'

'O, lieve God, Anabel niet,' kreunde Daisy. Anabel, die meer dan iemand anders een moeder voor haar was geweest. Anabel, die lieve vriendin en raadgeefster en vertrouweling van haar jeugd; Anabel, die haar leven door haar aanwezigheid met gul lachende liefde verwarmde en een sfeer verspreidde die haar nog steeds het gevoel gaf dat ze thuiskwam; Anabel, de enige waardoor ze zich niet een volstrekte wees voelde, en die zo goed voor haar is geweest.

'De artsen hebben gezegd, dat ze met geluk en goede verzorging nog jaren kan leven. Het is chronische, geen acute leukemie. Ze is nog geen zestig — ze kan nog een betrekkelijk aangenaam en onbezorgd leven leiden... maar het is een kwestie van geld.'

'Jij hebt toch geld!'

'Anabel heeft me tien jaar geleden haar huis uitgegooid en gezegd, dat ze nooit meer iets met me te maken wilde hebben en ze is nooit van standpunt veranderd — behalve om geld te vragen. Ik vind niet dat ik verplicht ben haar iets te geven tenzij ik, uit eigen vrije wil, edelmoedig wil zijn. Anabel is alleen maar een vroegere vriendin van mijn vader. Hij heeft haar een groot huis nagelaten, dat ze door haar vingers heeft laten glippen, omdat ze mijn advies niet wilde opvolgen. Ze heeft haar Rolls-Royce aandelen net zo lang vast gehouden als jij. Ik heb niet veel op met mensen die niet op hun geld kunnen passen.'

'Anabel is zo goed voor je geweest!' Daisy schreeuwde bijna, maar hij sloeg er geen acht op.

'Als ik zou besluiten haar te helpen, betekent dat, dat ik voor onbepaalde tijd hoge, onvoorziene kosten op mij zou nemen, wat je nauwelijks van een verstandig man kunt verwachten. Het is duidelijk dat ze La Marée niet langer kan houden door betalende gasten te nemen — daar heeft ze de kracht niet voor. Als ze het verkoopt heeft ze wel wat geld, maar niet voor lang, omdat ze geen andere inkomsten heeft. Als het op is, wordt het een kwestie van ergens een plaats zien te vinden om te wonen, óf een verpleeghuis óf een flat, dat hangt van haar lichamelijke toestand af. Ze heeft hulp nodig, zo niet direct, dan toch later. En er zullen altijd doktersrekeningen komen. Het kan tien jaar duren, vijftien jaar — wel twintig. Er is geen sprake van dat Anabel zulke dingen kan betalen . . . de onkosten moeten naarmate ze zich voordoen bestreden worden.'

Daisy deed de grootste moeite om haar hoofd bij de feiten te houden, terwijl de scherpe glassplinters met ieder woord dat hij zei dieper haar hart binnendrongen.

'Waarom moet ze La Marée verkopen? Je weet net zo goed als ik, dat als Anabel nog jaren kan leven, er geen andere plek op de wereld is waar ze net zo gelukkig zou zijn. Jij hebt het geld om haar te onderhouden zonder dat je erover hoeft na te denken . . . en zij moet ergens wonen . . . Nu ze bij jou om hulp is komen aankloppen, wáárom zou ze dan gedwongen zijn om te verkopen? Je gaat haar toch zeker helpen, . . .' Haar stem stierf weg toen ze naar zijn gezicht keek, verstrakt in broeierige zelfingenomenheid.

'Ik voel me moreel helemaal niet verplicht om me voor Anabel financieel verantwoordelijk te stellen. Totaal niet. Maar ik heb een voorstel, dat het probleem kan oplossen. Ik hoor al jarenlang verontrustende berichten van mijn vrienden die naar de Verenigde Staten gaan om te jagen, dat jij in de huizen van hun gastheren logeert, om te trachten opdrachten voor je schilderijtjes bij elkaar te scharrelen. Ik weet natuurlijk, wat zij niet weten, waarom je het geld nodig hebt. De enige voorwaarde waarop ik het onderhoud van Anabel zo lang ze leeft op me zou willen nemen is met de afspraak dat je die flutbaan van je en die domme bijverdienste opgeeft en in Londen terugkomt.'

'Je bent echt krankzinnig,' fluisterde Daisy langzaam.

'Onzin. Ik vraag voor wat neerkomt op jarenlange zware onkosten niets anders in ruil dan dat je leeft op een wijze, waarop een ongetrouwde zuster van mij behoort te leven, behoorlijk en fatsoenlijk. Ik ben zelfs bereid Anabel La Marée te laten houden omdat jij daar zo sentimenteel over doet. En ik zal natuurlijk ook het onderhoud van je zuster op me nemen.'

'Dan ben ik je gevangene!'

'Belachelijk. Doe niet zo melodramatisch. Ik wil gewoon dat je je normale plaats inneemt in de maatschappij in een land, waarin de maatschappij nog iets betekent. Je leven in New York is walglijk — een ordinaire wereld met ordinaire mensen. Ik geneer me erover voor mijn vrienden. Ik bied je bescherming en zekerheid aan. Ik verlang niets van je — ik leid mijn eigen leven.' Zijn stem klonk koel en redelijk, maar Daisy zag, dat de blik waarmee hij haar gezicht en lichaam verslond geen moment uit zijn ogen was verdwenen. Ze rukten en graaiden als een dief in de nacht. De lust lag als een droog poeder op zijn fijne, smalle lippen. Ze had zijn waanzin al eerder meegemaakt en er was niets veranderd, behalve dat ze hem nu kende.

'Dat is allemaal gelogen! Je zou weer net zo achter me aan zitten als vroeger — ik zie het aan je! Je zegt dat mijn leven in New York walglijk is — ik zeg dat als mijn vader niet dood was, hij je zou hebben vermoord en dat weet je!' Haar stem schoot gevaarlijk uit.

'Stil, hou je mond! De mensen horen je!'

'Waarom? Om jou niet in verlegenheid te brengen? Denk je soms dat dat mij een bal kan schelen . . . denk je nog steeds dat ik mij ooit door jou zou laten dwingen iets tegen mijn wil in te doen?'

'Anabel . . . ' begon hij weer.

'Chantage!' tierde ze tegen hem. 'Hoe kun je met zoveel gemeenheid leven?' Ze draaide zich om en liep met grote stappen naar de grote kajuit. Ze deed de deur open en bleef een ogenblik hijgend, met open mond staan, op zoek naar Vanessa. Toen Daisy haar aan het trik-traktafeltje zag zitten, liep ze regelrecht naar haar toe en legde een knellende hand op Vanessa's schouder.

'Ik wil met je praten.'

'Daisy, lieverd, wacht even tot het spelletje is afgelopen, hè?'

'Nu.' De ijzige nadruk in de klank van Daisy's stem deed Vanessa opstaan. 'Buiten,' commandeerde Daisy. Vanessa volgde met een brede glimlach en wapperende handen naar de vragende blikken die op haar werden gericht.

'Daisy, wat is er nu — hoe haal je het in je hoofd?'

'Vanessa, zeg tegen de kapitein dat hij dit schip omdraait en mij aan land zet.'

'Dat is onmogelijk. Rustig nu maar . . . '

'Je hebt je vordering binnen. Wat ik je schuldig mocht zijn, heb ik betaald. Vanessa — ik waarschuw je.'

Vanessa, door de wol geverfde, geslepen Vanessa, hoefde zich geen tweemaal te bedenken. De bijna niet te onderdrukken dreiging die ze op Daisy's gezicht zag, kon alleen maar tot moeilijkheden leiden, en in het schitterende, uitgebalanceerde leven van Vanessa, dat leven met zo veel heerlijke maar gevaarlijke geheimen, moesten risico's en gevolgen zo snel mogelijk worden uitgeschakeld.

Wat zou Ram haar hebben gedáán, vroeg ze zich af, haastig op weg naar de brug om met de kapitein te spreken. O, ze gaf er wat voor om daar achter te komen.

'Wat betekent dit allemaal?' vroeg Patrick Shannon aan zijn secretaresse terwijl hij achter zijn bureau ging zitten. Hij was net uit Tokio teruggekomen en verwachtte zoals gebruikelijk het lege bureau aan te treffen dat hij had achtergelaten.

'Meneer Bijur heeft gevraagd of ik ze dáár wilde neerleggen waar u ze direct zou zien.'

Shannon pakte de zes foto's op, met aan elk exemplaar een velletje papier gehecht. 'Het zijn allemaal prinsessen, meneer Shannon. Meneer Bijur dacht dat u ook hun stambomen wel wilde hebben. Er zijn twee Belgische, een Franse en drie Duitse. Ik moest erbij zeggen, dat hij alle blanke prinsessen in de hele wereld had nagegaan en dit waren de enigen die echt mooi waren. Prinses Caroline en prinses Yasmijn willen niet reageren, maar hij probeert ze nog via andere wegen te benaderen.'

Shannon schaterde van het lachen toen hij de foto's doorkeek.

'O, God, o, God,' kreunde hij van het lachen, 'hij moet zich kapot hebben gewerkt — arme Hilly — weet hij dan niet dat als ik zeg onvergetelijk, dat ik dan niet alleen mooi bedoel? Juffrouw Bridy, wilt u mij met Daisy Valensky in de studio van North verbinden? Als ze er niet is vraag dan waar ze is te bereiken en bel haar voordat u aan de andere telefoontjes begint.'

Daisy stond met haar handen in de zij streng naar haar twee produktie-assistenten te kijken.

'Dus jullie willen mij vertellen, dat die ezel gewoon Central Park is ingelopen en een tak van een boom heeft afgezaagd, zonder dat een van jullie tweeën dat tegen hem heeft gezegd? Dat kan hij nooit zelf hebben bedacht. Weten jullie wel, dat hij is gevolgd door vijf mensen die hem wilden laten arresteren? Er is bijna een rel van gekomen.'

'Het was maar een klein takje.'

'Niet als er bladeren aan zaten.'

'Wij hadden hem direct nodig en de boom op straat was te armetierig.'

'Dat is geen excuus,' zei Daisy. 'Als het ooit nog eens nodig zou zijn, vervallen jullie nog tot grafschennis.'

'Daisy, telefoon,' zei een van hen.

'Studio,' antwoordde Daisy zoals altijd.

'Prinses Valensky, met Patrick Shannon.'

'Hoe was het in Tokio?' zei ze op neutrale toon, met een onheilspellende blik naar haar twee assistenten die zo onopvallend mogelijk wegslopen.

'Te ver. Luister, ik heb nog steed geen kans gehad mijn verontschuldigingen aan te bieden voor de manier waarop ik de laatste keer dat wij elkaar hebben ontmoet tegen je heb gesproken.'

'Voor de eerste keer dat wij elkaar hebben ontmoet ook niet.'

'Dat is precies wat ik wilde zeggen . . . ik heb het gevoel dat wij een verkeerd begin hebben gemaakt — goed, tweemaal een verkeerd begin — en daar wil ik iets aan doen. Bestaat er een kans dat ik je kan overhalen met mij te gaan eten? Ik beloof je met geen woord over Elstree te reppen. Dit is geen poging om je van mening te doen veranderen. Dat zou wat al te doorzichtig — of omslachtig zijn.'

'Dus zuiver vriendschappelijk?'

'Juist. Ik wil niet graag de indruk achterlaten dat ik een hufter ben.'

'Zou je wel toegeven dat je agressief bent?' vroeg Daisy poeslief.

'Agressief wel, ja, maar geen hufter. Ben je van de week een avond vrij om te gaan eten?'

'Eten zal wel gaan,' zei Daisy.

'Welke avond schikt je? Ik heb nog geen plannen voor deze week, dus zoek maar een dag uit.'

'Vanavond,' zei ze zonder een seconde te aarzelen. Het was even doodstil.

'O, uitstekend, vanavond dan.'

'Het is op de hoek van Prince en Greene Street. De zuidoostelijke hoek, drie trappen op. Dan verwacht ik je om acht uur. Let maar niet op het bordje "Gevaarlijke Waakhond" — hij bijt niet zonder dat ik het zeg . . . als regel.'

Daisy hing op voor hij de kans had te groeten. 'Ginger,' zei ze tegen de secretaresse van North. 'Als North komt zeg dan maar dat ik vanmiddag vrij heb genomen. Als hij wil weten waarom, zeg je hem dat je het niet weet. Als iemand van de anderen me nodig heeft, zeg dan maar dat ze het zelf uitzoeken. Als er iemand opbelt, zeg je dat je me niet kunt vinden. Als iemand vraagt wat er aan de hand is, zeg dan maar dat je het niet weet.'

'Met alle genoegen,' verzekerde Ginger haar. 'Een afspraakje zeker?'

'Dat nu niet,' zei Daisy.

Ze nam overmoedig een taxi naar huis in plaats van de metro en zodra ze de nieuwe Bill Blass-jurk die ze net had gekocht, had opgehangen, waste ze haar haar onder de douche. Met een krachtige haardroger kostte het nog bijna een uur om het helemaal droog te krijgen en tegen dat ze klaar was deden haar armen pijn. Theseus, terug van zijn korte verblijf bij de hospita, was onder een sofa gekropen. Het enige ter wereld waar hij bang voor was, was het afschuwelijke gejank van de haardroger. Kiki was gelukkig nog met Luke de stad uit. Daisy zou het vervelend hebben gevonden vragen over haar overdreven voorbereidingen voor de avond die voor haar lag te beantwoorden. Ze had het niet prettig gevonden als de nieuwsgierige Kiki zich had afgevraagd, waarom ze de zitkamer aan het opruimen was en tientallen vreemdsoortige voorwerpen onverschillig in kasten smeet, tot de kamer er keurig netjes en zelfs heel chic uitzag — dank zij de laatste zending van Eleanor Kavanaugh van dure, witte rieten meubels bekleed met gebloemd Woodson-katoen van honderd gulden per meter, dat op het oppervlak van een door Monet geschilderde lelievijver leek. Ze graaide ijverig in Kiki's ladenkast tot ze eindelijk het zwarte zijden avondtasje vond, waarop ze had gerekend. Kiki mocht wel eens wat beter op haar spullen passen, dacht Daisy, terwijl ze zich zenuwachtig begon te verkleden.

Om klokslag acht uur ging de bel. Toen Daisy de deur opendeed bevroor de glimlach op Patrick Shannons gezicht.

Daisy had zich die avond met de grootst mogelijke aandacht voor ieder onderdeel van haar presentatie uitgedost, maar ze had geen gelegenheid gehad de totale indruk te beoordelen en zichzelf objectief te bekijken. Het enige wat ze wist was, dat ze een wanhopige investering in de nieuwe Blass-jurk had gedaan, en haar haar op de meest klassieke manier die ze kende had opgemaakt. Het was een gok om zoveel geld te riskeren, maar er stond te veel op het spel om iets aan het toeval over te laten. In al haar kostuums van de rommelmarkt, hoe schitterend ook gemaakt, zag ze er excentriek uit. Ze moest er degelijk rijk uitzien. Zo eenvoudig lag dat.

Hoe vaak had ze Nick-de-Griek niet horen uiteenzetten, dat de reden waarom North een hoger honorarium kon rekenen dan andere regisseurs in het vak, was, omdat hij meer cliënten had dan hij tijd had — allemaal natuurlijk dank zij Nicks eigen inspanning — en dat hij, omdat hij het geld niet nodig had, kon vragen wat hij wilde? Als zij het Elstree-meisje werd, en nu wist Daisy dat ze die baan moest aannemen, al was het ten koste van haar zelf, moest ze zorgen dat het genoeg betaalde om nog heel lang in de toekomst voor Anabel en Daniëlle allebei te kunnen zorgen. Modellengeld was niet genoeg, zelfs niet de duizend dollar per dag die sommige topmodellen vroegen. Het moest meer geld zijn, oneindig veel meer. Tegen de geestelijke bedreiging die als een stank van Ram uitwasemde, was geld haar enige bescherming. Het was het enige schild, stevig genoeg om op te vertrouwen.

De vrouw die Shannon verwelkomde was niet het fantastische meisje dat hij had ontmoet, gekleed in groene lovertjes en ribfluweel met namaak-smaragden in haar lange haar gespeld, en ook niet het wanordelijke, woedende, gekke figuurtje in timmermansoverall, maar het meest onredelijk mooie wezen dat hij ooit had gezien. Hij stond haar letterlijk aan te gapen. De zware, lage gevlochten wrong, die al Daisy's haar omvatte, benadrukte haar lange hals en de trotse, hooggeheven houding van haar hoofd. Met het haar uit haar gezicht, kwamen die speciale rijpe perzikhuid van Daisy, de zware rechte wenkbrauwen boven haar donkerviolette, fluweeldiepe ogen en de volle, zwaar gewelfde lippen allemaal uit in een soort relief, dat het wonder van haar loshangende haar zou hebben verdoezeld. Het bovenste deel van haar japon was van gespikkelde zwarte tule dat vanaf de slanke, omwikkelde taille uitliep in zware, wijde, zwartruisende rokken en waaruit haar armen en schouders zonder enig sieraad in vorstelijke eenvoud tevoorschijn kwamen.

'Kom je niet binnen?' zei Daisy, met een innemende glimlach die ze streng verhinderde in een voldane grijns over te gaan. Ze was er kennelijk in geslaagd het effect te bereiken waarnaar ze had gestreefd, als het bewijs daarvoor tenminste was dat Pat Shannon niet in staat was normaal te functioneren. En dat was hij niet.

Zwijgend ging hij de flat binnen en bleef in het midden van de woonkamer staan.

Behoedzaam, alsof ze tegen een slaapwandelaar sprak, vroeg Daisy: 'Ga zitten. Wil je iets drinken?' Shannon ging zitten.

'Wodka, whisky, witte wijn?' Shannon knikte toestemmend op al haar voorstellen, zonder zijn blik van haar af te laten. Om zijn concentratie niet te verstoren, schonk ze voor hen beiden wijn in en ging met de glazen bij hem zitten. Eindelijk deed hij zijn mond open en zei automatisch het eerste het beste dat in zijn duizelige hoofd opkwam: 'Wat een leuke flat.'

Ze antwoordde ernstig: 'Mijn kamergenoot en ik wonen

hier al vier jaar. Het is wel een aardige buurt.'

Daisy zag aan het iets verstrakken van de lijnen om zijn mond, dat hij heel goed wist hoeveel romantische betrekkingen er in die titel kamergenoot, dat van alles kon betekenen, scholen. 'Dat is Kiki Kavanaugh,' ging Daisy bedaard verder. 'Misschien ken je haar vader wel — hij is president-directeur van United Motors. Nee? Ze komt van de week thuis,' zei Daisy. 'Ik zou eigenlijk ook meegaan — oom Jerry, de vader van Kiki, is jarig en ik word als een lid van de familie beschouwd, maar ik vond het niet helemaal verantwoord de studio in de steek te laten. Ik kan niet zo op mijn assistenten bouwen als ik wel zou willen, en ik ben toch net in Nassau geweest.'

'Je werk,' vroeg Shannon voorzichtig, 'doe je dat nog maar kort? Toen wij in Middleburg waren heeft iemand mij verteld, dat je schilderde . . . die indruk heb ik tenminste gekregen.'

'O, dat — dat is alleen mijn liefhebberij. Ik houd van kinderen, ik houd van paarden en ik houd van schilderen, dus trakteer ik mezelf af en toe op alle drie tegelijk,' zei Daisy met een fraaie onverschilligheid. 'Ik werk namelijk al voor North sinds ik van school ben gekomen — het is veel leuker om iets te doen, vind je niet? Je krijgt anders zo gauw de neiging je te laten gaan . . . en daar moet je erg voor oppassen. De studio is daar de ideale oplossing voor. Iedere week is er weer iets anders, dan hebben we nieuwe problemen, nieuwe crises, nieuwe oplossingen; je verveelt je geen seconde.'

Ze glimlachte net zo zelfvoldaan als Marie Antoinette toen die het over haar koeien had, terwijl ze even met haar wimpers knipperde als smeekbede aan Kiki's beschermheilige, de godheid van iedereen die leugentjes om bestwil vertelde en zich mooier voordeed dan hij was.

Shannon keek haar met een vragende blik aan. 'Wat typisch, ik had het idee dat je voor zo'n baan buitengewoon efficiënt moet zijn en lang en hard moet werken . . .'

'Ja, dat is ook wel zo,' zei Daisy op lijzige toon. 'Maar dát is nu juist zo heerlijk . . . het is een enorme uitdaging! Zou jij het leuk vinden om iets te doen dat geen uitdaging was?' Daisy leunde lui achterover tegen de waterleliekussens, in een houding die Shannon de overtuiging gaf dat lang en hard werken de onvermijdelijke keus was van een rijk meisje met hersens.

'North is zeker een goede man om voor te werken?'

'Op de dag dat hij dat niet meer is neem ik mijn ontslag,' zei Daisy luchtig en zag in gedachten North cynisch snuiven als die dat zou horen. 'Je moet natuurlijk niet op Nick-de-Griek afgaan — die man die mijn haar tentoon wilde stellen — dat is een soort barbaar, hij heeft geen beschaving, maar ik ben toch erg op hem gesteld . . . hij had alleen zichzelf niet meer in de hand.'

'Jij ook niet.'

'O, dat. Ik sta bekend om mijn opvliegendheid.' Ze glimlachte met dat speciale lachje van mensen die trots zijn op hun tekortkomingen, omdat ze zelf zo belangrijk zijn dat niemand ze iets durft verwijten.

Er werd aan een van de deuren van de flat gekrabd, gevolgd door het geluid van een lichaam dat zich tegen de deur gooide. Daisy mompelde: 'Een ogenblikje,' en liep naar de deur met deinende rokken en haar rug onder het gespikkelde tule bijna tot het middel naakt. Patrick Shannon volgde haar met zijn blikken, een en al bewondering.

'Schei uit, Theseus,' riep ze door de deur heen.

'Is dat je waakhond? Mag ik hem eens zien, of haar, wat het ook is.' Hij was ontzettend nieuwsgierig naar alles wat dit zeldzame wezen, Daisy, betrof. Hij meende, dat haar idee van een waakhond wel een doorgefokte Afghaanse windhond of een keffende poedel zou zijn.

'Hij is onrustig bij vreemden,' waarschuwde Daisy, maar ze deed de deur open. Theseus verscheen, de oren opgestoken als vlaggen en tippelde zwijgend met zijn dronken matrozengang de kamer in. Shannon stond op bij de nadering van het grote dier met de gemengde grijs-, bruin- en blauwharige ruwe vacht. Theseus keek naar Shannon met een achterdochtige, steelse, zijdelingse blik, en wilde langs hem heen naar zijn eigen kussen op de vloer gaan. Toen hij vlak bij de bezoeker was, veranderde hij tot Daisy's verbazing van richting, ging op zijn achterpoten staan, wierp zich op Shannon en begon hem uitbundig te besnuffelen en te likken. Shannon begon hem lachend te kalmeren met een spelletje kietelen, krauwen en stoeien, waarmee hij Theseus tot zijn slaaf voor het leven maakte.

'Dat is heel merkwaardig,' zei Daisy koel. 'Hij ontwijkt vreemden meestal. Weet je zeker, dat er niets eetbaars in je zakken zit?'

'O, honden zijn op me gesteld — honden en kinderen.'

'En dat is dan per traditie zeker de man die je kunt vertrouwen?' vroeg ze en voerde de hond met ongewoon krachtige hand de kamer uit, wat alleen Theseus merkte, omdat het met een onmerkbare beweging van haar sterke pols werd uitgevoerd.

'Dat zeggen ze,' riep hij haar na.

Daisy kwam terug, met een waardige tred die Shannon verward aan troonzalen, kroonjuwelen en het aflossen van de wacht deed denken. 'Je hebt nog niets gedronken,' zei ze. 'Kan ik je iets anders geven?'

'Zullen we maar gaan eten?' vroeg hij, verbaasd naar zijn volle glas kijkend. Hoe was het daar gekomen? Een echte waakhond. Een echte kamergenoot. Wat verborg ze hier nog meer? 'De auto met chauffeur staat hier beneden. Ik hoop tenminste dat hij hier nog staat, in deze buurt.'

'O, dat is volkomen veilig. De Mafia beschermt ons — de helft van hun grootouders leeft hier nog in de omtrek — Soho is de meest misdaadvrije wijk van de stad.' Luchtig had Daisy van haar halve achterbuurtstraat een grillig bewoond eilandparadijs gemaakt. Dat deed ze met een paar woorden!

Le Cirque behoort tot die grote, dure New Yorkse restaurants, die alleen bepaalde New Yorkers wezenlijk begrijpen. Het heeft niet met eten te maken, zoals de meeste grote restaurants, niet met décor, zoals zoveel andere en ook niet met mooie of chique mensen. Alleen de machtigen komen daar, om aan het tafeltje dat zij krijgen hun macht op de proef te stellen en om van hun macht te genieten in gezelschap van andere machtige mensen.

Daisy was er nog nooit geweest. Het was North zijn restaurant niet, omdat hij het vertikte voor een maaltijd een kostuum met das aan te trekken, tenzij Nick-de-Griek hem eindelijk had overgehaald een grote klant gunstig te stemmen. Ook Henry Kavanaugh, Daisy's nog steeds smachtende bewonderaar, had er nooit aan gedacht daar met haar naar toe te gaan. Met de lunch waren er in Le Cirque hoofdzakelijk machtige uitgevers en met het diner machtige ondernemers, maar het had niets met de macht van jong Grosse Pointe-kapitaal te maken.

Vanavond had Patrick Shannon als altijd een van de drie beste tafeltjes van het huis gekregen, de bankjes rechts van de ingang. Voor het eerst sinds jaren zat Pat Shannon om een onderwerp van gesprek verlegen. Daisy zat blijkbaar volkomen op haar gemak wat om zich heen te kijken zonder een poging te doen met hem te praten. Waarom babbelde ze niet, waarom flirtte ze niet, waarom probeerde ze niet als ieder andere fatsoenlijke vrouw die zichzelf respecteert hem over zichzelf aan het praten te krijgen?

Terwijl Daisy haar koude komkommer-roomsoep at, begon Shannon aan een verslag over zijn reis naar Tokio. Ze stelde de juiste vragen, dacht hij, maar ze leek . . . was het gereserveerd, verveeld of teruggetrokken? Geen van die woorden was helemaal van toepassing op de ietwat afstandelijke, maar volstrekt beleefde manier waarop ze op de een of andere wijze liet blijken, dat er aan het zakendoen in Japan misschien iets al te commercieels was.

Shannon bracht het gesprek op Daisy, vroeg haar waar ze had gestudeerd, maar onder het vertellen van de naakte feiten was ze weinig enthousiast om herinneringen uit haar studententijd op te halen.

Ook Ham en Topsy Short, hun enige wederzijdse kennissen, vond ze geen erg adembenemend onderwerp, een mening waar Shannon het in zijn hart wel mee eens was. Terwijl Daisy het idee om kaas te bestellen overwoog en spijtig verwierp — ze dwong zich geen dessert te nemen, omdat rijke vrouwen nooit een dessert aten, hielden er twee echtparen die Shannon kende bij hun tafeltje stil. De vrouwen, dacht Shannon vol walging, waren Daisy letterlijk aan het slijmen. Op een andere manier kon je het niet beschrijven, de manier waarop ze vroegen waar ze die schitterende japon vandaan had en wie haar schitterende haar had gedaan. Mensen hadden een afgrijselijke manier om vreemden uit te vragen, zei hij bij zichzelf, terwijl Daisy hun vragen beantwoordde met het vriendelijke, automatische genoegen van iemand die aan zulke bewonderende vragen is gewend.

Toen de kelner zijn drijvende eiland bracht, merkte Shannon dat hij bijna barstte. Zijn belofte om niet over zaken te praten leek achteraf belachelijk. Wat deden zij hier, het meest bekeken paar in de zaal, het middelpunt van nieuwsgierige blikken van het hele verdomde restaurant, als het niet tot een heropening van zijn Elstree-voorstel leidde? Hij voorzag een tiental diners, waaronder hij, om Daisy's gramschap niet te wekken, de Elstree-campagne druppel voor kostbare druppel door de afvoer liet verdwijnen. In een laatste poging om haar opvliegende aard te ontzien, flapte hij de vraag eruit die hem sinds zij haar flat verlieten om te gaan eten bezig hield.

'Waar heb je je stropershond vandaan?'

Ze wendde zich naar hem toe, met een verontrustende vonk in haar zwarte ogen en een wantrouwende trek om haar lippen. 'En hoe wist je dat Theseus een stropershond was?' wilde ze weten.

'O, stik!' gromde Shannon.

'Hóe dan? Ik noemde hem een waakhond.'

'Dat komt door Lucy — ' hij begon te proesten van het lachen.

'Wie is Lucy . . . je helderziende? Niemand in deze stad heeft ooit een stropershond herkend,' zei ze, met een strijdlustige blik in haar ogen.

'Lucy is míjn stropershond,' bekende hij.

'Aha — de man die honden en kinderen van nature vertrouwen! Dat heeft hij dus aan je geroken, eau-de-dame-stropershond. Waarom heb je dat toen niet gezegd?'

'Ik weet het eerlijk niet . . .'

'O nee? Ik heb nog nooit een eigenaar van een stropershond ontmoet, die mij niet onmiddellijk vroeg wat voor kruising Theseus was.'

'Wat voor kruising is hij?'

'Probeer nu niet van onderwerp te veranderen.'

'Ik geloof, dat ik indruk op je wilde maken,' zei Shannon en zijn donkerblauwe ogen onder de zwarte wenkbrauwen daagden haar uit tot vrolijkheid, 'maar ik heb het nu zeker verpest.'

'Dat hoeft niet,' zei Daisy met haar eerste uitlokkende glimlachje van die avond. Ze had besloten hem uit de puree te halen. Hij was geen man die zich graag nóg eens in verlegenheid liet brengen. 'Omdat je het vraagt: Theseus is een kruising van Ierse wolfshond met hazewind van de ene kant van de familie, en van ruigharige met gladharige hazewind, met whippet en herdershond er doorheen van de andere kant. En Lucy?'

'Een kruising van donkergestreepte windhond met Norfolkterriër, maar verder weet ik het niet precies — meer windhond in ieder geval. Ze is eigenlijk een bastaard.'

'Welke stropershond is dat niet? Ga je te voet met haar jagen?'

'Lucy gaat achter alles aan wat beweegt, maar ze is tegen de jacht. Ze ging bijna dood van angst toen ze een keer een konijn had doodgemaakt. Ze moet er tegenop zijn gelopen.'

'Ik heb de arme Theseus moeten leren vlak achter mij te blijven — of ik moet hem aan de lijn houden — ik kan hem niet laten jagen — het is de meest gefrustreerde stropershond in gevangenschap,' zei Daisy met een droevig gezicht.

'Misschien,' zei Shannon tactvol, 'moeten zij . . . elkaar eens ontmoeten.'

'En wat doe je dan met de jongen?' vroeg Daisy.

'Jij mag er de mooiste natuurlijk uitzoeken, en wat de rest opbrengt delen we.' Zodra hij het had gezegd voelde hij zich opgelaten. Met zo'n voorname vrouw sprak je toch niet over geld?

'Dat is heel edelmoedig van je,' zei Daisy, met een zweem van verachting haar wenkbrauwen optrekkend, 'maar ik wil geen verantwoordelijkheid voor een jong hondje dragen. Jij houdt de beste zelf en geef het geld maar aan een of andere liefdadige instelling.' Ze zweeg even en zei er toen met een glimlach achter: 'Ik bemoei me meestal niet met het liefdesleven van Theseus — dat kan hij heel goed zelf af — maar omdat Lucy ook een stropershond is, is het misschien wel een goed idee om eens een afspraak voor ze te maken.'

Aangemoedigd door haar vriendelijkheid in hondenaangelegenheden, besloot Shannon het risico te nemen met dit trotse wezen, dat zo snel op haar teentjes was getrapt, over Elstree te praten. Hoe meer hij naar de zuivere schoonheid van haar profiel keek en de serene harmonie van haar bewegingen gadesloeg, en hoe langer hij naar haar mooie lage stem luisterde, des te meer kwam hij tot de overtuiging dat zij alle landen, Rood-China inbegrepen, het geloof in de erfelijke adel kon teruggeven en, wat belangrijker was, aanzienlijke hoeveelheden cosmetica en parfums aan Amerikaanse vrouwen kon verkopen. Zonder meer, dat wist hij zeker.

'Daisy,' begon hij en hield toen op. Haar hart, dat luid klopte bij het vooruitzicht de kwestie Elstree zelf te moeten aansnijden, ging over op een wat langzamer tempo. Aan de manier waarop hij haar naam zei, hoorde ze dat hij op het punt stond de onderhandelingen te beginnen.

'Ja, Shannon?' zei ze uitnodigend, en de manier waarop zij hem aankeek deed hem denken aan een regen van donkere vallende sterren.

'Daisy, ik heb wel beloofd dat ik er niet over zou praten, maar ik zou het erg prettig vinden als je nog eens over die kwestie van het maken van de reclamefilmpjes voor Elstree zou willen denken. Ik heb beloofd dat ik geen druk op je zou uitoefenen, maar het viel me in, dat je het misschien niet als een uitdaging hebt opgevat — je zei, toen we zoëven zaten te praten, dat je dol was op uitdagingen en misschien zou je deze kwestie in dat licht kunnen zien . . .'

'Dat heb ik al gedaan. Ik heb het namelijk van alle kanten overwogen.'

'En? . . .'

'Shannon, als ik een contract teken om prinses Daisy-artikelen voor Elstree aan te bevelen, dan betekent dat het verlies van een heleboel dingen die mij zeer veel waard zijn: ten eerste, en dat is het allerbelangrijkste, mijn zelfstandigheid; dan is er mijn tegenzin om van mijn titel gebruik te maken; en ik raak vrijwel zeker mijn baan kwijt, want ik kan het nooit allebei even goed doen. Ik moet de mogelijkheid opgeven om te komen en te gaan zoals en wanneer ik wil zonder dat er iemand naar me kijkt en denkt, o, dat is prinses Daisy, het Elstree-meisje — en ik heb er de pest aan te worden nagewezen en aangestaard. Ik zou alle anonimiteit die ik jarenlang zo zorgvuldig heb bewaard verliezen.' Haar stem klonk bijna scherp bij dit nauwkeurige toekomstbeeld. 'Ik zou een begrip worden — als de campagne zou slagen — en dan kun je niet meer terug.'

'Het is dus nee,' zei hij.

'Het is ja.' Ze wachtte niet op zijn reactie. 'Ik wil een miljoen dollar en een contract voor drie jaar hebben; in die tijd kun je mijn gezicht, mijn naam en net zoveel van mijn echte blonde haar gebruiken als je wilt om op wat voor manier dan ook Elstree te verkopen. Maar die miljoen dollar moet in drie termijnen worden betaald, een derde bij de ondertekening en de rest over de volgende drie jaar, of de campagne succes heeft of niet, of je al of niet besluit de prinses Daisy-formule te laten vallen omdat het niet verkoopt, of je nu wel of niet van reclamebureau verandert en zij iets anders willen proberen. Anders gaat het niet door.'

Een miljoen dollar, zei Shannon bij zichzelf en ik weet nog niet eens of ze fotogeniek is.

'Of,' zei Daisy, 'wij kunnen het vergeten.'

'Afgesproken,' zei hij haastig. 'Waarom ben je van mening veranderd?'

'Om privé redenen,' antwoordde Daisy met een heimelijk glimlachje en een grote golf van angst en triomf sloeg haar om het hart.

Net geen drie minuten lang vond North het wel grappig. Net zo grappig alsof een vertrouwd, donzig poesje het in zijn kopje had gekregen tegen hem te gaan blazen. Hij liet het maar begaan terwijl hij haar met wat handig voetenwerk en behulp van zijn gehandschoende hand afweerde. Nadat Daisy nog geen drie minuten geduldig haar plannen had uiteengezet begreep hij dat het haar ernst was.

'Goed, goed — ik geef toe dat ik niet tegen Elstree op kan. Ik begrijp niet waarom je zoveel geld moet verdienen, maar ik respecteer het feit dat het wel erg belangrijk moet zijn, als het tot dit wonderlijke besluit van jou heeft geleid. Nu, goed dan, ga in goede gezondheid, Daisy, ik wens je geluk. Maar wat ik alleen wil zeggen is, heb je er wel over nagedacht, wat dit voor onze verhouding betekent?'

'Wat dan?' vroeg ze met bedrieglijk milde nieuwsgierigheid.

'Nu je met alle geweld weg wilt, veranderen de dingen natuurlijk.' Hij keek haar onderzoekend aan, alle onweerstaanbare charme uitstralend die hij wist aan te wenden als hij dat verkoos.

'Welke dingen?' vroeg ze onschuldig.

'O, stik, ik haat dit soort gesprekken,' wierp North haar voor de voeten. 'Het is typisch vrouwelijk.'

'En jij bent ermee begonnen. Hoor eens, North, aan wat er in Venetië is gebeurd had, op de dag dat de staking afgelopen was meteen een eind moeten komen. Jij kunt er eenvoudig niet tegen niets te doen te hebben en daardoor is het gekomen. Het is nu al vier weken voorbij, dat weet jij ook. Je moet niet in de as blijven roeren. Ik vertrek, en jij kunt het best zonder mij stellen.'

'Daar heb je verdomd groot gelijk in!' Hij was buiten zichzelf van woede, deze man die nog bijna nooit was gedwarsboomd en zeker nooit was verlaten. Als er iemand vertrok, was hij het, op zijn voorwaarden, met hetzelfde gemak als hij fruit plukte als het rijp was. Zijn tamme dieren brulden niet tegen hem terug, en ze gingen nooit en te nimmer de kooi uit zonder zijn toestemming. 'Je bent om den donder niet onmisbaar,' schreeuwde hij tegen haar.

'Ik heb geen keus.'

'Dat heb je zeker niet!'

Daisy keek hem nadenkend aan. Ze wist, dat zij er gelijk in had hem niet de redenen te vertellen waarom ze het aanbod van Elstree aannam. Het was hetzelfde instinct, dat haar ervan had weerhouden om toen zij in Venetië waren niet anders dan alleen maar oppervlakkig over zichzelf te vertellen. North was te hard en gevoelloos, en verwierp te snel iets dat niet helemaal volmaakt was. Hierin leek hij op haar vader, besefte ze plotseling. Zelfs in de uren dat zij vrijden had ze maar hele kleine veranderingen in hem gezien. Er was geen innige, liefdevolle tederheid geweest; zijn strenge veeleisendheid was niet echt verzacht, en hij had niet méér geduld voor menselijke zwakheid opgebracht. Hij bezat niet de gave liefde te geven en te ontvangen. Ze wilde nieuws over Anabel of Daniëlle niet gebruiken als emotionele chantage om hem te dwingen het haar te vergeven. Ze kon hem om hem om te kopen niet haar persoonlijke problemen voorleggen, opdat hij het goed zou vinden dat zij een buitenkans accepteerde waarop zij het volste recht had. Ze stond stil en geduldig tegenover North, zonder iets te vragen, maar zo onvermurwbaar in al de macht en waardigheid van haar schoonheid, dat hij zijn laatste troef uitspeelde.

'Ik hoop, dat je inziet, dat wij veel voor elkaar hadden kunnen betekenen, Daisy. Wij hadden een fantastische verhouding kunnen hebben.' Met zijn stem en uitdrukking had hij tien brilslangen, een dozijn pythons en minstens drie boa constrictors kirrend aan zijn voeten kunnen krijgen.

Daisy luisterde naar hem zonder iets te zeggen en trok haar mantel aan. Toen ze bij de deur was, draaide ze zich om.

'Als je was aangespoeld op een onbewoond eiland zonder telefoondienst, North, had je een verhouding gehad met een kokosnoot.'

'Ik weet niet, waar ik me meer over moet opwinden,' zei Kiki, 'en ik krijg nog een zenuwinzinking van besluiteloosheid.' Ze speelde met Luke's baard en vroeg: 'Weet je dat je ogen precies de kleur van groene druiven zonder pit hebben?'

'Je zit in de problemen, dame,' gaf Luke toe. 'Vertel het maar aan de dokter, dan maak ik je helemaal beter.' Hij trok haar wat gemakkelijker tegen zijn schouder en trok de dekens over hen heen.

'Nou, aan de ene kant wordt Daisy rijk en beroemd en een ster in reclamefilms, en dat is heerlijk en fantastisch en maakt me erg gelukkig, en aan de andere kant komt mijn moeder in de stad en wil ze met jouw moeder kennis maken en jouw moeder wil met mijn moeder kennismaken, en dat is vreselijk en afschuwelijk en ik krijg er pijn in mijn buik van.'

'Maar dat is toch heel natuurlijk, dat zij met elkaar willen kennismaken, arm kindje — hun kinderen gaan trouwen. Zij worden voor hun verdere leven mishpocha, dus ze zijn wel een tikje nieuwsgierig naar elkaar. Plus dat je me lang genoeg voor je moeder hebt verborgen gehouden.'

'Wat? Wat worden ze? Het klinkt monsterlijk. O, God, dat heb je me nooit verteld!' jammerde Kiki verontwaardigd.

'Het betekent, eh, het betekent zoiets als familie, of misschien schoonfamilie of iets dergelijks, ik weet het niet honderd procent zeker. Je weet dat mijn moeder nooit ook maar één jiddisch woord heeft willen gebruiken — dat is wel eens erg lastig voor mij... misschien moet ik eens les nemen. Maar het is een hele ernstige zaak, neem dat van me aan. Een mishpocha is een mishpocha voor eeuwig!'

'Maar waarom moeten wíj er bij zijn, als zíj met elkaar kennis maken? Wij kunnen toch in een of ander gezellig restaurant plaatsen voor de lunch voor ze reserveren zodat zij zichzelf aan elkaar kunnen voorstellen?' opperde Kiki, zó zenuwachtig, dat ze een meisje van tien leek.

'Ik ben niet zo erg goed op de hoogte van het protocol als je je gaat verloven, maar ik weet wel, dat je voorstel volstrekt ongeoorloofd is. Zet het maar uit je hoofd. God — maar het is doodzonde om daar niet bij te zijn. Eleanor Kavanaugh, de koningin van de Grosse Pointe Country Club en Barbara, de koningin van de Harmonie Club, die geen van beiden leden van elkaars geloofsovertuiging toelaten — behalve misschien bij uitzondering als mishpocha!'

'Zeg dat woord toch niet iedere keer,' smeekte Kiki. 'Er is toch wel een aardiger manier om het aan te duiden.'

'Mishpocha heeft niets met aardig te maken — het is een levensomstandigheid die je door je kinderen wordt aangedaan. Als je geluk hebt is het niet zo erg als een van de bezoekingen van Job, maar je hebt er niets over te zeggen — je hebt het maar te nemen, en je lijdt in stilte. Je moet het maar zien als een belangwekkende episode in de vreugdevolle voortzetting van de verhouding tussen christenen en joden.'

'Ik geloof dat het meer zoiets als de Zesdaagse Oorlog zal zijn,' voorspelde Kiki somber. 'Luke, moet je eh . . . ik bedoel, ben je van plan om eh . . .'

'Ga door — je kunt me alles vragen,' moedigde hij haar aan.

'Een eh . . . hoed te dragen? Op de bruiloft?'

'Welnee, hoe kom je erbij. Waarom zou ik dat doen? Tenzij je vindt dat het me goed staat Het is trouwens misschien best wel deftig, bij mijn baard. Een gleufhoed bijvoorbeeld of een dophoed. Ik ben tenslotte hartstikke elegant, dat zeggen ze tenminste.'

'Maar ik dacht, dat het verplicht was,' zei Kiki, verward.

'Niet als je door een rechter wordt getrouwd,' zei Luke lachend. 'Maar als je soms de voorkeur geeft aan een rabbi, lieverd — nee? Enfin, we kunnen er altijd nog vandoor gaan.'

'Wat, en mijn moeder verdriet doen? Ik ben haar enige dochter, lelijke schoft die je bent. Ik heb al uitgelegd, waarom we pas van de zomer kunnen trouwen — de uitzet moet nog worden klaargemaakt, er komen eerst nog allerlei verlovingsfeestjes, en dan moeten we nog wachten tot al mijn neefjes en nichtjes van school komen, omdat er anders iemand niet bij de bruiloft kan zijn.'

'God verhoede!' zuchtte Luke berustend.

'En dan moet ik acht bruidsmeisjes hebben en Daisy als ere-bruidsmeisje en mijn broers als bruidsjonkers — jij moet er ook nog ergens zes vandaan zien te halen — en nu kunnen we natuurlijk niet de bisschop krijgen, maar ik mocht hem toch al nooit. Moeder heeft die kwestie van een rechter heel geschikt opgevat, als je bedenkt dat ze al sinds ik ben aangenomen mijn bruiloft heeft georganiseerd.'

'Ze zal waarschijnlijk nooit hebben gedroomd dat het een overwinning voor de oecumene zou zijn,' zei Luke met een vals lachje. 'Wij moeten het allemaal maar ruim opvatten,' zei hij zo hooghartig mogelijk en vroeg zich af, waar hij zes toonbare bruidsjonkers vandaan moest halen. Ze zouden hem op de Art Director's Club weghonen.

'Ach, klote, Luke Hammerstein!'

'Ja, hoor. Leg je handje maar hier en dan strijk je op en neer, zo . . .'

Twee dagen later, om klokslag één uur, leidde een trillende, keurig geklede Kiki, met bevende lippen van angst, haar statige en nog mooie moeder door de deuren van La Grenouille. Zij en Luke hadden het meest chique restaurant van New York uitgezocht in de hoop dat de sfeer de beide geduchte dames mild zou stemmen. Er zou minstens tien minuten worden gepraat over het onderwerp van de bloemen op tafel, had Luke opgemerkt en dan zou er nog eens twintig aan het uitzoeken van het menu worden besteed. Luke zat er al met zijn moeder, een knappe, jeugdig uitziende vrouw met een duidelijke hoed op, een hoed die Grosse Pointe precies meedeelde wie Barbara Fishbach Hammerstein was. Luke en zijn moeder stonden op bij de nadering van Kiki en Eleanor Kavanaugh, die in haar volle, statige lengte voor hen stond.

'Moeder,' zeiden Luke en Kiki gelijktijdig. Toen zwegen ze en begonnen opnieuw. 'Moeder, dit is de moeder van Luke,' brabbelde Kiki, die Luke's achternaam was vergeten.

Eleanor Kavanaugh stak haar hand uit, scherp uit haar bijziende ogen turend omdat ze geen bril wilde dragen, en toen trok ze haar hand terug en zei vragend: 'Bobbie? Ben jij het werkelijk, Bobbie — Bobbie Fishbach?'

'O, mijn God! Ellie Williams — ik zou je overal herkennen — je bent niets veranderd,' riep Barbara Hammerstein blij en verbaasd.

'O, Bobbie!' Kiki's moeder viel in de armen van Luke's moeder. 'Bobbie van me! Ik heb me altijd afgevraagd wat er van je was geworden.'

'Je hebt mij nooit teruggeschreven,' antwoordde Barbara Hammerstein die in tranen uitbarstte.

'Mijn ouders verhuisden ieder ogenblik — ik heb je brieven nooit ontvangen. Ik dacht dat je me was vergeten.'

'Mijn beste vriendin vergeten?' zei Luke's moeder, nog steeds huilend. 'Dat nooit.'

'Wanneer is dit allemaal voorgevallen?' vroeg Luke verwilderd. 'Hoe komt het dat jullie elkaars namen niet herkenden?'

'Het was in Sarsdale — daar hebben wij samen op school gezeten,' snufte Eleanor Kavanaugh ontroerd. 'Toen is grootvader failliet gegaan en moesten wij het huis verkopen en ergens anders gaan wonen — en, enfin, Luke, het doet er ook niet toe. O, Bobbie — vind je het niet enig? Nu worden wij mishpocha!'

'Hoe kom je aan dat woord?' vroeg mevrouw Hammerstein, ineenkrimpend.

'Dat ben ik al weken aan het oefenen, Bobbie, lieverd. Maar laat me die zoon van jou een zoen geven . . . hij wordt tenslotte mijn machatunnen,' zei mevrouw Kavanaugh, trots als een pauw het pas geleerde jiddische woord voor schoonzoon opspuitend.

'Je wát?' vroeg mevrouw Hammerstein.

Patrick Shannon ijsbeerde over de stenen tegelvloer van zijn kantoor. Het was de dag nadat hij Daisy's toestemming om Elstree te vertegenwoordigen had gekregen, en hij had de eerste gelegenheid aangegrepen om de mensen die bij de nieuwe reclamecampagne zouden zijn betrokken, dezelfde mensen van Elstree en het agentschap die op de vergadering in de studio North aanwezig waren geweest, bij elkaar te roepen.

Shannon deed blijkbaar niets liever dan de bureaucratische procedures doorbreken, dacht Luke bij zichzelf, die trachtte na te gaan welke hoogst noodzakelijke bijeenkomsten hij op dit moment ginds in het agentschap niet kon bijwonen.

'Wij hebben geen dag te verliezen,' zei Shannon tegen iedereen. Hij zag er uit als een roverhoofdman die een volgeladen treinwagon die onschuldig de prairie doorrijdt in het oog heeft gekregen. 'De cosmetische en parfumerie industrie zet jaarlijks tien miljard dollar om, en daarvan vindt een derde tussen Thanksgiving en Kerstmis plaats. Wij moeten dit jaar met Thanksgiving in de winkels liggen willen we quitte spelen. Dan hebben we dus krap zeven maanden om het artikel in september te introduceren.'

'Wij hebben sinds die laatste vergadering bij North een paar ideeën bedacht,' zei Luke. 'Je had het toen over romantiek, warmte, charme en sterrendom. Nu we Daisy hebben om mee te werken, hebben we gespeeld met wat Oscar hier de Romanov-benadering noemt — Prinses Daisy zoals ze er voor de revolutie zou hebben uitgezien, gehuld in de kleding die ze destijds aan het hof droegen, met de kroonjuwelen of wat wij buiten een Russisch museum aan iets vergelijkbaars kunnen vinden ...'

'Neem me niet kwalijk, Luke, maar dat is mij een beetje te hoogdravend — ik wil dat ze wat dichter bij de klant staat,' zei Shannon direct.

'Ik dacht wel, dat je er zo over zou denken,' glimlachte Luke. Hij gaf ze eerst altijd een aannemelijk verhaaltje om af te kraken. Hij ging onverstoorbaar verder. 'Wij hebben nog een idee, dat ik persoonlijk zeer aantrekkelijk vind.' Niet alleen had hij nog één idee, maar als het nodig was had hij er nog wel twintig in petto. Vijftien procent van twintig miljoen was drie miljoen dollar: de commissie van het reclamebureau. Daar kon Shannon een pispot vol ideeën voor krijgen.

'Laat maar horen.'

'Daisy behoort tot de adel en er zijn twee manieren waarop Amerikanen mensen van adel, althans buitenlanders van adel, zien; of ze hebben een of andere officiële functie — vervelend — of ze hebben plezier, omdat ze rijk zijn en naar plaatsen gaan waar het leuk is. Ik wil Daisy de hele wereld door sturen, overal waar de adel van de verschillende landen bij elkaar komt — St. Moritz bijvoorbeeld, of de badplaats van de Aga Khan aan de Costa Smeralda — en haar laten zien onder haar eigen mensen, gekleed volgens de nieuwste mode voor die speciale plaatsen waar wij filmen — skikleding en bont, badkostuums, Franse japonnen en grote hoeden — wat dan ook — ze zou een droomleven leiden, maar omdat ze is wie ze is zou het wel geloofwaardig zijn. Dit haakt in op de wens van iedere vrouw om een flitsend leven te leiden ... dat kan ze dan via Daisy. En als onze toekomstige klant Elstree gebruikt komt door die associatie iets van dat flitsende ook in haar leven.'

Iedereen in de kamer wachtte tot Shannon dit laatste idee had verwerkt. Helen Strauss begreep opnieuw, hoewel ze het hoofd van de reclame-afdeling van Elstree was, dat deze beslissing niet aan haar was. De stilte waarin Shannon nadacht duurde voort.

'Het is wel een goed idee, Luke, maar mijn bezwaar is dat ik geloof dat de jet set, en daar heb je het eigenlijk over, in wezen als waardeloos wordt beschouwd — de oude kliek rijke nietsnutten. Als Daisy voortdurend wordt getoond als behorend bij die wereld, wordt zij daar ook mee besmet. Ik geloof, dat je daar afgunst mee wekt, en een vrouw gaat geen produkten kopen die worden gepropageerd door iemand die haar alle reden tot afgunst geeft. Onze afnemers, een nog niet bestaande groep, zullen worden gehaald uit een bevolking waarin meer dan de helft van de vrouwen werkt en de andere helft huisvrouwen of studenten zijn. Aan rijke nietsnutten hoeven we niet te verkopen, want die zijn er niet genoeg. Maar het idee om Daisy als aristocrate te presenteren trekt mij wel aan — dat koopt Supracorp juist in haar — maar dan op een andere, geraffineerdere manier. Ik zie haar om de een of andere reden voortdurend in Engeland voor me, en ik weet absoluut niet waarom.'

'Dat komt, omdat ze nog een klein, bijna onmerkbaar spoortje van een Engels accent heeft — ze is tot haar vijftiende in Engeland opgevoed,' deelde Luke hem mee.

'Hoe komt het dat je zoveel van haar weet?' vroeg Patrick met plotseling een tikje argwaan, dat hem verbaasde toen hij het in zijn stem hoorde.

'Ik ben... eh... verloofd met haar kamergenoot,' zei Luke schaapachtig. Zich verloven was het burgerlijkste wat de originele, onconventionele Hammerstein ooit had gedaan.

'Die kamergenoot uit Grosse Pointe?'

Luke knikte enigszins van zijn stuk gebracht.

'Kiki Kavanaugh — van United Motors? Gefeliciteerd, Hammerstein, dat is geweldig.'

Iedereen in het vertrek keek met nieuw ontzag naar Luke. Kavanaugh — Detroit — United Motors — nou, nou! Fijn voor Luke. Ze wisten wel dat hij handig was — maar niet zó handig.

Geërgerd nam Luke haastig het onderwerp van gesprek weer op. 'Engeland zei u, meneer Shannon?'

'Ja, en kastelen — ik zie haar met kastelen op de achtergrond, altijd kastelen, en dan galoppeert ze bijvoorbeeld naar de ingang — er is geen model dat zo goed kan paardrijden als dit meisje, of ze wandelt met honden in een park met het kasteel achter haar . . .'

'Corgi's — dat is de hond die de koningin van Engeland altijd bij zich heeft — dat zijn de favorieten van het koningshuis,' zei Candice Bloom behulpzaam.

'Een stropershond, twee misschien,' zei Shannon met een dromerige stem die iedereen in verwarring bracht.

'Aardbeien met slagroom etend op een gazon met het kasteel op de achtergrond,' zei Oscar Pattison.

'Goed — dat is een leuke,' gaf Shannon toe. 'Ja, buitenleven, Engeland, kastelen — misschien een vent bij haar — altijd een vent bij haar — maar geen mannelijke modellen — echte lords, jonge lords — maar een voorzichtige aanpak, eenvoudige dingen, zolang je dat kasteel hebt . . . zij zorgt wel voor de rest, de charme en de romantiek. Iedere vrouw wil een prinses zijn en in een kasteel wonen — misschien niet altijd, maar toch zeker één keer in haar leven,' zei Shannon, eindelijk tevreden. 'En omdat ze een Amerikaanse is kunnen zij zich met haar identificeren — tegen de tijd dat deze campagne klaar is om te beginnen, moeten ze in het hele land weten dat ze een Amerikaans werkend meisje is dat toevallig een prinses is.'

Ram wandelde met kwieke tred door Old Bond Street naar zijn club in St. James Street. Het was eind februari 1977 en hij was minstens vijf minuten te vroeg voor de lunch, maar het lokte hem niet aan in het miezerige Londense weer te slenteren. Hij stapte snel, met zijn paraplui zwaaiend, het warme Whites binnen, en groette een jongeman die hij kende en die net de deur uitging. De man groette niet terug en had hem blijkbaar ook niet gezien. Maar zij hadden in het vorige najaar toch samen een paar avonden doorgebracht, dacht Ram. Hoorde die knaap niet bij het groepje dat om Sarah Fane had heengehangen? Of leek hij misschien alleen maar op hem? In ieder geval was hij niet de moeite waard. Ram haalde zijn schouders op en ging naar een van de lounges om op Joe Polkingthorne van The Financial Times te wachten.

Ram had er de laatste jaren een gewoonte van gemaakt zo om de drie maanden met deze journalist te lunchen. Voordat Ram bij een van de kelners een drankje kon bestellen, zag hij lord Harry Fane met een paar andere mannen die hij kende de lounge verlaten, op weg om te gaan lunchen. Ram had Harry Fane sinds hij was opgehouden aandacht aan diens dochter te schenken, bijna twee maanden geleden, niet meer gezien, maar hij had zich geestelijk voorbereid op het onvermijdelijke tijdstip waarop zij hun zakelijke relatie zouden hervatten. Toen Fane dichterbij kwam, boog Ram zijn hoofd op de juiste, onpersoonlijke maar toch vriendelijke wijze die duidelijker dan woorden aangaf dat voor hem, Ram, het overhaaste, lichtvaardige gedrag van de kant van Sarah Fane geen enkel verschil maakte. Hij koesterde geen bekrompen grieven.

Harry Fane bleef staan toen hij Ram zag. Hij keek hem ongelovig aan en liep van zijn boord tot aan zijn haarlijn rood aan van woede. De mannen die bij hem waren, aarzelden. Toen ging lord Harry Fane weer verder — hevig vertoornd, met zijn vuisten in zijn zakken gebald — en liep Ram straal voorbij, gevolgd door zijn vrienden die Ram geen van allen groetten, hoewel zij hem allemaal al jaren kenden.

Ram ging in een diepe stoel zitten en hoorde zijn stem kalm een glas whisky met water bij de kelner bestellen. Dit was onmogelijk, zei hij bij zichzelf, al had hij een gevoel in zijn lichaam, alsof hij een bijna dodelijke stomp in zijn maag had gekregen. Dit was de achttiende eeuw niet, zijn breuk met Sarah Fane was iets, dat voortdurend plaatsvond tussen jonge mannen en vrouwen, die bezig waren vriendschappen aan te knopen en te verwisselen tot ze de juiste partner hadden gevonden. Terwijl Ram zichzelf dit voorhield, wist hij dat er iets anders moest zijn om te verklaren dat hij door vijf mensen in de tijd van een paar minuten was genegeerd — werkelijk genegeerd, godbetert. Wat was er gebeurd om het respect te vernietigen waarop hij zich altijd zo ernstig had laten voorstaan? Hij had zijn hele leven niets anders gedaan dan dit respect tegen iedere aanval verdedigen; een respect, dat voor hem altijd duizendmaal belangrijker was geweest dan welke hoeveelheid genegenheid of kameraadschap dan ook met wie het ook was.

Tegelijkertijd dat Ram zich dit afvroeg, realiseerde hij zich, dat het meer dan een maand — misschien langer — was geleden sinds hij uitnodigingen om te dineren of voor het weekend had ontvangen. Nadat hij na dat vervloekte uitstapje naar Nassau om te trachten Daisy tot rede te brengen in Londen was teruggekeerd, had hij het te druk gehad met zijn werk om zich over zijn sociale leven het hoofd te breken. In ieder geval had hij geen zin gehad om iemand in Londen te zien, en hij had maar weinig aandacht besteed aan het feit, dat zijn post hoofdzakelijk uit rekeningen bestond en dat zijn telefoon alleen voor zakengesprekken rinkelde.

Toch was hij vorig jaar om dezelfde tijd zes avonden per week uitgegaan en had hij tweemaal zoveel uitnodigingen als hij kon aannemen afgeslagen. Hij dronk zijn whisky met water en telde ondertussen de bewijzen op die hem zeiden, dat hij een sociale uitgestotene was. Op hetzelfde moment dat hij zich afvroeg wat daar de oorzaak van was, begreep hij tot zijn diepe afgrijzen, dat hij dat nooit zou weten.

Sarah Fane had onmogelijk aan iemand kunnen vertellen wat er tussen hen was voorgevallen zonder haar eigen reputatie kapot te maken. Daarom had ze iets verzonnen — een leugen die aannemelijk genoeg voor iedereen was om te geloven; een of andere gemene, laaghartige, walglijke leugen die hem nooit ter ore zou komen, maar die hem door de enige wereld waarin hij wilde leven voorgoed zou vervolgen.

Ram kende de regels, en hij wist dat het met hem was gedaan. Hij kon nog wel met succes blijven werken; Sarah Fane's leugen zou zijn kapitaalsbeleggingen in de hele wereld niet aantasten. Haar woorden konden kunsthandelaars of de mensen waar hij zeldzame boeken van kocht, maatkleermakers of de mannen die hem paarden verkochten of zijn land pachtten niet bereiken. Maar vroeg of laat zou het onder de aandacht komen van iedereen die meetelde in de wereld, waarin hij een van de meest begeerde vrijgezellen van het land was geweest.

De Engelse uitgaande wereld had een manier om af te rekenen met mensen die werden uitgestoten, een stilzwijgende, dodelijke, onweerlegbare methode die Ram eerder aan het werk had gezien. Er was geen hoger beroep, omdat er niemand was aan wie dat beroep kon worden gericht, niemand aan wie een vraag kon worden gesteld, niemand die toegaf iets te hebben gehoord. Als hij vrienden had gehad... Ram besefte dat er onder de honderden mensen wier feestjes hij de laatste jaren had bijgewoond, geen enkele man of vrouw was die hij als een intieme vriend kon beschouwen om op dit moment naartoe te gaan. Een advocaat? Wat viel er te zeggen? Zag hij zich er al over beklagen dat een paar mensen die hij kende hem niet hadden gegroet? Kon hij schadevergoeding eisen omdat hij niet was uitgenodigd om te komen dineren? Het was niets — en het was alles. En de schande kon nooit aan de kaak worden gesteld en teruggebracht tot de leugen die de oorzaak moest zijn.

Wat ze de mensen ook had verteld, dit meisje dat de meest vooraanstaande debutante van het jaar was, dit meisje met haar honderden jaren aristocratisch Engels bloed, het kwam niet verder dan de leden van een kleine groep. Ram had de vrijheid een nieuw leven op te bouwen onder intellectuelen, onder kunstenaars, onder zakenmensen zonder connecties met de uitgaande wereld, onder buitenlanders die in Londen woonden of mensen die zich voor politiek interesseerden. Hij zou alleen van sommige landgoederen en bepaalde feestjes van het jagen en paardrijden met bepaalde mensen worden geweerd. Hij verloor alleen — had reeds verloren — het gezelschap van iedereen in de wereld aan wiens respect hij waarde hechtte.

'Zo, ben je er al, Valensky!' Joe Polkingthorne stak zijn hand uit die Ram drukte terwijl hij uit zijn stoel opstond. 'Drink je je whisky niet op? Nou, er is altijd nog wijn . . . dat halen we bij de lunch wel weer in, hè?' Ram merkte dat hij dankbaar was voor het hartelijke, ongedwongen optreden van de journalist en voor het eerst drong de volle omvang van zijn ondergang tot hem door. Toen de ober hem naar zijn vaste tafeltje leidde en hem eerbiedig van de verschillende specialiteiten van de dag op de hoogte bracht; toen de wijnkelner gedienstig wachtte terwijl hij zijn keus maakte; toen hij om zich heen keek en met opluchting constateerde dat de mensen aan het volgende tafeltje vreemden waren, opende de grote, gapende wond in zijn middenrif zich nog wijder. Ieder dienstbetoon van een betaalde bediende, ieder voorzichtig waargenomen nieuwe gezicht, was een volgende deur die zich achter hem sloot, terwijl hij naar de gevangenis liep waar hij zijn verdere leven zou doorbrengen.

Hij luisterde aandachtig naar Polkingthorne die over Zuid-Afrika sprak en over de onbetrouwbaarheid van de werkers in de goudmijnen. Hij begon met meer enthousiasme dan hij ooit had getoond aan een lang verslag van wat er de laatste tijd bij Lion Management was voorgevallen en probeerde ondertussen iets te doen om wat hij binnenin voelde wegsijpelen tegen te houden, maar het ging regelmatig en meedogenloos verder.

Eindelijk was het juli en was het filmen officieel begonnen, hoewel de volgende dag de opnamen pas zouden plaatsvinden.

Daisy was alleen in haar suite in het Claridge Hotel. Op de een of andere manier had Mary-Lou kans gezien — hoe, daar wilde ze niet over praten — voor iedereen eersteklas tickets te verzorgen voor het vliegtuig dat zij moesten hebben. Nu waren zij en North met de acteurs die waren uitgezocht om samen met Daisy in ieder filmpje te spelen, aan het beraadslagen. Shannons wens om haar met echte lords te tonen had moeten wijken voor de pertinente weigering van North om met meer dan één onervaren nieuweling te werken.

Daisy slenterde door haar suite die zo groot was dat de kasten slaapkamertjes hadden kunnen zijn, en dacht aan al die dingen die ze in Londen zou kunnen doen, zoals paardrijden in Hyde Park of op een rommelmarkt naar koopjes zoeken. Ze had maar een paar uur voor zij allemaal met de Engelse locatie-ploeg samenkwamen om in een karavaan van auto's en bestelwagens met de uitrusting naar hun eerste locatie in Sussex te vertrekken. Niet genoeg tijd, dacht ze spijtig, om naar Daniëlle te gaan en op tijd terug te zijn. Maar als de opnamen waren afgelopen had ze een paar dagen voor zichzelf en dan — ah, dan zou ze Daniëlle zien en Anabel een bezoek brengen.

Onder het wachten voelde ze zich volslagen vreemd in een stad, waar ze zoveel jaar had gewoond. Wie wist wie er nu in het vaalgele huis op Wilton Row woonde waar zij was opgegroeid? Wie had het huis van Anabel op Eaton Square gekocht? De enige plaatsen waar ze misschien het gevoel had thuis te horen waren de stallen op Grosvenor Crescent Mews of lady Aldens school, en er was iets dat haar ervan weerhield die oude plaatsen op te zoeken. Rusteloos ging Daisy de grote trap af om een paar tijdschriften te kopen om te lezen in haar zitkamer, die zó groot was, dat er wel een cocktailfeestje van zestig man in kon.

'Tijdschriften, mevrouw?' vroeg de hoofdportier beleefd. 'O, maar wij verkopen geen tijdschriften, mevrouw, maar als u mij zegt wat u wilt hebben, zal ik direct een jongen sturen om ze te halen.'

'O, laat u maar, het geeft ook niets.' Daisy trok zich in haar kamer terug, boos op zichzelf en boos op een hotel dat zo onzakelijk was, dat er niet eens een tijdschriftenrek was. Ze begreep nu waarom ze nergens naartoe was gegaan, waarom ze niet had verkozen om deze laatste drie uur voor het werk begon de beschermende luxe van dit kolossale hotelgebouw te verlaten. Ze was bang dat ze Ram zou tegenkomen.

Kasteel Herstmonceux was uitgekozen als locatie voor de eerste van drie reclamefilmpjes van dertig seconden. Het zachtroze bakstenen gebouw werd omringd door een uitzonderlijk brede gracht, die men alleen kon oversteken via een lange ophaalbrug, gebouwd op een reeks sierlijke bogen, die in het diepe water van de gracht staken. De bouwer van het kasteel, Roger de Fiennes, schatbewaarder aan het hof van Henry VI in het midden van de vijftiende eeuw, had blijkbaar goede reden gehad om te vermoeden dat hij zich vroeg of laat zou moeten verdedigen. Hij had tenminste een sterk, zeer fraai fort gebouwd, waarvan de poort werd beschermd door twee machtige achthoekige, gekanteelde torens met daar bovenop dubbele gevechtsplatformen. Dit kasteel was uitgekozen voor het filmpje waarin Daisy naar de ingang zou toerijden, omdat Kirbo, toen hij er eindelijk afbeeldingen van in handen kreeg, plotseling had gezien dat een galop over een brug veel spannender was om te zien dan een galop over een gewone oprijlaan. North was van plan om eerst op Herstmonceux te filmen, omdat er paarden bij te pas kwamen en het minder van Daisy's acteertalent eiste dan de andere filmpjes.

Toen North voor het eerst de afbeeldingen van het kasteel had gezien, zei hij geërgerd: 'Die brug is tien meter boven de gracht, Luke. Met een boot en een kraan kan ik zo hoog nog niet eens komen — er zit niets anders op dan een helicopter voor als ze komt aangalopperen, en als ze dan dichtbij komt en van het paard stapt, heb ik alleen maar de breedte van de brug om op te werken.'

'De oude Roger wilde het vreemden niet gemakkelijk maken onuitgenodigd binnen te komen,' zei Luke onbewogen. Als er iets was waar hij zich nooit iets van aantrok waren het de technische problemen van filmmakers. Hij was nog nooit een goede filmer tegengekomen die niet een camera naar de top van de grote pyramide van Gizeh kon sjouwen — desnoods op zijn eigen rug. Zij zwolgen in verhalen van technische onmogelijkheden die zij hadden overwonnen; hun tijdschrift, Millimeter, stond er vol van, en al waren er inderdaad negen reclamefilmers bij helicopter-ongelukken omgekomen, voor de juiste opname zouden zij altijd een rivier overzwemmen die wemelde van krokodillen . . . of de laan uitvliegen. Terwijl Luke zich doof hield voor de beuzelachtige bezwaren van North, bedacht North zelf al dat de oude bakstenen van Herstmonceux door een geelfilter nog mooier uit zouden komen en dat het met een paar rookbommetjes op de achtergrond de indruk zou maken dat het letterlijk op het grachtoppervlak dreef.

North die voor het grote valhek van Herstmonceux stond, met Wingo erachter met de rijdende camera, keek naar Daisy die met wapperende haren als de standaard van een grote koningin op een groot zwart paard op hem af galoppeerde. Ze werd gevolgd door een wit paard met een acteur erop die meer op een lord leek dan een echte lord ooit zou kunnen, en hij moest toegeven dat ze er niet uitzag als een amateur. Ze klonk zelfs niet als een amateur toen ze afsteeg en haar ene zinnetje uitsprak, gekleed in haar reebruine rijbroek, zwarte laarzen en een ruime, witte zijden blouse met open kraag en wijde mouwen, zoals de Drie Musketiers zouden hebben gedragen. Met wisselende uitdrukkingen op zijn gezicht, waarover soms ook een glimlach vloog, leidde North het optreden van Daisy en liet het haar overdoen, steeds weer opnieuw, tot hij tevreden was. Ze had nog nooit, ook niet in Venetië, zo'n intimiteit tussen hen gevoeld als tijdens iedere opname. Eindelijk begreep ze door zijn wijze van werken hoe uitzonderlijk begaafd hij was, en ze wist eindelijk waarom hij met zijn twee beste modellen was getrouwd — ze wist ook al waarom zij van hem waren gescheiden.

Nog voordat North in Londen, dat nog geen drie uur rijden was, naar de proefopnamen keek, was North zich ervan bewust dat hij iets heel bijzonders op de film had staan. Dat wist hij aan de manier waarop hij een koude rilling over zijn nek en bovenarmen had gevoeld, iedere keer als Daisy naar de camera toe galoppeerde en hij op het lyrische ogenblik wachtte als zij het grote beest inhield en er lachend afsprong. Het was jaren geleden dat hij die rilling had gevoeld, die belofte van iets onuitsprekelijk góeds.

Het geheim dat hem altijd had geboeid, het diepe onoplosbare geheim van het menselijk gelaat en het vermogen gevoel uit te drukken — al was het maar een gevoel dat de kijker in de supermarkt naar een bepaalde toonbank voerde — dit geheim werd geladen door Daisy's gezicht op de film, besefte North toen hij de proefopnamen bekeek. Waarom had hij er nog nooit eerder aan gedacht haar te filmen? Hij nam haar haar voortreffelijkheid bijna net zo kwalijk als hij erdoor was opgelucht.

Als Patrick Shannon een overeenkomst met iemand sloot, wilde hij graag allebei de kanten ervan begrijpen. Hij wist altijd wat hij er zelf bij wilde winnen, maar de motieven van de ander, de redenen achter diens overeenkomst, boeiden hem meer. Het drong tot Shannon door dat hij geen flauw idee had waarom Daisy Valensky, een rijk meisje uit de betere kringen, dat werkte om zich niet te vervelen, dat volhield dat ze haar anonimiteit koesterde, erin had toegestemd, zich aan de beproeving te onderwerpen, de trekpleister te worden, van de pogingen van een heel bedrijf zich door de exploitatie van haar persoonlijkheid weer een plaats op de markt te veroveren.

'Om privé-redenen' had ze gezegd, toen hij het had gevraagd. Wat voor privé-redenen? Waarom had ze de komende drie jaar een miljoen dollar nodig? Het was nogal onlogisch als ze was waar ze zich voor uitgaf, en hij kon niet geloven, dat ze dat niet was.

Maandenlang kwamen deze vragen van tijd tot tijd bij hem op; toen hij wekenlang in Californië was om zich met de amusementsafdeling van Supracorp bezig te houden, toen hij tweemaal op en neer naar Tokio vloog en eenmaal naar Frankrijk. Dit hiaat in zijn begrip hinderde hem als een druiveschilletje dat tussen zijn tanden was blijven zitten. Hij vermoedde dat hij in een val was gelopen, dat er iets gaande was dat hij niet helemaal in de hand had, maar door de nimmer aflatende druk van het leiden van een concern had hij geen gelegenheid gehad zich in de zaak te verdiepen.

Hij had geen vertrouwde tweede man met wie hij deze ongewone stand van zaken kon bespreken en hij was ook niet iemand die er met een aanhanger van hem over kon speculeren. Bij Supracorp accepteerden de werknemers het feit dat Shannon te allen tijde hun persoonlijk domein kon binnendringen en anders gingen zij weg. Maar zij hoefden zich nooit zorgen te maken over iemand die de verhoudingen tussen hen en de man aan de top vertroebelde. Shannon genoot puur van de spanningen en problemen en de strategische zetten van het bedrijfsbeleid en hij had geen behoefte die te delen. Maar hij had er een hekel aan op onduidelijk terrein te werken en toen Patrick de map met publiciteitsmateriaal inkeek, die Candice Bloom over Daisy had verzameld, intussen tot een behoorlijke stapel foto's en interviews aangegroeid, besloot hij naar Engeland te vliegen om te zien wat er eigenlijk precies aan de hand was.

Toen de Daimler met chauffeur hem van Heathrow naar Bath reed, waar North met zijn troep tijdens de verfilming van de laatste reclamespot in kasteel Berkeley verbleef, besefte Shannon dat hij uitzonderlijk veel belang aan het Elstree-probleem hechtte. Hij had nog nooit de locatie van een van de tientallen reclamefilmpjes die jaarlijks voor allerlei produkten van Supracorp werden gemaakt bezocht. Daar had hij zijn goedbetaalde mensen voor. Wanneer was dit begonnen, vroeg hij zich af. Toen Elstree niet langer een hinderlijke lastpost op de balans van het concern vormde en bijna in iets persoonlijks was veranderd? Joost mocht het weten. Maar daar kwam hij nu gauw genoeg achter. Hij gaf zijn chauffeur opdracht, niet voor het hotel in Bath te stoppen, maar door te rijden naar de locatie.

'Waar worden de reclamefilms opgenomen?' vroeg hij aan de man, die voor de grijze, stenen slottoren die uit 1153 dateerde, zijn kaartje van drie shilling verkocht.

'Hoe bedoelt u, meneer?'

'Amerikanen, met camera's,' zei hij.

'Die lopen overal rond, meneer.'

'Nee, grote camera's bedoel ik — met lampen — voor de televisie,' verduidelijkte hij ongeduldig.

'O, die — ja, meneer, die zijn geloof ik in de buurt van de kegelbaan.'

'Kunt u mij misschien zeggen waar dat is, dan zal ik . . .'

'Recht door het kasteel, meneer. Hier, Mildred, wil jij de kaartjes verder afgeven? Dan breng ik deze heer even naar de kegelbaan,' zei de man die de kans aangreep om daar even een kijkje te nemen. 'Deze trap hier op, meneer,' zei hij, toen Shannon hem de grote steenkolos in volgde. 'Kijk, hier is de kamer waar Edward de Tweede is vermoord,' zei hij trots, en zweeg even om het effect van zijn woorden te verhogen. 'En door dat gat in de hoek kom je in de kerker!'

'Kunnen we misschien doorlopen?' zei Shannon, zonder zijn ongeduld te verbergen. Zijn gids snoof verbaasd. Alle bezoekers wilden altijd even naar dat beruchte vertrek, en een blik in de kerker werpen. Maar hij ging verder, oud en in zijn eigen tempo, door een smalle deur naar het latere gedeelte van het enorme, primitieve gebouw, en leidde Shannon zo snel mogelijk door de schilderijengalerij, de eetzaal, de veertiende-eeuwse keuken en provisiekamer — de enige weg om naar de andere kant van het kasteel te komen.

'Gootstenen van massief lood, meneer,' zei hij, in de hoop even te kunnen rusten. Patrick kreunde inwendig, terwijl hij zwijgend door de provisiekamer heenliep, die naar de porseleinkamer voerde, die weer naar de kamer van de huishoudster ging, en uiteindelijk in de grote zaal uitkwam.

Omdat zijn gids blijkbaar niet van zins of in staat was vlugger op te schieten, vergenoegde Shannon zich ermee hem te volgen en bij iedere stap voelde hij een steekje in zijn borst dat maar niet weg wilde gaan; een eigenaardig, zeurend, zenuwachtig getokkel op een snaar van ongeduldig verlangen. Vervloekt, kon die man niet wat sneller lopen?

Eindelijk kwamen ze uit bij de zuidkant van het kasteel, en daar beneden hen herkende Shannon de wirwar van kabels en apparatuur die hij met zoveel ongeduld had verwacht te zien. Daar stond de hele boel aan een kant van een lang rechthoekig kortgemaaid gazon, geflankeerd door een hoge met klimop begroeide muur aan de ene en grote, oude taxisbomen aan de andere kant. Maar er waren geen mensen te bekennen. 'Waar zijn ze?' vroeg hij aan zijn gids.

'Ik vermoed dat zij aan het thee drinken zijn, meneer.'

'Christus! O, neem me niet kwalijk — maar ik heb haast.'

'Dat vermoedde ik al, meneer.'

'Nou, waar zouden ze dan theedrinken?' vroeg Shannon, ieder woord beleefd uitspuwend.

De oude man wees naar een liefelijk landhuis dat een eindje verder tussen de bomen stond. 'In de Berkeley jachtstallen en kennels, meneer. Daar staan die grote vrachtwagens van ze.'

Pat draaide zich naar hem om. 'Dan had ik dus over dezelfde weg kunnen gaan waarlangs zij zijn gekomen?'

'Ja, zeker — maar dan had u het kasteel niet gezien, meneer,' zei de man verwijtend.

Shannon liet hem zonder verder een woord te zeggen staan, en liep haastig over de terrassen die naar de stallen voerden. Onder de verlaten kegelbaan lag een waterlelievijver met aan de overkant een stenen trap die, zoals hij hoopte, naar de weiden en de bomen leidde. Hij rende bijna toen hij het grasveld naar de vijver overstak.

'Zoek je iemand of ben je hier zomaar?'

Hij draaide zich met een ruk om. Daisy zat blootsvoets op een stenen muurtje, met een kroes thee op het gras naast haar. Ze lachte tegen hem met de gulheid van iemand die weet dat haar schoonheid onuitputtelijk is. Hij bleef staan en keek haar aan.

'Ik was in de buurt . . .'

'En toen dacht je, ik ga even langs,' maakte ze de zin af. 'Hier, neem mijn thee maar.' Ze hield de kroes naar hem op, en hij pakte hem aan en ging automatisch op het muurtje zitten. 'Iemand die door dat kasteel heenkomt heeft iets opwekkends nodig — ik wou dat ik cognac voor je had.'

Hij dronk de hele kroes met het zoete, nog warme vocht leeg. Dat vreemde, vermoeiende, zeurende steken in zijn borst was weg, opgelost in een gevoel dat hij niet kon aanduiden of een naam geven, een gevoel dat gepaard ging met een vlaag van pure blijdschap.

'Al je thee is op,' zei hij, en deed zijn best om wat zoals hij wist een idiote grijns zou zijn, te onderdrukken.

'Nog geen honderd meter hier vandaan staat een hele caravan vol mensen die niets liever doen dan dag en nacht thee zetten — iedere dag — dus maak je niet ongerust,' zei ze.

'Goed — hoe gaan de zaken?'

'Uitstekend. Als alles goed gaat zijn we morgen klaar. Vandaag heb ik met de honden gewerkt, met ze over dat gras gelopen waar jij net over bent gekomen — het zou gemakkelijker zijn geweest als op het storybord niet had gestaan dat het stropershonden moesten zijn.'

'O, jasses — dat was mijn schuld.'

'Als ik het niet dacht — we moesten ze terugsturen — veel te wild — en nu wachten we op een paar honden die niet iedere keer dol worden als ze een vogel of een konijn ruiken. Ze hebben mijn arm er bijna afgerukt. Ze lúisterden eenvoudig niet naar North.' Ze begon weer te lachen en hij lachte mee. Het idee van twee gluiperige, gewetenloze stropershonden die het lef hadden de commando's van North te negeren, vonden ze allebei onweerstaanbaar komisch.

'O . . . o . . .' lachte Daisy. 'De anderen vonden het helemaal niet grappig, dat kan ik je wel zeggen . . . hij zei alsmaar, "Ik vermóórd die vent die het storybord heeft geschreven, ik vermóórd hem." Maar je kunt gerust zijn . . . ik heb het niet gezegd.'

Shannon hield plotseling op met lachen. 'Heb je nog last van je arm?'

'Helemaal niet.'

Hij pakte haar hand en draaide hem op. De handpalm waarmee ze urenlang de riemen had vastgehouden, was heet, rood en gezwollen. Hij staarde er even naar, hief hem toen op en drukte haar handpalm zacht en berouwvol tegen zijn wang.

'Vergeef me,' mompelde hij.

'Het hindert niet . . . écht niet,' zei ze met zachte stem. Ze stak haar andere hand uit naar zijn donkere haar en streek de lok opzij die op zijn voorhoofd lag. Hij hief zijn hoofd op en keek haar aan. Hij kuste haar koortsige handpalm. Ze maakten zich los, elkaar nog steeds aankijkend.

'Wat doe jíj hier in jezusnaam?' wilde North, die de hoek om kwam, nijdig en verbaasd weten.

Aan het eind van de laatste dag van de filmopnamen in kasteel Berkeley, verklaarde North dat de boel kon worden ingepakt. Het vliegtuig naar New York zou de volgende dag om twaalf uur vertrekken. Terwijl Mary-Lou het vertrek van de ploeg organiseerde met de kordaatheid van een NASA-controleleider, begaf Patrick Shannon zich naar Daisy's make-up caravan.

'Ga je morgen naar huis?' vroeg hij haar met een onhandige houding, alsof hij weer in de eerste klas van de middelbare school zat.

'Nee, ik moet in Londen het een en ander regelen. En daarna ga ik naar Frankrijk — op familiebezoek.'

'Ik heb ook zaken te doen in Londen.'

'Ja?'

'Maar je weet hoe de Engelsen zijn — je kunt ze in het weekend niet storen, daarom blijf ik hier tot volgende week. Zou je . . . ben je morgenavond vrij om met me te gaan eten? Je hebt zeker iets te doen . . .?'

'Nee, ik ben vrij. Ik vind het leuk om te gaan eten.'

'Hoe laat zal ik je komen halen?'

'Half negen in hotel Claridge.' Om half zeven zou ze terug zijn nadat ze bij Dani was geweest, ze zou dan nog twee uur de tijd hebben om zich op te knappen. Ze vroeg zich af of ze alleen gingen eten of dat hij weer met een paar vreemden van Supracorp zou aankomen om aan haar voor te stellen.

'Nou... tot morgen dan,' zei Shannon onzeker en liep achterwaarts de caravan uit.

Na dat moment op het muurtje gisteren, onderbroken door die ellendeling van een North, was hij achtergebleven in een toestand die hij nog nooit eerder had beleefd. Hij werd overvallen door huiveringen van kristalheldere vreugde, vervuld van een ongeduldige, wisselvallige blijdschap, en was zich bewust van een overmaat van iets vitaals en waardevols maar nog onbestemds, dat zijn gemoed doortrok. Alles bij elkaar een buitensporige staat om in te verkeren, die hem helemaal van de wijs bracht. Hij wist nauwelijks hoe hij heette, verdomme, maar hij was gelukkig.

Gewoonlijk moet een tafeltje in de Connaught voor zaterdagavond bijna een week van tevoren worden gereserveerd, maar omdat Shannon op zijn veelvuldige zakenreizen naar Engeland in Connaught logeerde, kostte het hem geen moeite een plaats te krijgen. Hij had de vraag waar hij met Daisy zou gaan eten van alle kanten overwogen, en het beschaafde geroezemoes van de eetzaal in de Connaught trok hem meer aan dan de luidruchtige, haastige sfeer van al die modieuze Italiaanse, of de plechtige nauwgezetheid van de beste Franse restaurants in Londen.

Daisy zat in de lounge van Claridge te wachten toen hij kwam, en tijdens het korte ritje wisselden ze maar enkele woorden met elkaar. Ze was na haar hereniging met haar zuster emotioneel uitgeput. Ze had een lange, zware dag achter de rug en was treurig en blij tegelijk, toen ze zag dat Dani niet was veranderd en griezelig mooi en onberoerd door de tijd was gebleven, een gelukkig vijfjarig kind in Daisy's lichaam. Ze voelde zich vanavond broos en kwetsbaar, verstrooid, warrig en tegelijk heel oud en heel jong.

Toen de chauffeur de auto voor de bekende ingang met de

bewerkte glazen overkoepeling stilhield, zei Daisy alleen maar: 'O,' zo zacht, dat Shannon de verschrikte toon in haar stem niet hoorde. Ze liep als in een droom de lounge in, en wandelde de vertrouwde weg naar het restaurant, zonder zoals vroeger te blijven staan om alle schalen op de volgeladen wagentjes te inspecteren. Ze beet op de binnenkant van haar onderlip, zodat hij niet trilde bij de geluiden, de geuren en het licht van een nooit vergeten paradijs, die haar weer omringden. Toen zij en Shannon even bij de ingang van de eetzaal bleven staan om naar hun plaatsen te worden gebracht, hield een ober die aan een tafeltje bij de deur een bestelling aan het opnemen was, plotseling op. Hij keek maar één keer. Hij liet een graaf die bezig was naar de stamboom van de fois gras te informeren verbaasd zitten en liep snel, veel te snel voor een maître d'hôtel die zichzelf respecteert, naar de deur.

'Prinses Daisy,' riep hij blij verrast en liet toen alle waardigheid varen en sloeg in een grote berenomhelzing zijn armen om haar heen. 'Prinses Daisy — u bent terug! Waar bent u geweest? Iedereen heeft u erg gemist — maar niemand wist wat er was gebeurd — u was verdwenen!'

'O, lieve monsieur Henri, u bent er nog steeds! Wat ben ik blij u te zien!' riep Daisy en sloeg haar armen om zijn hals.

'Wij zijn er allemaal nog — u bent degene die is weggegaan,' zei hij, haar in zijn verbazing een standje gevend. Hij negeerde het feit dat alle gasten in de buurt van de deur hun eten lieten staan om naar het onvoorstelbare toneel te kijken van een ober van de Connaught die een cliënte omhelsde, of ze een lang verloren dochter was.

'Dat wilde ik niet, monsieur Henri, maar ik heb in Amerika gewoond.'

'Maar als u af en toe in Engeland terugkwam? Waarom bent u ons in al die jaren nooit eens komen opzoeken, prinses Daisy?' zei hij verwijtend.

'Ik ben nooit meer in Engeland geweest,' loog ze. 'Dit is de eerste keer dat ik thuiskom.' Ze kon niet zeggen, dat ze op haar reizen om Daniëlle te bezoeken geen geld had gehad om in de Connaught te eten.

Shannon kuchte. De maître d'hôtel kwam plotseling in de werkelijkheid terug. Een paar seconden later hadden ze een plaats gekregen. Hij had hen zonder er verder over na te denken hetzelfde tafeltje gegeven dat Stash Valensky altijd had gevraagd, in het midden, maar afgezonderd. Shannon keek Daisy onderzoekend aan. Ze deed zichtbaar moeite om haar tranen terug te dringen.

'Het spijt me . . . ik had geen idee. Vind je het vervelend om te blijven? Wil je liever ergens anders heen?' Hij nam haar hand en legde beschermend de zijne erover.

Daisy schudde haar hoofd en glimlachte aarzelend tegen hem. 'Nee, hoor, het gaat prima. Het komt alleen . . . door de herinneringen. Ik ben blij dat ik hier weer ben, echt waar. Ik heb hier aan dit tafeltje de gelukkigste momenten van mijn leven beleefd.'

'Ik weet níets van je!' barstte Shannon uit. Hij werd overstelpt door jaloezie op haar geheimzinnige verleden. Wat een vreselijke manier om de avond te beginnen — herenigingen, herinneringen, tranen. Wat kwam er nu?

'Het is niet eerlijk, hè?' vroeg ze, zijn gedachten lezend.

'Nee. Iedere keer als ik je zie ben je verdomme weer anders. Ik weet gewoon niet wat ik van je moet denken. Wie ben je voor de drommel eigenlijk?'

'En dit van de man die mijn identiteit zó goed kent dat hij hem over de hele wereld gaat uitbazuinen? Als jíj niet weet wie ik ben, hoe kan "Prinses Daisy" dan bestaan?'

'Je lacht me weer uit!'

'Vind je het erg?'

'Ik vind het leuk. Maar je hebt gelijk, "Prinses Daisy" heeft met Elstree, niet met jou te maken. En ik weet nog steeds niet wie je bent.' Er stond een dringende smeekbede in zijn ogen.

'Ik kwam hier vroeger bijna iedere zondag met mijn vader om te lunchen, vanaf mijn negende tot mijn vijftiende. Toen ging hij dood en ben ik naar de academie in Santa Cruz in Californië gegaan. Daarna heb ik in New York voor North gewerkt.'

'Behalve zeker als je in de weekends voor de grap schilderijen maakte?'

'Voor géld, ik heb alle schilderijen stuk voor stuk om het geld gemaakt,' zei Daisy vriendelijk, 'en ik heb voor North gewerkt om het geld en ik doe de reclamefilmpjes ook om het geld. Als je mij wilt leren kennen moet je dat weten.' Toen ze zichzelf hoorde praten drong het tot haar door, dat ze Shannon zojuist meer had gezegd dan ze ooit een man had verteld. Toch was ze niet verbaasd en ook niet ontzet over wat ze had onthuld. Misschien kwam het doordat ze die dag bij Dani was geweest, maar haar emoties lagen vanavond dicht aan de oppervlakte, en ze wist met diepe, klare zekerheid, dat het geen kwaad kon deze man dingen te vertellen die ze toegedekt had gehouden.

'Waar heb je het geld voor nodig?'

'Om voor mijn zuster te zorgen.' Tegelijkertijd voelde Daisy een golf van opluchting die zo groot was dat ze een diepe, huiverende zucht slaakte en in haar stoel achterover zakte, maar ze trok haar hand niet onder de zijne weg.

'Vertel me eens iets over haar,' zei hij zacht.

'Ze is heel erg lief en goed. Ze heet Daniëlle. Toen ik vandaag bij haar was, wist ze nog precies wie ik was, hoewel het een paar jaar geleden is dat ik naar haar toe kon gaan. De leerkrachten daar op haar school zeiden me, dat ze het vaak over me heeft — ze zegt "Waar Day?" en dan kijkt ze naar alle foto's waar wij samen op staan,' zei Daisy dromerig.

'Hoe oud is ze?' vroeg Shannon, die niet wist wat hij ervan moest denken.

'Het is mijn tweelingzusje.'

Twee uur later, toen ze al lang klaar waren met eten, zaten ze nog onder het genot van een glas cognac te praten in het restaurant, dat nu meer dan half leeg was.

'Er is lang geleden in mijn leven iets misgegaan,' zei Daisy. 'Ik heb er nooit achter kunnen komen wat het precies was.'

'Was dat toen je moeder stierf?'

'Daarna is het nooit meer goed gekomen. Maar ik geloof dat het heel lang daarvoor al is misgegaan, misschien wel toen ik werd geboren . . . als eerste werd geboren.'

'Je hebt toch geen herinneringen meer aan toen je werd geboren,' zei Shannon, een beetje verschrikt. 'Hoe weet je, dat je als eerste werd geboren?'

Daisy keek hem verbaasd aan. 'Heb ik dat gezegd? Heb ik echt gezegd "als eerste geboren" — hardop?'

'Ja — wat dat ook mag betekenen.'

'Dat wist ik niet,' mompelde ze. Sinds ze aan het praten waren gegaan, was ze als bij de eerste flauwe noten van een wals die in de verte wordt gespeeld, een dansend ritme beginnen te voelen, dat haar blij maakte. Het was alsof die hardnekkige steen die ze zo lang in haar hart had gedragen in muziek begon op te lossen.

'Daisy, waar heb je het over? Tot nu toe was het allemaal heel duidelijk wat je me vertelde, maar nu kan ik je niet meer volgen. Ik snap er niets van.'

Hij keek haar met een blik vol onbegrip aan. Ze leek nu uit een nog diepere droom te praten dan toen ze hem eerst over Daniëlle had verteld.

'Ik heb mijn hele leven geprobeerd de schade te herstellen, hem ongedaan te maken, op te lossen, op een of andere manier te vergoeden en dat is natuurlijk niet gelukt.'

'Leg dat eens uit, Daisy — wat bedóel je daarmee?' vroeg hij. 'Je spreekt nog steeds in raadsels.'

Ze aarzelde. Ze had het taboe verbroken dat haar vader op een woord over Daniëlle had gesteld, ze had Shannon alles verteld over de manier waarop ze was opgevoed, over Rolls-Royce en waarom ze geen geld had, over de leukemie van Anabel en over La Marée — ze had hem alles verteld, behalve over Ram. Ze zou nooit van haar leven iemand iets over Ram vertellen.

'De oorzaak dat Daniëlle achterlijk is, is dat ik als eerste ben geboren.' Daisy haalde diep adem voor ze verder ging. 'Ze heeft minder zuurstof gekregen — ik kreeg alles wat ik nodig had en zij niet. Als ik er niet was geweest, zou ze volkomen gezond zijn geweest.'

'Jezus! Heb je daar je hele leven mee geleefd! Mijn God, Daisy, dat is het krankzinnigste wat ik ooit heb gehoord! Niemand ter wereld, níemand, geen dokter, geen zinnig mens zou dát met je eens zijn, Daisy, dat kún je eenvoudig niet echt geloven.'

'Met mijn verstand geloof ik het natuurlijk ook niet — maar gevoelsmatig . . . heb ik me altijd . . . schuldig gevoeld. Vertel mij eens, Pat, hoe je iets wat je voelt door denken ongedaan kunt maken? Hoe vergeet je iets dat je hebt gehoord toen je nog klein was? Iets dat alles verklaarde wat je niet begreep, iets dat je tegen geen sterveling kon zeggen. Iets waar je zo lang mee hebt geleefd, dat het er niet toe deed of het juist was of niet, omdat het een innerlijke waarheid voor je heeft die sterker is dan logica.'

'Ik weet het niet,' gaf hij langzaam toe. 'Ik zou er wat voor geven als ik het wist. Misschien moet je de verkeerde waarheid vervangen door de juiste waarheid? Denk je dat dat mogelijk is? Of ben ik nu te filosofisch? Ik ben niet zo thuis in dit soort problemen. Was het maar zo,' zei hij er nederig achter.

'Kom nou,' zei ze, plotseling lachend. 'De filosofische meneer Shannon — als ze je zo eens in de vergaderzaal konden zien.'

'Daar zouden heel wat mensen blij om zijn — Pat Shannon die geen antwoord weet.' Hij bestudeerde de klare lijn van Daisy's voorhoofd tot aan de punt van haar rechte, fraaie neus, en vond dat hij iets vastberadens had waar hij zich nog nooit behoorlijk rekenschap van had gegeven. Het groefje tussen haar neus en bovenlip was een verrukkelijk gevormde schaduw, plotseling vol van ingehouden lachen.

'Ik heb zo'n vaag gevoel dat de kelners, ook al zijn ze nog zo dol op ons, het niet jammer zouden vinden als wij nu weg gingen — wij zijn de enigen hier,' zei hij.

'Je zult me weg moeten dragen. Ik ben uitgeput. Ik kan me niet herinneren dat ik ooit zo moe ben geweest,' zei Daisy. 'Maar ik voel me, o, ik voel me . . .'

'Ja?' vroeg hij benieuwd.

'Als de gekke titel van een liedje dat Kiki ergens heeft opgepikt — het heet *The name of the place is I like it like that.*'

'Ik begrijp wat je bedoelt. Hoor eens, ik zal je naar je hotel terugbrengen, dan kun je gaan slapen. Ga je morgen weer naar Daniëlle toe?'

Ze knikte.

'En maandag? Ben je maandag hier?' vroeg hij.

'Nee, maandag moet ik naar Honfleur om Anabel op te zoeken.'

'Laat me met je meegaan naar Frankrijk,' flapte hij eruit.

'Maar je hebt zaken te doen in Londen,' hielp ze hem ernstig herinneren.

'Geloofde je dat echt?'

'Dat valt onder de rubriek "belangrijke vragen waar een welopgevoed meisje nooit antwoord op mag geven". Lady Aldens school, gedrag en huishoudkunde. De enige klas waar ik ben blijven zitten.'

'Nou, mag ik mee?' vroeg hij weer. Hij had het gevoel alsof alles er van afhing.

'Ik denk dat Anabel het wel leuk zou vinden, kennis met je te maken,' zei Daisy langzaam. 'Ze heeft altijd oog voor mannen gehad. Ja, dat is een uitstekend idee. En als je niet op La Marée bent geweest kun je nooit echt begrijpen waar ik het over heb. Maar wat moet Supracorp zonder jou beginnen?'

'Wie?'

In de begindagen van juli begint de klimop waar La Marée mee is begroeid hier en daar rood te kleuren. Tegen het eind van de maand is het hele omvangrijke landhuis verborgen onder golvende, felgekleurde vlammen, en staan de grootbloemige dahlias in de tuin uitbundig te bloeien; stuk voor stuk een eigen Fauve schilderij waardig.

Anabel stond aan de voordeur toen Daisy en Shannon kwamen aanrijden. Toen Daisy haar kuste, onderzocht ze Anabel zorgvuldig naar tekens van verandering. Er was een vastberaden uitdrukking op haar liefdevolle gezicht dat er vroeger nooit was geweest. Misschien was het een teken van de prijs die ze had betaald om de waarheid te accepteren. En er was ook een nieuwe, onbekende ondiepte in de kleur van haar ogen. Maar haar uiterst praktische aard was niet veranderd en haar eeuwige pret om het leven ook niet.

'Wat hebben we hier?' riep ze uit, Shannon opnemend. 'Een hele mooie, grote Amerikaan? Dat is nog eens een prettige afwisseling. Waarom heeft hij van dat zwarte haar en van die blauwe ogen? Maar, natuurlijk, Iers bloed, dat ik dat niet onmiddellijk zie. Ik word zeker oud. Kon je geen Amerikaan vinden die op een Amerikaan lijkt, Daisy — blond en bleek? Daar heb ik zoveel over gehoord, maar ik heb er nog nooit een gezien. Bestaan ze soms niet? Enfin, dan zullen we het maar met deze aardige, grote, mooie kerel moeten doen. Kom binnen, kinderen, en drink een glaasje sherry.'

'U bent een ontzettende flirt,' zei Shannon.

'Onzin, ik heb nog nooit van mijn leven geflirt. Ik ben altijd heel erg verkeerd begrepen,' zei Anabel met dat lachje, dat iedere man die het hoorde al half had verleid. Haar rode, glanzende haar begon wat lichter te worden en ze was wat vermagerd, maar toen ze hen door de salon heen naar het terras met uitzicht op zee leidde, was het griezelig om te zien met welke voorzichtige strelingen de tijd La Marée en zijn eigenares scheen te hebben aangeraakt. Daisy's hart sprong op van vreugde bij de gedachte dat dit huis, dit toevluchtsoord, tenminste nooit van Anabel kon worden afgepakt.

Die avond trok Shannon zich na het eten terug om op een bank op het balkon boven de salon wat te gaan zitten lezen, terwijl Daisy en Anabel bij elkaar in de stoelen om de haard in de eetkamer gingen zitten. Op deze zomeravond brandde er geen vuur, maar de herinnering aan al die haardvuren uit haar kindertijd hing er nog.

'Hoe voel je je nu wérkelijk?' vroeg Daisy eindelijk.

'Nu? Eigenlijk niet eens zo erg veel anders. De eerste paar maanden waren een beetje vervelend — drugtherapie is niet zo leuk, maar nu hoef ik maar eenmaal per maand naar de dokter en ik ben over het ergste deel heen. Ik ben afgevallen, wat ik wel prettig vind, maar ik heb lang niet zoveel energie meer . . . maar ik mag niet klagen, lieverd. Het had veel erger kunnen zijn. Ik verzeker je, dat ik je de waarheid vertel.'

'Dat weet ik wel.' Daisy beet op haar lip voor ze verder sprak. Ze wilde de naam Ram niet noemen. 'Heb je hem laten weten dat je hem niet nodig had?' vroeg ze.

'Direct nadat ik je brief had gekregen. Ik heb gezegd dat ik hem nooit meer lastig zou vallen, en ik heb ook gezegd waarom, anders had hij me nooit geloofd.'

'Wat heb je gezegd?' vroeg Daisy nieuwsgierig.

'Ik heb gewoon gezegd, dat ze je hebben gevraagd een paar reclamefilms te maken en dat je daar genoeg geld mee verdiende, om voor mij en Dani te zorgen.'

'En ik mag God danken,' zei Daisy, voor zich uit starend.

'Ja, Ram is in-slecht. Ik wou dat ik hem had kunnen helpen, maar toen ik hem leerde kennen was het te laat. Toch was hij nog maar een jaar of twaalf.'

'Wiens schuld was dat?' vroeg Daisy.

'Dat heb ik me ook vaak afgevraagd. Hij was altijd ongelukkig, altijd jaloers, altijd een buitenstaander, een kind van gescheiden ouders, natuurlijk, maar dat kan nooit alleen de verklaring zijn. Hij was ook de zoon van je vader en je vader was een harde, egoïstische man; vaak was hij een wreed man.

Misschien had Stash Ram kunnen helpen, maar hij heeft er nooit moeite voor gedaan.'

'Dat heb je me nog nooit verteld,' zei Daisy verbaasd.

'Je was er nog niet rijp voor om het te horen . . . te horen en te begrijpen en te weten dat ik tegelijkertijd dat ik dat zeg toch van je vader houd. Ik vind het nu van belang dat je het weet. Die dag dat Stash Daniëlle op die school achterliet, ben ik bijna ook van hem weggegaan.'

'Waarom heb je dat niet gedaan?'

'Omdat hij mij nodig had om menselijk te blijven . . . en zoals ik zei, ik hield van hem . . . en misschien bleef ik toen ook wel een klein beetje voor jou. Toen je zes was, was je werkelijk onweerstaanbaar, weet je . . . voor je zo oud en lelijk bent geworden.'

'Je bent weer aan het flirten, Anabel. Ik zal het tegen Shannon zeggen.'

'Ach, die Shannon. Nu je het me eindelijk vraagt, hij bevalt me. Je begint een beetje verstandig te worden. Ik heb me jarenlang zorgen over je gemaakt, Daisy. Je hebt werkelijk een ongelooflijk talent om uit de moeilijkheden te blijven — dat was niet normaal. Nu, met Shannon — nou, ik moet toegeven dat ik je benijd . . .'

'Anabel! Ik ken hem nauwelijks!'

'Werkelijk! Als ik maar dertig jaar jonger was geweest . . . of desnoods twintig . . . had je geen kans gehad! Dan had ik hem meteen van je afgepakt.'

'Je zou het nog hebben gedaan ook, niet Anabel? O, ja, vast,' zei Daisy vol bewondering. 'Ben je helemaal niet sportief?'

'Als er zo'n man in het spel is? Nu maak je een grapje. Wat heeft sportief hier nu mee te maken? Je hebt door je Engelse opvoeding rare ideeën opgedaan. Geen wonder dat ze India kwijt zijn geraakt.'

Spoedig daarna verklaarde Anabel dat ze moe was en naar bed ging. Ze had Daisy haar oude kamer gegeven, nog altijd met de met groene zijde beklede muren, dat nu was verschoten en hier en daar zelfs gerafeld, en ze had Shannon in de bruin met witte kamer gestopt, de aangenaamste van haar logeerkamers, helemaal aan de andere kant van het huis.

Nadat zij elkaar welterusten hadden gewenst, ging Daisy in het donker op haar vensterbank zitten, en keek uit over de glinsterende Seine-monding naar de lichtjes van Le Havre. Hier waren vast geesten, dacht ze, en keek naar het geliefde silhouet van de drie pijnbomen, luisterde naar het ritselen van de eucalyptusbomen met de lange bladeren, rook de geur van de klimop die de muren van La Marée bedekte, en hoorde af en toe het loeien van een koe uit de zuivelboerderijen aan de voet van de berg. Er zijn geesten, maar vanavond ben ik ervan gevrijwaard, vanavond ben ik veilig voor ze, vanavond kan niets me kwaad doen... ik zou zelfs in de bossen kunnen wandelen zonder angst te voelen. Plotseling dacht ze aan Ram, die in een bekende houding languit in een van de gestreepte strandstoelen lag en haar scherp door zijn halfgesloten ogen aankeek, haar wenkte met een achteloze, gebiedende hand. Nee, je hebt geen macht over mij, waanzinnige geest, dacht Daisy, totaal niet — en dat weet je.

Zál ik echt in de bossen gaan wandelen, vroeg ze zich onder het borstelen van haar haar af. Vonken statische elektriciteit knetterden als een zwerm boze vuurvliegjes in de nachtlucht. Ze liep naar de ladenkast, waarin ze een stel oude kleren voor haar bezoeken aan La Marée bewaarde. Ze droeg een vaak gewassen katoenen pyama die ze al vanaf haar zestiende had. Aan het jasje ontbraken een paar knopen en de broek was gekrompen.

Of, vroeg Daisy zich af, zal ik even gaan kijken of Pat Shannon zich in zijn kamer plezierig voelt? Met de haarborstel in haar hand zag ze in gedachten weer hoe hij over de terrassen van kasteel Berkeley was gerend. Welke dringende boodschap had hem daarheen gevoerd? Ze dacht er aan, hoe vlug hij haar die avond naar hotel Claridge had teruggebracht, omdat hij begreep dat ze zó moe was, dat een arm om haar schouders al te zwaar voor haar was geweest, en hoe tactvol hij haar die avond alleen had gelaten om met Anabel te praten. En toch geloof ik, dat hij me wel aantrekkelijk vindt, zei ze bij zichzelf, glimlachend in de duisternis, terugdenkend aan dat ogenblik zonder woorden, toen hij haar handpalm had gekust. Ja, ongetwijfeld aantrekkelijk. Hij was bijna al te attent. Zou het niet gastvrij zijn om te kijken of hij het wel naar zijn zin had? Een welgemeend gastvrij gebaar? Nadenkend trok Daisy haar pyama uit en zocht snel in haar koffer naar het afscheidscadeautje, dat Kiki haar voor ze naar Engeland ging had gegeven. Daisy haalde uit het vloeipapier een nachtgewaad zoals ze nog nooit had gehad. Het was een glibberig abrikooskleurig kledingstuk, bestaande uit twee glimmend satijnen panden, aan de zijkanten bij elkaar gehouden door bandjes die op twintig centimeter afstand van elkaar de zaak vastbonden. Daisy liet hem over haar hoofd glijden, even haar adem inhoudend toen het koude satijn op haar naakte huid viel. Toen trok ze een bijpassende peignoir aan, die met een strikje aan de hals werd gesloten. Ze overwoog even in de spiegel te kijken hoe ze eruit zag, maar ze wilde het licht niet aandoen.

Daisy maakte haar deur zo zachtjes als een slaapwandelaarster open, maar er was niets slaapwandelaarachtigs aan haar stappen, toen ze, op haar gastvrouwelijke missie, zich zachtjes maar haastig en vastbesloten over de hele lengte van het huis naar de deur van Pat Shannons kamer repte. Ze klopte op de deur en wachtte, nauwelijks ademhalend, tot hij open ging. Er kwam geen antwoord. Ze klopte weer, wat luider nu. Het was natuurlijk mogelijk dat hij sliep, dacht ze, maar het was ook heel goed mogelijk dat hij het niet naar zijn zin had. Er was maar één manier om erachter te komen. Daisy deed de deur open en zag hem, in diepe slaap, op het brede tweepersoonsbed liggen. Ze liep zachtjes de kamer door, knielde op de vloer bij zijn dromende gestalte, en wierp de lange peignoir af toen ze zich over hem heenboog. Er was genoeg maanlicht om zijn gezicht te kunnen bestuderen. In de slaap verzachtten de lijnen aan weerszijden van Shannons mond zich, en die ontspanning gaf zijn piratengezicht iets kwajongensachtigs, waar Daisy vertederd naar tuurde. Zijn haar, altijd al verward, hing nu nog nonchalanter dan hij in een wakker moment zou hebben gewild, en droeg bij aan zijn onbespiede uiterlijk. Hij leek gevangen in een woeste eenzaamheid, dacht Daisy, die zich afvroeg waar hij van droomde. Ze drukte haar lippen zacht op de zijne. Hij sliep door. Weer kuste ze hem en nog bleef hij slapen. Dat is ook niet erg enthousiast van hem, dacht Daisy en kuste hem nog eens. Hij werd met een schok wakker.

'O, de beste kus . . . ' mompelde hij, nog halfslapend.

Ze kuste hem weer, vluchtig voor hij nog meer kon zeggen.

'De zoetste kus . . . geef me er nog een . . . '

'Je hebt er al vier gehad.'

'Nee, onmogelijk, dat herinner ik me niet, die tellen niet,' zei hij, eindelijk wakker.

'Ik kwam alleen maar even kijken of je het naar je zin hebt. Nu ik zie, dat alles in orde is, ga ik weer naar mijn kamer. Neem me niet kwalijk, dat ik je heb wakkergemaakt — ga nu maar weer slapen.'

'O, God, niet doen! Het is helemaal niet in orde! Ik heb het ijskoud en er zitten bulten in de matras en het bed is te kort en te smal en ik moet nog een kussen hebben,' mopperde hij over de luxe gastenvoorzieningen van Anabel en hij tilde Daisy behendig van de vloer waar ze nog geknield zat, en stopte haar onder zijn dekens.

Shannon wiegde haar teder in zijn armen als een innig geliefd kind en zij nestelden zich stil tegen elkaar aan en ondergingen allebei voorzichtig de warmte van elkaars lichaam, het geluid van elkaars ademhaling en het kloppen van elkaars hart — een contact zonder woorden, zo geladen met een gevoel van iets heel bijzonders, dat ze geen van beiden iets durfden zeggen.

Het duurde lang voordat Shannon een sneeuwstorm van vluchtige kusjes begon te drukken op het plekje achter Daisy's kaak, die speciale warme ronding van verkwistende schoonheid, dat hem zonder dat hij het zich had durven bekennen al weken had achtervolgd. Daisy was in de ogen van Shannon een breekbaar, uniek wezen, alsof hij een jonge eenhoorn, een vreemd, mythologisch schepsel had gestrikt. Haar haar was de helderste lichtbron in de kamer, omdat het het maanlicht dat door de ramen scheen reflecteerde en bij dat licht zag hij haar grote, bezielde, glanzende ogen als twee donkere sterren.

Het leek hem nu alsof ze elkaar nog niet eerder hadden gekust. De kusjes waarmee ze hem wakker had gemaakt waren zo kuis en aarzelend geweest dat ze alleen maar een herinnering aan een kus waren. Nu drukte hij een regen van kussen als vlammende bloemen op haar mond.

O, ja! dacht ze en opende haar lippen voor hem, woelend, vurig en uitdagend. Ze hief haar lichaam naar hem op en bracht zijn handen naar haar borsten en sloot ze er omheen. Zij, niet hij, trok met een ongeduldige beweging haar nachtjapon over haar hoofd en gooide hem op de grond. Zij leidde zijn hand over haar hele lichaam, zij betastte hem overal waar ze maar bij kon, zo speels als een dolfijn, tot hij begreep dat haar breekbaarheid kracht was en dat zij spontaan naar hem verlangde. Hij wijdde zich aan die heerlijke taak, zich vaag bewust dat het leven nog nooit zonder de nuchtere tussenkomst van het verstand door hem heen was gestroomd, dat hij nog nooit zo dichtbij het drinken van de oerwijn van het leven was geweest, die hij proefde op haar tepels en op haar buik. Zijn hele huid dronk dorstig van haar en toen hij in haar binnendrong, wist hij dat hij eindelijk bij de bron, de oorsprong was gekomen. Nu lag Daisy stil, doordrongen, vervuld, vol overgave. Ze had een gevoel alsof ze over een zuivere, heldere rivier dreef waar vogels in groene bomen langs de oevers zongen. Maar er was meer; meer dan deze zalige vredigheid. Samen kwamen zij in actie, hijgden en snelden vurig als twee jagers achter een vluchtende prooi aan en stoeiden door elkaars wouden tot zij eindelijk zegevierden, Daisy met een kreet zowel van verbazing als van vreugde. Ze had wel vaker bevrediging ondervonden, maar nooit zo volkomen.

Daarna, toen zij dicht bij elkaar lagen, half slapend maar zonder dat zij in het onbewuste wilden wegdrijven, liet Daisy een reeks winden, een heleboel absoluut niet te onderdrukken plofjes die wel een minuut aanhielden.

'Witte mieren,' merkte Shannon lui op. Ze schoot onder de dekens uit en zag bijna kans het bed uit te springen voordat hij haar met zijn lange armen op de matras vastpende.

'Laat me los!' riep ze, beschaamd.

'Niet voordat je beseft dat het heel gewoon is om scheten te laten — en dat is maar goed ook... scheten horen bij het leven.'

'O, hou nu toch eens op iedere keer dat woord te zeggen!' verzocht Daisy hem, die zich nog nooit zo opgelaten had gevoeld.

'Je hebt nooit met een man geleefd.' Hij constateerde het meer dan dat hij het vroeg.

'Hoe kom je daarbij?' vroeg ze vlug. Het was ook wel zo, maar welke vrouw van vijfentwintig wil dat graag toegeven?

'Door de manier waarop je reageerde op... eh, een windje laten... klinkt dat beter?'

'Ja hoor,' mompelde ze, met haar gezicht tegen zijn schouder gedrukt. 'Moet dat soms een liefdesverklaring voorstellen?'

'Ik heb die omstandigheden niet uitgezocht. Ik geloof wel, dat ik het beter zou kunnen.'

'Ga je gang maar.'

'Liefste, engel, aanbiddelijke Daisy, hoe kan ik je overtuigen van mijn grote ridderlijkheid en de gevoelens van diepe tederheid en verering die ik in mijn hart voor je koester?'

'Dat heb je al gedaan.' Ze schudde van het lachen. 'Ga nu maar slapen, Shannon, dadelijk is het ochtend. Ik ga weer naar mijn kamer en jij zult je met dit vreselijke, bultige bed tevreden moeten stellen.'

'Maar waarom? Blijf bij mij slapen. Ga niet weg. Je kunt me hier toch niet helemaal alleen laten,' protesteerde hij.

'Jawel. Maar vraag me niet waarom, want dat weet ik niet.' Hij ging rechtop zitten en zag hoe ze haar peignoir om haar naakte lichaam sloeg, een en al schaduwen en geheimen in het maanlicht. 'Welterusten, slaap lekker en laat die witte mieren je niet bijten,' fluisterde ze, kuste hem met de snelheid van een kolibrie op de lippen en was verdwenen.

Toen ze 's avonds gedrieën aan tafel zaten, vroeg Anabel: 'Hoe lang blijf je nog, Patrick?'

'Ik vertrek morgen,' zei hij. Er klonk spijt in zijn stem, maar geen spoor van besluiteloosheid.

'Maar kun je nog niet een dagje blijven? Je bent er net,' wierp Anabel tegen.

'Onmogelijk. Ik ben al dagen niet op kantoor en niet te bereiken geweest. De mensen bij Supracorp denken waarschijnlijk dat ik dood ben. Dat is nog nooit gebeurd.'

'Neem je nooit vakantie?' vroeg Anabel nieuwsgierig.

'Niet zonder dat ik altijd contact met de zaak heb, ook niet als ik een lang weekend neem. Dat maakt ze zenuwachtig, of mij, ik weet niet precies wie van beiden het meest.' Hij lachte en was weer de boekanier.

'Daisy, jij kunt toch nog wel een poosje blijven?' informeerde Anabel hoopvol.

'Nee, dat kan niet, Anabel,' zei Shannon beslist. 'Ze moet naar New York terug. Er moet van alles worden gedaan — interviews, foto's — mijn publiciteitsmensen werken aan materiaal waar ik nog niets van weet. Je moet niet vergeten dat Supracorp een hoop geld in Prinses Daisy heeft gestoken. Die reclamefilmpjes waren nog maar het begin.'

Daisy beet geërgerd op de binnenkant van haar lip. Ze wist heel goed dat ze terug moest, maar ze kon niet hebben dat Shannon een vraag beantwoordde die Anabel aan haar had gesteld. Maar er lag een kloof tussen haar verantwoordelijkheid tegenover het bedrijf en zich door Shannon laten zeggen wat ze moest doen of laten. Hij zou toch niet zo krankzinnig zijn om te denken dat zij nu zijn eigendom was? Hij kon barsten!

Ze richtte zich tot Anabel, zonder acht te slaan op wat Shannon had gezegd. 'Ik moet eigenlijk terug voor de bruiloft van Kiki . . . waar Supracorp me allemaal voor nodig heeft is niet half zo belangrijk.'

'Nou, het is maar een geluk dat die bruiloft plaatsvindt,' zei Anabel, met dat tikje neerbuigende waardering van fatsoen, waarop alleen de meest geslaagde gewezen courtisanes recht menen te hebben. 'Uit wat je me hebt geschreven en uit wat haar arme moeder heeft laten doorschemeren, zou ik zeggen dat het geen minuut te vroeg komt.'

Daisy giechelde vals. Ze had een tamelijk vastomlijnd idee over Anabels levenswandel.

Anabel keek haar onderzoekend aan met die eeuwige, onschatbare medeplichtigheid van vrouwen. Hoewel ze het over Kiki hadden, dachten ze allebei aan Shannon. Het is een goede man en je verdient het — neem hem! zei Anabels blik tegen Daisy. Geen voorbarige gevolgtrekkingen maken, waarschuwde Daisy Anabel met haar ogen, zo duidelijk alsof ze het hardop gezegd had.

'Wat bedoel je, "ik heb mijn uiterste best gedaan om hem te krijgen"? Ik zou mij nooit zo verlagen,' voer Kiki uit.

'Een selectief geheugen,' zei Daisy verwonderd.

'Jij bent degene die alles vergeet. Wie was altijd een vrije vogel? Zwierig, ongebonden, vrolijk en lichtzinnig, die altijd het grootste plezier van de wereld had? IK! Je hebt me nog nooit twee keer achter elkaar met dezelfde vent uit zien gaan,' schepte Kiki op.

'Of langer dan drie maanden achter elkaar in hetzelfde bed,' antwoordde Daisy.

'O, dat. Weet je dat je een hele akelige grijns hebt, nu ik goed naar je kijk. En je was altijd zo leuk om te zien.' Kiki haalde haar blote schouders op, op een manier die duidelijk aangaf dat ze haar vriendin had opgegeven. Slechts gekleed in een ondubbelzinnig sexy zwart kanten onderbroekje, graaide ze doelloos in een stapel iele, gewaagde jarretelgordeltjes, rode en witte door elkaar. Om haar hals hing een paar dunne zwarte nylonkousen met een naad van achteren.

'Geef me eens antwoord op een paar vragen,' zei Daisy geduldig. 'Haat je hem eigenlijk?'

'Zo ver zou ik niet willen gaan,' antwoordde Kiki afwerend. 'Haat is wat te sterk uitgedrukt — onverschillig is een beter woord.'

'Verveelt hij je?'

'Dat nu niet — maar hij boeit me niet. Mijn God, Daisy, de wereld is vol mannen, het wemelt er van. Besef je wel, hoeveel mannen er wel niet zijn? Allemaal verschillend, die allemaal een of andere kronkel of afwijking of talent of een bepaalde charme of iets liefs hebben, waar jíj nooit achter zult komen alleen omdat je te lui bent om ze te leren kennen? Jij mist werkelijk iets — temperament noemen ze dat geloof ik in Frankrijk — dat is wat al die grote amoureuze vrouwen, die legendarische minnaressen hadden — George Sand, Ninon de Lenclos en ík, verdomme, alleen wil jij dat niet toegeven.'

'Ik geef het toe,' zei Daisy op verzoenende toon. 'Jij was echt geweldig.'

'Dat ben ik nog!' wierp Kiki tegen als een boze geest. Ze schudde haar hoofd tot haar haar op een warrige pluizige bal leek, en haar gebruinde blote borsten trilden van verontwaardiging.

'Als je met hem vrijt,' zei Daisy, 'kun je dan tegen hem zeggen wat je voelt — je weet wel — dat je dit of dat prettig vindt, of dat hij het nog eens moet doen of een beetje meer naar links — kun je zulke dingen net zo vlot en gemakkelijk tegen hem zeggen alsof hij je rug masseert?'

'O, maar natuurlijk,' zei Kiki op geanimeerde toon. 'Nou, en?'

'Ik vraag het alleen maar, om mijn geile nieuwsgierigheid te bevredigen.'

'Bevredig mijn nieuwsgierigheid ook eens — hoe zit het met Pat Shannon?' vroeg Kiki, plotseling bruisend van belangstelling. 'Wat hebben jullie eigenlijk precies samen?'

'Wij zijn bezig elkaar te leren kennen,' antwoordde Daisy waardig.

'Oho — jij wilt dus geen antwoord geven op vragen, waarvan je van mij antwoord verwacht?'

'Ik zal je alles vertellen wat je wilt weten.'

'Is hij verliefd op je?' viel Kiki meteen aan.

'Hij is erg . . . attent.'

'Je bedoelt dat hij niet duidelijk iets heeft gezegd, dat hij je niet heeft gevraagd om met hem te trouwen?' Kiki zette haar eigen zorgen opzij. Ze had het zo druk gehad met zich te beklagen, dat ze helemaal geen tijd had gehad Daisy te ondervragen.

'Nee, en zo wil ik het ook.'

'Je houdt hem op een veilige afstand, net als die andere mannen van je, is dat wát je aan het doen bent?'

'Die afstand is te klein om veilig te noemen. Het is wat verwarrend — hij is zo aanwezig — ik vind het leuk hem in de buitenwereld te zien optreden, maar hij is zo overheersend, dat ik er bang van word . . . een beetje tenminste. Of misschien een heleboel. Ik vraag me voortdurend af of hij niet van plan is alles en iedereen te leiden, maar ik kan hem bijna alles vertellen en er op vertrouwen, dat hij het begrijpt. En toch . . . ben ik er niet helemaal zeker van of dat niet een van zijn vele manieren is om te krijgen wat hij wil hebben. Ik weet het gewoon niet. Soms — is het zo ontzettend goed en zuiver, en dan pieker ik er weer over of hij me niet gewoon als een nieuwe aanwinst beschouwt, zoiets als de firma Elstree belichaamd in een persoon. Een ding is duidelijk — hij is stapelverliefd op dat hele "Prinses Daisy"-idee. En dat vind ik nu juist verschrikkelijk! Ach, jasses, ik weet het gewoon niet meer.'

'Maar is hij een goede minnaar?' peilde Kiki. Daisy bloosde. 'Hmmm?' neuriede Kiki aanmoedigend. 'Je hebt beloofd dat je het zou zeggen.'

'De beste — o, nog veel beter zelfs! Maar dat is geen reden om de toekomst op te baseren. Ik ben nog lang niet zo ver om ook maar over een beslissing te denken. Ik wil me niet overhaast ergens instorten. Ik wil blijven zoals ik nu ben en ik wil niet emotioneel heel erg betrokken raken . . .'

Kiki stoof op als een feeks. 'Maar jij zegt wel tegen mij, dat ik me in een kraal moeten laten drijven en me moet laten opsluiten om als een galei-slaaf te worden gebrandmerkt en in de boeien geslagen! Je hebt wel lef, Daisy Valensky! Hoe durf jij mij raad te geven als je je zelf nergens aan wilt binden! Over walglijke cliché's gesproken!'

'Nou,' zei Daisy zachtzinnig, 'het is míjn trouwdag niet, die driehonderd mensen beneden in de kamer van je moeder wachten daar niet om mij te zien trouwen. Ik heb geen acht bruidsmeisjes en acht bruidsjonkers, om nog maar te zwijgen van een bruidegom, die daar allemaal rondhangen en zich afvragen waarom je hier met mij zit opgesloten en wanneer je er eens uit komt.'

'Het is allemaal zíjn schuld,' riep Kiki, en zag er met haar slanke figuurtje zo verloren uit als een kat die de hele nacht buiten in de regen is geweest. 'Die reclameman met zijn gladde tong. Ik had me nooit door hem hiertoe moeten laten overhalen. O, Christus, wat een afschuwelijke vergissing.'

'Jij bent zelf een cliché, lieve Kiki. Je bent net als al die andere mensen voor ze gaan trouwen, weet je dat?' vroeg Daisy vriendelijk.

'Zíj zijn cliché's, ik ben écht!' raasde de Kiki. 'Wat moet ik doen? Is het echt te laat om het af te zeggen? Nee, het is nooit te laat. Wat kan het schelen wat de mensen zeggen? Daisy, luister eens, ik zal je nooit meer vragen iets voor mij te doen, maar wil jij naar mijn moeder gaan en zeggen, dat ze het moet afgelasten? Zij kan dat best aan, ze kan ontzettend goed dingen organiseren. Ik denk, dat ze het eerder van jou aanneemt dan van mij.' Ze keek Daisy met een sluwe blik aan.

Daisy schudde haar hoofd. 'Allemaal uitvluchten — je weet heel goed, Kiki, dat je moeder het nooit zou afgelasten. En als ze het wel deed, zou jij dan gelukkig zijn? Hoe lang zou het duren voor je weer van gedachten veranderde? Niets daarvan. Jij zet het gewoon door, al moet ik je er zelf doorheen sleuren. Maar het zou wel wat handiger zijn als je eerst je bruidsjapon aantrok.'

'Je bent een koud, hard, kreng, Daisy Valensky en dit zal ik je mijn hele leven niet vergeven.'

'O,' zei Daisy, die uit het raam van Kiki's slaapkamer keek, 'ik zie net Peter Spivak aan komen rijden. Nou gaat het gebeuren! De zaak is praktisch al op gang.'

'Nee!' zei Kiki heftig. 'Ik kán het niet!'

'Kijk dan niet verder dan vandaag, Kiki, net zoals de AA tegen de mensen zegt dat ze met drinken moeten ophouden, iedere dag opnieuw. Je moet hier niet gaan zitten piekeren, hoe het zou zijn om vijftig jaar met dezelfde man te leven — je vraagt je alleen maar af of je het kunt uithouden tot morgenochtend met Luke getrouwd te zijn — of desnoods tot vannacht om twaalf uur. Zou je het zolang wel kunnen verdragen? Tot vanavond twaalf uur?'

'Ik denk het wel,' zei Kiki somber.

'Nou, meer hoef je niet te doen. Morgen kun je scheiden. Goed?'

'Ik doorzie je wel — je weet best, dat ik morgen niet kan scheiden. Niemand gaat de dag nadat ze is getrouwd scheiden. Dat is ongehoord. Dat hoort allemaal bij die intriges waardoor ik nu in de val zit!' zei Kiki beschuldigend.

'Precies, dat geef ik toe. Maar kleed je nu aan! Opschieten!' zei Daisy dreigend, alsof ze het tegen Wingo had.

Langzaam liet Kiki zich door Daisy in de japon met de wijde rok helpen, in het wit van de beste kwaliteit slagroom, het wit van een meringue glacé. Tenslotte keek ze naar zichzelf in de lange spiegel en er begon een engelachtig lachje om haar lippen te krullen. Daisy die dit een bemoedigend teken vond, vroeg: 'Waar denk je aan?'

'Aan al mijn vroegere minnaars. Stel dat ze mij nu eens konden zien — ze zouden ziek zijn van jaloezie.'

'Dat is toch geen manier van doen voor een bruid!'

'Dat is de enige manier . . . verbeeld je, te gaan trouwen zonder dat je vroegere minnaars hebt gehad!'

Jerry Kavanaugh, de vader van Kiki, in jacquet en gestreepte broek, klopte nu op de deur. 'Kiki, wanneer ben je in godsnaam nu eindelijk eens klaar? Iedereen staat te wachten. Goeie hemel, hang daar toch niet al die tijd rond, meisje — maak voort.'

'We komen er zo aan, oom Jerry,' antwoordde Daisy hem op luide toon. 'Kiki, ik zal je voile even aandoen, vlug nu, geen getreuzel meer. Ze spelen je lied al voor je.'

'Welk lied?'

'Hier komt de bruid.'

Kiki verbleekte, kuste Daisy op haar wang en trok haar schouders recht. 'Al dat volwassen gedoe, verdomme!' mompelde ze klaaglijk, en liep naar de deur en de toekomst.

'Natuurlijk is ze niet belangrijk, een totaal onbelangrijk klein rotloeder, dat hoef je me ook niet te vertellen . . . het maakt het alleen nog maar erger, Robin, begrijp je dat dan niet?' zei Vanessa woedend. 'Ze is onze vriendelijkheid nooit waard geweest. Nee, ik wil ook geen Miltown of valium of een slaappil, dus wil je me die alsjeblieft niet voortdurend opdringen?'

Het was drie uur in de ochtend en Vanessa was als zo dikwijls de laatste maanden, vol opgekropte woede wakker geworden. Hoewel haar lange, zwierige, elegante lichaam niets was veranderd, was haar mond tot een onaantrekkelijke lijn op elkaar geperst en was haar gezicht magerder dan ooit en stond bijna hol. Maar hoe hij haar ook trachtte af te leiden met vakantieplannen en nieuwe ideeën voor de inrichting, hoe hij haar ook tegen zich aandrukte en het bovenste deel van haar rug masseerde, waar de spanning het ergst was, ze kon Daisy en wat Daisy haar had aangedaan maar niet vergeten.

'In de eerste plaats, en dat zul je moeten toegeven, Robin, is ze nooit een seconde echt dankbaar geweest. O, ze zei wel dank je wel, maar alleen omdat het niet anders kon. Hoe vaak had ze het niet "te druk" om op een van al die feestjes te komen waarvoor ik haar uitnodigde? Wie denkt ze eigenlijk wel dat ze is? Niemand — níemand — heeft het te druk om hier te komen. Nooit!'

'Vanessa, iedereen die meetelt zegt dat jij de beste feestjes van New York geeft. Wat doet dat er nu toe?' zei Robin geduldig voor de honderdste maal.

'Daar gaat het niet om, dat weet je zelf ook wel. Het gaat om haar hele houding! Dat arrogante "je kunt toch niet aan me tippen, ik ben heel bijzonder", en "het maakt toch geen indruk op me, wát je ook doet" — dát is het wat ik gewoon niet kan uitstaan. En die jurken dan die je haar hebt gegeven? Je moest ze haar ongeveer opdringen, godbetert — je zou haast denken, dat ze liever die idiote afgedankte toneelkleren van haar droeg.'

'Ze moet nu behoorlijke kleren dragen,' zei Robin en besefte een ogenblik te laat dat hij niets tactlozers had kunnen zeggen. Vanessa zat sinds het ongelukkige voorval op het jacht de vorige winter boordevol wraakgevoelens. Maar toen het nieuws over de 'Prinses Daisy'-campagne werd bekendgemaakt, toen er publiciteit over de persoon van Daisy begon te verschijnen, toen het verhaal van het contract van een miljoen dollar werd verspreid en nu ze tenslotte had gehoord dat er een hoofdartikel in 'People' zou komen, raakte Vanessa helemaal buiten zichzelf van verontwaardiging.

'Ik zie dat ze daarvoor niet bij jou is gekomen,' zei ze schamper tegen haar man. Toen hij alleen maar zijn schouders ophaalde en geen antwoord gaf, zuchtte ze en legde met een teder gebaar haar hand op zijn arm. 'Neem me niet kwalijk lieverd, zo heb ik het niet bedoeld. Ze heeft zo'n zonderlinge smaak dat ze toch niet de hersens of de klasse heeft om jouw modellen te dragen, bedoel ik.'

'Dat zit wel goed,' stelde hij haar gerust. 'Wil je een glaasje wijn? Daar krijg je misschien slaap van.' Vanessa schudde weer eigenwijs haar hoofd.

'Robin, ik kan je verzekeren dat al die goedkope reclametrucjes me koud laten — als ze zo graag even in het middelpunt van de belangstelling wil staan, laat haar dan. Maar wat ik niet kan vergeven, wat ik haar nóóit zal kunnen vergeven, is de manier waarop ze dat feestje op het jacht heeft verstierd. Heb je er geen enkel begrip van hoe ze mij voor gek heeft gezet? Heb je enig idee van wat de mensen sinds die tijd over ons zeggen? Ja, sinds díe tijd, tot vandaag toe! Iedereen op die boot heeft blijkbaar tegen iedereen die ze in de hele wereld kenden zonder enige uitzondering gekletst. Het is nu al zoveel maanden geleden en de mensen blijven me nog steeds kwellen met vragen als . . . "Zeg, Vanessa, die kleine familie-reünie die je had beraamd is helemaal mislukt, hè schat?" "Vanessa, ik heb nu zo'n spannend verhaal gehoord . . . wat is er nu in werkelijkheid gebeurd, lieverd?" "Vanessa, waarom heb je in vredesnaam het jacht moeten laten draaien — Waarom is Daisy Valensky er midden in de nacht vandoor gegaan? Waarom zou Ram Valensky de verdere reis al die tijd in zijn hut zijn gebleven . . . wel erg onbeleefd van hem, lieve schat . . . vertel . . . je weet natuurlijk meer dan je zegt . . . hoe hebben ze zich zó tegenover jou kunnen gedragen?" O, Robin, je zou die geruchten gewoon niet geloven — het is zo rancuneus, laag, dom en gemeen — en ze maken allemaal dat het net lijkt of ik de grootste idioot ter wereld ben. En iedereen doet er aan mee — mensen die ik altijd als vrienden heb beschouwd. Ik durf nu bijna geen lunchafspraak meer te maken omdat ik weet dat er weer zo'n verhoor begint. Begrijp je niet wat ze mij heeft aangedaan, dat onbeschaamde kreng!'

'Het was maar een voorbijgaand incident, lieverd, de mensen praten daar nu vast niet meer over,' zei Robin zonder overtuiging. Hij was zelf zo vaak met vragen bekogeld.

'Flauwekul — dat weet je best. Het was misschien nog niet zo erg geweest, als Ram zich niet zo stom had gedragen. Dan had ik gewoon kunnen zeggen, dat Daisy zeeziek was of plotseling een allergische aanval had gekregen of zoiets dergelijks. Maar hij moest zich godbetert zo nodig opsluiten en hij heeft zelfs van niemand afscheid genomen — daar komt het eigenlijk door, daardoor zijn de mensen beginnen te kletsen. Als ik er aan denk wat ik niet allemaal voor moeite voor die schoft heb gedaan door Daisy over te halen met ons mee te gaan, kan ik wel gillen. Al heeft hij dan je nieuwe collectie gefinancierd, dat gaf hem nog niet het recht míj belachelijk te maken,' tierde ze.

'Vanessa, lieverd, asjeblieft, je zit jezelf hierover veel te veel te kwellen. Zo kun je niet doorgaan . . . je moet het van je af proberen te zetten.'

'Dat zal ik zeker!' Vanessa richtte zich uit haar kussens op en sloeg een badmantel om.

'Robin, hoe laat is het nu in Engeland?'

'Ochtend. Hoezo?'

Zonder antwoord te geven liet ze zich verbinden met Londen, wachtend in hun slaapkamer, die veel gefotografeerde wildernis van Victoriaanse Chintz en Edwardiaans kant, tot ze Ram aan de lijn had.

'Hallo, schat — met Vanessa! Ik zat net met Robin aan een slaapmutsje en plotseling ontdekten wij allebei hoe ontzettend lang het is geleden sinds wij iets van je hebben gehoord. Daarom dacht ik, kom, laten we de telefoon even pakken. En ben jij op de hoogte van al het goede nieuws over Daisy? Ze zal je wel hebben geschreven . . . al die drukte, schat, je kunt het je niet voorstellen. Ze maken een fantastische ophef over haar — wat een sensatie, niet? Als je bedenkt dat ze nooit een rooie cent had en nu een miljoen dollar! Die oude titel van jou is hier dan toch wel iets waard . . . democratie of niet, net als de Engelsen zijn we dol op een lord. Zelfs "People" wijdt nu een hoofdartikel aan haar en als er íets is om haar in de belangstelling te brengen is dat het wel. Dus ik zou me er maar op instellen, schat, dat je je zusje overal op alle aanplakborden, in de tijdschriften en op televisie zult zien — zelfs in Engeland — is het niet zo? Stel je eens voor, een Valensky die lipsticks en god weet wat nog meer aan de man brengt. Maar ik geloof dat Patrick Shannon alles van haar gedaan kan krijgen. Hoe bedoel je, "Wie is Patrick Shannon"? Hij is hoofd van . . .

neem me niet kwalijk schat, je weet dus blijkbaar wie dat is. Ik bedoelde eigenlijk, dat ze stapelverliefd zijn op elkaar. Iedereen in New York praat erover sinds ze samen uit Engeland zijn teruggekomen. Zij hebben een fantastische verhouding! En gisteren stond er een artikeltje in de "New York Times" over Elstree, waarin hij zou hebben gezegd dat Daisy "uniek" was. Nogal een vaag compliment, alles in aanmerking genomen — maar aan de andere kant was hij waarschijnlijk alleen maar discreet. Toen ik ze laatst samen in een restaurant zag kon hij zijn handen bijna niet van haar af houden. Doe nu niet zo ouderwets, Ram! Daisy is geen kind meer. Ze kan wel tien minnaars krijgen . . . maar ze wil blijkbaar alleen Shannon, en wie zou haar dat misgunnen?

Nou, schat, ik zal je niet langer ophouden. Ik wilde alleen maar even van je horen dat je beter was — oude vrienden moeten elkaar niet zo lang uit het oog verliezen. Je moet de groeten van Robin hebben. Dag, lieverd. Tot ziens in het hiernamaals, zoals ze vroeger zeiden.'

Met de eerste echt vergenoegde blik sinds maanden legde Vanessa heel zachtjes de telefoon neer. 'Robin, misschien wil ik toch wel een beetje wijn.'

'Voel je je beter, lieverd?' vroeg Robin bezorgd.

'Oneindig veel beter!'

De pijn die Ram had gevoeld sinds hij uit La Marée was weggeslopen en Daisy bloedend op haar bed had achtergelaten, was een pijn van een behoefte en een verlangen, zó groot, dat die op een plekje leefde waar niemand anders dan hij zelf er van af wist. Een plekje zó diep binnen in hem dat er niet werd getwijfeld aan zijn verstand, omdat zijn uiterlijke verschijning correct was, en er niets op was aan te merken. Hij zou zonder Daisy doorleven en functioneren omdat niemand anders haar had. Maar hij had in zijn noodlottig gekwelde geest altijd geleefd alsof zij hem nog steeds toebehoorde. Geleefd in een kooi van hopeloos, eindeloos verlangen waaruit hij noch de wil, noch het verlangen of de kracht had te ontsnappen. Een kooi die geen andere beelden bevatte dan die van Daisy en hemzelf. Zij wendde zich in die kooi weliswaar van hem af, maar ze wendde zich niet tot iemand anders. Hoe zou ze dat kunnen, daar ze immers zijn bezit was?

Ram was niet jaloers geweest omdat er niemand was om jaloers op te zijn; geen werkelijke bedreiging, geen belichaming van een derde persoon tussen hem en zijn fantasieën.

Nu had Vanessa in enkele bedekte termen, gekozen met haar feilloze instinct voor kwetsbaarheid en zwakke plekken, een letterlijke ondraaglijk gevoel van onmacht en verminking in hem gewekt. Er was geen plek waar Ram kon staan, geen innerlijke kern waarin hij een uitweg kon vinden voor de pijn. De jaloezie werd geboren, vraatzuchtig en ongearticuleerd, zo oud en woest, alsof hij een miljoen jaar de tijd had gehad om tot afzichtelijke, onverdraaglijke, van zuur doordrenkte rijping te komen.

Hij kleedde zich snel aan en nog geen half uur na het telefoontje van Vanessa was hij in de garage waar zijn Jaguar stond.

Ram had altijd geweten waar Daniëlle was. De directie van de school was er aan gewend dat hij van tijd tot tijd opbelde, om te controleren of Daisy in staat was geweest voor Daniëlle te blijven betalen. Hij wachtte al jaren op de dag die onvermijdelijk moest komen, waarop ze de last niet meer zou kunnen dragen, en gedwongen zou zijn bij hem te komen aankloppen om hulp.

Twintig minuten later reed Ram Londen uit, in de richting van de Queen Anne-school, via een route die al vele jaren duidelijk in zijn hoofd was uitgestippeld.

'O, mijn God, NEE!'gilde Candice Bloom. Jenny, haar assistente draaide zich vliegensvlug om. Haar cheffin was zo bleek geworden als een papieren zakdoekje en op haar bureau lag een voorexemplaar van 'People' dat zojuist per bode was gebracht: een tijdschrift dat over vierentwintig uur in alle krantenkiosken van Amerika zou liggen.

Jenny vloog naar het bureau van Candice en durfde bijna niet naar het omslag te kijken . . . Ze was ervan overtuigd dat zij plaats hadden moeten maken voor een ander verhaal . . . Candice had dat al die tijd gevreesd. Ze had steeds gezegd dat het te mooi was om waar te zijn. Maar nee, daar stónd Daisy . . . demonstratieve opstandigheid was ook een manier om fotograaf Danillo te inspireren . . . het was een fantastische foto. Op de zijkant van het omslag stond in rode letters een regel, die schreeuwde '**PRINSES DAISY**: Haar leven is niet enkel rozegeur en maneschijn; het vreemde geheim van de dochter van Francesca Vernon en prins Stash Valensky.' Jenny zocht met onhandige vingers de bladzijde waar het verhaal stond.

'Pagina vierendertig,' zei Candice met stokkende stem.

Jenny vond eindelijk de dubbele pagina waar het titelverhaal mee begon. De gehele rechterpagina bestond uit een grote zwart-wit foto. Ze staarde ernaar, las de kop die erboven stond en keek weer naar de foto. De wereld was teruggebracht tot die pagina, die foto, die twee meisjes. Twee meisjes met blond haar en zwarte ogen, twee meisjes met dezelfde gezichten, twee meisjes met de armen om elkaar heengeslagen, twee glimlachende meisjes van een jaar of drieëntwintig, zó gelijkend, zo onwaarschijnlijk gelijkend. Erboven stond: 'Prinses Daisy onlangs op bezoek bij haar tweelingzuster Daniëlle in het huis voor geestelijk gestoorde kinderen, waar ze sinds haar zesde jaar in het geheim verblijft.'

De beide vrouwen stonden als versteend te staren, niet in staat één woord uit te brengen, en deden een poging om iets te bevatten dat eenvoudig niet waar kon zijn.

Eindelijk zei Candice met een zwak stemmetje: 'Ze . . . ze is iets kleiner.'

'Haar ogen . . . ze heeft dezelfde ogen . . . maar haar blik is . . . vaag?' stamelde Jenny. Ze kon de schrik alleen met kleine beetjes tegelijk opnemen.

'En haar haar, komt maar tot haar schouders en het is niet, niet zo . . . glanzend . . . maar het groeit precies zo.' Het leek alsof de stem van Candice uit een andere kamer kwam.

'Haar trekken zijn ook anders, nee, niet echt ánders, maar niet zo . . . duidelijk omlijnd. Ze ziet er, eh, jonger uit, alsof ze geen gevoel voor humor heeft,' zei Jenny verwonderd. 'Maar het is hetzelfde gezicht . . . Daisy's gezicht.'

'Nee!' zei Candice. 'Niet hetzelfde — je zou geen tweemaal naar haar kijken.'

'Nee, nee . . . dat niet,' gaf Jenny toe. 'Mijn God, zie je die andere foto?' zei ze en wees er naar met een trillende vinger. Het was een reproductie van het omslag van 'Life' van vijfentwintig jaar geleden . . . Stash en Francesca met het lachende kind op de rug van Merlin. Ze las hardop wat er boven stond: 'Niemand wist, toen prins en prinses Valensky voor "Life" poseerden dat er nóg een kind geboren was, een kind dat zij voor het oog van de wereld verborgen hielden.'

'God Jezus!' fluisterde Jenny. Zij begonnen allebei vlug het verhaal te lezen, sloegen haastig de vijf pagina's om en lazen gedeelten hardop.

'In een exclusief interview met prins George Edward Woodhill Valensky, de halfbroer van Prinses Daisy, nam "People" kennis van het bestaan van . . . zuster . . . I.Q. van een vijfjarige . . . Mijn God, Candice, een vijfjarige!'

Candice snoerde Jenny de mond. 'Hou je mond, Jenny — er is nog meer. Moet je luisteren, luister nou! "Prins Valensky verzet zich krachtig tegen het misbruik van zijn oude familienaam door zijn halfzuster, en noemt haar zakelijke steun aan een nieuw merk cosmetische artikelen "een vulgaire, ongepaste daad". Die zak!' Ze las verder met een stem die hoe langer hoe luider werd. 'Volgens hem zou de tweeling, als Francesca Vernon zijn vader niet in de steek had gelaten en hen niet had ontvoerd, een normale jeugd hebben gehad, maar toen zijn vader de kinderen terug kreeg was het te laat om Daniëlle te helpen . . . Prins Valensky, zeven jaar ouder dan prinses Daisy, is een hooggeacht beleggingsadviseur. Bitter gestemd tegenover zijn zuster die voor haar medewerking een miljoen dollar heeft ontvangen, zei hij: "Ze heeft tien miljoen dollar geërfd en door haar vingers laten glippen, omdat ze te dom was om zich te laten adviseren. Door dit geld zal ze ook wel gauw heen zijn." '

'Goeie God,' zei Jenny, 'zou ze dat hebben gedaan?'

'Wacht even! Nu komt het ergste. "Daisy Valensky is 'uniek' genoemd door Patrick Shannon, de soms tegendraadse president-directeur van Supracorp" — jezus, Jenny, "uniek" — "die er miljoenen voor op het spel zet, om haar gezicht en haar naam prestige te laten verlenen aan het merk . . . Verleden jaar waren de verliezen van Elstree meer dan dertig miljoen dollar . . . ongeëvenaarde grote reclamecampagne om het nieuwste gezicht bij het publiek bekend te maken . . . " Tot zover, ik kan geen woord meer lezen.' Candice ging zitten. 'Wil je meneer Bijur even aan de intercom roepen, Jenny, en zeggen dat ik hem direkt moet spreken.'

Ondanks het dringende verzoek van Candice, bleven zij en Jenny nog even een minuut naar de foto van Daisy en Daniëlle staan kijken. Geen der beide vrouwen konden hun ogen van de intrigerende afbeelding van de tweeling afhouden. Ze moesten voortdurend de kleine, maar essentiële verschillen in hun gezichten vergelijken, die van de ene een stralende schoonheid maakte en de andere ongevormd, onaf, oninteressant liet, met een stil glimlachje en een aandoenlijke blik in haar grote zwarte ogen.

'Uniek,' mompelde Candice. 'God — daar zitten we nou — morgen krijgen ze die foto in de hele wereld onder ogen.'

'Denk je, dat "People" hier van afwist, toen zij besloten dat hoofdartikel te maken?' vroeg Jenny.

'Uitgesloten. Zij presenteren mensen eenvoudig niet op die manier. Ik kan aan de tekst zien, dat dit nieuws op het laatste nippertje moet zijn binnengekomen — het is in haast geschreven en het lijkt meer op een stukje uit een nieuwstijdschrift dan een verhaal in "People".'

'Maar hoe kan dat dan gebeurd zijn?' vroeg Jenny.

'God mag het weten en het kan me niet schelen ook. Als er zoiets rampzaligs gebeurt, komt het "hoe" er niet meer op aan. Geef me de secretaresse van Bijur even, ik moet er toch iets aan proberen te doen.'

'Mag ik je een raad geven?' vroeg Jenny.

'Wat dan?'

'Werk je ogen even bij voor je hem ontvangt. Je hebt gehuild.'

'Nou en? Jij ook. O, goed, goed.'

Daisy werd die ochtend dat Candice en Jenny 'People' aan het lezen waren laat wakker en ging haar dag na. Met de lunch werd ze geïnterviewd door Jerry Tallmer van de 'New York Post' voor een speciaal artikel, om half drie had ze weer een interview met Phyllis Battelle van 'King Features' en om vijf uur een afspraak voor een drankje en een interview met

Lammy Johnstone van 'Gannett' voor hun nationale radio-omroep. Candice zou er met al die interviews bij zijn, en zich op de achtergrond houden terwijl Daisy de vragen beantwoordde. Ze zou aandachtig luisteren en zich soms even in het gesprek mengen om een verklaring aan te vullen of een nieuw onderwerp aan te snijden. Hoewel die magere, eigengereide, publiciteitsvrouw van weinig woorden maar drie jaar ouder was dan Daisy, wist ze iets van een moederlijk gevoel over te brengen; dat van een beschaafde en zelfverzekerde matrone die haar dochter aan de dames die het debutantenbal organiseren voorstelt. Ze had de gave om vriendelijk op Daisy's kwaliteiten te wijzen, op een manier zoals Daisy nooit voor zich zelf had gekund.

Toch begreep Daisy die nu minstens een dozijn interviews achter de rug had, dat iedere verslaggever, hoe aardig of beminnelijk hij ook was, iets pikants zocht. Wachtte tot zij het enige zou zeggen dat ze niet moest zeggen, op zoek, op een schijnbaar willekeurige, onschuldige manier, naar de toevallige opmerking die nieuws opleverde. Nog de vorige dag had een van hen haar notabene gevraagd of ze van de geur van de nieuwe parfum hield. Mijn God, dacht hij nu werkelijk, dat ze nee zou zeggen? Maar dat hoorde allemaal bij zijn werk, besefte ze — en als ze nee had gezegd, zou het een veel beter verhaal zijn geweest.

Ze trok zorgvuldig een van haar nieuwe kledingstukken aan. Dat hoorde ook bij haar werk. Iedere keer als ze werd geïnterviewd, werd ze aan een kritisch onderzoek onderworpen. Ieder detail van wat ze aan had kwam in de blocnote van de verslaggever te staan. De *image*, de absoluut noodzakelijke image werd dag na dag, interview na interview, jurk na jurk, vraag na vraag opgebouwd. Misschien zou ze er uiteindelijk ongevoelig voor worden, dacht Daisy, en aan het proces gewend raken. Ze moest zichzelf nog steeds aan die miljoen dollar herinneren, voor ze zich aan de ochtendmetamorfose kon zetten, maar het hoorde bij haar werk, en bij God, wat bij het werk hoorde, dat deed ze. Daisy fleurde op toen ze bedacht, dat ze alle nieuwe kleren die ze kreeg kon bewaren en over dertig of veertig jaar weer tevoorschijn kon halen om ze dan werkelijk met plezier te dragen. Dan zou ze de meest origineel geklede zestigjarige vrouw ter wereld zijn.

Ze keek op haar horloge. Ze had nog net de tijd om Theseus eten te geven, hem zich op zijn kussen te laten installeren en zich naar café Borgia II te reppen om even een kopje espresso te drinken voor ze naar de stad moest voor haar lunch-interview. Ze had een vol uur nodig gehad om zich te kleden, zich op te maken en haar haar te doen. Voor deze geduldige aanpassing van haar verplichtingen aan haar image had ze vroeger nog geen zeven minuten nodig gehad. Het kostte te veel tijd om prinses te zijn, dacht Daisy, graaide haar post mee zonder ernaar te kijken, en ging haastig de deur uit.

In het café in Prince Street ging ze aan een tafeltje buiten zitten en koesterde zich in de septemberzon, terwijl ze de geur van versgebakken brood uit de bakkerij aan de overkant opsnoof. Maar ze zou nu niets eten, want ze had geleerd dat het goed was om met een lunch-interview een flinke eetlust te hebben, omdat ze onder het excuus van een volle mond rustig de tijd kon nemen om te overwegen wat ze zou zeggen voor ze antwoord gaf. Ze dronk haar espresso en bestelde er nog een. Nu Kiki weg was kwam er heel weinig post. Waarom had ze die grote bruine envelop meegenomen? Nu moest ze hem de hele dag meesjouwen. Ze keek er weer naar. Hij was door iemand gebracht en in de linkerhoek stond de naam van de verslaggever van 'People' geschreven. Ontstemd bedacht ze, dat ze er niet op had gerekend dit voor morgen onder ogen te krijgen. Het zou wel aardig zijn bedoeld maar een voorexemplaar was het laatste waar ze op zat te wachten. Ze maakte de envelop open en haalde het tijdschrift eruit. Er gleed een verheugde glimlach over haar gezicht toen ze de omslagfoto zag. Zie je wel dat ze gelijk had gehad om al die afschuwelijke make-up van haar gezicht te halen. Toen ze het opschrift las, bevroor de glimlach op haar gezicht. 'Het vreemde, geheimzinnige verhaal? . . .' Plotseling in paniek sloeg ze de pagina's om, waarbij het gladde papier haar vingers ontglipte. Welke redacteur had van het uitgebreide, gedetailleerde, maar beslist voorzichtige interview dat ze de onderzoeker gegeven had, een 'vreemd, geheimzinnig verhaal' kunnen maken? vroeg ze zich af. Een beklemming over wat ze nog niet wist, behalve dat ze ergens in haar achterhoofd altijd op een aanval bedacht was geweest, begon haar te bekruipen.

Ze sloeg een volgende bladzij om.

De wreedheid ontplofte in haar hart en verspreidde zich in haar hele borstkas. Ze sloeg met een gil het tijdschrift dicht. De kelner kwam aanlopen en ze gebaarde hem weg te gaan, terwijl ze haar handtasje op het exemplaar van 'People' zette. Na een felle steek van pijn, alsof er puntige stalen breinaalden in haar borsten werden gestoken, omklemde ze deze stijf met haar handen in een ongelovige poging zich te beschermen. Als die pijn nog lang zo voortduurde, kon ze niet meer ademhalen. Bij een scherp, golvend gevoel van iets dat brak en scheurde, liet ze haar hoofd op haar handen vallen alsof ze haar hart extra wilde beschermen, maar het hield niet op. Ze voelde zich verscheurd, van alle kanten aangevallen door een zinloos onheil, hulpeloos blootgesteld aan de rukkende, vermalende tanden van naamloze beesten.

De kelner kwam met een bezorgd gezicht terug.

'Een espresso?' vroeg hij zacht.

Ze knikte.

Ze dronk alsof haar leven er van afhing. Langzaam begonnen haar hersens weer te werken. Het onheil hield zich met ijzerscherpe tanden aan haar borsten vast, maar ze begon te denken. Ze moest hulp zoeken. Er was er maar één die haar kon helpen. Ze legde wat geld op het tafeltje, liep snel de straat op, en hield een taxi aan.

Op het kantoor van Patrick Shannon zaten drie mensen zwijgend bij elkaar: Shannon, Hilly Bijur en Candice Bloom. Alleen Candice wist hoe laat het was, en dat Jerry Tallmer en Daisy in het Le Perigord Parkrestaurant op haar zaten te wachten. Tallmer was een lieve, vriendelijke man en Daisy wist goddank waar ze met hem moest lunchen. Zij zouden haar niet missen.

Bijur was de eerste die het stilzwijgen doorbrak. 'Dit hoeft geen ramp te zijn, Pat.'

Shannon keek hem niet begrijpend aan. Hij moest Daisy te pakken zien te krijgen voor ze dit zag. 'Waar is Daisy?' vroeg hij dringend.

'Lunchen — dat zit wel goed,' stelde Candice hem gerust.

'Pat, wil je nu in godsnaam even luisteren, dan zal ik je een paar gedeelten voorlezen,' hield Hilly aan. Hij ging naar de tweede pagina van het artikel. 'Queen Anne's, een bekende school voor geestelijk gestoorde kinderen, wordt beschouwd als een van de beste instituten op dit terrein. De tarieven zijn hoog, gemiddeld drieëntwintigduizend dollar per kind per jaar. Mevrouw Joan Henderson, het hoofd van de school, heeft gezegd dat prinses Daisy vier jaar na de dood van prins Stash Valensky in 1967, de hele financiële last van het onderhoud van haar zuster op zich heeft genomen.' En dan citeren ze deze mevrouw Henderson: " 'Het moet haar niet gemakkelijk zijn gevallen," zei mevrouw Henderson, "omdat wij soms op haar cheques moesten wachten, maar vroeg of laat kwamen ze altijd. Ik geloof dat er de laatste tien jaar" ' — de laatste tien jaar verdomme, Pat — " 'nooit meer dan een paar dagen in de week waren verstreken of Daniëlle kreeg een brief met een tekening of een ansichtkaart van haar zuster. Prinses Daisy kwam toen ze nog in Engeland woonde iedere zondag op bezoek, hoewel zij en Daniëlle nog maar zes waren toen zij werden gescheiden." ' Zés — nog maar zes, Pat! En kijk hier zegt ze: " 'De tweeling heeft een sterke band ondanks het verschil in hun verstandelijke vermogens. Daniëlle begrijpt Daisy ongetwijfeld beter dan een van haar leerkrachten —

werkelijk waar, ik heb in mijn hele lange leven zelden zoveel toewijding gezien als van prinses Daisy." Einde citaat. En dan die foto van Daisy die bezig is een kind op een pony te schilderen, met dit opschrift: "Daisy betaalde met haar professioneel geschilderde portretten het verblijf van haar tweelingzuster in het enige tehuis dat ze ooit had gekend, terwijl Daisy zelf in een goedkope bovenwoning in Soho woonde en er bovendien een volledige baan op na hield." '

'Op de volgende pagina, onder die foto van Daisy op de set in haar baseballjack met haar matrozenmuts op, staat een uitspraak van North. Die zal ik even voorlezen, meneer Bijur,' zei Candice gretig.

'Vooraanstaand regisseur van reclamefilms, Frederick Gordon North, zegt dat hij het erg jammer vindt dat prinses Daisy heeft besloten haar baan bij hem op te geven. "Ze was ontegenzeggelijk de meest creatieve en hardstwerkende produktieleidster die een regisseur zich maar kan wensen. Iedereen die met haar heeft samengewerkt was dol op haar. Ze heeft een groot talent voor dit vak." Op de vraag naar de samenwerking met haar bij de alom bewonderde reclamefilmpjes die hij regisseerde voor Dr. Pepper, Downy en Revlon, zei de heer North met een spijtig glimlachje: "Ze kan haar oude baan terugkrijgen wanneer ze maar wil. Ik wens haar succes." Meneer Shannon,' zei Candice, 'Daisy is een heldin.'

'Dat is nu precies wat ik wil zeggen!' zei Hilly Bijur enthousiast. 'Kijk, Pat, gisteren moesten we het alleen maar van een knap smoeltje hebben en nu hebben we een kandidate voor Jeanne d'Arc — ze kan verdomme de Helen Keller-prijs voor menslievendheid van het jaar krijgen — bekijk het eens van die kant, in jezusnaam.'

'Maar,' zei Candice, met iets van schroom dat heel ongewoon voor haar was, 'hoe denk je dat Daisy het zal vinden dat dit allemaal naar buiten komt? Ze heeft het zó lang geheim gehouden, dat ze het vast niet aan de grote klok wil hangen.'

'Wat kan het in godsnaam schelen hoe zij het víndt?' Hilly

Bijur verkneuterde zich en sprong bijna op en neer van pret. 'Het is waarschijnlijk de geweldigste publiciteit die iemand in de geschiedenis van de cosmetische industrie ooit heeft gekregen! Allemachtig, het staat morgen overal in alle kranten. Ha! Moet je mij eens vertellen, Candice, wat Lauren Hutton of hoe heet ze, Hemingway of Catherine Deneuve of Candy Bergen in hun privéleven hebben dat ook maar één tiende zo interessant is als dit! Het loopt storm in die zaken als ze daar persoonlijk verschijnt! Alle vrouwen in het land willen Daisy met eigen ogen zien. Ze kan in het programma van Phil Donahue komen . . . een heel uur! Merv wil haar meteen hebben, Mike Douglas, "De Vandaag Show" . . . misschien Carson ook wel . . . o, vast, Carson ook . . .'

Patrick Shannon stond op. 'Maak dat je mijn kantoor uitkomt, Hilly en kom niet terug!' schreeuwde hij met een hartstochtelijke afkeer tegen de directeur van Elstree.

Shannon had alle drie zijn secretaressen weggestuurd om te gaan lunchen en hij zat nog met zijn ellebogen op het bureau en zijn hoofd in zijn handen, met een opengeslagen exemplaar van 'People' voor zich, toen Daisy zachtjes de deur van zijn kantoor opendeed. Ze zag onmiddellijk waar hij naar staarde, hoewel hij het tijdschrift zodra hij merkte dat ze in de kamer was, in een la liet glijden.

'Je hoeft het niet weg te stoppen,' zei Daisy met toonloze stem, alsof ze zich tegen iemand in een droom verontschuldigde.

Shannon sprong van zijn stoel op en liep met grote stappen door het vertrek. Hij nam haar toen ze nog bij de deur stond in zijn armen, in haar mooie nieuwe japon, met het gezicht van een doodsbang kind dat straf heeft gehad. Ze was zo koud, zo verontrustend ijzig, dat hij alleen maar probeerde haar te warmen. Hij omklemde haar met al zijn warmte en kracht, masseerde haar rug met zijn grote handen, en drukte haar hoofd tegen zijn borst, lieve woordjes prevelend als een moeder. Toen hij haar handen nam en voelde hoe versteend ze waren, stopte hij ze onder zijn jasje om ze door de hitte van zijn borst te ontdooien. Daisy drukte zich tegen hem aan alsof hij de enige toevlucht ter wereld was. Toen hij haar koesterend tegen zich aan hield en zij zijn hart onder haar handen luid voelde kloppen, toen hij haar haar streelde en trachtte haar nog dichter in de beschutting van zijn grote lichaam te passen, voelde ze de schrijnende pijn in haar hart iets minder steken, alsof het door hem werd opgenomen en uit haar koude in zijn warme lichaam smolt. De verlichting was zó groot, dat ze eindelijk de tranen in haar ogen voelde komen; en terwijl hij haar bleef vasthouden en strelen, ontdooide ze steeds verder en was in staat om te snikken, in grote gierende uithalen, die uit haar ingewanden kwamen. Maar hoe hevig ze ook trilde, Shannon hield haar stevig vast en nam haar verdriet in zich op met een totale aanvaarding die haar de vrijheid gaf niets terug te houden. Eindelijk, na een hele lange tijd, gingen de sidderende geluiden die uit haar open mond kwamen over in huilen, tot ze eindelijk naar zijn zakdoek tastte om te trachten haar wangen te drogen.

'Candice zei dat je ging lunchen, anders was ik wel naar je toe gekomen.'

'Zij wist het niet. Ze hadden me een voorexemplaar gestuurd en dat heb ik vanmorgen gekregen.'

'Daisy, kom hier zitten. Zo.' Hij nestelde haar dicht tegen zich aan op de bank, met zijn ene arm beschermend om haar schouders. Hij vond nog een zakdoek in zijn broekzak en bette teder haar gezicht. Maar weldra gaf hij die hopeloze taak op, en nam eenvoudig haar beide handen in de zijne. Ze zuchtte diep en legde het volle gewicht van haar hoofd op zijn schouder. Daar bleven zij minutenlang samen zwijgend zitten totdat Daisy de stilte verbrak.

'Dat heeft Ram gedaan.' Haar stem klonk vlak en zonder nadruk, emotieloos.

'Ram?'

'Mijn halfbroer. Hij is de enige over wie ik je niets heb verteld.'

'Ik begrijp het niet. Waarom heb je me niets over hem verteld? Waarom haatte je hem zo? Waarom heeft hij je dat aangedaan?'

'Hij is blijkbaar naar die school toegegaan en heeft die foto meegenomen,' zei Daisy, zonder zijn vraag te beantwoorden. 'Hij hing aan de muur van Dani's slaapkamer. En toen heeft hij ze die vreselijke leugens over mijn moeder verteld. Als Ram het ze heeft verteld moeten het wel leugens zijn. En ik zal nooit de waarheid weten — ik zal het nooit en te nimmer weten — iedereen die iets had kunnen weten is dood. Zelfs Anabel heeft gezegd, dat mijn vader er nooit over wilde praten.'

'Maar waaróm zou je broer je willen kwetsen?' hield Shannon aan. 'Wat voor reden had hij daarvoor? Hij heeft het over misbruik van de familienaam om commerciële redenen — maar dat geloof ik niet, dat is in deze moderne tijd niet voldoende reden.'

Daisy maakte zich zachtjes van Shannon los en trok zich wat verder op de bank terug, zodat zij een klein eindje van elkaar af zaten. Ze sloeg haar handen stijf in elkaar en keek hem recht in de ogen.

'Toen ik een klein meisje was, hield ik na mijn vader het meest van hem. En toen, toen mijn vader stierf en ik was vijftien, was Ram de enige die ik nog had. Die zomer . . . die zomer . . .' Ze schudde ongeduldig haar hoofd over haar eigen lafheid en ging kordaat verder. 'Er was een week in die zomer nadat mijn vader was gestorven, dat wij met elkaar vrijden. De eerste keer heeft hij mij verkracht, en de laatste keer moest hij mij ook verkrachten. Maar die andere keren daar tussenin, heb ik — heb ik mij niet sterk genoeg tegen hem verzet. Ik liet hem maar begaan. Ik heb niets tegen Anabel gezegd. Ik wilde zo graag dat iemand van mij hield . . . maar dat is geen excuus.'

'Om den donder niet!' zei Shannon en nam haar in elkaar gestrengelde vingers in zijn beide handen en wilde haar naar zich toe trekken.

'Nee, laat mij eerst de rest vertellen,' zei Daisy, zich strak op een afstand houdend. 'Vanaf de tijd dat ik van hem af was, heb ik nooit zijn brieven willen beantwoorden. Tenslotte kon ik zijn brieven niet eens meer lezen — daar ben ik, denk ik, mijn geld door kwijtgeraakt. Ik heb hem natuurlijk nooit een cent kunnen vragen, maar toen Anabel tenslotte leukemie kreeg, wist Ram dat ik het niet meer op mijn eentje kon rooien. Met Kerstmis ben ik hem door een list tegengekomen. Hij zei dat hij overal voor zou zorgen, voor Anabel en voor Daniëlle ook — in ruil daarvoor wilde hij dat ik weer in Engeland kwam wonen. Maar ik kende Ram voldoende om bang te zijn. Daarom heb ik jouw aanbod aangenomen, om veilig voor hem te zijn. Dit — dit verhaal — is zijn manier om wraak te nemen. Hij haat me niet, Pat, hij houdt van me op zijn manier, hij verlangt net als vroeger naar mij, hij heeft nooit opgehouden naar mij te verlangen.'

'Daisy, hij is een monster, een krankzinnige! En dat is gebeurd toen je pas vijftien jaar oud was?'

Daisy knikte.

'Heb je het niemand verteld? Kon niemand daar dan iets aan doen?'

'Ik heb het eindelijk aan Anabel verteld — toen het was afgelopen — en zij heeft er iets op gevonden om mij weg te sturen. En nu weet je het dan. Niemand anders. Ik heb het nog nooit aan iemand anders verteld, zelfs niet tegen Kiki. Ik schaamde me te veel.'

'Ik ga hem vermoorden,' zei Shannon rustig.

'Maar wat heeft dat voor zin?' verwierp Daisy zijn dreigement. Het kwaad was geschied. Onherroepelijk. Ze haalde het exemplaar van 'People' uit haar tasje en sloeg hem bij de foto van haar en Daniëlle open. 'Ik vraag me af of Dani heeft gemerkt dat die foto weg is. Het was haar lievelingsfoto, omdat we daar het meest op elkaar leken,' zei Daisy treurig en verwonderd. 'Ze heeft het waarschijnlijk niet gemerkt. O, dat hoop ik maar.'

Shannon pakte het tijdschrift en stopte het achter hem. 'Daisy, denk er niet meer aan.'

'Denk er niet meer aan! Je bent gek! Mijn God, dat is nu het enige wat ze voortaan van me willen weten. Ik weet hoe ze er over gaan beginnen, heel tactvol — "Hoe vond u dat stukje in 'People', vertel ons nog eens iets over uw zuster, hoe goed kan ze praten, waar spreken u beiden nu eigenlijk precies over, hoe vindt u het om een identieke tweelingzuster te hebben die niet kan, niet kan —" O, ze zien wel kans om het te vragen, ze zien wel kans mij ervan te beschuldigen dat ik het geheim heb gehouden omdat ik mij voor haar schaamde, in plaats van de echte reden . . . en Pat, ik weet het gewoon niet meer. O, God, Pat, al dat gevraag, alsof ze in mijn gezicht willen krabben, alsof ik voor iedereen naakt ben. Hoor jij het ook niet? Je gelooft toch niet dat ze net zullen doen alsof ze van niets weten, wel?'

'Het doet er niet toe wat iemand je zou willen vragen,' zei Shannon, 'ik wil niet hebben dat je aan nog meer publiciteit wordt blootgesteld. Candice zal al je interviews en alle bezoeken aan afnemers intrekken. Je hoeft je hele verdere leven nooit meer iemand van de pers te woord te staan.'

'Maar die hele campagne die op touw is gezet dan? Dat kun je niet doen, Pat.'

'Maak je geen zorgen over details. Het gaat allemaal zoals het is gepland, op jouw persoonlijke deelneming na. Laat dat maar aan mij over.'

'Pat, Pat, waarom doe je dit? Ik zit té lang in het reclamevak om niet te weten hoeveel verschil dat maakt. Je kunt mij niet voor de gek houden.'

'Daisy, je kunt wel reclamefilmpjes maken, maar je hebt geen verstand van de zaken van Supracorp.' Hij nam haar weer in zijn armen en kuste haar lippen. 'Ik wel, en ik zeg je dat je het níet doet.'

'Waarom ben je zo goed voor me?' vroeg ze en ze voelde een gevoel van opluchting in zich opkomen.

'Is één reden genoeg?' Hij kuste haar opnieuw en ze knikte bevestigend. 'Ik houd van je, ik ben verliefd op je, ik houd met hart en ziel van je. Drie redenen en zo zou ik eindeloos door kunnen gaan . . . maar het zijn allemaal variaties op hetzelfde thema. Ik houd van je. Ik geloof, dat ik dat op La Marée vergeten ben tegen je te zeggen. Dat was een ernstig verzuim en ik zal uitgebreid de tijd nemen om dat goed te maken.' Hij zou haar dolgraag willen vragen of zij van hem hield, maar hij vond dat niet eerlijk. Ze was te open, te rauw, te gewond. Ze zou dankbaar zijn en 'ja' zeggen en als ze niet echt van hem hield, zou ze het nooit tegen hem zeggen. Hij voelde een tinteling als van miljoenen injecties met liefde. Hij kon wachten.

'Het was een bloedbad,' zei Luke, die zich vermoeid in een stoel liet vallen. 'En dat is nog maar het begin.' Kiki gaf hem een martini, die ze net had gemaakt, haar enige huishoudelijke talent, en lette er als een moederwolf op dat hij het tot de laatste geneeskrachtige druppel opdronk. Daar waren echtgenotes voor.

'Ik heb Daisy opgebeld,' zei ze, toen hij het glas leeg had gedronken. 'Ze wist het al, ze had het gezien. Ik ga morgen met haar lunchen.'

'Christus! In wat voor toestand is ze?'

'Vreemd, ze wilde niet dat ik vanavond bij haar kwam. Ze was wat eigenaardig, betrokken, verstrooid, ontzettend moe.'

'Misschien moeten we samen toch even naar haar toegaan.'

'Nee, ik ben ervan overtuigd dat ze alleen wil zijn. Ze wilde er gewoon niet meer over praten.'

'Ik heb zes uur achter elkaar zitten praten — ik heb wel enig idee hoe ze zich voelt. Heb je misschien nog zo'n verrukkelijke martini voor me, lieverd? Weet je, dat er een theorie bestaat, dat het helemaal niet erg is om er een druppeltje vermouth in te doen?'

'O.' Kiki's vader had haar als zijn laatste vaderlijke raad verteld, dat het geheim van een droge martini was om gewoon zuivere gin van een voortreffelijke kwaliteit te schenken. Op die manier kon er onmogelijk iets mis gaan.

'Vertel eens wat er is gebeurd,' zei Kiki.

'Toen ik van de lunch terugkwam, was er een boodschap om ogenblikkelijk naar Supracorp te komen. Hilly Bijur was er, in het kantoor van Shannon, en Candice Bloom en haar assistente en nog een stuk of twaalf mensen van Elstree. Shannon zei tegen ons allemaal, dat Daisy voortaan absoluut met rust moest worden gelaten, dat niemand haar lastig mocht vallen en toen liet hij domweg de bom ontploffen — geen Prinses Daisy-artikelen, geen reclamecampagne, geen films, niets. Basta! Afgelopen! Uit! Alsof er nooit iets was gebeurd.'

'Maar waaróm,' riep Kiki verbaasd. 'Waarom kunnen ze in vredesnaam niet zonder de aanwezigheid van Daisy doorgaan?'

'Hij heeft gelijk, Kiki. De reclamecampagne zou niet van de grond komen en de winkels zouden voor het spul niet zo hun best doen als zij van plan waren geweest. Bovendien worden er deze maand nog een half dozijn andere parfums op stapel gezet, die anders een sterke concurrentie voor de aandacht zouden zijn geweest. Zonder Daisy hebben we alleen maar een paar gedrukte advertenties en reclamefilmpjes, die we een tijdje kunnen laten lopen, maar daarna — niets. De hele toestand is nu eenmaal op haar gebaseerd, op Daisy, haar naam, haar gezicht en vooral, haar persoonlijkheid. Als Charlie dat meisje kwijtraakte, zouden zij haar kunnen vervangen, omdat die parfum niet naar haar is genoemd en de meeste mensen niet eens weten wie ze is. Als Lauren Hutton al haar tanden zou verliezen, en dat beroemde spleetje kwijt zou zijn, zou Revlon een ander meisje zoeken of nieuwe tanden voor haar kopen.

Bij Estee Lauder is het niet zozeer Karen Graham als wel de fantastische foto's van Skrebenski die het handelsmerk zijn. Bij Halston en Adolfo, Oscar de la Renta en Calvin Klein heb je vier ontwerpers van naam, beroemde jongens die al enorm veel opdrachtgevers hebben, die allemaal als een gek de promotie bij de kleinhandel gaan doen, met hun nieuwe parfums — met Daisy hadden we alleen maar de romantiek van Daisy zelf om op te bouwen. Nee, schatje, Shannon weet dat het tijd is om zijn verlies maar te accepteren. Hoeveel Supracorp ook aan het Prinses Daisymerk heeft uitgegeven — zo'n veertig miljoen ongeveer — het is beter dat te verliezen dan er nog meer miljoenen in te pompen en die ook te verliezen. Wij zijn de hele middag bezig geweest met alles af te zeggen wat nog kon worden afgezegd. Maar alleen geld is niet het ergste verlies — tenminste niet voor Shannon.'

'Het is maar een geluk, dat Supracorp zo'n groot concern is,' zei Kiki, voorzichtig peilend.

'Geen concern is zo groot, dat zij een dergelijke ramp kunnen negeren — zeker niet met aandeelhouders. Shannon zit tot over zijn oren in de stront. Hij had Daisy heel goed aan haar contract kunnen houden, maar hij heeft besloten dat niet te doen. Maar geen zorgen om Daisy — overeenkomstig haar contract krijgt ze toch uitbetaald. Maak je zorgen om Shannon. O, kindje, maak je zorgen om allebei.'

'Dat doe ik ook!' fluisterde Kiki.

'Ja. Zeg, moet ik jou nu troosten of moet jij mij troosten, nu Daisy zich niet door ons wil laten troosten?'

Kiki zat op zijn schoot en kriebelde haar neus aan het puntje van zijn baard. 'Dat lijkt net zoiets als zes van het een en een half dozijn van het ander.'

'Zullen we dan eens kijken of het waar is? Die oude gezegden bevatten meestal wel enige waarheid.'

De volgende morgen, kort nadat 'People' in de kiosken was verschenen, belden Joseph Willowby en Reginald Stein, twee van de grootste aandeelhouders in Supracorp en allebei lid van de uit negen man bestaande raad van commissarissen, naar de directie-secretaris van Patrick Shannon en eisten dat er onmiddellijk een bijeenkomst werd belegd. Tien minuten later waren ze er al, rood aangelopen van boosheid en triomf tegelijk. Shannon had hen eindelijk de munitie verschaft waarop zij hadden gewacht.

'Wat ben je van plan aan deze flop te doen?' bulderde Willowby die met een exemplaar van 'People' zwaaide.

'Ik heb je al een jaar geleden gewaarschuwd, dat het beste wat je met Elstree kon doen was het te verkopen, maar nee, Patrick Shannon had zoals gewoonlijk weer eens een originele, geniale inval en moest zo nodig zijn zin doen,' zei Reginald Stein op een toon van wraakzuchtige voldoening.

'Ga zitten, jongens, dan zal ik jullie vertellen wat ik van plan ben,' zei Shannon opgewekt.

Zij gingen zitten en hij vertelde het hun. Toen hij was uitgesproken, zei Willowby woedend: 'Met andere woorden, Elstree is voor het derde achtereenvolgende jaar een totaal verlies? En jij noemt dat een manier om een bedrijf te leiden? Wij hebben bijna honderd miljoen verloren aan die ene lievelingsafdeling van jou — het kind van Shannon. Je begrijpt zeker wel, wat dit voor ons totale winstbeeld betekent?'

Shannon knikte bedaard. Het had geen zin Willowby te onderbreken. En hij had toevallig gelijk ook.

'Om over onze aandelen nog maar niet te spreken,' stemde Stein wrang met hem in. 'Ze zijn vooruitlopend op deze nieuwe zet en al die drukte die je met behulp van al dat geld hebt gesticht, omhooggegaan, maar tegen de tijd dat de beurs vandaag sluit, durf ik er niet aan te denken hoe ver ze zullen zijn gezakt. En als het nieuws uitlekt dat we die hele Prinses Daisy-operatie gaan sluiten — jezus, Shannon, zou jij er op willen wedden hoeveel punten Supracorp dan omlaag gaat? Nou? Hoeveel punten, Shannon?' brulde hij.

'Dat weet ik niet, Reg, maar ik ben niet van plan om over die volgende zet met je te redetwisten. Ik heb je gezegd wat ik van plan ben te doen. Ik heb de beslissing genomen en daar houd ik me aan.'

'Reken daar maar niet op, eigenwijze klootzak!' schreeuwde Willowby. 'Ik ga een speciale commissarissenvergadering bijeen roepen, Shannon, en ik laat je Supracorp uitsmijten, al moet ik het met mijn eigen handen doen. Ik heb genoeg van je zogenaamde onafhankelijkheid en al dat geld weggooien aan fantastische luchtkastelen. Wij nemen hier iemand die geen miljoenen verspilt aan een of andere idiote gril. Als je dat Valensky-meisje niet had laten zwemmen, hadden we deze stommiteit nog kunnen redden — in ieder geval voor een deel. Het is je eigen schuld en ik stel jou verantwoordelijk. Jij hebt één eigengereide beslissing te veel genomen, Shannon!'

'Roep vooral een vergadering bij elkaar,' zei Shannon. 'Ik ben te allen tijde volkomen bereid bij de raad te gaan zitten. Maar als jullie me nu willen verontschuldigen, heren? Wij hebben nog zeven andere afdelingen en er liggen nog een hoop zaken waar ik mijn aandacht aan moet geven.'

Nadat de twee mannen schuimbekkend zijn kantoor hadden verlaten, ging Patrick Shannon zitten en dacht een paar minuten na. Een aantal andere leden van de raad van commissarissen waren even sterk geneigd tot voorzichtigheid en conservatisme als Joe en Reg. Hij had het in die paar korte, opbeurende jaren waarin hij het hoofd van Supracorp was geweest, voortdurend met hun groep aan de stok gehad. Zij kenden hem nog niet genoeg om er helemaal van overtuigd te zijn dat hij in wezen betrouwbaar was. Maar zo lang hij geld voor hen had verdiend, waren zij bereid geweest hem op de koop toe te nemen, zij het met tegenzin. Supracorp was zeer beslist sterk genoeg om het Elstree-probleem op den duur te kunnen overwinnen. Dat wisten zij even goed als hij, maar dit was de beste gelegenheid die Joe en Reg en hun bende nog hadden, of in de toekomst waarschijnlijk zouden hebben, om zich van hem te ontdoen. Toen hij gisteren het besluit had genomen, Daisy te beschermen tegen alle publiciteit die nodig was om het succes van de campagne te verzekeren, was het geen zakelijk besluit geweest. Als zakelijk besluit deugde het niet, gaf Shannon zichzelf toe. Hij had wel vaker verliezen geïncasseerd, maar nooit om redenen buiten zijn macht. Hij had wel vaker een mislukking geriskeerd, maar nooit en te nimmer voor iemand anders. Maar hij was niet van plan te winnen ten koste van Daisy, niet zo lang hij een andere keus had; en zonder keus wilde hij zijn baan toch al niet. Maar goed ook, want het was best mogelijk dat hij uit Supracorp werd weggestemd.

'Dus . . . barst met die drukte!' zei Shannon hardop, en ging grinnikend weer aan zijn werk.

In de studio van North was het nummer van 'People' de hele ochtend van hand tot hand gegaan. Er werd op een gesloten set een reclamespot voor een pindaboer opgenomen, terwijl een voetbalster vierenvijftig opnamen achter elkaar deed, die het eten van twee nootjes en opzeggen van vier regeltjes over de verdienste van een 'versgebrand aroma' inhielden, waarbij hij tegelijkertijd een nieuw blikje openmaakte en het voor de camera omhoog hield. Door deze toer van hand-, oog- en mondcoördinatie had nog niemand de gelegenheid gehad voor de koffiepauze zijn mening te geven. Wingo, Arnie Greene, Nick-de-Griek en North kregen eindelijk in het kantoor van North met gesloten deuren de kans met elkaar een broodje te eten.

'Ik had haar nooit in deze smeerlapperij moeten slepen,' zei Nick met een somber gezicht. 'Het is allemaal mijn schuld.'

'Typisch,' zei Wingo hatelijk, 'dat je overal de schuld voor op je neemt, pogroms, overstromingen en het volstoppen van stembussen inbegrepen.'

Nick streek met een somber gezicht over zijn springmes. 'Wees nu eerlijk, Wingo, het is allemaal met haar haar begonnen en dat was echt mijn schuld. Zeg, weet je nog wel hoe aanbiddelijk kwaad ze was die dag toen wij haar wilden overhalen met onze nieuwe produktiefirma mee te doen?'

'Nick,' siste Wingo, 'wil je ons je herinneringen besparen?'

'Waar heb je het over, Nick?' vroeg North, plotseling belangstellend.

'Ach, barst, wat kan het mij schelen of je het weet,' zei Nick. 'Wingo en ik dachten erover voor onszelf te beginnen, als wij Daisy mee konden krijgen als producente, maar ze heeft ons behoorlijk de mantel uitgeveegd; over trouw en wat we aan je te danken hadden en al die lariekoek en ik weet niet wat voor kletspraat nog meer. Je had haar moeten horen.'

'Ik wil niet mijn hele leven cameraman blijven, North,' zei Wingo verontschuldigend. 'Ik kan best regisseren — al vond Daisy ook van niet.'

'Hoe lang was dat geleden?' wilde North weten.

'Misschien een jaar, misschien langer, en ze was die dag helemaal niet zo aanbiddelijk,' antwoordde Wingo. 'Ze was bozer dan ik haar ooit had gezien, nog erger dan die keer toen die mensen van Cinemobile in de Arizona waren verdwaald en wij een hele dag voor niks onder een tent hebben zitten roosteren als een stelletje verdomde bedoeïenen.'

'Nou,' zei Nick, 'ik geloof dat ze nóg kwader was die keer toen die chimpansee die ze toen uit Mexico had gehaald een stuk bagage in zijn kooi had meegenomen en er zes uur mee heeft zitten spelen, in plaats van te proberen het kapot te trekken zodat wij konden laten zien hoe sterk het was. Weet je nog wat ze allemaal zei om te proberen het eruit te krijgen?'

'Jullie hebben geen van allen Daisy écht nijdig gezien,' zei Arnie treurig. 'Omdat jullie er die dag niet bij waren, toen ze er achter kwam dat de leverancier ons tien pond gerookte zalm had berekend voor een opname voor Oscar Mayer, waar we alleen de produkten van de sponsor hebben opgediend. Wat was díe kwaad, zeg! Wij vinden nooit meer een andere producente als zij.'

'Hoor eens, jongens, willen jullie misschien mijn kantoor uitgaan?' zei North kort afgebeten. 'Als ik naar een nachtwake wil, weet ik nog wel een paar Ierse rouwkamers — de raskwaliteit is tenminste zuiver.'

'An me reet, North,' zei Wingo. 'Jij trekt het je nog meer aan dan wij allemaal. Denk je dat je ons voor de gek kunt houden?' North keek hem aan en zweeg.

'Ik heb nooit begrepen waarom ze zo hard werkte,' zei Arnie die dwangmatig weer naar de pagina's van het verhaal in 'People' keek. 'Geen wonder dat ze bijna geen privéleven scheen te hebben. Het arme kind.'

'Hoor eens,' zei North, 'ik wil eens en voor altijd van dit onderwerp afstappen. Wij hebben Daisy geen van allen echt gekend en wij begrijpen haar nu nog niet echt, ook niet met dat stuk in het tijdschrift. Dus willen jullie er allemaal nu verder je bek over houden en weer aan het werk gaan? Dat is niet zomaar een voorstel.'

Hij zag de drie mannen achter elkaar zijn kantoor uitgaan en deed de deur achter hen op slot. Toen ging hij er systematisch, methodisch en rustig toe over een nieuwe Cooke-zoomlens, een aanwinst van vijfentwintigduizend dollar die hij zojuist uit Engeland had ontvangen, te slopen. Hij wist geen andere manier om te rouwen, hij wist niet eens dat hij rouwde en hij zou zeker nooit toegeven om wie hij rouwde, maar nooit van zijn leven bracht Frederick Gordon North meer een bezoek aan Venetië.

Vanessa Valarian belde zodra ze 'People' las Robin in zijn showroom op.

'Stuur even iemand naar beneden om een nummer voor je te kopen, dan zie ik je over een half uur voor de lunch. Ik kan onmogelijk tot vanavond wachten om er over te praten. O, Robin, lieverd, het is een sensatie!'

Zodra ze bij La Côte Basque op hun bankje zaten, vestigde Vanessa zonder inleiding haar blik strak op Robin. 'Luister goed, lieveling, waar wij in de allereerste plaats goed aan moeten denken is, dat wij haar tóen kenden. Wij waren haar allereerste vrienden, haar eerste sponsors, de eersten die een hand naar haar hebben uitgestoken, zonder dat wij ook maar íets wisten van het hoe of waarom ze zo moest vechten, die dappere, fantastische kleine schat.'

'Wij hielpen haar het eerst, voordat iemand zich iets van haar aantrok,' herhaalde Robin.

'Omdat,' ging Vanessa verder, zonder aandacht aan hem te schenken, 'wij voelden dat ze een heel bijzonder karakter had, van een schoonheid die anderen over het hoofd zagen. En wij hebben altijd geweten dat zij iets had dat buitengewoon de moeite waard was — haar gevoeligheid, Robin, haar sympathieke bescheiden tegenzin om geschenken of uitnodigingen te accepteren, omdat zij niets terug kon doen — alsof ons dat iets kon schelen! Maar wij konden haar goddank helpen met opdrachten en kleren — ik weet niet of ze het zonder ons wel zou hebben gered.'

'Dat zou niet mogelijk zijn geweest, lieverd,' verzekerde Robin haar. 'Dat zal iedereen die ons kent ongetwijfeld begrijpen.'

'Ik verheug me zo op het feest in het Winterpaleis — wat zal ze blij zijn onder al die mensen een paar bekende gezichten te zien — ik heb zo'n beschermend gevoel voor haar, Robin, moederlijk bijna. En nu kan ik eindelijk iedereen vertellen wat er eigenlijk precies op dat jacht is gebeurd — al die mensen die mij met hun hinderlijke vragen en misselijke insinuaties achtervolgd hebben. Ik kan nu eindelijk de waarheid onthullen zonder Daisy te verraden.'

'Wat ís er dan precies gebeurd, Vanessa?'

'Het gaat niet om bijzonderheden, schat. Ik bedenk wel iets.'

Het was een druilerige ochtend op Woodhill Manor, slecht weer voor begin september, dat in Engeland meestal mooi was. Ram, die aan het ontbijt zat, kon nergens anders aan denken dan aan het feit dat, rekening houdend met het tijdverschil, het nummer van 'People' met Daisy op het omslag, tegen de tijd dat hij die dag ging lunchen in de Amerikaanse kiosken zou verschijnen. Hij keek peinzend, zonder belangstelling, naar de eerste kwaliteit bruine eieren die precies drieëneenhalve minuut waren gekookt, die voor hem op de tafel stonden. Hij belde de bediende die zijn ontbijt verzorgde.

'Waarom is er geen kruisbessenjam, Thompson?'

'Ik zal even informeren, meneer.' Even later kwam hij terug. 'De kruidenier had beloofd het gisteren te zullen brengen, maar zijn bestelwagen was kapot. De kok vindt het erg vervelend, meneer.'

'Goed, Thompson, het is niet zo belangrijk.' Ram die roerloos in de eetkamer van zijn elegante woning zat, een van de vredigste plekjes van het hele rijkbedeelde, liefelijke Devon, vroeg zich af hoeveel mensen in het naburige marktplaatsje uiteindelijk dat nummer van het tijdschrift zouden lezen. In Londen was het natuurlijk gemakkelijk verkrijgbaar, met nauwelijks een dag tijdverschil. En in Parijs, Rome,

Madrid . . . Over een week was het overal. Ram liet zijn ontbijt onaangeroerd staan, stond op en belde weer. 'Ik ga weg, Thompson. Laat de kok ervoor zorgen dat de kruidenier vandaag de bestelling aflevert. Als dat niet kan, moet je zelf maar even naar de stad gaan om het op te halen.'

Terwijl Ram met zijn geweer over de schouder over de landerijen van zijn voorouders liep, de hekjes van de omheiningen openmaakte en over de weiden zwierf, dacht hij aan de foto's en het interview, die hij aan de correspondent voor 'People' had gegeven. Het zou een geweldig verhaal zijn. Het zou haar kapot maken. Daar zou ze nooit meer bovenop komen. Daar had hij wel voor gezorgd.

Er zou dus een foto van haar op het omslag komen? Werkelijk? Ram staarde over de natte velden en stelde zich haar gezicht voor; in zijn verbeelding zag hij het voor zich, verpletterd, verbrijzeld, kapot, doorboord, met bloed dat uit haar neusgaten, haar oren en haar ogen stroomde. Enkele ogenblikken kon hij zich met behulp van die beelden staande houden, maar toen zag hij haar steeds weer zoals ze die avond van de 14e juli was geweest, zoals ze danste in haar witte kanten jurk, van de ene arm naar de andere zwevend. Gretig, onstuimig en onschuldig, de ogen stralend van ontdekking en verrukking, met wapperende, verwarde haren . . . lachend, lachend, dansend — dansend met iedereen behalve met hem . . . de avond waarop hij eindelijk had erkend, dat hij haar moest bezitten of anders dood zou gaan.

Hij kwam die regenachtige dag niet terug om te lunchen en ook niet met de thee. Mevrouw Gibbons, de huishoudster, begon te tobben over haar werkgever, die altijd zo prettig punctueel was in zijn doen en laten.

'Het is erg winderig buiten,' klaagde ze tegen Sally, het dienstmeisje, 'en helemaal geen weer om te jagen. Er zijn nu toch geen vogels. Dat dacht ik al toen ik hem zag weggaan, maar het is natuurlijk niet aan mij om iets te zeggen.'

'De heren willen nu eenmaal hun tijdverdrijf,' antwoordde het dienstmeisje filosofisch.

'Het is goed weer om een longontsteking te krijgen, dat is het, en de kok had nog wel zo'n mooie biefstuk voor de lunch,' mopperde mevrouw Gibbons.

'Er klopt iemand op de keukendeur,' verkondigde Sally tegen de huishoudster die in al die jaren dat zij bij de familie Woodhill in dienst was, steeds dover was geworden. 'Ik ga wel.'

'Wie het ook is, zeg dat hij zijn voeten veegt voor hij in de keuken komt.'

Het gegil van het dienstmeisje drong door de doofheid van mevrouw Gibbons heen, drong door tot in de verste uithoeken van Woodhill Manor, drong door tot de vleugel die tijdens de regering van Elisabeth I was gebouwd, tot de vleugel die er in de tijd van koningin Anne bij was gekomen en de vleugel uit de tijd van koning Edward. In alle kamers van het door de tijd gezegende, prachtige, oude huis galmde minutenlang het gegil van de vrouw die de deur had opengedaan voor de boeren die Rams lichaam droegen. Zijn hoofd was half weggeschoten, maar helemaal schoon gewassen omdat in al die uren dat zijn dode lichaam in de regen had gelegen het bloed er af was gespoeld, zodat zij de helft van de hersens die nog over waren gebleven konden zien.

Toen zij 's avonds onder een glaasje cognac bij elkaar zaten, nadat de begrafenisondernemer het lijk eindelijk had weggehaald, zei Sally met rode ogen verbijsterd: 'Waarom zijn de heren toch niet wat voorzichtiger, mevrouw Gibbons? Ik houd er niet zo van, helemaal niet, als ik iemand met een geladen geweer weg zie gaan, absoluut niet, hoe goed iemand ook kan schieten. Dat jagen, daar moet ik niets van hebben. Arme prins Valensky.'

'Er komt wel weer een andere Woodhill voor hem in de plaats, zodra de advocaten zich ermee bemoeien, Sally. Ik vraag me af wie het zal zijn?' zei mevrouw Gibbons opbeurend. 'De tijd zal het wel leren. Zo is het altijd al gegaan.'

Niemand bestudeerde de omslagfoto van Daisy grondiger dan de hooggeachte Sarah Fane. Niemand las het artikel zorgvuldiger, bijna woord voor woord uit het hoofd lerend, dan de hooggeachte Sarah Fane.

Toen zij het tijdschrift naar haar spiegel ophield en zichzelf met de omslagfoto vergeleek, trok er een uitdrukking van blijdschap en tenslotte voldoening over haar gezicht, dat gezicht van die verrukkelijke Engelse roos, waar honderden jaren voor nodig waren geweest om ze te kweken.

Het is een uitstekend type — als je ervan houdt, dacht Sarah Fane. Goed beschouwd kon je je nauwelijks iets mooiers voorstellen. Het had als een compliment kunnen worden opgevat, een beetje vreemd compliment . . . en een dat ze nooit hardop kon zeggen . . . of vergeten . . . maar toch . . . ja, beslist een compliment.

Ze wierp het tijdschrift in een prullenmand en kleedde zich verder aan. Ze was zó punctueel dat ze een beetje kon treuzelen om haar tweeëndertig-karaats verlovingsring te bewonderen, die veel te groot was om ordinair te zijn, en aan het fantastische leven te denken dat voor haar lag als de toekomstige vrouw van de rijkste oliebaron van Houston. Hij was onvoorstelbaar rijk. Niets ter wereld zou onbereikbaar voor haar zijn. Zijn moeders familie kwam uit Springfield, Illinois en telde twee vice-presidenten van de Verenigde Staten, een vooraanstaand senator en een ondertekenaar van de Onafhankelijkheidsverklaring. Zijn overgrootvader van vaders kant was een pionier en roverhoofdman geweest, wat in Amerika vrijwel gelijk stond met een koninklijke rang. Sarah Fane had zich altijd heilig voorgenomen dat alles beter was dan een ongetrouwde ex-debutante te zijn, maar ze moest wel erkennen — zij het alleen tegenover zichzelf — dat ze haar jaar had verknoeid. Toch had ze er voor het afgelopen was het beste van gemaakt. Het leven in Houston, waar ze natuurlijk als koningin zou regeren, was, naar wat ze ervan had gehoord, opmerkelijk geciviliseerd. Ze zouden veel reizen. En hij vereerde haar, hield ze zichzelf voor. Zijn verering was zo tastbaar, dat ze het in haar haar kon ruiken, het om zich heen voelde dwarrelen als rook voor een afgodsbeeld. Zijn verering schiep een beeld van haar waar zelfs zij niet het minst op aan te merken kon hebben. En wat de toekomst ook in zich borg, als eerste echtgenoot was hij uitzonderlijk geschikt.

Daisy sliep de diepe slaap van complete emotionele uitputting. Ze werd de volgende morgen vroeg wakker, vervuld van een diepe, uit dromen voortgekomen vreugde. Iedere duidelijke herinnering aan haar dromen vervaagde op één fragment na, een enkele glimp, een helder beeld, waarin ze in vervoering door een heel groot veld vol bloemen rende, hand in hand met Daniëlle die net zo licht en snel kon lopen als Daisy zelf. Dat was alles. Daisy lag zwevend in een meeslepend geluksgevoel, zo lichtend en tastbaar, dat zij zich niet durfde bewegen uit angst dat dit visioen, deze volstrekt mysterieuze verschijning zou verdwijnen. Was het ooit gebeurd? Hadden zij ooit samen zo gerend? Hoe oud konden zij zijn geweest? Ze had geen herinnering aan zo'n ervaring, maar ze voelde heel diep in haar hart, dat het moest zijn voorgekomen. Of, als het nooit was gebeurd, dan was het nú gebeurd in zó'n levendige droom, dat het een herinnering was geworden, werkelijker dan de werkelijkheid zelf. Het was een deel van haar bestaan, voorgoed gekristalliseerd in licht en kleur en de sensatie van het rennen. Zij en Daniëlle hadden die nacht samen gerend en zij waren allebei gelukkig geweest. Zo gelukkig, samen en gelijkwaardig.

De vervoering van die droom duurde voort en dat heerlijke visioen hield nog aan toen de telefoon al begon te rinkelen en het tot Daisy doordrong dat ze vliegensvlug moest maken dat ze uit de flat wegkwam. Ze trok haastig een spijkerbroek, sandalen en een dunne donkerblauwe, katoenen coltrui aan.

Ze wond al haar haar stevig om haar hoofd heen en speldde het ongeduldig vast. Toen wikkelde ze een grote donkerblauw met rode shawl om haar haar, zodat er geen sliertje meer was te zien. Vervolgens zette ze de grootste zonnebril op die ze kon vinden, en toen ze in de spiegel keek, was ze ervan overtuigd dat niemand haar zou herkennen. Het was nu even over negenen en de telefoon bleef maar doorbellen, acht, negen keer, hield op en begon dan weer opnieuw.

Daisy maakte Theseus aan zijn riem vast en liep snel naar buiten, weg van de telefoon, weg van elk contact met iemand die haar probeerde te pakken te krijgen. Ze nam een taxi door het ochtendverkeer van Soho helemaal naar Park Avenue en daarna in westelijke richting, waar ze bij de 72e Straat het park doorstak. Toen de chauffeur bij de Sheep Meadow was, stapte ze uit, betaalde hem en liet Theseus los ronddartelen. Om haar heen zwermden andere mensen met honden, de kinderen die met frisbees speelden, de eeuwige volleyballers, de jonge paartjes die op dekens onder de ochtendzon zaten te knuffelen, zo helemaal geïnstalleerd alsof ze daar de hele nacht hadden gezeten. Daisy ging met gekruiste benen op het armzalige gras naar de torens van de stad om zich heen zitten kijken.

Na een paar minuten was Daisy zich bewust van een gevoel dat als een getij van haar tenen tot aan haar haarwortels steeg. Een gevoel dat haar onbekend was en dat ze niet kon aanduiden, hoewel ze wist dat het belangrijk was. Ze trachtte de essentie te vatten, maar pas nadat ze naar Theseus had zitten kijken, die wild en vrij rondrende, van de ene kant van het uitgestrekte veld naar het andere, met de onstuimige energie van een hond die bijna altijd streng in bedwang moet worden gehouden, begon ze het te begrijpen. Ze voelde zich vrij. Ze had het gevoel, alsof er een grote hoop puin uit het verleden was weggevaagd. Puin met een aangekoekte laag slib en modder, als voorwerpen die door een duiker uit een gezonken schip naar boven worden gehaald. Puin dat haar geketend had gehouden. Die zware, bemodderde last had zoveel van haar aandacht gevergd. Ze had zich eerst van het verleden moeten ontdoen, voor ze in de zee van de toekomst kon duiken. In één klap had Ram haar, hoe meedogenloos ook, bevrijd van een leven, waarin ze gebonden en monddood was geweest door redeloze taboes, angsten en geheimen. Ze was bij wrede verrassing uit het labyrint naar buiten gevoerd, de frisse, schone lucht in door een daad die was bedoeld om haar te vernietigen. Weer zag ze Ram op La Marée in die dekstoel liggen, wenkend, altijd wenkend en deze keer had ze haar eerste stap gezet om hem te vergeten.

Een groezelig jongetje struikelde over de benen van Daisy en viel huilend in haar schoot. Ze troostte hem tot zijn moeder hem, zonder zich bijzonder te haasten, kwam halen. Er hing nog een kindje in een draagband op de rug van de vrouw. Daisy gaf het kind zonder tegenzin terug en verdiepte zich weer in haar gedachten.

In Londen had ze Shannon gevraagd hoe ze haar schuldgevoelens voor Dani's toestand door denken ongedaan kon maken, omdat pure logica haar zei dat het haar schuld niet was. Hij had geantwoord, dat het misschien nodig was een waarheid die verkeerd is te vervangen door een waarheid die juist is. Maar als er nu eens een derde oplossing was? Als ze het nu eenvoudig maar moest laten gaan? Het lag niet op haar weg iemand te beschuldigen. Waarom zou zij haar hele leven beknot moeten zijn door wat het ook was dat haar vader en moeder elkaar — en haar en Dani — hadden aangedaan?

De bewering van Ram, dat Dani een normale jeugd had kunnen hebben, werd weerlegd door tientallen herinneringen die Daisy aan de tijd in Big Sur had, of de verschillen die ze van de vroegste tijd die ze zich kon herinneren tussen haar en Dani had gezien. Haar droom dat ze in een veld vol bloemen had gerend — ze wist nu, dat het nooit was gebeurd. Dani had nooit zo kunnen rennen. Maar Rams leugens waren gedrukt, en alle ophelderingen en herroepingen konden de mening van het publiek niet meer veranderen. Maar wat deed dat ertoe?

Alle betrokkenen waren nu dood. Al die vroegere verwijten van Ram deden Daisy beseffen hoezeer ook zij in het net van het verleden was verstrikt geraakt.

Plotseling bevond Daisy zich in de vuurlijn tussen vier springende en schreeuwende frisbeespelers. Ze bleef rustig zitten, terwijl zij de plastic schijf zonder haar te raken over haar hoofd wierpen. Enkele minuten later verplaatste het spel zich wat verderop, en hun aansporingen tegen elkaar stierven weg. Haar gedachten richtten zich nu op de gevoelens waar ze in haar leven zo vaak mee had geworsteld. Het gevoel dat ze een bedriegster en niet prinses Daisy was, niet iemand met recht op die titel. Plotseling leek het haar zo duidelijk, dat ze haar adem inhield. Ze was geen prinses Daisy geweest omdat Dani geen prinses Daniëlle was geweest. Al die tijd dat Daniëlle voor iedereen verborgen was gehouden, had ze de gedachte aan haar, intiemer dan een zuster kon zijn, altijd in haar hart gedragen. De wetenschap, dat Dani gedoemd was om nooit volwassen te worden had haar verhinderd haar eigen leven echt te leven. Ze was er altijd voor teruggedeinsd het geluk te nemen als iets wat haar toekwam. Ze had zich niet gerechtigd gevoeld de vreugden die op haar weg waren gekomen tot de bodem te genieten. Maar nu! Nu waren zij en Dani herenigd. Daar in 'People' stond ze met haar arm om het tweelingzusje dat haar zo lang geleden was afgepakt. Hun scheiding was voorbij. Hun verwantschap vanaf de geboorte was voor eens en altijd erkend. En nu kon Daisy toegeven, dat Dani op haar eigen manier gelukkig was, en dat niets wat Daisy níet deed Dani gelukkiger zou kunnen maken. Ze kon het verleden niet veranderen. Dat was onmogelijk. Dat was altijd onmogelijk geweest.

En in die droom, in die droom . . . waren zij allebei gelukkig geweest.

Theseus kwam aandraven met een duif losjes in zijn bek en legde de spartelende vogel in haar schoot. Hij was ongedeerd en verontwaardigd, en Daisy die de brutale boevenstreken van

Newyorkse duiven kende, keek er niet van op toen hij waardig vlug wegtrippelde.

'Nee, Theseus. Stoute hond.' Ach, waarom niet, dacht ze, hij mocht er best nog een pakken als hij kans zag. Hij maakte ze toch nooit dood. 'Ga maar rennen, Theseus, zoveel als je wilt. Brave hond.'

Wat was het dat ze altijd gemeend had te willen hebben? De vrijheid om zichzelf te worden? Nou, lieve hemel, ze was zichzelf geworden, of ze wilde of niet, in kleur en in zwart-wit en honderden woorden tekst. In weerwil van Rams onjuistheden, was haar dubbelleven van geld verdienen om Dani op de Queen Anne-school te houden nu algemeen bekend. En wat dan nog? Ze had nog nooit een portret gemaakt waar ze zich voor schaamde. En wat maakte het voor verschil, dat ze het Elstree-contract had getekend om haar vrijheid tegenover Ram te kopen? Ze had het recht over zichzelf te beschikken zoals zij verkoos, precies als iedere andere vrouw. Ze hoefde zich geen kopzorgen te maken over de naam Valensky — ze wás de naam Valensky, en ze kon ermee doen wat ze wilde. Wat had Ram zich als een gewichtige, bekrompen zak aangesteld. Daisy wist precies wie ze was en ze wist waarom het het Supracorp een miljoen dollar waard was de rechten te verkrijgen van een image, dat kon worden gefotografeerd en geïnterviewd. Een image dat een potentieel winstgevende benadering was van iemand die prinses Daisy heette. Maar wat maakte het uit zolang zij duidelijk het verschil tussen die twee kende? De mensen om wie ze gaf kenden dat verschil: Kiki, Luke, Anabel — zelfs Wingo en Nick-de-Griek. En North. Om eerlijk te zijn, North had ook het verschil geweten. Misschien was hij daarom wel zo kwaad op haar.

En Patrick Shannon. Daisy inspecteerde kritisch het kale gras van de Sheep Meadow voor ze er op ging liggen. Patrick Shannon. Patrick Shannon. Hij hield van haar. Hij hield niet van het begrip 'Prinses Daisy' — hij hield van Daisy. Ze was gisteren zó hevig gekweld geweest, dat zijn woorden niet in hun volle omvang helemaal tot haar waren doorgedrongen. Maar nu ze naar de lucht boven Central Park omhoog lag te staren, sprong haar hart, waar de afgelopen vierentwintig uur veel te veel mee was gebeurd, als een loslopende stropershond omringd door fazanten in het rond. Hoeveel van haar mooie nieuwe moed, vroeg Daisy zich af, hoeveel van dit gevoel van verrukkelijke vrijheid, hoeveel van haar nieuwe wijsheid, hoeveel van deze onmiskenbare intuïtie van permanente verandering kwam van de wetenschap dat Patrick Shannon van haar hield? Hoeveel kwam van het besef, dat zij van hem hield, zoals zij nog nooit van een man had gehouden en ook nooit meer zou doen?

Daisy sprong op. Dát was ook weer zo'n vraag, waar geen antwoord op nodig was. Naar de hel met al dat wegen, meten, uitpluizen, op de proef stellen, terughouden, berekenen, zich beschermen; altijd maar weer zich beschermen. Afgelopen! Ze keek op haar horloge.

Ze had nog een half uur voor ze met Kiki in de dierentuin had afgesproken. Ze floot Theseus en ontweek nog een frisbee. Toen ze zich bukte, raakte haar haar er bijna tussen verstrikt. Daisy ging verbaasd rechtop staan. Waar was haar shawl gebleven? Ze draaide zich om en zag hem liggen waar ze had zitten denken. Kennelijk . . . blijkbaar, tenzij je in geesten gelooft die shawls losknopen en je haar losmaken, moest ze het zelf hebben gedaan. Daisy lachte vrolijk en zocht in haar schoudertas naar het borsteltje dat ze daarin had. Ze borstelde haar zilvergouden haar uit, borstelde net zo lang tot het als een cape over haar rug viel en als duizend glinsterende vlinders in de wind danste. Ze keek in haar zakspiegeltje en deed wat poeder op haar neus en roze glans op haar lippen. Ze stak haar zonnebril in haar tas, stopte haar truitje in, haalde de shawl door de lussen van haar spijkerbroek en strikte hem van voren met een grote lus dicht.

Daisy en Theseus slenterden op hun gemak naar de dierentuin. De trotse hond en de trotse prinses, allebei met opgeheven hoofd. Toen ze bij de dierentuin kwamen werd het steeds drukker. Het mooie najaarsweer had half New York op de been gebracht. Niet alleen de kindermeisjes en de kinderen, de werklozen en de ouden van dagen. Toen Daisy bij een bank kwam, kregen twee vrouwen van middelbare leeftijd die daar zaten en elkaar een exemplaar van 'People' doorgaven, haar in het oog.

'O, kijk eens! Dat is ze vast!' zei de ene vrouw tegen de andere.

'Ik geloof — ja, je hebt gelijk. O, ik kan het niet geloven, Sophie, ik kan het gewoon niet geloven.'

'Ik ga haar handtekening vragen,' zei de eerste vrouw opgewonden.

'O, nee, dat durf je niet, o, Sophie, niet doen.'

'Let maar eens op.' De vrouw griste het tijdschrift uit de handen van haar vriendin en liep naar Daisy toe.

'Neemt u me niet kwalijk, maar u bent toch prinses Daisy?' vroeg ze.

Daisy bleef staan. Nu begon het dus. Ze had niet gedacht dat het zó vlug zou gaan. Ze glimlachte tegen de vrouw.

'Ja, zeker, dat ben ik.'

'Zou ik uw handtekening kunnen krijgen — alstublieft?'

'O, dat is — dat is goed — best hoor — maar ik heb niets om mee te schrijven.'

'Alstublieft, hier is een pen.' Daisy nam hem aan en begon haar naam op het omslag te schrijven.

'Nee, nee,' protesteerde de vrouw, nam het tijdschrift en sloeg het bij de foto van Daisy en Daniëlle open. 'Hier wil ik het graag. Zou u het aan Sophie Franklin willen richten? Het wordt gespeld S-o-p-h-i-e- F-r-a-n-k-l-i-n,' zei ze er behulpzaam achter. Daisy keek naar de grote zwart-wit foto. Twee meisjes, samen, allebei lachend, allebei gelukkig. Ze schreef vlug, gaf het tijdschrift aan de vrouw terug en liep verder.

'O, kijk nu eens wat ze heeft geschreven,' zei Sophie Franklin opgetogen tegen haar vriendin. 'Hier — er staat "Met de beste wensen voor Sophie Franklin van prinses Daisy en prinses Daniëlle Valensky." Nou! En jij wilde niet hebben dat ik het vroeg!'

Kiki zat grimmig aan een tafeltje op het terras van de dierentuin; ze omklemde een lege stoel en snauwde mensen af die bij haar aan het tafeltje wilden gaan zitten, zoals daar de gewoonte was.

'Is die stoel bezet, dame?'

'Daisy!'

'Neem me niet kwalijk — ben ik te laat?' lachte Daisy en ging op de stoel zitten.

'Nee — ik ben hier al vroeg gekomen — maar . . . mijn God, Daisy, je ziet er fantastisch uit!'

'Zo, wat is er nog meer voor nieuws?'

'Daisy!'

'Kiki, zouden we die uitroepen van "Daisy" om de andere zin misschien weg kunnen laten? Ik weet dat ik Daisy ben, jij weet dat ik Daisy ben, we weten allebei dat ik Daisy ben, dus waarom maak je daar zo'n punt van?'

'Daisy!'

'Nu kom je nog steeds niet tot de kern, Kiki.'

'Je slaat de spijker op de kop,' zei Kiki. 'Ik zag mezelf eigenlijk meer als een sint-bernhardshond of een ridder in een blinkend harnas of op zijn minst een vriend in nood. En wat ik zie is een bloeiende, ronduit stralende . . . nee, meer iemand die ijlt . . . wat bezielt je?'

'Ik beziel mezelf.'

'Dat zegt me niets.'

'Mij wel en daar gaat het om. Arme lieve Kiki, wat zul jij in ongerustheid hebben gezeten. Het spijt me dat ik je zoveel ellende heb bezorgd.'

'Mij? Ik heb me dol geamuseerd, vergeleken bij al die anderen die bij deze toestand zijn betrokken. Luke kwam gisteravond volslagen uitgeput thuis. En de media-afdeling heeft de hele middag aan de telefoon gezeten om de radioreclame en de gedrukte advertenties te annuleren — alles wat nog kon worden tegengehouden . . .'

'Wacht even! Het enige wat Pat zou annuleren waren mijn interviews, het bezoek aan de warenhuizen en misschien het feest! Waar heb je het over?' vroeg Daisy verschrikt.

'O, Christus. Misschien had ik het niet mogen zeggen . . . ik weet het niet . . . Ze hadden gisteren een vergadering bij Supracorp en daar heeft Shannon gezegd, dat hij van het hele prinses Daisy-merk afziet. Luke is het met hem eens dat er zonder jou van de hele zaak niets terecht komt. Shannon heeft besloten zijn verlies maar te nemen voor zij er nog meer geld aan uitgeven dan ze tot nu toe hebben gedaan. Luke zegt dat er alles bij elkaar de afgelopen acht maanden wel veertig miljoen zijn weggegooid. Hij zegt dat ze waarschijnlijk Elstree zullen proberen te verkopen — als het nu tenminste iets waard is.'

'Maar Kiki, ik ga die publiciteit en de warenhuizen wel doen. Ik ga alles doen — alles wat ik heb gezegd dat ik zou doen.'

'Daisy!' kreunde Kiki. Ze wilde dat haar vriendin wat duidelijker was. Al die veranderingen waren nogal verwarrend.

'God, Kiki, waar is de telefoon? Stel dat het te laat is?' zei Daisy die plotseling begreep wat er op het spel stond.

'Ze kunnen de annuleringen toch annuleren!' schreeuwde Kiki naar Daisy die vliegensvlug het cafetaria inrende. 'Niets aan de hand!' Ze ging zitten en keek naar Theseus. 'Vraag me niet waarom, jongen,' zei ze, 'maar ik ga acht worstjes voor je kopen. Nee? Tien? Nou, goed dan, ik zal er een dozijn van maken. We weten allebei dat je verwend bent, dus we hoeven elkaar niets wijs te maken.'

In de telefooncel frommelde Daisy buiten zichzelf in haar portemonneetje, dat bol stond van allerlei onbruikbare geldstukken. Eindelijk viste ze er twee kwartjes uit. Ze draaide

Supracorp, kreeg een verkeerd nummer en luisterde ontzet naar het eerste kwartje dat viel. De tweede keer draaide ze met de zorgvuldigheid van een wetenschapper die een gevaarlijke bacterie-cultuur onder handen heeft.

'Met het kantoor van meneer Shannon,' zong een van zijn secretaressen, nadat Daisy door de centrale was doorverbonden.

'Kan ik hem even spreken?' vroeg ze; ze ademde zo snel dat ze nauwelijks kon spreken.

'Het spijt me, meneer Shannon is in conferentie en hij heeft uitdrukkelijk gevraagd hem niet te storen,' zei de secretaresse met de zelfgenoegzaamheid van de schoenverkoper die zegt dat hij helemaal niets in jouw maat heeft. 'Kan ik een boodschap doorgeven?'

Daisy haalde diep adem en sprak met een stem van klinkend metaal. 'U spreekt hier met prinses Daisy en ik wil meneer Shannon onmiddellijk spreken,' commandeerde ze.

'Een ogenblikje, graag.'

'Ik sta in een publieke telefooncel en ik zit helemaal zonder klein geld en als u mij niet in twee seconden doorverbindt, zal ik . . .' Daisy ontdekte dat ze tegen de lucht praatte. De secretaresse had haar geblokkeerd.

'Daisy?' zei Shannon en zijn stem klonk ernstig bezorgd.

'Pat, is het te laat?'

'Te laat voor wat? Gaat het goed met je?'

'Ja,' zei ze vlug. 'Uitstekend. Maar is het te laat om die hele Elstree-toestand weer in elkaar te zetten? Alles, de hele campagne, mijzelf inbegrepen, de media, de warenhuizen, alles — is het te laat om alles nog terug te draaien?'

'Wacht nu eens even, hoe weet je wat er aan de hand is?'

'Dat heb ik van Kiki gehoord, maar daar gaat het niet om. Pat, het is te ingewikkeld om het aan de telefoon uit te leggen, maar ik heb . . . o, ik ben nu helemaal mezelf geworden, dat is de beste manier om het te zeggen . . . het is . . .'

De telefoniste zei op neutrale toon: 'Vijf cent voor de

volgende vijf minuten, alstublieft.'

'Daisy, waar ben je?' schreeuwde Shannon.

'Wilt u vijf stuivers aannemen, juffrouw?' vroeg Daisy smekend.

'Daisy, wat is het nummer daar in godsnaam?'

'O, Pat, moet je luisteren, al was ik één van een vijfling geweest dan was ik nog mezelf. Al zou ik al mijn haar afknippen of zwart verven; al zou ik nooit meer paardrijden of schilderen. Al zou ik leren snelschrijven of parachutespringen, of binnenhuisarchitecte of filmster of boekbindster worden, dan was ik nog steeds mezelf,' zei ze in vervoering.

'Waar bel je in hemelsnaam vandaan?'

'Uit de dierentuin. Pat, begrijp je het nou? Ik ben de persoon die je kent, ik ben haar — of is het zij? — enfin, ik ben niemand anders, ik ben ik, Daisy Valensky, van binnen en van buiten, helemaal tot in de grond en ik vind het fijn. Het geeft me voor het eerst een goed gevoel, echt heel erg goed, en het is werkelijk, Pat. Zó werkelijk alsof ik het verdien, met de goede en slechte kanten — o, ik vergeet het steeds — het is toch niet te laat om de plannen voor de Prinses Daisy-toestand weer op te nemen, wel, en de annuleringen te annuleren?'

'God, nee, natuurlijk niet, maar Daisy, waar ben . . .'

Zijn stem werd verbroken en vervangen door de hoge toon van een telefoon die niet meer werkte.

Daisy keek verbaasd naar het kastje aan de muur. Zij, die met de grootste doeltreffendheid ontelbare ingewikkelde locaties had georganiseerd, had verzuimd de grondregel op te volgen die van de nederigste produktie-assistent werd verlangd: als je uit een openbare telefooncel belt, geef je je nummer op, en wacht tot je wordt teruggebeld. Ze hing de telefoon op en ging naar Kiki om wat kleingeld te lenen. Ze was nog niet uitgepraat met Patrick Shannon, nog lang niet.

Als iemand lang genoeg in Manhattan woont, gaat hij het feit accepteren, dat er in een willekeurig jaar maar een stuk of twaalf volmaakte dagen zijn. Dagen waarop New York City weer dat door de zee omringde licht heeft waaraan het vroeger zo'n groot deel van zijn betovering ontleende. Dagen waarop de wind de stad schoonveegt, maar niet zó hard waait dat het vuil op het asfalt rondstuift. Dagen waarop men zich kan herinneren en kan begrijpen, dat de stad ooit landelijk gebied is geweest, omringd door snelstromende rivieren. Dagen, waarop men een helder uitzicht heeft van de Hudson River tot de East River, en dagen ook waarop de New Yorkers zichzelf geluk wensen, dat zij het de rest van het jaar volhouden.

Op de avond van zo'n dag vond het Russische Winterpaleisfeest plaats. Er daalde een onverwachte kalmte in het door vele kleinigheden geplaagde gemoed van Candice Bloom neer, toen ze die ochtend wakker werd, het raam uitkeek en de lucht opsnoof. Ze wist meteen, dat er in de gelederen van de vierhonderdvijftig werknemers van Warner Le Roy in de Tavern op de Green op het laatste nippertje niemand ziek zou worden. Er zou niet één van de zorgvuldig uit de bovenlagen van alle delen van de in elkaar overgaande werelden van de uitgaande kringen, de kunsten en de macht van New York gekozen zeshonderd gasten verzuimen te verschijnen. Er zou geen probleem zijn met het beeldhouwwerk van ijs dat smolt voor het kon worden tentoongesteld; geen van de voor de trojkas gespannen paarden zou met zijn kostbare passagiers op hol slaan. De avond zou zoel zijn, de sterren zouden duidelijk zichtbaar in de pruimkleurige lucht van New York staan, en het zou niet nodig zijn een tent op het terras van het restaurant op te zetten, waar gisteren nog zevenhonderd potten met grote margrietstruiken die uit Californië waren overgevlogen, waren neergeplant. Er was geen maan, maar wie had een maan nodig met tweeduizend kaarsen en zestigduizend flikkerlichtjes? Ze wist in alle botten van haar lange, dunne lichaam dat vrijdag, 16 september 1977, haar geluksdag zou zijn.

Daisy werd diezelfde ochtend vroeg wakker in een ogenblik

van verwarring voor het tot haar doordrong, dat ze de vorige avond bij Patrick Shannon in bed was gestapt en er niet meer was uitgekomen. Dit was de eerste keer dat ze een hele nacht in zijn flat was gebleven. Dat was volgens haar helemaal de schuld van Lucy, de stropershond van Shannon, die na eerst met Theseus te hebben geflirt, vervolgens zijn toenaderingen belachelijk lang afwees. Op een gegeven ogenblik had ze haar staart resoluut tussen haar poten gestoken en hem in de neus gebeten — en was eindelijk, grillig als ze was, van mening veranderd, net toen Daisy op het punt stond de terneergeslagen maar nog steeds bereidwillige Theseus mee naar huis naar zijn eigen kussen te nemen. Lucy was geen gemakkelijke klant, dacht Daisy slaperig, maar als er ooit een kans was om pups van echte stropershonden te fokken zodat ze er een aan Kiki kon geven, zou ze die teef moeten dulden. Ze viel weer enkele minuten in slaap en werd wakker in Shannons armen. O, maar dit lag helemaal buiten het rijk van vroegere ervaringen, dit gevoel van diepe, geborgen vreugde. Haar hele lichaam danste van hoofd tot voeten van blijdschap en ontvankelijkheid. Er was geen enkele barrière tussen hen, zoals ze in elkaar verstrengeld schenen te liggen in een vijver van gouden licht; zuiver, vrolijk en doordringend, ook al was de zon zelf de kamer nog niet binnengekomen. Daisy had een gevoel alsof ze in het middelpunt van de aarde was, als de pit van een grote vrucht, en tegelijkertijd had ze het gevoel alsof ze samen naar de rand van de wereld, de uiterste grens van de ervaring, vlogen.

'Is dit het paradijs?' fluisterde ze tegen hem.

'Dit is liefde,' fluisterde hij terug, en toen ze zich oprichtte om haar armen om zijn hals te slaan, voelde hij de tranen van geluk op haar wangen.

De machines om sneeuw te maken waren begonnen op het ruiterpad, dat langs de ingang tot het park bij Central Park South en de 59th Street liep. Ze hadden een dik sneeuwtapijt van dertig meter breed neergelegd, helemaal tot aan de Tavern in de 67th Street. Daar loopt het ruiterpad vlak langs het terras van het restaurant en de sneeuwmakers gingen voort met het pad bedekken tot het terras uit het gezicht was. Toen keerden ze om en bedekten het voorplein van de Tavern en de straat die op Central Park West uitkwam, zodat de gasten of ze nu per limousine of per trojka arriveerden, allemaal in de winterse sneeuw terechtkwamen. Jenny Antonio had helemaal uit Florida, Maine en Texas dertig trojkas gehaald en ze naar New York laten vervoeren. Maar zelfs zij had er niet genoeg kunnen krijgen voor al die zeshonderd gasten. Trojkas zijn schaars in de Verenigde Staten, en ondanks het feit dat volgens het woordenboek ieder voertuig, getrokken door drie paarden, redelijkerwijs een trojka kan worden genoemd, had Candice er op gestaan alleen die arresleden te nemen die er — zo niet echt Russisch — dan toch tenminste buitenlands uitzagen.

De Dienst Parken had Supracorp toestemming gegeven de trojkas met de koetsiers en de paarden bij elkaar te brengen en een tijdelijk platform op te trekken, waar zij hun passagiers konden ophalen en laten vertrekken. De hoofdontwerper van Joseph Papp had het, geïnspireerd door het geld van Supracorp, een gezond kapitalistisch aanzien gegeven. Het resultaat was een met bloemen versierd paviljoen van latwerk, dat de suggestie wist te wekken hoe het Kremlin er uit zou kunnen zien als iemand met smaak er de hand op kon leggen. Grote vlaggen, in Prinses Daisy-lazuursteenblauw, met het gestileerde enkele madeliefje er op geborduurd, waaiden van alle hoeken van het paviljoen, dat baadde in voetlichten en licht van schijnwerpers die vernuftig in de bomen waren verstopt. Alle dertig trojka-koetsiers waren door een ontwerper van theaterkleding uitgerust in originele lange overjassen met bijpassende steek, sommigen in het rood, sommigen in het groen en weer anderen in het blauw.

Toen 's avonds de schemering begon te vallen, reden Candice Bloom en Jenny eerst met hun gehuurde limousine naar de Tavern op de Green waar zij voor het laatst inspecteerden of alles in orde was, en even bij de tien ijsbeeldhouwers bleven kijken, die de laatste hand aan hun werk legden. De persfotografen hadden zich reeds bij de ingang van het restaurant verzameld. Candice constateerde dat ze meer zigeunerviolisten had gehuurd dan nodig waren, en gaf een aantal van hen opdracht om tien blokken verder naar het paviljoen te sjouwen, waar ze voor de speciale eregasten die waren uitgenodigd daar bij elkaar te komen en per trojka te arriveren, konden spelen.

Een dozijn kelners begon de tweeduizend kaarsen in de zilveren kandelaars aan te steken. Candice en Jenny stapten weer in hun lange, zwarte wagen en werden voor het lege paviljoen afgezet. Ze hadden nog een paar minuten voordat Daisy en Shannon zouden aankomen, zodat ze naar het restaurant konden worden gereden voordat de eerste gasten arriveerden. Candice, rillend van de zenuwen, boog zich over haar onberispelijke, met zorg samengestelde, waarschijnlijk volmaakte lijst, een schepping van de voorlichtingsdienst die, beweerde ze, een eigen academische opleiding verdiende.

Trojka Een: Prinses Daisy en Patrick Shannon.

Trojka Twee: Burgemeester Koch, gouverneur Carey, Anne Ford en Bess Myerson.

Trojka Drie: Sinatra, Johnny Carson, Sulzberger en Grace Mirabella van 'Vogue'.

Trojka Vier: John Fairchild, Woody Allen, Helen Gurley Brown, David Brown en Rona Barrett.

Trojka Vijf: Streisand, Peters, Barbara Walters . . .

Iets stoorde haar in haar vrome overpeinzing, er bewoog iets dat er in dat hel verlichte, wachtende, met bloemen overladen paviljoen nog niet hoorde te zijn. Nee, dacht Candice, nee, dat kon Theseus eenvoudig niet zijn. Hij stond *niet op haar lijst.* Groot, harig en deze keer afschuwelijk uitgelaten in plaats van schuw, denderde het angstaanjagende beest het paviljoen binnen, zijn kop op een sinistere manier gebogen en haar aankijkend met een kwaadaardige blik die blijkbaar een of andere aanval voorspelde. Candice stond versteend van afgrijzen. Het vreselijke dier kwam zijdelings op Candice af en snuffelde aan haar kruis met een overgave die, als ze het had geweten, een welgemeend compliment betekende. Ze sidderde van verontwaardiging.

'Hij vindt je aardig,' zei Daisy.

Toen drong het pas tot Candice door, dat Theseus stevig aan een lijn van met zilveren lovertjes bezette linten, waar een ruikertje madeliefjes doorheen was gevlochten, vastzat. Ze werd er voor behoed hardop te jammeren, maar ze durfde nog steeds niet op te kijken en zei met een bevende angstige stem: 'Daisy, wat is dat in godsnaam voor een soort hond?'

'Een edele stropershond,' antwoordde Daisy, waarmee ze de vraag voorgoed afdeed.

Toen Daisy naar voren kwam, brak al het licht in miljoenen glinsterende staafjes, toen het door haar japon werd gereflecteerd. Hij was bezaaid met lovertjes, en om het smalle middel waren stroken van gouden en bronzen lovertjes geweven alsof het linten waren. Diezelfde stroken vormden een wijde boog om de hoge hals en markeerden een wijde zoom. De japon was een voorbeeld van ongeëvenaard theatraal effectbejag, zoals in de afgelopen vijftig jaar niemand had durven dragen. Een japon om eenmaal in het leven te dragen, alleen geschikt om na vanavond aan een museum te schenken.

Daisy en Patrick Shannon, met Theseus tussen hen in, liepen het paviljoen door en gingen naar buiten, waar een zilver gelakte trojka vol bloemen voor hen klaarstond. De potige koetsier bekeek ze alledrie met een vriendelijke blik.

'Zegt u het maar als u klaar bent, en dan moet u achteroverleunen tot hij gaat rijden,' verkondigde hij.

'Mag ik alstublieft de teugels hebben?' vroeg Daisy. 'Als u uitstapt kunt u de volgende trojka mennen.'

'U kunt hier niet mee rijden, juffrouw,' antwoordde de man verschrikt.

'Als ik dát niet kan,' lachte ze, 'dan bestaat er geen erfelijkheid.

'Het is uw eigen risico,' waarschuwde hij haar.

'Dat zal wel . . . maar dat houdt mij niet tegen.'

De koetsier die zijn nederlaag erkende, sprong er in zichzelf mopperend uit.

Prinses Daisy Valensky stond met één vloeiende, onbezorgde beweging op, verplaatste haar gewicht stevig en gelijkelijk over beide benen, strekte haar armen uit en verzamelde de zes teugels in een gebaar dat de nacht deed zingen. Bij haar aanraking werden de paarden rustig en wachtten gedwee. Shannon en Theseus gingen op hun gemak zitten en keken naar haar op. Ze was sterk, plooibaar, sereen en blij; meesteres en dienares van het ogenblik.

'Nou?' zei ze vragend tegen Shannon. 'Wat vind je van "Tallyho"?'

'Ik geef de voorkeur aan "Lafayette, hier zijn we",' antwoordde hij.

'Maar waarom niet "en avant"?' vroeg Daisy, om de vreugde te rekken.

'Misschien is zelfs een eenvoudig "hortsik" ook goed,' antwoordde hij, en voelde even een ogenblik medelijden met alle mannen in de wereld die niet Patrick Shannon waren.

De zilveren belletjes van de paarden rinkelden liefelijk in de avond, en met één moeiteloos gebaar, zo onberispelijk en afdoend, dat ze geen commando meer hoefde te geven, zette Daisy de drie witte paarden in galop en liet de trojka over de sneeuw voortsnellen naar de lichtjes die, zoals zij wist, in de verte wenkten.